»Meine drei Leben«, so lautete Stefan Zweigs Arbeitstitel für sein großes Buch »Die Welt von Gestern«. Die Lehr- und Wanderjahre bis zum Ende des Ersten Weltkrieges, die Erfolgsjahre des »Schriftstellerbetriebes« Stefan Zweig in Salzburg, schließlich die Exiljahre in Großbritannien, den USA und Brasilien – sie bilden die drei großen Blöcke in Stefan Zweigs Biographie.

Oliver Matuschek kann sich für seine Lebensbeschreibung auf eine Fülle neu zugänglicher Quellen, Forschungsergebnisse und bisher unbekannten Materials stützen. Er erzählt fesselnd das ausgefüllte Leben eines vom Erfolg verwöhnten Schriftstellers, das durch die Zeitläufe bedingt eine Wendung nimmt und tragisch im gemeinsamen Freitod mit seiner zweiten Frau Lotte in einer brasilianischen Kleinstadt endet. Überdies widmet sich Matuschek allgemeinen Fragen wie Stefan Zweigs Reisen, der Herangehensweise an die Stoffe seines Werks und dem Verhältnis Zweigs zu seinen Kollegen und Verlegern.

Oliver Matuschek, geboren 1971, studierte Politologie und Neuere Geschichte. Er ist Mitautor mehrerer Dokumentarfilme zu historischen und politischen Themen. Von 2000 bis 2004 Mitarbeiter des Herzog Anton Ulrich-Museums in Braunschweig, 2008 Kurator der Ausstellung »Die drei Leben des Stefan Zweig« im Deutschen Historischen Museum in Berlin; Forschungsaufenthalte u. a. in den USA, in Israel, Großbritannien, Österreich und in der Schweiz. Zahlreiche Veröffentlichungen zu Stefan Zweig, darunter: »*Ich kenne den Zauber der Schrift*. Katalog und Geschichte der Autographensammlung Stefan Zweig« (2005).

Unsere Adresse im Internet: www.fischerverlage.de

Oliver Matuschek

Stefan Zweig

Drei Leben –
Eine Biographie

Fischer Taschenbuch Verlag

Ungekürzte Ausgabe
Veröffentlicht im Fischer Taschenbuch Verlag,
einem Unternehmen der S. Fischer Verlag GmbH,
Frankfurt am Main, Oktober 2008

© 2006 S. Fischer Verlag GmbH, Frankfurt am Main
Satz: ottomedien, Darmstadt
Druck und Bindung: CPI – Clausen & Bosse, Leck
Printed in Germany
ISBN 978-3-596-16685-5

Für Martin Bircher
1938–2006

Inhalt

III.

»Der äußere Eindruck, den man von diesem eigenartigen Menschen gewinnt, verwischt manche Vorstellung, die man sich von dem Dichter Stephan Zweig gemacht hat. Eine Begegnung mit ihm ist beileibe nicht enttäuschend, nur so ganz anders, als erwartet. Sein Wesen ist so behutsam reserviert und bescheiden, daß man im Gespräch über Alltägliches die Erinnerung an die kraftvoll mächtige Sprache seiner Novellen und Romane, seiner Gedichte und Dramen verliert. Die bezaubernde Einfachheit seiner Erscheinung und seines Wesens überwältigt.«[1]

Egon Michael Salzer im *Neuen Wiener Journal*, August 1934

Blick auf drei Leben

Im Juli 1940 traf sich der Journalist H. O. Gerngroß in New York mit einem der seinerzeit bekanntesten Schriftsteller Europas, mit Stefan Zweig. Die beiden unterhielten sich über vergangene Zeiten und Zukunftspläne, über glänzende Erfolge und düstere Vorahnungen. Zweigs Heimatland Österreich war mit dem »Anschluß« im Jahr 1938 ein Teil des Deutschen Reiches geworden, seine Bücher waren da wie dort verboten, und an eine Rückkehr war für ihn als Juden keinesfalls mehr zu denken. Als das Interview entstand, tobte der Zweite Weltkrieg schon fast ein Jahr, die Niederlande, Belgien und Nordfrankreich waren kurz zuvor von der deutschen Wehrmacht besetzt worden.

Trotz aller Rückschläge und Niederlagen wollte Zweig sich weiterhin mit ganzer Kraft der Schriftstellerei widmen und neue Bücher für sein Lesepublikum verfassen, auch wenn dies durch die Verbote in Deutschland erheblich kleiner geworden war. Und so sah der Journalist Gerngroß »auf dem kleinen Schreibtisch des Hotelzimmers, auf dem Stuhl daneben, [. . .] Blätter, quadrierte Blätter eines gewöhnlichen Abreißblocks. Sie sind bedeckt mit jener ausgewogenen und schönen Handschrift, die uns wohlvertraut ist. Und noch immer ist da die violette Tinte.« In jener für ihn charakteristischen Farbe hatte Zweig in den vergangenen Jahrzehnten Tausende Manuskriptseiten und Briefbogen beschrieben. Nun bereitete er ein besonderes Werk vor. Dazu weiß Gerngroß zu berichten: »Stefan Zweig hat die Arbeit an belletristischen Werken unterbrochen. Eine Balzac-Biographie, seit Jahrzehnten geplant, bleibt unvollendet, nicht zuletzt, weil dem Autor der Zugang zu den Archiven in Paris versperrt ist. Die Novelle (Zweig ist ihr Meister) erscheint ihm, ihrer individualistischen Problemstellung wegen, heute nicht als die richtige Ausdrucksform. Und doch schreibt er gegenwärtig das persönlichste Buch seiner Produktion: den Roman seines Lebens. Er weiss auch schon den Titel für diese Autobiographie: ›My Three Lives‹.«[2]

Unter der Überschrift *Drei Leben* wurde schließlich auch Gerngroß' Artikel in der Emigrantenzeitung *Aufbau* gedruckt. Dreigeteilt sah Stefan Zweig seine Biographie im Rückblick: Das erste Leben, das 1881 mit seiner Geburt als Sohn eines Webereibesitzers in Wien begonnen hatte und mit dem Ersten Weltkrieg sein Ende fand, hatte er in der scheinbar sicheren Welt des Bürgertums verbracht. Das zweite Leben hatte mit zahlreichen Hoffnungen in seiner neuen Wahlheimat Salzburg angefangen und ihm einen beispiellos zu nennenden Aufstieg zu einem der meistgelesenen und -übersetzten Autoren Europas beschert, ehe es mit seinem Weggang aus Österreich endete. Das dritte Leben, das er im Exil verbrachte, war zum Zeitpunkt des Interviews noch nicht lange angebrochen – es sollte das kürzeste werden.

Während der Abfassung seiner Memoiren merkte Zweig bald, daß er nicht wirklich sein Leben beschrieb, sondern eher ein großes Gemälde seiner Zeit schuf. Eigene Erlebnisse flossen zwar reichlich in den Text ein, doch das Privatleben blieb gänzlich außen vor. Seine beiden Ehefrauen und auch engste Freunde erwähnte er im ganzen Manuskript nicht ein einziges Mal. Der vorgesehene Titel erschien somit weniger passend als ursprünglich gedacht, denn unter der Überschrift »Meine drei Leben« hätten die Leser wohl ein persönlicheres Buch erwartet, als Zweig es geschrieben hatte. Schließlich erschien das Werk nach seinem Tod unter dem von ihm letztlich bestimmten und sehr treffenden Titel *Die Welt von Gestern*.

Bei jeder Betrachtung von Zweigs Biographie, so auch in der folgenden, kommt seinem Erinnerungsbuch eine zentrale Bedeutung zu. Will man aber neben dem Schriftsteller und Zeitzeugen Stefan Zweig auch den Menschen und sein privates Umfeld sehen und seine »drei Leben« genauer darstellen, so kann man dafür inzwischen auf eine Fülle veröffentlichten Materials zurückgreifen, allem voran auf die Ausgabe der Gesammelten Werke und der Tagebücher sowie auf diverse Bände mit Briefen und Briefwechseln aus der überbordenden Korrespondenz, die Zweig zeit seines Lebens führte. Und dennoch bleiben viele Fragen offen. Schon 1930 hatte seine erste Ehefrau Friderike in einem Brief an ihn die vielzitierten Worte »Dein Schrifttum ist ja nur ein Drittel Deines Selbst« geschrieben. Die Briefpassage, aus der dieser Satz stammt, ist eine beinahe einschüchternde Mahnung an jeden, der sich auf die Erforschung der Biographie Stefan Zweigs einlassen will: »Bei [. . .] gestrigen Gedanken über Deine Freunde [. . .] fiel mir andererseits schwer aufs Herz, daß Dich kein Mensch – außer mir – wirklich kennt, und daß einmal die hohlsten, blödsinnigsten Sachen über Dich geschrieben sein werden. Allerdings läßt Du Dir ja auch wenige mehr nahe genug kommen und bist, was Deine eigene Person betrifft, verschlossen (nur zu begreiflich). Dein Schrifttum ist ja nur ein Drittel Deines Selbst, und auch das Wesentliche daraus für die Deutung der anderen zwei Drittel hat niemand erfaßt.«[3]

Tatsächlich hatte sich Stefan Zweig auch in früheren Jahren nur selten öffentlich zu seiner Person geäußert. Selbst auf gute Bekannte wirkte er verschlossen, und sogar engen Freunden blieb vieles an ihm rätselhaft. Doch glücklicherweise behielt Friderike Zweig ihr Wissen nicht für sich. Neben einigen historischen Darstellungen schrieb sie in der Nachkriegszeit auch mehrere Erinnerungsbücher, die wichtige Hinweise und Deutungshilfen zum Leben und Werk ihres früheren Mannes liefern und eine Schlüsselrolle in der biographischen Forschung spielten und spielen. Schon 1947 veröffentlichte sie ihr Buch *Stefan Zweig, wie ich ihn erlebte* in deutscher Sprache. Nach zahlreichen kleineren Zeitungsartikeln und Interviews folgte fünf Jahre später eine Teilausgabe des Briefwechsels, den die beiden zwischen 1912 und 1942 geführt hatten. Zwischendurch besuchte Friderike Zweig, die inzwischen in den USA wohnte und dort 1971 starb, mehrfach ihre frühere Heimat, hielt in Wien und anderswo Vorträge und las auf gut besuchten Veranstaltungen aus ihren Werken.

1961 kam ihr Buch *Stefan Zweig – Eine Bildbiographie* auf den Markt und drei Jahre später die *Spiegelungen des Lebens,* eine eher autobiographisch angelegte Arbeit, in der Stefan Zweig jedoch bedeutende Kapitel gewidmet sind.

Wie man inzwischen weiß, sind Friderike Zweigs Veröffentlichungen von einer Melange aus mehr oder minder geschickten Manipulationen und Verschleierungen von Tatsachen durchsetzt (und dies aus mehr oder minder verständlichen Gründen). Zunächst ist anzumerken, daß sie bei der Abfassung ihrer Texte niemals den Plan verfolgte, wissenschaftliche Werke zu verfassen, sondern mit Blick auf die Interessen der Leser ihre Memoiren im Stil von Erzählungen vortrug. Dabei lagen ihr über zahlreiche Begebenheiten nur noch wenige oder sogar keine Dokumente vor, so daß sie stellenweise allein auf ihre Erinnerungen angewiesen war. Daß sich somit bei der Schilderung von Ereignissen, die zum Teil mehrere Jahrzehnte zurücklagen, Fehler einschlichen, ist nur zu verstehen. Problematisch sind dagegen bewußte Eingriffe in bestehende Texte, aus denen Friderike willkürlich Personen herausstrich oder Aussagen relativierte, ohne dies zu kennzeichnen, wobei sie im Vorwort der Briefausgabe sogar ausdrücklich erwähnt, daß keine Änderungen am Originalwortlaut vorgenommen worden seien. Der Austausch einzelner Begriffe, wie der in einem Brief Stefan Zweigs erwähnten »Piefkes«, die in der gedruckten Version zu »Reichsdeutschen« wurden, mag manchem Leser noch eine Verständnishilfe sein,[4] doch gehen die Manipulationen weit über solche kleinen Eingriffe hinaus. Insbesondere Stellen, in denen Stefan Zweigs zweite Frau Lotte erwähnt wurde, fielen Friderikes Zensur zum Opfer. Da fast alle bekannten Schriftstücke des Briefwechsels noch vorliegen, konnten zahlreiche problematische Stellen nunmehr ergänzt und dieser Biographie in der Originalfassung zugrunde gelegt werden.[5]

Wie der Briefband, so erfreuten sich auch Friderikes Erinnerungsbücher beim Lesepublikum einiger Beliebtheit, und nur wenige Personen wußten zur Zeit ihrer Veröffentlichung stichhaltige Kritik daran anzubringen. Einer davon war Stefan Zweigs älterer Bruder Alfred, der Wien 1938 verlassen hatte und bis zu seinem Tod im Jahr 1977 in New York lebte. In seiner am Central Park gelegenen Wohnung hingen an den Wän-

Stefan Zweig (links) mit seiner ersten Ehefrau Friderike Maria und seinem
Bruder Alfred im Sommer 1929 in Bad Gastein

den zahlreiche Photographien von Familienmitgliedern. Viele dieser Bilder zeigten seinen berühmten Bruder Stefan, der sich 1942 gemeinsam
mit seiner zweiten Frau Lotte das Leben genommen hatte. Fern seiner
europäischen Heimat hatte sich Alfred in den Nachkriegsjahren nicht nur
regelmäßig mit der von allen möglichen Seiten an ihn herangetragenen
und ausgesprochen unangenehmen Frage nach der kommunistischen
Tätigkeit seines Bruders herumzuplagen (da man Stefan Zweig regelmäßig mit Arnold Zweig verwechselte), sondern sah sich durch Friderikes Aktivitäten noch mit weiteren Angriffen konfrontiert.

Es sei an dieser Stelle angemerkt, daß das Verhältnis zwischen Alfred
Zweig und seiner Schwägerin Friderike niemals besonders gut oder gar
herzlich gewesen war. Spätestens mit der Veröffentlichung ihrer Erinnerungen wurde es feindschaftlich. Alfred sah in jedem einzelnen Buch Friderikes offene Angriffe gegen Mitglieder seiner Familie. Maßte sich diese

Frau doch an, detailliert über die Kindheit ihres Mannes und über dessen Leben im Elternhaus zu berichten, als hätte sie diese Tage selbst miterlebt – dabei hatte sie Stefan erst kennengelernt, als er bereits über 30 Jahre alt war. Außerdem beschrieb sie seinen Vater als schwächlich und die Mutter als eigensinnig, um sich schließlich selbst als ausgleichende Gestalt in die Biographie ihres Mannes einbringen zu können, und unterschlug gleichzeitig Details aus dem gemeinsamen Leben in Salzburg, das nicht arm an Spannungen und Konflikten gewesen war.

In vielen ihrer Anmerkungen zu Stefans Familie mochte ein wahrer Kern stecken, doch war Alfred keinesfalls bereit, die Darstellungen so zu akzeptieren, wie sie hier vorlagen. Zwar kam es für ihn nicht in Frage, selbst ein Buch als Gegendarstellung zu verfassen, und ein gerichtliches Einschreiten hätte wohl kaum zum Erfolg geführt, doch nahm er bei jeder sich bietenden Gelegenheit Stellung zu Friderikes Büchern, kommentierte und korrigierte, wo immer er konnte.

Nicht nur über Friderikes schriftliche Äußerungen war Alfred entsetzt, auch ihr sonstiges Verhalten lieferte ihm regelmäßig Anlässe zu bissigen Kommentaren. So gab sich Friderike in der Nachkriegszeit stets als Witwe Stefan Zweigs aus, was jeder Grundlage entbehrte und alles andere als korrekt war. Ihre Ehe war im November 1938 rechtskräftig gelöst worden, und auch wenn Stefan ausdrücklich gestattet und sogar gewünscht hatte, daß Friderike weiterhin seinen Nachnamen trug, war sie seither zweifelsohne seine geschiedene Frau. Aber selbst in ihrer Einbürgerungsurkunde für die Vereinigten Staaten, die am 9. Juni 1948 ausgestellt wurde, ist als Familienstand offiziell »widow« angegeben. Dies alles wäre kaum der Erwähnung wert, wenn Friderike durch diese falsche Angabe nicht kurzerhand zu verdrängen und vertuschen versucht hätte, daß Stefan Zweig nach ihrer Scheidung noch ein zweites Mal geheiratet hatte. Doch da seine zweite Ehefrau gemeinsam mit ihm in den Tod gegangen war, blieb die Witwenrolle gewissermaßen vakant und wurde bald darauf von Friderike eingenommen. Für Alfred Zweig war dies ein moralisch besonders verwerfliches Vorgehen, das ihn nur noch weiter in dem Willen anspornte, Friderikes Darstellungen seine Wahrheit entgegenzusetzen.

Freilich verfolgte auch Alfred eigene Interessen zum Schutz seiner Familie und Person, und so schlägt das Pendel in seinen Schilderungen oftmals weit in die Gegenrichtung aus, was bei deren Auswertung keinesfalls vergessen werden darf. In seinem Testament hatte er verfügt, daß alle Familienpapiere in seinem Besitz sowie die noch vorhandenen Briefe seines Bruders nach seinem Tod zu vernichten seien, was bis auf wenige Ausnahmen offensichtlich auch geschah. Dennoch konnte für die vorliegende Darstellung erstmals in großem Umfang auf unveröffentlichte Korrespondenz Alfred Zweigs zurückgegriffen werden, die in drei großen Briefkonvoluten auf mehreren hundert Seiten erhalten geblieben ist. Im einzelnen handelt es sich um:

— jene Schreiben, die Alfred Zweig den Erben Stefans und dessen zweiter Frau Lotte schickte. Häufiges Thema sind hier Fragen des Familienvermögens und die Organisation der früheren Fabrik der Zweigs, die ihnen einigen Wohlstand gebracht hatte und deren Direktor Alfred gewesen war.

— Briefe an Richard Friedenthal, der mit Stefan Zweig befreundet gewesen war und sich später um die Verwaltung seines schriftlichen Nachlasses kümmerte. Lange Zeit plante Friedenthal eine große Biographie Stefan Zweigs, für die Alfred reichlich Wissen und Material beisteuerte, vor allem aber die Schriften Friderikes kommentierte und aus seiner Sicht korrigierte. Trotz umfangreicher Materialsammlungen und Vorarbeiten nahm Friedenthal die Arbeit am Manuskript jedoch nie in Angriff.

— die Korrespondenz mit Erich Fitzbauer, der in Österreich bereits Ende der 5oer Jahre die Gründung der Internationalen Stefan Zweig-Gesellschaft vorangetrieben hatte und sich ihrer Arbeit mit großem Engagement widmete. Auch hier lieferte Alfred wichtige Informationen zur Geschichte seiner eigenen Familie sowie zur Biographie seines Bruders und überließ der Gesellschaft sogar einige Originaldokumente.

Eine weitere große Hilfe beim Versuch, im Bild Stefan Zweigs und seines Umkreises neue Facetten zu erkennen, war die tatkräftige Unterstützung seiner Erben, die für diese Arbeit über ihre persönlichen Erinnerungen berichteten und erstmals auch Einblick in Briefe Lotte Zweigs gestatteten. Stefan Zweigs schriftlicher Nachlaß, darunter Materialsammlungen und umfangreiche Vorarbeiten zu seiner Balzac-Biographie, weitere zum Teil unveröffentlichte Manuskripte und Aufzeichnungen sowie Tausende Briefe mehr oder weniger bekannter Zeitgenossen an ihn wurden von seinen Erben schon in der Vergangenheit in mehreren Etappen an die Reed Library der State University of New York in Fredonia übergeben und standen für diese Arbeit ebenfalls zur Verfügung.

Darüber hinaus wurden Originaltexte aus Privatsammlungen sowie aus weiteren öffentlichen Bibliotheken und Archiven von London bis Jerusalem, von der Schweiz bis in die USA, aus Österreich, Deutschland und Brasilien zu wichtigen Quellen. Bei der Recherche gab es noch manchen unerwarteten Fund zu vermelden. So tauchte beispielsweise der Text eines Fernsehinterviews auf, das Zweig der BBC in London im Juni 1937 gegeben hatte. Bislang kannte man nur eine Photographie, die ihn im Studio vor der Kamera zeigt, doch waren die Fragen und Antworten seinerzeit protokolliert worden, während die Sendung – eines der frühesten Fernsehprogramme überhaupt – nur live zu sehen war und nicht aufgezeichnet wurde. Für die Bebilderung dieses Bandes fanden sich schließlich in einigen der Vernichtung entgangenen Alben aus Alfred Zweigs Nachlaß Photographien, die zum Teil erstmals veröffentlicht werden können und die übrigen abgedruckten Bilder aus privatem und öffentlichem Besitz aufs beste ergänzen.

Oft betreffen die Neuigkeiten, die aus der Fülle des hinzugekommenen Materials gewonnen werden konnten, nur Details, gelegentlich aber helfen sie dabei, größere Fehlstellen im bisherigen Bild Stefan Zweigs zu ergänzen. Seine Familie, deren einzelne Mitglieder entscheidende Rollen in seinen »drei Leben« einnahmen, kann jedenfalls wesentlich detaillierter dargestellt werden, als es bislang möglich war. So bot sich die Chance, ein persönliches Bild des Menschen Stefan Zweig und seiner »drei Leben« zu zeichnen und dabei einen der erfolgreichsten Schriftsteller seiner Zeit nicht aus den Augen zu verlieren – »Es sei versucht.«[6]

Teil I

*»Wollte ich meine Kindheitserlebnisse zusammenraffen, so wäre
ja auch Sonne und Wolken in Ihnen [!], aber sie hätten nicht
jenes reine stille Licht, das die rauschende Natur Ihnen gespen-
det hat. Großstadtschicksal kann gleiche Tragik haben und doch
nie gleiche Größe!«*[1]

An Hermann Hesse, 2. März 1903

Ein rechter Brettauer

Von allen Personen aus Stefan Zweigs Familie und seinem näheren Umkreis in den ersten Jahrzehnten seines Lebens gewinnt das Bild des Vaters
am wenigsten an Schärfe. Bis heute tauchte nur ein einziger Brief von ihm
auf, andere Schriftstücke von seiner Hand sind nahezu unauffindbar, und
selbst in den Erzählungen aus der Familie nimmt er fast immer eine Ne-
benrolle ein. Sogar die erhaltenen Photographien sind geeignet, den Eindruck des Unscheinbaren zu bestätigen: Auf einer ganzen Reihe von Portraits im beliebten »carte de visite«-Format, die im Abstand mehrerer
Jahrzehnte entstanden, präsentiert sich Moriz Zweig wenig repräsentativ.
Die Pose, ja sogar der Gesichtsausdruck ändert sich trotz der jahrelangen
Abstände und der verschiedenen Photographen gar nicht. Nur die Barttracht ist der jeweiligen Mode angepaßt, und das Gesicht sieht von Bild zu
Bild ein wenig müder aus.

Moriz Zweig wurde am 28. Dezember 1845 im mährischen Prossnitz
geboren. Die Schreibweise seines Vornamens variiert von Fall zu Fall.
Während auf seiner gedruckten Verlobungsanzeige und seinem Grabstein
»Moritz« zu lesen ist, steht in der Traueranzeige der Familie der Name
Moriz. Da er selbst beispielsweise die Zeugnisse seines Sohnes mit »Mo-
riz« gegenzeichnete und auch in allen offiziellen Dokumenten so ge-

schrieben wurde, soll nachfolgend diese Variante benutzt werden.[2] Die Familienchronik weist die Zweigs in seinem Geburtsort seit der Mitte des 18. Jahrhunderts nach, doch wahrscheinlich waren sie schon wesentlich länger dort ansässig. Sein Vater Hermann handelte wie seine Vorfahren in immer größerem Stil und Umkreis mit allerlei Produkten, vor allem mit Textilwaren, und wagte 1850 mit seiner Frau Nanette und dem Rest der Familie den Umzug aus der Provinzstadt nach Wien. Dort besuchte Moriz die Ober-Realschule, lernte Französisch (das er schließlich perfekt beherrschte) und auch ein wenig Englisch. Der Tradition der Zweigs folgend wurde er nach dem Schulabschluß Textilhändler. Von seinen Anteilen am Familienvermögen und dem ersten selbst erwirtschafteten Geld erwarb er 1878 eine seinerzeit noch recht beschauliche Weberei in Ober-Rosenthal bei Reichenberg in Nordböhmen, dem heutigen Liberec. Die Fabrik lag in einer Region, die zu den wichtigsten industriellen Zentren des Landes zählte und nicht ohne Grund als »böhmisches Manchester« bezeichnet wurde. Moriz Zweigs Investitionen in neuartige mechanische Webstühle aus England zahlten sich schnell aus, und der Betrieb entwickelte sich in wenigen Jahren von einer Manufaktur zu einem blühenden Industrieunternehmen. Die meiste Zeit hielt sich Zweig trotz der geschäftlichen Verpflichtungen noch immer in Wien auf, wo später eine Dependance für den Vertrieb der Fertigwaren gegründet wurde. Die Fabrik in Böhmen führte ein Prokurist, der das volle Vertrauen des Chefs genoß und über Jahrzehnte bei der Firma blieb.

Trotz seiner beachtlichen Erfolge war Moriz Zweig bei allem, was er im geschäftlichen wie im privaten Leben tat, vorsichtig, sehr vorsichtig sogar. Diese Zurückhaltung war nicht nur ein persönlicher Charakterzug, sie zeichnete vielmehr alle männlichen Familienmitglieder aus. Der rasante Aufstieg der Familie, die sich in wenigen Generationen aus dem Ghetto einer mährischen Provinzstadt zur Betreiberin einer der erfolgreichsten Webereien des Landes emporgearbeitet hatte, war für alle Beteiligten ausgesprochen erfreulich, aber er führte nicht zum Übermut. Nie ging es um besonderen Prunk oder Prahlerei. Moriz Zweig war sehr stolz darauf, daß sein Name zu keiner Zeit auf einem Schuldschein zu lesen war, er auch in finanziell schwierigen Situationen nie einen Kredit aufnehmen mußte und sein Konto stets im Plus blieb. Daß er Kunde der angesehensten Bankhäuser war, versteht sich von selbst. So rückwärtsgewandt seine Einstellung in späteren Jahren wirken mochte, als Firmenbeteiligungen und Börsenspekulationen für einen modernen Geschäftsmann längst zum Alltag gehörten, so zukunftsträchtig schien sie in seiner eigenen Zeit, denn es ging bei allen Chancen und Verlockungen, die das Geschäft bieten mochte, zuallererst um die Sicherung des Familienvermögens und des gesellschaftlichen Status, der nicht zuletzt von der Höhe und Stabilität des eigenen Kapitals abhängig war. Darauf wollte man sich verlassen können. Die Gegebenheiten für ein in diesem Sinne »ruhiges« Leben waren günstig, sofern man auf der richtigen Seite stand.

Als junger Mann erlebte Moriz Zweig die modernen Erweiterungen der Stadt Wien selbst mit. Längst hatte man durch den Ausbau der Eisenbahn die Hauptstadt mit den Kronländern vernetzt, was den wirtschaftlichen Aufschwung weiter vorantrieb. In den industriellen Zentren entstanden ausgedehnte Wohnquartiere für die zugewanderten Arbeiter, und mit den öffentlichen und privaten Bauten an der Ringstraße in Wien sollte dem Boom der Gründerzeit ein weiteres steinernes Denkmal gesetzt werden, auch wenn diesem ehrgeizigen Projekt nach der anfänglichen Euphorie einige Rückschläge beschieden waren. So brachte der Börsenkrach des Jahres 1873 die Geschäftswelt für einen Moment ins Wanken. Manch einen Unternehmer hatte die Finanzkrise in den Ruin gestürzt, doch die Familie Zweig scheint damals keine größeren Verluste erlitten zu haben.

Moriz Zweig

Moriz Zweigs Zurückhaltung betraf nicht nur die geschäftliche Seite des Lebens, sondern auch die private. Weder in den Berufs- und Wirtschaftsverbänden noch im gesellschaftlichen Leben spielte er je eine besondere Rolle. Nie nahm er eine Auszeichnung an, und statt bei prunkvollen Empfängen zu repräsentieren, spielte er am Abend lieber zu Hause auf seinem geliebten Instrument, dem Piano. Was sein Sohn Stefan Jahrzehnte später, im Dezember 1915, in sein Tagebuch eintrug, zeigt sehr deutlich, wohin diese bescheidene Einstellung schließlich führte: »70. Geburtstag Papas. In engem Kreise, ohne Rührung, ohne Schönheit. Man spürte wie abgeschlossen wir von unserer Welt sind. Vielleicht werde ich auch einmal so sein. Man kann enttäuscht werden von den Menschen. Manchmal verstehe ich den alten Mann obwohl ich nicht so werden möchte wie er.«[3]

Im August 1878 konnte Moriz Zweig seine Verlobung bekanntgeben. Seine zukünftige Frau, die um neun Jahre jüngere Ida Brettauer, war, wie man sagte, »eine gute Partie«, der eine keinesfalls zu verachtende Mitgift zustand. Auch sie war keine gebürtige Wienerin; erst in ihrem 17. Lebensjahr war sie aus Italien in die Stadt gekommen. Ihr Vater, Samuel Ludwig Brettauer, arbeitete im Banken- und Finanzgeschäft und hatte sich schon vor Idas Geburt mit seiner Familie in Ancona an der italienischen Adriaküste niedergelassen, wo sie am 5. Mai 1854 zur Welt gekommen war. Brettauers Frau Josefine, eine geborene Landauer, stammte aus Hürben in der Nähe von Augsburg und er selbst aus Hohenems in Vorarlberg. So kam es, daß in Idas Elternhaus, obwohl man in Italien wohnte, zumindest im kleinen Kreis Deutsch gesprochen wurde. Neben der Heimat- und der Landessprache war allen Familienmitgliedern auch noch Französisch geläufig. Vielsprachigkeit und eine kosmopolitische Einstellung lag den Brettauers ohnehin im Blut. Die Großfamilie verteilte sich mit ihren Juristen, Bankiers und Handelsleuten über viele Länder Europas bis nach Amerika. Zur Kundschaft zählten in guten Zeiten Präsidenten, Adelshäuser und sogar der Vatikan. Die erheblichen Erfolge, die die Familie im wahrsten Sinne des Wortes auf ihrem Konto verbuchen konnte, führten zu einem Selbstbewußtsein, das von Außenstehenden schnell als Hochnäsigkeit empfunden werden konnte. Ida Brettauer schlug in dieser Beziehung keinesfalls aus der Art und änderte sich auch nach der Hochzeit mit Moriz Zweig wenig. Aus dem Blick der späteren Schwiegertochter Friderike war Moriz in der Ehe ein zurückhaltender und ausgleichender »Prinzgemahl« – mit diesem Vergleich wollte sie freilich vor allem verdeutlichen, daß Ida Zweig gänzlich unumstritten die Rolle der Königin zufiel.

Im September 1878 hatte die Hochzeit stattgefunden, und am 13. Oktober des folgenden Jahres kam das erste Kind dieses ungleichen Paares in Wien zur Welt. Es war ein Sohn, der den Namen Alfred erhielt und – um bei den dynastischen Bezeichnungen zu bleiben – tatsächlich den Platz des Thronfolgers einnahm, denn schon damals bestanden keine Zweifel daran, daß dieser Junge, sofern es seine Gesundheit zuließe, eines Tages die Leitung des Familienunternehmens übernehmen würde.

Gut zwei Jahre später, am 28. November 1881, wurde in der Wohnung der Familie am Schottenring 14 im I. Bezirk das zweite Kind geboren. Wieder war es ein Junge, er sollte Stefan genannt werden.

Nur wenige Tage nach seiner Geburt kam es in Wien zu einem Zwischenfall, der in der ganzen Stadt Entsetzen verbreitete: Im Ringtheater war am 7. Dezember während einer Aufführung von Jacques Offenbachs Oper *Hoffmanns Erzählungen* durch ausströmendes Gas aus den Lampen der Bühnenbeleuchtung ein Feuer ausgebrochen. Erst viel zu spät hatte man mit der Evakuierung des Publikums begonnen, die dadurch erschwert wurde, daß die Türen des Zuschauerraumes nur nach innen zu öffnen waren. Durch diesen Konstruktionsfehler wurden sie von den herandrängenden Massen zugedrückt, und es kam unter den in Panik flüchtenden Menschen zu grausamen Szenen. Die Schätzungen zur Zahl der Todesopfer pendeln zwischen 300 und 500. Die Zweigs waren von diesem Ereignis insofern besonders betroffen, als sie aus ihrer Wohnung auf das Theater sahen und sich die Katastrophe somit direkt vor ihren Augen abspielte. Fassungslos blickte man in die Flammen und das Chaos. In der eigenartigen Mischung aus Hilflosigkeit und Faszination, die sich unter den Beobachtern verbreitet haben muß, holten die Eltern sogar den gerade einmal zwei Jahre alten Alfred an das Fensterbrett, der die Bilder des lichterloh brennenden Hauses später seine frühesten Erinnerungen nannte.

Die zweite Schwangerschaft Ida Zweigs war zwar ohne nennenswerte Probleme verlaufen, doch kam es nach der Geburt des Kindes zu erheblichen Störungen ihres Hormonhaushalts. Bald darauf erkrankte sie an einer Mittelohrsklerose. Bei diesem tückischen Leiden, dessen Ursache in hormonellen Einflüssen liegen kann, kommt es zu einer chronischen Entzündung der Paukenhöhle, wodurch die Schleimhaut starrer wird und die feine Mechanik der Gehörknöchelchen nicht oder kaum mehr funktioniert. Da die Schwerhörigkeit schubweise auftrat, wurden die Schwere und möglichen Auswirkungen der Krankheit von den Ärzten und der Patientin zunächst unterschätzt. Nach leichteren Problemen schwand Ida Zweigs Hörvermögen in nur wenigen Monaten rasch und unwiederbringlich, denn eine wirksame Therapie oder Operationsmöglichkeit hatte die Medizin noch nicht gefunden. Bei Gesprächen war schon bald ein Hörrohr nötig geworden, und jede Anwesenheit in größeren Gesell-

Ida Zweig

schaften wurde für die junge Frau zu einer Gedulds- und Konzentrationsprobe. An Besuche von Konzerten, Opern und Theateraufführungen war gar nicht mehr zu denken. Doch später fand sich eine vergnügliche Alternative: Nach anfänglichem Mißtrauen entwickelte sie eine große und bis ins hohe Alter anhaltende Begeisterung für das Kino, wo die vorgeführten Stummfilme auch ohne die Begleitmusik bestens zu verstehen waren.

Trotz ihres Handicaps konnte Ida Zweig ihr eigentlich heiteres Temperament über die Krankheit retten. Dennoch nahm durch die Schwerhörigkeit auch ihr Hang zur Eigenwilligkeit zu. Sosehr sie zu einer gewissen Gelassenheit neigte, so gefürchtet waren im Falle eines Falles ihre Wutanfälle. Sie blieb nicht nur wegen ihrer Erkrankung immer eine Besonderheit unter ihresgleichen. Hinzu kam noch, daß es für manchen Betrachter von außen in jenen Tagen schon eigenartig genug gewesen sein mag, daß sie in Erinnerung an ihre alte Heimat zu Hause des öfteren so exotische Speisen wie Risotto oder Artischocken servieren ließ.

Ihren kostbareren Schmuck lagerte sie fast das ganze Jahr über in einem Safe (wo er 1938 größtenteils verlorenging) und trug für ge-

wöhnlich nur einige kleinere Broschen, Ringe und Ketten. Im Alltag klei-
dete sie sich vergleichsweise einfach, aber selbstverständlich immer stan-
desgemäß. Ida Zweig war keine außergewöhnlich elegante Dame, aber
bis 1914 Kundin bei den ersten Schneidern der Stadt und gewiß auch in
jenem Ladengeschäft bekannt, das im Erdgeschoß ihres späteren Wohn-
hauses in der Rathausstraße mit Pelzwaren »En gros et en détail« handelte, wie auf dem Firmenschild über der Eingangstür zu lesen war.

Als Fabrikantengattin hatte sie einen Kreis um sich versammelt, der
regelmäßig zur Teestunde zusammenkam. Hier aber von einem »Salon«
zu sprechen wäre übertrieben. Im Hause Zweig
verkehrten keine Komponisten, Maler, Schauspieler und Autoren, vielmehr trafen sich – wie es
kaum anders zu erwarten war – befreundete
Rechtsanwälte, Industrielle, Bankiers und deren
Gattinnen. »Durchwegs beste jüdische Bourgeoisie«, wie Alfred Zweig rückblickend feststellte,
denn zu christlichen Gesellschaftskreisen habe
man stets die in Wien übliche Distanz gehalten.[4]

Daß man jüdisch war, wurde weder verleugnet
noch besonders hervorgehoben. Zwar war Stefans Geburt von der Israelitischen Kultusgemeinde mit der laufenden Nummer 1968 für das
Jahr 1881 in die Matrikel eingeschrieben worden,
doch sind bislang keinerlei Dokumente aufge-
taucht, mit denen sich ermitteln ließe, ob und
welche Rolle die Zweigs in der jüdischen Gemeinde spielten. Auch in den Berichten aus der
Familie ist kaum ein Anhaltspunkt dafür zu finden. An den hohen Fest- und Feiertagen wird man

Stefan Zweig mit seiner
Amme Margarete

die Synagoge wohl besucht haben, aber im Dezember wurde zu Hause
weder das jüdische Lichterfest Chanukka noch das christliche Weihnachten gefeiert. Letzteres war in anderen jüdischen Familien, die sich von
ihrem Glauben entfernt hatten, durchaus üblich. Lediglich für das Personal wurde ein kleiner Tannenbaum geschmückt, und zum großen

Verdruß der Zweig-Söhne wurden den Angestellten auch Geschenke überreicht.

Ansonsten hatten die Jungen materiell nichts auszustehen. Sofern sie sich selbst mit den Kindern beschäftigten, achteten die Eltern sehr darauf, daß sie gleichermaßen bedacht wurden. Die meiste Zeit über waren die beiden Jungen allerdings in der Obhut einer Kinderfrau. Sogar auf dem wohl frühesten Photo Stefans ist er im Alter von etwa neun Monaten nicht etwa mit seiner Mutter oder beiden Eltern, sondern mit seiner slowakischen Amme Margarete zu sehen. Auch in den folgenden Jahren wurden die Brüder immer wieder photographiert; die Samtanzüge mit den riesig erscheinenden Halsschleifen, die sie auf einer der Aufnahmen tragen, dürften ihre wenig bequeme Alltagskleidung gewesen sein. Insbesondere Stefan mit seinem runden Gesicht, seinen kastanienbraunen Haaren und den großen dunklen Augen galt bei all jenen, die nie bei einem seiner gefürchteten Jähzornsanfälle zugegen waren, als ein goldiges Kind. Einmal ließ sogar ein Mitglied des Kaiserhauses die Kutsche anhalten, um mit dem niedlichen kleinen Jungen zu reden, der da mit seinem Vater im Park spazierenging – ein denkwürdiges Ereignis für die Familienchronik.

1886 wurde der Wiener Maler Eduard Kräutner beauftragt, ein Portrait von Stefan im Matrosenanzug mit gesticktem Anker auf der Brust zu malen. Er lieferte den Eltern ein Ölgemälde, das den Photos des Jungen täuschend ähnlich sah. Nur ein ganz leichtes Lächeln wurde vom Künstler, einem Routinier seines Fachs, der Hunderte solcher Bilder geschaffen hat, noch ein wenig mehr hervorgehoben.

Da Ida Zweig durch ihre Schwerhörigkeit dem alltäglichen Familienleben oft ein wenig entrückt war, kümmerte sich ihre Mutter bei Bedarf mit großem Engagement um die Erziehung der Kinder. Als die Familie 1895 vom Schottenring in eine größere Wohnung in der Rathausstraße 17 umzog, lebte Großmutter Brettauer, die mittlerweile verwitwet war, in der benachbarten Wohnung auf derselben Etage, so daß sie den Enkeln auch buchstäblich sehr nahe war. Alfred Zweig erinnert sich an sie als eine »tüchtige bayrische Hausfrau alten Schlages, [die] in Kinderpflege besonders in Krankheitsfällen, außerordentlich bewandert war«.[5] Trotz ihrer

handfesten Art herrschte auch bei ihr der den Brettauers eigene Standes-
dünkel vor. Noch als gestandener Mann und weltbekannter Schriftsteller
mit Nachnamen Zweig sollte Stefan die Bekanntschaft mit der Hochnäsigkeit der Verwandtschaft von mütterlicher Seite machen: »Dieser Stolz,
aus einer ›guten‹ Familie zu stammen, war bei allen Brettauers unaus-
rottbar, und wenn in späteren Jahren einer von ihnen mir sein besonderes Wohlwollen bezeugen wollte, äußerte er herablassend: ›Du bist doch
eigentlich ein rechter Brettauer‹, als ob er damit anerkennend sagen
wollte: ›Du bist doch auf die rechte Seite gefallen.‹«[6] Immerhin hatte er
sich mit seinem ungewöhnlichen Beruf (und nicht zuletzt wohl mit dessen unerwartet hohen Erträgen) sogar in diesem Zweig seiner Familie
höchste Achtung erwerben können.

Bei aller großmütterlicher Fürsorge war die Kindererziehung eigentlich die Aufgabe der eigens hierfür eingestellten Gouvernante. Bis zu Al-
freds Einschulung in das Gymnasium war die Schweizerin Hermine
Knecht ständige Begleiterin der beiden Jungen. Zwar ist wenig über diese
Jahre in Stefan Zweigs Leben bekannt, doch müssen ihn zahlreiche Er-
lebnisse seiner Kinderzeit lange bewußt beschäftigt haben. Jedenfalls wa-
ren sie dem Schriftsteller Zweig später eine nahezu unerschöpfliche
Quelle für die Konstruktion neuer Geschichten. Im Sammelband *Erstes
Erlebnis – Vier Geschichten aus Kinderland* präsentierte er seinen Lesern eine
Reihe von Erzählungen, in denen wohl jeder, der um die Herkunft des
Autors wußte, autobiographische Einflüsse vermuten durfte. Selbst
Alfred Zweig meinte zahlreiche Ähnlichkeiten zum eigenen Elternhaus
wiedererkennen zu können.

Freilich waren es nicht so sehr die angenehmen Seiten des Kinderda-
seins, die sich als Stoff für psychologisch interessante Figuren eigneten.
Den Geschichten ist ein Gedicht vorangestellt, das schon in der ersten
Strophe eine düstere Stimmung aufkommen läßt:

O Kindheit, wie ich hinter deinen Gittern,
Du enger Kerker, oft in Tränen stand,
Wenn draußen er mit blau und goldnen Flittern
Vorüberzog, der Vogel Unbekannt.[7]

Man ahnt es schon: Ausbruchversuche aus der behüteten und gewiß auch langweiligen Welt versprachen in jedem Fall mehr Spannung als der öde Alltag mit Benimmregeln und in samtenen Anzügen.

Auch in dem Jungen Edgar, der in diesem Buch in der Geschichte *Brennendes Geheimnis* seinen Auftritt hat, wurde oft genug – und gewiß nicht zu Unrecht – ein »Doppelgänger jener frühen Tage«[8] Zweigs gesehen, was auch sein Freund Erwin Rieger in seiner autorisierten Zweig-Biographie verbreitet hat. Doch sollte man sich vor allzu direkten Vergleichen hüten, denn eher die Atmosphäre und die Details als die Geschichten selbst werden das Leben der Familie in den ersten Wiener Jahren widerspiegeln. Beispielsweise dürfte das affektiert ausgesprochene »Neuf heures! au lit!«[9], das jener Edgar allabendlich um neun Uhr als Aufforderung zum Schlafengehen von der Mutter zu hören bekommt, auch Alfred und Stefan Zweig nicht unbekannt gewesen sein, denn man sprach in ihrem Elternhaus durchaus auch im Alltag Französisch miteinander. Sollten weder die Kinder noch die Bediensteten das Gespräch zwischen Mutter, Tante und Großmutter verstehen, so wechselten die Damen von einem Moment auf den anderen ins Italienische. Ähnlich ging es auch bei Besuchen der übrigen Verwandtschaft zu, wie Stefan später von einem Aufenthalt bei einer Tante in Paris berichtet.

Eine besondere Abwechslung im Jahr brachte die Sommerzeit, in der man sich auf Reisen begab. Die erste Hälfte der Ferien verbrachten die Zweigs üblicherweise in Marienbad, wo die Mutter sich alljährlich zur Kur einfand. Bei dieser Gelegenheit war nicht nur die mit vier Personen recht kleine Familie unterwegs, vielmehr reiste ein kleiner Troß von mindestens einem Diener und einer Bediensteten für die Eltern sowie einer Gouvernante für die Kinder mit. Nach dem Tod ihres Mannes schloß sich oft genug auch noch Großmutter Brettauer mit ihrem Personal an. Die Reisegesellschaft nahm vor Ort meist im luxuriösen Hotel Gütt oder im Fürstenhof Quartier und fügte sich in das gesellschaftliche Leben des Badeortes zwischen Heilanwendungen und Kurkonzert.

Der kleine Stefan empfand die Gepflogenheit, daß die Kinder hier nicht, wie sonst in seinem Elternhaus üblich, im großen Speisesaal mit den Erwachsenen aßen, als eine regelrechte Demütigung. Zwar saßen in dem separaten Speisezimmer auch andere Kinder mit ihren Erzieherinnen, doch wollte dieser Ausschluß aus der Welt der Eltern keineswegs in sein gewohntes Weltbild passen.

Nach Abschluß des Kuraufenthaltes fuhr die Familie samt Anhang weiter an einen der seinerzeit beliebten Ferienorte am Meer oder in den Bergen. Mitte der 1880er Jahre war Selisberg in der Nähe von Luzern am Vierwaldstätter See das Ziel. In späteren Jahren reisten die Zweigs bis in das belgische Seebad Blankenberghe und nach Innichen in Südtirol. Eine Rheinreise im Sommer 1884 muß auf den damals nicht einmal dreijährigen Stefan einen solchen Eindruck gemacht haben, daß er noch 30 Jahre später bei einem Besuch in Mainz zur völligen Verblüffung seiner Gastgeber mit detaillierten Erinnerungen an das damalige Stadtbild aufwarten konnte, in dem der ursprünglich am Main gelegene Bahnhof zwischenzeitlich durch einen Neubau an anderer Stelle ersetzt worden war.[10]

WINTER   WIEN.

Stefan und Alfred Zweig

Mit Stefans Einschulung in die Volksschule in der Werdertorgasse im Jahr 1887 erweiterten sich seine Kontakte erstmals über den engsten Familienkreis hinaus, denn außer mit seinem Bruder und einigen Vettern hatte er als Kind kaum mit Gleichaltrigen zu tun gehabt. Stefan war ein guter Schüler, der aber in den ersten Jahren unter seinen Klassenkameraden durch keine besonderen Begabungen hervorstach. Jedenfalls lassen seine guten Noten im »Sittlichen Betragen« darauf schließen, daß er auch nicht negativ auffiel. Dabei behagte ihm die Schule vom ersten bis zum letzten Tag nicht eine Stunde lang. Dankbar war er nur dafür, daß er früh das Lesen erlernte und sich seitdem in andere Welten flüchten konnte. Ob und was man im Elternhaus las, ist leider unbekannt. Selbstverständlich hatte man eine Tageszeitung abonniert und eine Auswahl von Büchern war gewiß vorhanden. Es bleibt anzunehmen, daß sich zumindest ein musisch interessierter

Mann wie Moriz Zweig in Mußestunden auch mit den Klassikern der Literatur beschäftigt hat. Die beiden Söhne jedenfalls besaßen als Kinder und Jugendliche eine kleine Bibliothek, die neben den für die Schule notwendigen Bänden allerlei moderne Werke enthielt: Friedrich Gerstäckers Abenteuergeschichten von fernen Kontinenten waren darin ebenso zu finden wie die Werke Charles Sealsfields. Julius von Stettenheims unverwüstlicher Kriegsreporter Wippchen, aber auch Winnetou, Old Shatterhand und Kara Ben Nemsi aus Karl Mays eben erschienenen Romanen blieben den Zweig-Jungen nicht unbekannt. Stefan war besonders von einem Buch beeindruckt, an dessen Autor und Titel er sich in späteren Jahren nicht mehr erinnern konnte, nur der Inhalt blieb ihm unvergeßlich: Es war ein abenteuerlicher Reisebericht über Mexiko und die fernen Staaten Südamerikas.

»In ihnen einen Kranz von Jünglingen zu sehen,
die sozusagen die Leier nicht aus der Hand legten,
war doch nicht ganz richtig.«[1]

Friderike Zweig

»Wir sagten ›Schule‹ …«

Das Lied von der »fröhlichen, seligen Kinderzeit«, welches Stefan Zweig in einem der ersten Schuljahre zu lernen hatte, steht inhaltlich in absolutem Gegensatz zu dem, was er über diese Zeit in der *Welt von Gestern* berichtet: Monoton, herz- und geistlos sei der Schulbetrieb gewesen. Selbst im Alter von fast 60 Jahren wollte sich bei ihm keinerlei angenehme Erinnerung einstellen. Nicht einmal als komische Figuren mochte er seine Lehrer nach all der Zeit sehen. Dabei seien sie durchaus nicht charakterlos gewesen, nur durch den seit Jahrzehnten immer nach demselben unantastbaren Schema ablaufenden Schulbetrieb dermaßen an das Von-oben-herab-Unterrichten gewohnt gewesen, daß der antiquierte Lehrstoff nur abgespult und die Schüler als Individuen nicht berücksichtigt wurden. Die Lehrer hatten sich diesem System längst unterworfen, die Schüler taten es früher oder später ebenfalls – so jedenfalls beschreibt es Zweig im Rückblick. Auf dem Höhepunkt seines Argwohns gegenüber dem autoritären Schulsystem versteigt er sich in Anspielung auf die Arbeit Sigmund Freuds sogar zu der Bemerkung, es sei kein Zufall, daß sich ausgerechnet ein früherer Gymnasialschüler so eingehend mit der Entstehung und den Folgen von Minderwertigkeitskomplexen beschäftigt habe.

Nach dem Abschluß der Volksschule besuchte Zweig acht Jahre, von 1892 bis 1900, das Maximiliangymnasium, das später in Wasa-Gymnasium umbenannt wurde. Mit Details zum Unterricht hält er sich in seinen Schilderungen weitestgehend zurück. Lediglich über den Lehrstoff ist einiges zu erfahren. Im Bereich der Literatur, der für ihn schon damals von besonderer Bedeutung war, habe man sich vom Lehrer dessen abgenutzte und seit Jahrzehnten immer wieder gehaltenen Vorträge mit Titeln wie *Schillers naive und sentimentale Dichtung* anhören müssen. Die Beschäftigung mit halbwegs modernen Autoren, wie Baudelaire und Walt Whitman, oder gar mit Zeitgenossen, habe der Unterrichtsplan noch längst nicht vorgesehen.

Zweigs späterer enger Freund, der Schriftsteller Felix Braun, der einige Jahre nach ihm die Klassen desselben Gymnasiums mit denselben Lehrern durchlief, relativiert diese Eindrücke: Ihm habe der Deutschlehrer Professor Lichtenheld den Weg zur klassischen wie zur modernen Dichtung und damit zu seinem späteren Beruf gezeigt. Diesem Lehrer bescheinigt Zweig dagegen in seinen überspitzten Formulierungen, er sei wohl ein »braver alter Mann«[2] gewesen, habe aber in seinem Leben nicht von Nietzsche und Strindberg gehört, deren Werke die Schüler heimlich unter der Schulbank gelesen hätten.

Der Klassenkamerad Ernst Benedikt wiederum versucht in seinen Aufzeichnungen, den Jahren eine halbwegs heitere Note abzuringen, wenn er schreibt, er höre noch Stefans »leises glucksendes Lachen über die unfreiwillige, unwiderstehliche Komik unseres Lateinlehrers, dessen dicke Satyrgestalt, [...] dessen dumme Wortverwechselungen uns noch nach Jahren erheiterten, da wir längst dem Unterricht entwachsen waren«.[3] Besagter Lehrer Karl Penka – Penka Karl, wie er sich selbst nannte – hatte einige in der Fachwissenschaft beachtete Werke mit Titeln wie *Die alten Völker Nord- und Osteuropas und die Anfänge der europäischen Metallurgie* und *Origines Ariacae. Linguistisch-ethnologische Untersuchungen zur ältesten Geschichte der arischen Völker und Sprachen* verfaßt. Daß diese Themen bei den Schülern auf wenig bis gar kein Interesse stießen, kann damals wie heute nicht wirklich verwundern.

Als ein Akt später Rache ist es anzusehen, daß Zweig 1922 zur Feier des 50. Schuljubiläums nach freundlicher Einladung durch die Direktion nicht etwa als Ehrengast zu den Feierlichkeiten erschien und die erbetene Festrede hielt, statt dessen aber für die Jubiläumsschrift ein Gedicht verfaßte, das es an Deutlichkeit nicht missen ließ: »Wir sagten ›Schule‹ und wir meinten ›Lernen, Angst, Strenge, Qual, Zwang und Gefangensein‹«,[4] heißt es schon in den ersten Zeilen. Die folgenden Strophen zeigen zwar, daß auch nach Abschluß der Schulzeit allenthalben »Netze engmaschig um den Willen ausgestellt« sind, doch bleibt der Tenor des Gedichts, daß die Schule durch ihre Zwänge in trauriger Art und Weise auf das Leben vorbereitet.

Mit 13 Jahren gab Zweig das leidige Klavierspiel auf, denn er hatte trotz intensiven Übens längst erkannt, daß er dabei die Perfektion seines Vaters, der auch schwierigste Stücke ohne Vorlagen auswendig und allein nach Gehör spielte, nie erreichen würde. Um sich weitere herbe Enttäuschungen in dieser Angelegenheit zu ersparen und weil er sich ohnehin lieber mit Literatur beschäftigte, konnte er seine Eltern überreden, den Unterricht abzubrechen. Daß er danach jemals ein Instrument gespielt hätte, ist nicht bekannt. Bis er sich wieder intensiver für Musik interessierte, sollten noch einige Jahre vergehen, was aber gelegentliche Konzertbesuche nicht ausschloß. Sein Vater hingegen war und blieb immer ein großer Musikliebhaber und schwärmte noch nach Jahrzehnten für eine Aufführung von Richard Wagners *Lohengrin*, die der Komponist selbst dirigiert hatte. Nachdem seine Frau ihn wegen ihrer Schwerhörigkeit nicht mehr begleiten konnte, sah man Moriz Zweig oft genug mit seinen beiden Söhnen auf dem Weg in die Oper oder ins Theater.

Beim Schlittschuhlaufen, Tanzen und Radfahren (er lernte es bis zu seinem Lebensende nicht) zeigte Stefan wie an allen sportlichen Dingen wenig Geschicklichkeit und noch weniger Interesse. Die Information, er habe sich während seiner Schul- und Studentenzeit als Schwimmeister im jüdischen Sportverein *Hakoah Wien* verdingt,[5] ist durch keine Quelle zu belegen. Da er sich weder zu jüdischen Vereinigungen noch zu einem Sportclub sonderlich hingezogen fühlte und auf einen Gelderwerb dieser Art keineswegs angewiesen war, darf man die Angabe getrost den Gerüchten zurechnen. Dies bleibt auch deshalb zu hoffen, weil er überhaupt erst lange nach Abschluß seines Studiums das Schwimmen erlernte.

Schon in den ersten Schuljahren hatte er damit begonnen, Briefmarken zu sammeln. Mit zwölf Jahren wechselte er mit ebenso großem Eifer zum Autogrammsammeln, das wesentlich mehr Spannung versprach. Wo und wann immer es möglich war, lauerten Zweig und seine Schulkameraden an den Künstlereingängen der Theater und Opernhäuser auf ihre Opfer. Daß Wien in jener Zeit eine Vielzahl von Bühnen hatte und Schauspieler und Sänger überall wie Götter verehrt wurden, erleichterte die Beutezüge der Jungen ungemein. Von einer wahren »Theatromanie« ergriffen, spürten auch die Erwachsenen jedes Detail des Bühnen- und Privatlebens ihrer Lieblinge nach, was bis zur Groteske reichte, wie Zweig in der *Welt von Gestern* beschreibt: »Gustav Mahler auf der Straße gesehen zu haben, war ein Ereignis, das man stolz wie einen persönlichen Triumph am nächsten Morgen den Kameraden berichtete, und als ich einmal als Knabe Johannes Brahms vorgestellt wurde und er mir freundlich auf die Schulter klopfte, war ich einige Tage ganz wirr über das ungeheure Begebnis. Ich wußte zwar mit meinen zwölf Jahren nur sehr ungenau, was Brahms geleistet hatte, aber schon die bloße Tatsache seines Ruhms, die Aura des Schöpferischen übte erschütternde Gewalt. Eine Premiere von Gerhart Hauptmann im Burgtheater irritierte viele Wochen, bevor die Proben begannen, unsere ganze Klasse; wir schlichen uns an Schauspieler und kleine Statisten heran, um zuerst – vor den andern! – den Gang der Handlung und die Besetzung zu erfahren; wir ließen uns (ich scheue mich nicht, auch unsere Absurditäten zu berichten) die Haare bei dem Burgtheaterfriseur schneiden, nur um eine geheime Nachricht zu ergattern über die Wolter oder Sonnenthal, und ein Schüler aus einer niederen Klasse wurde von uns Älteren besonders verwöhnt und mit allerlei Aufmerksamkeiten bestochen, nur weil er der Neffe eines Beleuchtungsinspektors der Oper war und wir durch ihn manchmal zu den Proben heimlich auf die Bühne geschmuggelt wurden – diese Bühne, die zu betreten den Schauer Dantes übertraf, als er aufstieg in die heiligen Kreise des Paradieses.«[6]

Sängern und Schauspielern nachzustellen war die eine Möglichkeit, um die Autogrammsammlung zu ergänzen, die andere war die schriftliche Anfrage nach Widmungen und Albumblättern bei bekannten Autoren. Zweig muß eine große Zahl solcher Bitten in alle Richtungen abgeschickt haben und erwartete mit Aufregung die tägliche Post. Zu seiner Enttäuschung bekam er aber auf seine Briefe so gut wie keine Antworten. In der Not kam er auf den Gedanken, sich als »Stefanie Zweig« auszugeben, da er erwartete, daß einer Dame bevorzugt geantwortet würde, was allerdings ein Trugschluß war, wie der weiterhin spärliche Posteingang zeigte. Schließlich schickte ihm Julius von Stettenheim nicht nur das erwünschte handschriftliche Gedicht, sondern in die Reime verpackt auch die Lösung des Problems:

> So wohlfeil ist die Popularität
> Doch nicht wie man wohl meint zuweilen
> Man wird ersucht um ein paar Zeilen
> Doch in dem Brieflein so beredt
> Wirst Du die Marke finden schwerlich
> Das macht ein nettes Sümmchen jährlich.[7]

Das Gedicht sorgte in der Familie für einige Heiterkeit, Alfred Zweig konnte es sogar noch mit 80 Jahren auswendig hersagen. Aber, so berichtet er weiter, tatsächlich hätten sich die Rückmeldungen vervielfacht, nachdem Stefan den Rat Stettenheims befolgte und seinen Bittbriefen das Rückporto beilegte, wofür er sein Taschengeld seitdem reichlich strapazierte.

Die Beschäftigung mit der Schriftstellerei und auch mit den Schriftstellern selbst nahm in Zweigs Freizeit einen immer größeren Raum ein. Außer in neue Gedichtbände vertiefte er sich in eine umfangreiche illustrierte Literaturgeschichte, die er beinahe auswendig lernte. Aber er las nicht nur die Texte, sondern widmete sich genauso intensiv den abgebildeten Handschriftenproben der Autoren. Zusammen mit den bisher erbeuteten Autogrammen und Autographen konnte er Vergleiche anstellen und versuchte sich in der Nachahmung der Unterschriften. Eine Weile dachte er damals darüber nach, selbst ein Werk über die Entwicklung der Literatur zu verfassen, stellte dann aber fest, daß eine wissenschaftliche Betrachtungsweise und eine historisch-biographische Arbeit nicht wirklich seinen Interessen entsprach.

Die Lyrik hatte es ihm viel mehr angetan, vor allem nachdem er auf diesem Gebiet einige Entdeckungen für sich gemacht hatte. Neben älteren Gedichtbänden waren ihm nämlich die jüngst erschienenen Werke Rainer Maria Rilkes in die Hände gekommen, und außerdem hatte er Texte eines gewissen »Loris« gelesen, die einen tiefen Eindruck bei ihm hinterließen. Hinter dem Pseudonym verbarg sich niemand anderer als Hugo von Hofmannsthal, der in Literaturkreisen als Phänomen galt. Zunächst hatte man gemeinhin vermutet, es müsse sich bei einem Autor von Werken solcher Vollkommenheit, wie er sie veröffentlichte, um einen älteren Herren handeln, der sich – aus welchen Gründen auch immer – einen Künstlernamen zugelegt hatte. Hermann Bahr berichtete Zweig später von seinem ersten Zusammentreffen mit Hofmannsthal und der damit verbundenen Überraschung: Nach der Lektüre eines Textes, den ihm jener Loris zugeschickt hatte, hatte sich Bahr umgehend mit der Bitte um ein Treffen an den unbekannten Autor gewandt. Als zur vereinbarten Zeit am verabredeten Treffpunkt, dem Café Griensteidl in Wien, ein Gymnasiast mit kurzen Hosen vor ihm stand und sich vorstellte, war die Verblüffung groß. Bei diesem Anblick war man beinahe versucht, von einem Wunderkind zu sprechen.

Bei Zweig steigerten sich die Bewunderung und der Respekt für das Genie Hofmannsthals, der gerade einmal sieben Jahre älter war als er selbst, zu einer fast grenzenlosen Verehrung. Ein Wermutstropfen war allerdings, daß Hofmannsthal, mit dem er in späteren Jahren brieflichen und auch persönlichen Kontakt pflegte, für Zweigs eigenes Schaffen nicht das geringste Interesse zeigte und ihn auch als Person wenig schätzte.

Als junger Autor hatte Zweig schnell den Brief als Kommunikationsmittel für sich entdeckt. Nicht nur Anfragen nach Autographen, sondern alle möglichen Informationen zur aktuellen Literatur versuchte er durch reichliche Korrespondenz zu bekommen. Außerdem stand die Publikation seiner eigenen Werke im Mittelpunkt vieler Schreiben. Anfangs unterzeichnete er die Briefe noch mit »Stephan« Zweig, um 1900 hatte er sich dann aber für die in seiner Geburtsurkunde eingetragene Variante »Stefan« entschieden und reagierte in späteren Jahren ungehalten, wenn sogar sein Verlag gelegentlich die Schreibweise mit »ph« benutzte.

Schon bald schrieb er täglich bis zu drei Briefe und mußte die Empfänger um Geduld bei der Beantwortung ihrer Einsendungen bitten. Wer aber einmal auf seine Schreiben reagiert hatte, durfte sich sicher sein, bald wieder von ihm zu hören. Nachdem der Archäologe und Schriftsteller Georg Ebers dem Fünfzehnjährigen auf eine Anfrage zu seinen damals weitverbreiteten »Professorenromanen« geantwortet hatte, bekam er zum Dank sogar ein mehrstrophiges Lobgedicht (»Unter der gelehrten Zahl strahlt Ebers Name allzumal [. . .]. Hoch Ebers!«) zugeschickt, dem Zweig selbstironisch hinzufügte: »Dadurch, daß Sie mir so freundlich geantwortet haben, haben Sie sehr unpractisch gehandelt, denn, wie Sie sehen, bin ich schon wieder mit neuen Fragen da.«[8]

Zu den bevorzugten Korrespondenzpartnern der frühen Zeit gehörte Karl Emil Franzos, der in Berlin die von ihm begründete Halbmonatsschrift *Deutsche Dichtung* herausgab. Ihm bot Zweig regelmäßig Gedichte, Essays und andere kleine Beiträge an, wobei er sich sogar erlaubte (und erlauben konnte), hinzuzufügen, daß das Honorar für eventuell angenommene Beiträge gänzlich Nebensache sei. Freilich war nicht jede Idee ein Garant für Erfolg. Unter den vielen Vorschlägen war auch eine etwas umfangreichere Novelle mit dem Titel *Peter der Dichter*. Beschrieben wurde darin das Schicksal eines jungen Lyrikers, der, aus der Arbeiterschicht kommend, mit seinen Texten große Erfolge feiert, sogar zum Modedichter ausgerufen wird, sich aber auf Dauer nicht in der neuen Rolle und der ungewohnten Gesellschaft zurechtfindet und schließlich wieder in die Arbeiterschicht zurückkehrt. Doch das Werk wurde anscheinend nie gedruckt, und das Manuskript ist verschollen. Wahrscheinlich teilt es das Schicksal eines Historiendramas über den schwedischen König Gustav Adolf, das Zweig im Alter von 17 Jahren mit viel Mühe und nach reichlichem Quellenstudium verfaßt hatte, doch nach mehrfacher selbstkritischer Durchsicht des Textes in den Ofen warf.

Ein weiteres Angebot an Franzos war eine von Zweig selbst als »Judennovelle« bezeichnete Geschichte, die, wie er festgestellt hatte, in Tageszeitungen kaum unterzubringen war. Er habe nämlich die Erfahrung gemacht, daß die meisten Blätter dem Genre aus politischen Gründen auswichen, und einer jüdischen Zeitung wollte er das Werk nicht geben, da es »*absolut keine nationale Sendung*« enthalte, ließ er Franzos wissen.[9] Dabei wolle er selbst die Geschichte mit dem Titel *Im Schnee* als rein künstlerisches Produkt betrachtet wissen. Dennoch lehnte auch Franzos ab und schickte das Manuskript nach wenigen Tagen wieder zurück an den Absender, der sich darüber wenig erstaunt gab: »Die Retournierung meines Mcpt. hat mich wirklich nicht im mindesten überrascht, denn kaum, daß das Mcpt. auf der Post war, spürte ich schon alle seine vielen Fehler und Schwächen. Ich weiß ganz gut, von dieser Novelle, wie von den meisten meiner Sachen, daß sie flüchtig und übereilt sind, aber – ich weiß nicht, wie man diese Marotte bezeichnen soll – ich kann nach dem letzten Worte nichts mehr ändern, gewöhnlich sehe ich mir die Sachen nicht einmal auf Orthographie und Interpunktion durch. Es ist dies ja nur eine leichtsinnige und eigensinnige Arbeitsweise, aber ich bin mir vollkommen klar darüber, daß sie mich verhindern wird, jemals etwas Größeres zu leisten. Ich kenne nicht die Kunst, gewissenhaft und fleißig zu sein. [...] Das Schreiben mit zusammengebissenen Zähnen habe ich auch schon im kleinen erlebt, auch schon hunderte von Mcpt. selbst verbrannt, geändert oder umgearbeitet noch nie eine Zeile. Das ist ein Unglück, das man nicht gut ändern kann, weil es keine Äußerlichkeit ist, sondern vielleicht in den Charakter hineingreift. Und deshalb ist es für mich ein Glück, daß das Schreiben nicht mein Lebensberuf sein wird, und daß ich nicht einen Augenblick daran gedacht habe berühmt oder nur bekannt zu werden.«[10] Der letzte Satz klingt kokett, wenn man um den Ernst und die Mühen weiß, mit denen Zweig sich der Literatur widmete. Daß ihn bei allem auch der Traum vom Ruhm antrieb, ist gar nicht zu bezweifeln. Doch auch Alfred Zweig berichtet, sein Bruder sei sich damals noch keineswegs sicher gewesen, welchen Beruf er einmal ausüben werde. Noch sei die Dichtung nur Liebhaberei gewesen.

Daß aber die Literatur und vor allem das eigene Schreiben mehr und mehr in den Mittelpunkt der Zukunftsplanungen rückten, läßt sich an Stefan Zweigs Bemerkungen über die Korrekturen an Manuskripten erkennen. Hatte er in dem oben zitierten Brief geschrieben, er könne an eigenen Texten nichts mehr ändern, so gewann er gleichzeitig die Erkenntnis, daß auch die größten Dichter nicht zwingend im ersten Entwurf ein vollendetes Werk abliefern. Er entwickelte sogar eine ungeheure Faszination dafür, diesen Arbeitsspuren nachzugehen. Hierbei halfen ihm die ersten längeren Manuskripte, die er seiner Autographensammlung hinzugefügt hatte. Bloße Unterschriften waren ihm bald gleichgültig geworden, und wesentlich interessanter als Briefe und jede Reinschrift eines Gedichts oder eines anderen Textes wurde ihm ein mit Korrekturen des Autors übersätes Manuskriptblatt. Da Franzos nicht nur Autor, sondern auch selbst Autographensammler war, findet sich in einem weiteren Brief Zweigs an ihn die erste Formulierung dieses Sammlungsziels: »Ferner auf den großen Ruhm als Autographensammler, der Ihrem Dichterruhm an Größe bald nachkommen wird, gestützt, erlaube ich mir Ihnen einige ziemlich interessante Briefe zur Verfügung zu stellen, die für mich, der Manuskripte und Originalgedichte sammelt, nur von geringem Werte sind. Ich überlasse Sie [!] Ihnen gerne.« Das angebotene Tauschmaterial konnte sich durchaus sehen lassen; in einer Nachschrift zum Brief zählt Zweig auf: von »Wieland 4 Seit[.] langer Brief an Gleim (sehr interessant), Goethe nur ›ergebenst Goethe‹ eigenhändig, behandelt die Betonung des Wortes Hafis, Anzengruber, ein unterschriebenes eigenhänd[.] Billet von Beethoven, sehr drastischen Inhalts ect.[!] wenn Sie von diesen etwas interessiert bin ich gern bereit es Ihnen zu überlassen.«[11]

Zu seinen eigenen Werken merkte er an anderer Stelle noch an, er habe unter fünf oder sechs verschiedenen Pseudonymen geschrieben. Die Texte seien stilistisch immer unterschiedlich gewesen, und aus diesen Gründen sei sein Name bis dahin weithin unbekannt geblieben. Die Wahl eines Künstlernamens hatte aber noch einen anderen praktischen Hintergrund beziehungsweise eine Notwendigkeit gehabt, die wenig mit der Möglichkeit zu tun hatte, sich unerkannt in allen erdenklichen Genres und Stilen zu üben: Gymnasiasten war es nämlich strengstens verboten, eigene Arbeiten in Zeitungen oder anderswo gedruckt zu veröffentlichen. Bis heute konnte – abgesehen von der oben erwähnten Autographensammlerin Stefanie Zweig – jedoch keiner der angeblich benutzten Namen aufgedeckt werden. Und besagte Stefanie dürfte unter diesem kaum als Decknamen zu bezeichnenden Pseudonym keine Publikation gewagt haben. Auch ließ sich Stefan Zweig bislang kein anonymer Beitrag aus der damaligen Zeit sicher zuweisen.

Der intensive Einstieg in das Dichterleben hatte seinen Preis: Wurde schon in der Schule wenig Wert auf ausreichende Pausen gelegt, so war die Belastung nun durch das Lesen und Schreiben nach Unterrichtsende auf die Spitze getrieben. Jede freie Minute wurde mit dem Studium neuer Bücher und Zeitschriften gefüllt, und Stefan litt ständig unter Schlafmangel. Er hatte sich angewöhnt, jede Nacht bis ein oder zwei Uhr zu lesen, mußte aber am nächsten Morgen schon um sieben Uhr wieder aufstehen. Nur notdürftig gewaschen, aß er sein Butterbrot im Eilschritt auf dem Schulweg. Den Lehrern muß die Klasse ein eigenartiges Bild geboten haben, da die Schüler »hager und grün aussahen wie unreifes Obst«.[12]

Bei aller Ernsthaftigkeit, die er sich selbst in damaliger Zeit und auch im Rückblick auf diese Jahre zu geben bemüht war, war Zweig der Welt doch nicht entrückt. Noch immer tauschte er mit Klassenkameraden Briefe albernsten Inhalts aus, und gemeinsam mit Alfred verfaßte er zu einer Familienfeier unter dem Titel *Der Pantoffel* eine *Allehundertjahrschrift zur Unterhaltung auf der Hochzeitsreise für das Ehepaar Isidor und Irene Elias*. Ganz richtig merkte Friderike Zweig über Stefan und seine Schulfreunde später an: »In ihnen einen Kranz von Jünglingen zu sehen, die sozusagen die Leier nicht aus der Hand legten, war doch nicht ganz richtig.«[13] Andererseits war er in der Gruppe sehr zurückhaltend und konnte fast schüchtern wirken, wenn er nicht für eine Sache entflammt war. Die eigene Person zumindest nach außen hin unter Kontrolle zu halten, schien ihm ein wichtiges Anliegen zu sein: »Stefan war übermütig wie die anderen, doch diskreter, vorsichtiger, niemals Anstoss erregend«,[14] erinnert sich Ernst Benedikt.

In der siebten und achten Klasse des Gymnasiums, seinen beiden letzten Schuljahren, hatte Zweig intensive Nachhilfe in Mathematik und Physik nötig. Ausgerechnet in diesen Fächern, für die er ohnehin wenig Interesse zeigte, unterrichtete ein Professor mit schwerem Magen- und Gallenleiden, der die Mißstimmung über seine Krankheit an seinen Schülern auszulassen pflegte. Erstaunlicherweise ging während der frühen Gymnasialzeit auch Zweigs Beschäftigung mit modernen Fremdsprachen nicht über das Notwendige hinaus. Die deutschsprachigen Dichter und ihre Werke standen zunächst im Mittelpunkt seines (vor allem außerschulischen) Interesses. Aus dem Elternhaus brachte er immerhin genug Kenntnisse und Übung in Französisch mit, daß es für Erfolge im Schulunterricht ausreichte.

Die ganze Familie war mit einiger Berechtigung in großer Sorge, als im Frühjahr 1900 die Prüfungstermine für die Matura näher rückten. Zum großen Erstaunen brachte Stefan jedoch ein Abschlußzeugnis nach Hause, das zu den besten seines Jahrgangs zählte. Die Rettung hatte ihm neben dem intensiven Studium mathematischer Formeln und physikalischer Probleme seine schriftliche Ausarbeitung im Deutschunterricht gebracht, die nicht nur die längste in den fast 30 Jahren seit Bestehen des Gymnasiums gewesen war, sondern vom Landesschul-Inspektor, der der Prüfungskommission vorstand, auch noch mit besonderem Lob hervorgehoben wurde.

Siegfried Trebitsch hatte in einer frühen Version seiner in den 1950er Jahren erschienenen Autobiographie *Chronik eines Lebens* davon geschrieben, daß Zweigs Eltern ihren Sohn gleich nach dessen Geburt vom Militärdienst freigekauft hätten, es dann nach dem Schulabschluß in der Familie aber zu erheblichen Meinungsverschiedenheiten gekommen sei, da Stefan nicht in die elterliche Fabrik eintreten wollte. Der Streit sei so weit gegangen, daß er seinem Vater bei einer handgreiflichen Auseinandersetzung sogar einen Finger gebrochen habe. In späteren Ausgaben des Textes ist diese Passage getilgt worden, denn Alfred Zweig, dem Trebitsch das Buch mit

Alfred und Stefan Zweig

einer freundlichen Widmung zugeschickt hatte, drohte umgehend mit rechtlichen Schritten gegen die Verbreitung dieser Angaben. Auch wenn Trebitsch daraufhin zugab, daß ihm in dieser Passage des Buches eine Verwechslung passiert war und der streitbare Fabrikantensohn nicht Stefan Zweig, sondern ein anderer Klassenkamerad gewesen sei, blieben die Angaben aus der ersten Version des Textes freilich als Gerücht lebendig.

Dabei wäre ein Freikauf vom Militär gar nicht nötig gewesen, denn als sich Stefan Zweig nach Ende der Schulzeit freiwillig zum Wehrdienst stellte, wurde er, da er »etwas schwächlich«[15] war, mehrfach zurückgestellt. Was die Frage der Berufswahl anging, so hatten die Eltern für ihn auf jeden Fall ein Studium vorgesehen. Daß sie dabei eher an Medizin oder Jura dachten, ist anzunehmen, aber das wichtigste war, daß der Junge eines Tages den für die ganze Familie repräsentativen Doktortitel führen durfte. Alfred Zweig hingegen hatte eine Zeitlang ernsthaft mit dem Arztberuf geliebäugelt, doch stand eigentlich nicht zur Diskussion, daß er die Fabrik vom Vater zu übernehmen hatte, zumal er im Hinblick auf seine zukünftige Bestimmung nicht auf das humanistische Gymnasium, sondern auf das Realgymnasium geschickt worden war. Schließlich siegten der Familienrat, sein Pflichtgefühl und wohl auch die Einsicht, daß der jüngere Bruder mit seinen Fähigkeiten und Interessen als Firmendirektor auf verlorenem Posten gestanden hätte. Abgesehen davon, daß er schon von Kindesbeinen an auf seine zukünftige Beschäftigung vorbereitet worden war, war Alfred ein wesentlich pragmatischerer, kühlerer und weniger emotionaler Mann als Stefan und brachte damit ohne Zweifel die weitaus besseren Voraussetzungen für diesen Beruf mit.

Während Moriz Zweig zur Zeit seiner Heirat und der Geburt der beiden Söhne um 1880 als Industrieller noch ein Anfänger war, hatte er mit dem Betrieb nach nunmehr 20 Jahren ein erhebliches Vermögen erwirtschaftet. Die Familie galt nicht nur als reich, sie war es tatsächlich. Und nicht minder wichtig war, daß sie als solche auch unter ihresgleichen anerkannt wurde. Nicht zuletzt das dürfte den Entschluß erleichtert haben, Stefan das Studium der Philosophie und Literaturgeschichte zu ermöglichen.

Ob man auf größere Erfolge des dichtenden Sohnes hoffen durfte? Auch allzu großer Optimismus wäre gegen die Familientradition der Zweigs gewesen.

Goldene Seiten

Nach dem Tag seiner Abschlußprüfung, dem 12. Juli 1900, wollte Zweig
die Schule schnellstens hinter sich lassen. Zum kommenden Semester
hatte er sich an der Universität Wien für die Fächer Philosophie und Literaturgeschichte eingeschrieben. Seine Fluchttendenzen gingen so weit,
daß er mit einem Geldbetrag, den er von den Eltern nach der bestande-
nen Matura geschenkt bekommen hatte, eine größere Reise plante (wobei er zu Hause nur unbestimmt von einem Ausflug ins Grüne sprach).
Tatsächlich sah er eine Fahrt nach Berlin oder sogar nach Frankreich vor,
doch sollte beides in diesem Jahr noch nicht zustande kommen. Statt dessen begleitete der brave Sohn die Eltern wie in jedem Sommer nach Marienbad und fuhr mit ihnen im Anschluß an den Kuraufenthalt weiter ins
Salzkammergut nach Bad Ischl.

Ganz gleich in welche Richtung die Reise ging: Mit jedem Kilometer,
der ihn von Wien wegführte, wurde die eben beendete Schulzeit eine
Welt von Gestern. Zweig ließ nicht nur das Gymnasium hinter sich, sondern auch die Mitschüler. Zu kaum einem hatte er in späteren Jahren
noch Kontakt. Das lag zunächst daran, daß die meisten von ihnen sich in
Zukunft anderen Themen als der Literatur und den schönen Künsten zuzuwenden hatten, auch wenn sie eben noch selbst eifrig Gedichte ge-

schrieben und von ganz anderen Karrieren geträumt haben mochten als der eines Bankiers oder Juristen. Hinzu kam, daß Zweig in den letzten Schuljahren auf viele seiner Klassenkameraden reifer wirkte, als sie selbst sich fühlten. Damit hob er sich deutlich von ihnen ab, vielleicht sogar, ohne es selbst zu wollen und wirklich wahrzunehmen, denn ausgeprägte Eitelkeit oder Hochnäsigkeit waren ihm nicht zu unterstellen. Die Ernsthaftigkeit und Beharrlichkeit aber, mit denen er an seinen literarischen Versuchen arbeitete, hinterließen offensichtlich einen besonderen Eindruck. Man hätte nicht geglaubt, ihm noch etwas geben zu können, da er bereits in den letzten Gymnasialjahren wie ein »Fertiger« gewirkt habe, erinnert sich Ernst Benedikt.

Nachdem die Sommerreise mit den Eltern noch nicht dem entsprochen hatte, wovon Stefan eigentlich träumte, war der zweiten Etappe seiner »Flucht« vor der Schule und dem bisherigen Leben mehr Erfolg vergönnt. Zurück in Wien, wurde ihm ein großer Wunsch erfüllt: er durfte nun endlich ein eigenes Zimmer beziehen. Es war noch keine wirkliche Wohnung, aber immerhin eine kleine möblierte Studentenbude. Zu Hause bei den Eltern war ihm bei aller Größe und gehobenen Ausstattung der Wohnung bisher nur ein Raum zugestanden worden, den er mit seinem Bruder teilen mußte. Wenigstens hatte er dieses Zimmer schon in den beiden letzten Jahren des Gymnasiums die meiste Zeit für sich allein gehabt, denn Alfred war zu technischen Studien und Praktika außerhalb Wiens unterwegs und kam nur in den Ferien zurück in das Elternhaus.

In den folgenden Semestern wechselte Zweig sein Studienquartier mehrfach. Mit einem Blick in den Stadtplan ist festzustellen, daß alle Zimmer in einem recht engen Zirkelschlag um die Universität lagen, was gleichzeitig eine große Nähe zur Wohnung der Eltern bedeutete, wo er seine Post empfing und sich noch oft genug zum Essen aufhielt.

Die neu gewonnene Freiheit darf aber nicht darüber hinwegtäuschen, daß Zweig auch weiterhin darunter litt, wie die Erwachsenen ihn und seine Altersgenossen behandelten. So registrierte er mißmutig, daß er und seine Schul- und Studienkameraden auch kurz vor der Volljährigkeit, die man seinerzeit erst mit 24 Jahren erreichte, von Eltern, Lehrern und überhaupt von fast allen sogenannten Respektspersonen viel zu oft mit einem »Das verstehst du noch nicht« abgespeist wurden. Vermeintliche Kleinigkeiten wie die bereits erwähnte Trennung der Hotelspeisesäle für Kinder und Erwachsene, die er schon früh als unverständliche Zurücksetzung seiner Person empfunden hatte, hatten sein Sensorium für Demütigungen ähnlicher Art stark ausgeprägt: »Man wurde nicht müde, dem jungen Menschen einzuschärfen, daß er noch nicht ›reif‹ sei, daß er nichts verstünde, daß er einzig gläubig zuzuhören habe, nie aber selbst mitsprechen oder gar widersprechen dürfe.«[2]

Eine merkwürdige Schieflage entstand: Einerseits schien sich die Welt der Erwachsenen um so mehr zu verschließen, je älter man wurde, andererseits eiferte derselbe Schüler und Studienanfänger mit einigem Erfolg den großen Dichtern nach, wie die ersten Veröffentlichungen in renommierten Zeitungen bald zeigten. Glücklicherweise sollten genau diese Publikationen zum Durchbruch des Dichters Stefan Zweig führen. Noch nicht in der breiten Öffentlichkeit, aber auf einer anderen wichtigen Bühne: dem eigenen Elternhaus.

Darf man Zweigs Aufzeichnungen Glauben schenken, so kann man ihn an der Universität kaum gekannt haben. In seinen Erinnerungen setzt er die Studienjahre ganz bewußt in Kontrast zur Gymnasialzeit. Nun gab es zwar einen Stundenplan, aber keine Anwesenheitspflicht mehr. Die dadurch zu gewinnende Freizeit galt es möglichst effektiv für die Lektüre und die Arbeit an eigenen Werken zu nutzen. Gar so selten, wie er es später gern erzählte, war Zweig aber nicht in der Universität zu finden. Diverse Bemerkungen aus den Studienjahren zeigen, daß er sich durchaus ernsthaft mit dem Lehrstoff auseinandersetzte.

Daß die eigene Arbeit über das Studium nicht zu kurz kommen durfte, kann allerdings nicht verwundern. Ohne Pseudonyme benutzen zu müssen, konnte Zweig nun endlich an einen Plan gehen, der schon seit einiger Zeit in ihm reifte. Jede Publikation in angesehenen Zeitungen und Zeitschriften war eine erfreuliche Angelegenheit, aber um wieviel bedeutender mußte es sein, die Gedichte in einem eigenen Buch gedruckt zu sehen. Noch vor der Matura hatte er im März 1900 bei Franzos angefragt, ob es vorstellbar sei, daß in seinem Verlag ein solcher Gedichtband erschiene. Selbstverständlich knüpfte er auch Kontakte zu anderen Verlagshäusern, hörte sich um, verglich und bewertete deren Arbeit. Dabei war ihm nicht unwichtig, daß sein Erstlingswerk möglichst dort erschien, wo bereits einige bedeutende Dichternamen im Programm zu finden waren. Darüber hinaus legte er großen Wert auf die äußere Erscheinung des Buches, einen Aspekt, für den er sein Auge mittlerweile geschult hatte. Seine Vorstellungen sahen neben einem modern gestalteten Umschlag auch graphischen Schmuck auf den einzelnen Seiten vor. Großzügigkeit war ein wichtiges Gebot: Daß in dem Band auf einem Blatt mehr als ein Gedicht zu finden wäre, schien ihm völlig undenkbar. Mit dem Verlag Schuster & Loeffler in Berlin fand er schließlich die geeignete Adresse. Dort war man bereit, einen Gedichtband in das Programm aufzunehmen und nach seinen Ideen umzusetzen.

Der Verlag brachte neben herausragend gestalteten Büchern auch die Zeitschrift *Die Insel* heraus, für die einige Autoren der älteren Generation, vor allem aber junge Dichter wie Hugo von Hofmannsthal und Rainer Maria Rilke schrieben. Daß man mit einer Veröffentlichung in diesem Haus hoffen durfte, selbst zum Kreis der aufstrebenden Talente gezählt zu werden, war ein angenehmer Effekt. Im Frühjahr 1901 lag mit dem Band *Silberne Saiten* Stefan Zweigs erstes Buch vor, dessen Titel aus einer Zeile seines Gedichts *Nocturno* übernommen worden war. Den Umschlag und den Buchschmuck lieferte Hugo Steiner. Über die Vorbereitung ist nur bekannt, daß dem Druck eine erbarmungslose Auswahl vorangegangen war, in der Zweig aus mittlerweile Hunderten von Gedichten jene herauszufiltern versuchte, die für sich genommen am gelungensten erschienen, sich aber gleichzeitig auch in das Gesamtbild einpaßten. Viel silberner Mondesglanz schien durch die Strophen, Blumenblüten dufteten und von Sehnsucht war allenthalben die Rede. Was er damals zu Papier gebracht hatte, sah Zweig zwei Jahrzehnte später einerseits kritisch, doch andererseits auch als eine wichtige Stilübung an: »Ich dichtete dann all die leeren – oder mir leer erscheinenden – Gymnasialjahre lange vor dem Erlebnis, schrieb Verse an Frauen voll Leidenschaft, ohne noch erotisch angeregt zu sein, und da ich damals viele Verse schrieb, war das Ergebnis eine frühe Vertrautheit mit den Formen, eine erstaunliche Glätte des versifizierten Ausdrucks und eine Leichtigkeit der Produktion, die mir längst an der inneren Erkenntnis der Werte wieder abhanden gekommen ist.«[3]

Man mag sich vorstellen, mit welcher Aufregung Zweig den Tag erwartete, an dem er das fertige Buch in Händen hielt. Und sofort ging die Spannung dem nächsten Höhepunkt entgegen, denn die Frage war, was die Kritiker zu dem Band sagen würden. In einer Blütezeit der Lyrik, wie sie damals zu erleben war, hätte man mit einer Neuveröffentlichung schließlich auch in der Masse untergehen können. Doch das Buch wurde in allen wichtigen Zeitungen besprochen. Zweig leimte alle Rezensionen seines Erstlingswerkes – es waren über 40 – sorgfältig auf Karton, beschriftete die Karten mit Quellenangabe und Datum und legte einen Zettelkasten an. Nahezu einhellig war man der Meinung, das Werk eines talentierten jungen Mannes vor sich zu haben. Interessant ist, daß fast immer von der Zartheit der Gedichte auf den Autor selbst rückgeschlossen wurde. Ein Rezensent zitierte die Passage »Ein Knabe, der den Tag sich müd' gegangen, die Augen traumversehnt und groß«, und meinte, dies sei »schließlich nichts mehr und nichts weniger als ein Selbstporträt«.[4] Leonard Adelt schrieb in der *Zeit*: »Die Leidenschaft, die das ganze Sein des Menschen brutal doch großartig mit sich reißt, stürmt durch Stephan Zweigs Lyrik nicht. Zweig ist eine zu feine Natur, seine Seele so zart besaitet, daß die leisesten Empfindungstöne in ihr anklingen.«[5] Richard M. Werner brachte es schließlich auf den Punkt: »Es ist Melodie in ihnen, und darin liegt ihr Hauptvorzug. Denn sonst fehlt ihnen jenes bedeutsame Beigewicht, das erst mit den Jahren kommen kann: tiefere Erlebnisse. Der Dichter sucht sie nicht vorzutäuschen, er macht sich nicht älter als er ist.«[6] Auch Werner kam zu dem Schluß, daß man in jedem Fall auf zukünftige Werke dieses Autors gespannt sein dürfe.

Nur am Rande waren kleine sprachliche Unebenheiten aufgefallen: Adelt meinte, daß Gleichklänge wie in den Zeilen »die Nebel sinken – es singt der Sturm« wohl besser zu vermeiden gewesen wären. Tielos Bemerkung, der Autor häufe Attribute und Adjektive »hin und wieder«, wobei er als Beispiel »glühende, brennende Küsse« nannte, nahm sich Zweig nicht zu Herzen, denn genau diesen Vorwurf sollte er noch über Jahrzehnte nach fast jeder seiner Veröffentlichungen zu hören bekommen.

Selbst Freunde wiesen ihn vergeblich darauf hin, daß er es in seinen Texten mit Bekräftigungen und Steigerungen oft zu gut meinte.

Der Rezensent Strauss schrieb schließlich einen Satz, der Zweig in der eigenen Familie von größtem Nutzen gewesen sein dürfte:»Herr Zweig hat sein Buch zumTheile seinen Eltern, zumTheil dem Dichter Adolph Donath zugeeignet: die Beschenkten brauchen sich der Widmung nicht zu schämen.«[7] – Das taten die Empfänger keinesfalls. Die stolze Mutter Ida Zweig legte damals eine Sammlung von Zeitungsausschnitten mit den Gedichten, Essays, Kritiken und Buchbesprechungen ihres Sohnes an, die im Lauf der kommenden Jahre gewissenhaft ergänzt wurde.

Bedurfte es noch weiterer Überzeugungsarbeit, so wußte Zweig sie zu leisten. Seine Beiträge für verschiedene Zeitungen hatten ihn Schritt für Schritt zur *Neuen Freien Presse* in Wien gebracht. Sein erstes Treffen mit dem Redakteur Theodor Herzl hinterließ bei ihm einen tiefen Eindruck. Buchstäblich auf den ersten Blick wurde ihm deutlich, daß dieser glühende Verfechter der Gründung eines Judenstaates in Palästina den Beinamen»König von Zion« nicht bloß aus Spott bekommen hatte, denn von diesem Mann mit seinen scharfen Gesichtszügen und dem gewaltigen Bart ging tatsächlich etwas Majestätisches aus. Herzl, der als Redakteur und Autor höchstes Ansehen genoß, war gleich bereit, Zweigs Beiträge zu drucken. Auch in dessen Elternhaus wurde die *Neue Freie Presse* gelesen und geschätzt, wenngleich man Herzls Idee des Zionismus keinesfalls zu folgen vermochte. Es wäre wohl kaum einem der Fabrikdirektoren vom Schlage eines Moriz Zweig, die sich ihre Position in der Stadt über Jahrzehnte erarbeitet hatten, auch nur imTraum eingefallen, das bisherige Leben aufzugeben und in einen noch zu gründenden Staat in derWüste Palästinas auszuwandern. Dies alles schmälerte jedoch Herzls Ansehen als Publizist nicht, und nachdem Anfang 1902 Stefan Zweigs Novelle *Die Wanderung* in der *Neuen Freien Presse* gedruckt worden war, erzählte dessenVater allen Kollegen, Freunden und Bekannten bei jeder sich bietenden Gelegenheit vom beachtlichen Erfolg seines Sohnes.

Zweigs Beziehung zu Herzl, der schon 1904 verstarb, war in jener kurzen Zeit der Zusammenarbeit gut und gelegentlich auch vergnüglich, wie folgende Zeilen zumindest erahnen lassen, die Herzl im November 1903 sandte: »Mein Lieber Zweig, wie jung sind Sie! Ich schicke Ihnen Ihren [!] Brief zurück, damit Sie ihn in 20 Jahren ergötzt wiederlesen. Namentlich das Vorzimmer der schönen Frau wird Ihnen dann viel Freude machen.«[8] – Leider ist Zweigs Brief, von dem hier die Rede ist und von dem mehr Aufschluß über das »Vorzimmer der schönen Frau« zu erwarten gewesen wäre, nicht mehr auffindbar.

Mit diesen Erfolgen hätte Zweig mehr als zufrieden sein können, doch erfüllten seine eigenen Texte, vor allem die Gedichte, schon bald nicht mehr die Ansprüche, die er selbst an sie stellte. Es kam ihm schon kurz nach der Veröffentlichung des Bandes völlig unverständlich vor, daß er sich mit diesen künstlich wirkenden Versen überhaupt an die Öffentlichkeit gewagt hatte. Wirklich ausformuliert hat er diese Kritik gegen das eigene Werk – fast könnte man von einer Abneigung sprechen – erst Jahrzehnte später, als er mehrfach hervorhob, daß er seine frühen Veröffentlichungen aus gutem Grund nie zum Nachdruck freigegeben hatte. Und so blieben trotz des Lobes der Kritik die *Silbernen Saiten* auf nur eine Auflage beschränkt, was das Buch heute zu einem gesuchten Sammlerstück macht.

Camill Hoffmann war zu dieser Zeit der Mensch, der Zweig als Freund und Kollege am nächsten stand. Die beiden trafen sich wann immer es die Zeit zuließ. Oft genug standen dann Besuche im Kunsthistorischen Museum und das Studium der Malerei und Plastik auf dem Plan. An Sonntagen allerdings lasen sie sich auf Hoffmanns Vorschlag gegenseitig Werke der französischen Literatur vor – in der Originalsprache, wie sich versteht. Gemeinsam übertrugen sie Charles Baudelaires *Gedichte in Vers und Prosa*, die mit einer Einleitung Zweigs versehen 1902 bei Hermann Seemann Nachf. in Leipzig erscheinen sollten.

Solche Nachdichtungen und Übersetzungsarbeiten waren gleichsam eine Art »Therapie«, die sich Zweig nach der Enttäuschung über seine eigenen Dichtungen selbst verordnet hatte. Richard Dehmel hatte ihm geraten, sich auf diese Weise mit den Werken fremder Autoren zu beschäftigen, dabei Strukturen, Wortwahl und Stil zu studieren und gleichzeitig das eigene Sprachempfinden zu schulen. Ein geplanter Band mit eigenen Novellen und ein weiteres Versbuch sollten deshalb vorerst warten, obwohl sich bei Zweigs bisherigem Arbeitstempo bereits einiges Material dafür angesammelt hatte. Schon im März des Jahres hatte er die Novelle *Die Liebe der Erika Ewald* vollendet, doch blieb das Manuskript noch zwei Jahre liegen, bis es 1904 als Titelgeschichte in einen Sammelband aufgenommen wurde.

Eine weitere Ablenkung und neue Orientierung war von einem Semester in Berlin zu erwarten, das er schon zu Anfang seines Studiums eingeplant hatte. Von einigen Monaten, die er fern von Wien und mitten im Leben verbringen wollte, versprach sich Zweig ein wenig mehr Klarheit für seine Zukunft. Ab 1. April 1902 sollte man ihn unter der Adresse Berlin SW 46, Bernburger Straße 20, nicht weit entfernt vom Potsdamer Platz finden.

Von dort aus machte er sich an die Organisation eines Bandes mit Übertragungen von Gedichten Paul Verlaines, der wiederum bei Schuster & Loeffler verlegt werden sollte. Zweig sah sich in diesem Falle mehr als Herausgeber denn als Beiträger. Er versuchte, mit der Auswahl der Übersetzungen sowohl einen Einblick in das Schaffen Verlaines wie auch in dasjenige der Übersetzer zu bringen, die er in Absprache mit dem Verlag bestimmt hatte. Beteiligt waren unter anderem Richard Dehmel, Franz Evers, Richard Schaukal, Johannes Schlaf und Cäsar Flaischlen. Doch galt es hierbei mit Kompromissen zu leben: Schaukal beispielsweise sei ein »litterarischer Hochstapler«,[9] wie Zweig an Adelt schrieb. Trotzdem hätte man es kaum wagen können, den damals sehr rührigen Dichter aus dem Projekt auszuschließen. Die Abneigung der beiden Herren beruhte jedenfalls auf Gegenseitigkeit, denn schon im voraus hatte Schaukal vermeldet, daß Zweig sich darauf verlassen könne, über die Baudelaire-Übertragungen in einer der folgenden Nummern der *Gesellschaft* einen ausführlichen Verriß zu finden. Wobei sich erübrigt zu sagen, wer der Autor der Rezension sein sollte. Und dies war nur die erste Kostprobe einer immer heftiger werdenden Rangelei.

Über Aufenthalte an der Universität in jenen Monaten ist nur wenig bekannt. Neue Bekanntschaften schloß Zweig vielmehr außerhalb des Studiums. Was er suchte, so schrieb er selbst, war nicht der Kontakt zur »guten« Gesellschaft, der er in Wien seit seiner Geburt und scheinbar unabänderlich angehörte, sondern eine »schlechte« Gesellschaft – oder zumindest das, was man sich darunter gemeinhin vorstellte. In einem Café am Nollendorfplatz traf er sich mit Mitgliedern des Künstlerkreises *Die Kommenden*, zu dessen führenden Köpfen der damals noch unbekannte Rudolf Steiner gehörte. In buntem Durcheinander versammelten sich um den greisen Dichter Peter Hille Zugereiste aus allen Kunst- und Himmelsrichtungen, um sich Werke vorzutragen, zu diskutieren oder anderen Vergnügen hinzugeben. Diese brodelnde Menge war mit nichts zu vergleichen, was Zweig in Wien erlebt hatte. Und auch das Umfeld dieses Zirkels, in das er sich bereitwillig entführen ließ, bot rundherum Staunenswertes: »Ich saß am selben Tisch mit schweren Trinkern und Homosexuellen und Morphinisten, ich schüttelte – sehr stolz – die Hand einem ziemlich bekannten und abgestraften Hochstapler (der später seine Memoiren veröffentlichte und auf diese Weise zu uns Schriftstellern kam). Alles, was ich in den realistischen Romanen kaum geglaubt hatte, schob und drängte sich in den kleinen Wirtsstuben und Cafés, in die ich eingeführt wurde, zusammen, und je schlimmer eines Menschen Ruf war, um so begehrlicher mein Interesse, seinen Träger persönlich kennenzulernen.«[10] Nicht ohne Grund fanden sich in zeitgenössischen Literaturzeitschriften neben den zu erwartenden Werbeanzeigen für Tinten und Schreibwerkzeuge auch solche für Schaumweine unterschiedlichster Qualität und für Entziehungskuren von allen möglichen Suchtmitteln.

Trotz allem Trubel bleibt es fraglich, wie weit Zweig seine Freiheit wirklich nutzte und ob er es überhaupt verstanden hätte, sie auf eine direkte Art auszukosten. Denn sich fern der Heimat unter diese Gesellschaft zu mischen, bedeutete noch längst nicht, sich darin zu versenken oder gar dazuzugehören. Auch kurzzeitigen Verlockungen unbekannter Art stand jenes Sicherheitsbedürfnis gegenüber, das seine Familie seit langem geprägt und zum Erfolg geführt hatte. So einfach ließ sich die Herkunft nicht abschütteln, zumal sie auch nicht als eine unerträgliche Last empfunden wurde. Das zumindest zeigt ein Brief, den Zweig ein Dreivierteljahr nach seiner Rückkehr aus Berlin an Hermann Hesse schrieb: »Ich glaube – im Grunde leben wir – ich meine ›wir‹, die wir uns verwandt fühlen, – alle ziemlich gleich. Auch ich habe mich viel verschwendet an's Leben – nur jenes letzte Überfließen fehlt mir: der Rausch. Ein bißchen bleibe ich immer nüchtern, – ein Ding, das mir Georg Busse Palma, das größte Sumpfhuhn unserer Tage, nie verzeihen konnte.«[11]

Wesentlich einfacher war es dagegen, eher bürgerlichen Vergnügungen nachzugehen, wozu auch die Auswahl eines Signets für das eigene Briefpapier gehörte. Hierfür hatte Zweig sich vom Maler und Graphiker Hugo Höppener, der unter dem Künstlernamen Fidus arbeitete, einen Entwurf zeichnen lassen. Höppener arbeitete für Zeitschriften wie *Pan*, *Jugend* und auch den sozialdemokratischen *Vorwärts*. Ganz im Stil des Künstlers gehalten, der sich der Licht- und Freikörperkultur verschrieben hatte, zeigt das Signet die Strichzeichnung eines nackten Jünglings mit langem Haar, der mit einem Stab in der Hand schwungvoll einen Trudelreifen vor sich hertreibt. Darunter sprießt zwischen dem in Großbuchstaben gesetzten Vor- und Nachnamen des Briefschreibers ein Zweig mit Lorbeerblättern nach rechts und links.

Die wichtigste Freundschaft, die Zweig in der kurzen Berliner Zeit schloß, war jene zu Höppeners Kollegen Ephraim Moses Lilien, der zu den wichtigsten Vertretern des Jugendstils gehörte. Sein Werk war durch und durch von dieser modernen Stilauffassung geprägt. Einen Großteil seiner Themen und Motive fand er im religiösen Bereich. Nach Herzl begegnete Zweig hier einem weiteren Anhänger des Zionismus, der wiederum eine gänzlich andere Herkunft aufwies als er selbst. Lilien stammte aus Drohobycz in Galizien und war Sohn eines Drechslermeisters. Zweig sah in ihm einen typischen – und ihm persönlich bis dahin unbekannt gewesenen – Vertreter des Ostjudentums. 1902 hatte Lilien gemeinsam mit Martin Buber, Chaim Weizmann, Berthold Feiwel und Davis Trietsch den Jüdischen Verlag gegründet, der sich der Förderung der jüdischen Kultur in deutscher Sprache widmen sollte. Ein Überblick über sein eigenes Schaffen erschien ein Jahr später unter dem Titel *E. M. Lilien, sein Werk* allerdings bei Schuster & Loeffler. Zweig steuerte hierzu ein umfangreiches Vorwort bei, in dem er herauszuarbeiten versuchte, wie sich die Besonderheiten in den Graphiken seines Freundes mit dessen Herkunft in Verbindung bringen ließen. Wie sehr er Lilien und seine Religionsauffassung wirklich verstand, ist hinter seinem etwas holzschnittartig geratenen Text, der ihm selbst »den nicht sehr lieben Titel eines Zionisten eintrug, sonst aber nur 50 Mk«,[12] nicht klar erkennbar. Auch das entsprechende Kapitel in der *Welt von Gestern* zeigt kein differenzierteres Bild.

Ein Manko ihrer Freundschaft war, daß Lilien sich als ausgesprochen schreibfauler Korrespondenzpartner erwies, der mit Zweigs enormen Briefausstoß nicht ansatzweise mithalten konnte. Alle mehr oder weniger liebevollen Hinweise Zweigs, daß man auf eingegangene Briefe auch antworten könne, fruchteten wenig. Wenn sich die beiden aber in Berlin oder Wien trafen, war dies über zahllose Neuigkeiten, die es jedesmal zu berichten galt, schnell vergessen. Mit Lilien konnte Zweig auch Themen ergründen, für die in seinem Umkreis sonst nur wenige Personen ein Interesse zeigten. Im August 1903 schrieb er dem »Lieben Efra« einen Brief, in dem er sich wünschte, daß er nicht bloß auf seinen »Faulenzerwegen« in dessen Atelier gekommen wäre. Er hatte nämlich ein Idealbild ihrer Künstlerfreundschaft entworfen, »ein kleines Bild [. . .], das uns beide darstellt. Du in Deiner ingrimmig-sorgfältigen Art zeichnend, den Block der Arbeit zärtlich umfassend. Ich hingegen in der anderen Ecke etwas schreibend, was sicherlich nicht so viel wert wäre als Dein Zeichnen. Und nun dächte ich es mir so: daß wir beide, so alle halben Stunden vielleicht, wenn wir müdegerackert einen Augenblick die Finger faulenzen lassen, zueinander kämen und uns in die Arbeiten guckten und so nicht nur unsere Arbeit sehen könnten wie alle anderen, die so unklug sind, sie zu kaufen, sondern daß wir von unseren Schöpfermühen ein wenig mehr wüßten, von der Glut und Mühe, dem Glück und der Andacht, daß diese Stunden zu einzigen und unvergleichlichen macht.«[13] Wie zu sehen ist, hatte Zweigs Faszination an der Entstehung von Kunstwerken, das ihn schon bei der Betrachtung fremder Autographen geleitet hatte, keinesfalls nachgelassen. Neben allen eigenen schriftstellerischen Versuchen war es für ihn noch immer eines der spannendsten Unterfangen, diesem Geheimnis auf die Spur zu kommen. Daß er das Spektrum seiner Beobachtungen dabei von der Literatur auf andere künstlerische Gebiete ausweitete, war nur konsequent. Außerdem war von einem Graphiker ein direkterer Eindruck zu erhoffen, da das gezeichnete Werk sofort vor Augen stand, während Dichtung und Musik im Stadium der Niederschrift noch wesentlich abstrakter blieben.

Nach solchen Erörterungen durfte Zweig sich sicher sein, daß sein Freund Lilien eine besondere Gabe zu schätzen wußte, und so überreichte er ihm im Tausch gegen eine Originalzeichnung das Manuskript seiner Novelle *Die Wanderung*. Außerdem wurde Lilien durch ein silbernes Zigarettenetui an Zweig erinnert, das ihm dieser mit den in seiner Handschrift eingravierten Worten »E. M. Lilien ungern aber herzlich gegeben Stefan« zum Geschenk gemacht hatte. Umgekehrt verschickte Zweig ab 1908 mit jedem Briefblatt, das seinen Schreibtisch verließ, eine Graphik seines Freundes, denn das selten benutzte Signet von Fidus wurde damals durch ein von Lilien entworfenes rundes Monogramm mit den verschlungenen Buchstaben »SZ« ersetzt. In der oberen linken Ecke von Briefbögen, Postkarten und auf die Rückseite der Kuverts aufgedruckt, wurde es für fast drei Jahrzehnte ein in der Literaturszene bestens bekanntes Markenzeichen. Ein Petschaft mit demselben Motiv, das seinerzeit ebenfalls angefertigt wurde, kam dagegen als etwas zu altmodisches Utensil so gut wie nie zum Einsatz.

Nach den Monaten in Berlin kehrte Zweig nur kurz nach Hause zurück, denn wie seit Jahren begannen die Sommerferien mit den Eltern in Marienbad. Von dort aber ging es allein weiter nach Brüssel und Paris, wo sich sein Freund Camill Hoffmann schon aufhielt und noch einige andere Bekannte warteten. Unterwegs entstanden nebenbei einige neue Gedichte und Feuilletons für die heimische Presse. Mit Frankreich hatte sich Zweig ein Ziel gesucht, an dem er schon seit langem besonderes Interesse hatte, das sich über die Jahre beinahe zu einer Sehnsucht steigerte, die nicht enttäuscht werden sollte. Abgesehen davon, daß er die Sprache recht gut beherrschte, hatte er sich, wie zu sehen war, intensiv mit der neueren und zeitgenössischen Dichtung Frankreichs und Belgiens beschäftigt. Eine nicht versiegende Quelle für Entdeckungen waren schon zu seinen Schulzeiten die literarischen Zeitschriften aus dem In- und Ausland gewesen, die in den Kaffeehäusern Wiens auslagen. Wie in einem Wettbewerb hatten sich die Gymnasiasten von unbekannten Dichtern und Texten erzählt. Jeder hatte versucht, derjenige zu sein, der eine bisher unbeachtete Größe zutage fördert. Auf diese Weise war Zweig schon vor Jahren auf den belgischen Dichter Emile Verhaeren gestoßen, dessen

Werk im deutschen Sprachraum um die Jahrhundertwende noch so gut wie unbekannt war. Verhaeren hatte zwar mehrere Zyklen mit Liebesgedichten geschrieben, die seiner Frau, der Malerin Marthe Massin, gewidmet waren, doch war seine Lyrik zu einem großen Teil in gänzlich anderen Sphären angesiedelt als jene Zweigs. Im letzten Jahrzehnt des 19. Jahrhunderts hatte er sich nämlich mehr und mehr sozialen Themen zugewandt und seinen Beruf als Jurist aufgegeben. Der unaufhaltsame technische Fortschritt und die Gegensätze zwischen der großstädtischen Gesellschaft und dem Landleben standen nun im Vordergrund seines Schaffens, in dem wiederum die Lyrik und dramatische Werke das größte Gewicht hatten. Sein 1883 erschienener Gedichtband *Les flamandes* galt in seiner ländlichen Heimat trotz (oder besser wegen) glänzender Kritik der Avantgardekünstler als anstoßerregend. Gemeinsam mit dem Pfarrer ihres Wohnortes ließen Verhaerens Eltern keine Möglichkeit unversucht, möglichst viele Exemplare des Buches zu erwerben – um sie anschließend zu verbrennen. Aber mit den Aktionen erreichten sie eher das Gegenteil des eigentlichen Ziels, denn Verhaerens Bekanntheit im eigenen Land wurde so nur noch größer. Er lebte inmitten der von ihm oft bedichteten Landschaft in einem Haus in Caillou-qui-bique, hielt sich gelegentlich in Brüssel oder Paris auf und verbrachte alljährlich einige Monate an der Küste, wo ihm im Frühsommer das Klima wegen seines Heuschnupfens erträglicher war.

Zweig steuerte bei seinem Besuch Brüssel an, in der Hoffnung, den verehrten Dichter dort ohne Voranmeldung treffen zu können, erfuhr aber gleich nach der Ankunft, daß Verhaeren zur Zeit gar nicht dort sei. Die große Enttäuschung legte sich bei einem Besuch im Haus des Bildhauers Charles van der Stappen, als nämlich – »Le voilà!« – Verhaeren unversehens in der Tür erschien. Er war mit van der Stappen verabredet gewesen, der gerade eine Büste von ihm anfertigte, für die noch eine letzte Sitzung von Künstler und Modell nötig war. Nun durfte Zweig mit in das Atelier kommen und sich mehrere Stunden mit Verhaeren unterhalten, während van der Stappen seiner Arbeit nachging. Der damals entstandene Portraitkopf des kleinen Mannes mit der zerfurchten Stirn und dem riesigen, traurig herabhängenden Bart (in Anspielung an den gallischen

Häuptling sprach Zweig von einem »Vercingetorix-Schnurrbart«[14]) zählt zu den herausragenden Werken van der Stappens, und Zweig übernahm später eine Photographie der Büste als Frontispiz in den Band seiner Gedichtübertragungen Verhaerens.

Auch wenn Zweig den um gut zweieinhalb Jahrzehnte älteren Verhaeren in seinen Briefen stets als »Meister« anredete, bleibt doch hervorzuheben, daß das Verhältnis von Beginn an beiderseits mit ausgesprochener Achtung und Sympathie füreinander einherging. Verhaeren hatte schnell erkannt, daß der junge Österreicher, der mit etwas über 20 Jahren so vehement für sein Werk und dessen Verbreitung eintrat, kein Traumtänzer oder Schmeichler war. Einmal mehr waren nicht nur Zweigs fast kindliche und manchmal naive Begeisterung, sondern auch die ebenso große Ernsthaftigkeit und Beharrlichkeit aufgefallen, mit der er seine Arbeit anging. Mit dieser Kombination gelang es ihm immer wieder, das Vertrauen anderer zu gewinnen. Er selbst fand nach Jahren der Orientierungslosigkeit in der Person des Mannes, dessen Werk ihm schon einigen Halt gegeben hatte, endlich den lang ersehnten väterlichen Freund und künstlerischen Ratgeber: »Er war der erste große Dichter, den ich menschlich erlebte. In mir selbst war damals schon der Anbeginn dichterischen Werkes, aber unsicher noch wie Wetterleuchten auf dem Himmel der Seele: noch war ich nicht gewiß, ob ich selbst ein Berufener des Wortes sei oder bloß es zu werden begehrte, und meine tiefste Sehnsucht verlangte, einem jener wirklichen Dichter endlich zu begegnen, Angesicht zu Angesicht, Seele zu Seele, der mir Beispiel sein konnte und Entscheidung. Ich liebte die Dichter aus den Büchern: sie waren dort schön durch die Ferne und den Tod; ich kannte einige Dichter aus unserer Zeit: sie waren enttäuschend durch ihre Nähe und die oft abstoßende Art ihrer Existenz. Keiner war mir damals nah, dessen Leben mir Lehrbild sein konnte, dessen Erfahrung mich führte, dessen Einklang zwischen Wesen und Werk mir innerlich zur Bindung der noch unsicheren Kräfte verhalf. In Biographien fand ich Vorbilder und Beispiel dichterisch-menschlichen Einklangs, aber schon wußte mein Gefühl, daß jedes Lebensgesetz, jede innere Gestaltung nur vom Lebendigen ausgeht, von erlebter Erfahrung und geschautem Beispiel. [. . .]

Liliencron erlebte ich einen Abend in Wien, umdrängt von Freunden, umrauscht von Beifall und dann an einem Tisch zwischen Menschen und vielen Worten, darin sich das seine verlor, ich haschte Dehmels Hand einmal im Gedränge, fing einen Gruß von diesem und jenem. Niemals aber war ich einem nahe. Manchen freilich hätte ich besser kennenlernen können, aber mich ihnen anzudrängen bewahrte mich meine Scheu, die ich später als geheimes und glückliches Gesetz meiner Existenz erkannte: daß ich nichts suchen dürfe und mir alles zur richtigen Zeit einst gegeben sei. Was mich formte, kam nie aus meinem Wunsch, aus meinem tätigen Willen, sondern immer von Gnade und Geschick: und so auch dieser wundervolle Mensch, der plötzlich und zur rechten Stunde in mein Leben trat und dann das geistige Sternbild meiner Jugend wurde.«[15] Die zugehörige »Stadt seiner Jugend« wurde schließlich Paris, das alle seine Erwartungen (die zum Teil recht klischeehaft waren) erfüllt zu haben scheint. Die Stimmung Zweigs am Ende seiner Reise mit ihren neuen Freundschaften und Entdeckungen muß wahrlich euphorisch gewesen sein. Es gab gar keinen Zweifel, daß spätestens für das kommende Jahr eine Rückkehr einzuplanen war.

Ab September war er wieder in Wien und bezog ein neues Studierzimmer in der Tulpengasse 6. Zwischen Aschenbechern und Kaffeetassen (Tabak und starker schwarzer Kaffee waren längst zu unverzichtbaren Begleitern des Arbeitstages geworden) stapelten sich die Bücher. Sein Lesepensum war immens und ging in alle Richtungen. Gerade hatte er die Werke Selma Lagerlöfs für sich entdeckt, Jacob Wassermanns *Geschichte der jungen Renate Fuchs* gelesen, Turgenjews *Väter und Söhne* kennengelernt und sich auch mit Wilhelm Bölsches *Liebesleben in der Natur* beschäftigt, einem Band, der für den Beginn einer neuen Sachbuchkultur stand.

Bald darauf war das Thema für den geplanten Studienabschluß gefunden, der nach dem bisher genossenen Studentenleben für die kommenden ein oder anderthalb Jahre wenig Zeit für Nebenbeschäftigungen erahnen ließ. Die drohende grauschwarze »Gewitterwolke einer Dissertation«[16] sollte mit einer Arbeit über *Die Philosophie des Hippolyte Taine* vertrieben werden. Die Wahl des Themas klingt ungewöhnlich für Zweig, denn schließlich behauptete er über sich selbst: »Gedanken entwickeln sich bei mir ausnahmslos an Gegenständen, Geschehnissen und Gestalten, alles rein Theoretische und Metaphysische bleibt mir unerlernbar«[17] – eine Aussage, die sich mit seiner Vorgehensweise bei der Themensuche und Recherche für andere Projekte deckt. Dementsprechend war zu erwarten, daß er die Theorie des 1893 verstorbenen französischen Philosophen, Literatur- und Kunstwissenschaftlers weniger mit anderen Entwürfen vergleichen, als auf ihren praktischen Nutzen überprüfen würde. Taines Annahme, daß alle Entscheidungen des Menschen allein durch Vererbung, das soziale Umfeld sowie die historische Situation bestimmt sind, genügte Zweig nach kritischer Betrachtung nicht. Er plädierte dafür, daß man die Person individueller begreifen müsse und wesentlich tiefer in deren Psychologie einzudringen habe, um ihre Taten zu erklären. Ein interessantes Ergebnis, denn im Prinzip formulierte Zweig damit einen Teil des Erfolgsrezepts seiner späteren Werke, besonders der historischen Biographien, in denen er stets versuchte, den Charakter einer Person bis ins kleinste Detail zu sezieren, bevor er sich an deren Darstellung machte.

In seinen Briefen aus diesen Jahren ist außer grundsätzlichen Klagen über die Arbeit wenig über die Ideen, mit denen er sich beschäftigte, zu lesen. Nicht oft genug konnte er jedoch betonen, daß er die leidige Dissertation möglichst schnell »hinter sich werfen« wolle. Eine Formulierung, die seither zu einer Floskel wurde, wann immer eine unliebsame Sache zu erledigen war. Viel Freude brachte ihm die Arbeit wahrlich nicht, bescherte ihm aber immerhin eine erste intensive Beschäftigung mit den Werken Ben Jonsons, über den Taine ausführlich geschrieben hatte.

Selbstverständlich war Zweig trotz aller ehrgeizigen Buch- und Abschlußpläne auch im Sommer 1903 bei Verhaeren gewesen. Anschließend zog er sich eine Weile auf die Ile de Bréhat zurück. Von dort berichtete er Victor Fleischer, dessen Bruder Max ebenfalls an seiner Dissertation arbeitete: »Lieber Victor, seit Tagen will ich Dir schon schreiben. Wunder ereignen sich: ich arbeite, wie ein wildes Thier. Ich war in Paris ect, nun bin ich auf einer entzückenden kleinen Insel in der Bretagne und arbeite [in] einer kleinen Laube wie ein Narr, insoferne ich nicht esse oder – erschrick nicht! – bade. Ich schufte a) meine Dissertation b) eine Novelle

c) eine Übersetzung Emile Verhaerens d) die Vorrede zum Lilienbuch. Vier Publicationen will ich in drei Wochen fertig haben. – Oh jerum; jerum! Weiblichkeit gibt es hier nur in unschönen Exemplaren, [. . .] von Menschen nur Maler, außerdem viel Kühe, Schafe, Katzen, Kaninchen ect. Oh Gott, es gibt so viel zu erzählen: Du wirst staunen. Was macht Max?! Lebt er noch? Und seine Dissertation?! Meine läuft. 20 Druckseiten habe ich in einer Woche vollendet, 40 Druckseiten der Novelle, 10 Druckseiten Lyrik übersetzt. Hoho, mein Lieber! Doas schaugt's euch an!«[18] Nach vergnüglichen Tagen in der Hauptstadt war diese Arbeitsklausur dringend nötig gewesen, um mit den diversen Manuskripten nicht zu sehr in Rückstand zu geraten. Doch die Stimmung schien trotz der Belastung glänzend zu sein, auch wenn die angenehmen Seiten des Studentenlebens in der Einsamkeit offenbar schmerzlich vermißt wurden, denn mit dem Ausruf »Oh jerum, jerum« zitiert Zweig einen Zeilenanfang des Studentenliedes *Rückblicke eines alten Burschen,* das mit den Worten »O alte Burschenherrlichkeit, wohin bist du entschwunden? Nie kehrst du wieder, goldne Zeit, so froh und ungebunden!« beginnt.

Während Stefan Europa bereiste und seinen erfolgreichen Universitätsabschluß plante, kamen auf seinen Bruder Alfred ganz andere Aufgaben zu: Der Vater Moriz Zweig hatte sich 1903 einer aufwendigen Operation zu unterziehen, von der er sich nur sehr langsam erholte. Über ein Jahr konnte er sich kaum an der Geschäftsführung seines Betriebes beteiligen. Zu allem Überfluß verließ gerade zu dieser Zeit auch noch ein langjähriger enger Mitarbeiter die Firma, da er sich mit einem eigenen Geschäft selbständig machen wollte. Nun sollte es sich bewähren, daß Alfred Zweig seit langem auf eine höhere Aufgabe im elterlichen Unternehmen vorbereitet worden war. Im Alter von gerade einmal 24 Jahren übernahm er als Einzelprokurist und im darauffolgenden Jahr als öffentlicher Gesellschafter einen leitenden Posten.

Einen so jungen Mann an der Spitze einer größeren Firma zu finden, war alles andere als gewöhnlich. Die Reihe der greisen oder zumindest älteren Herren in führenden Positionen zog sich vom Herrscherhaus mit dem betagten Kaiser an der Spitze über die Minister und höheren Beamten bis in kleinste Amtsstuben. Die Berufung Gustav Mahlers zum Kapellmeister der Hofoper galt 1897 als Sensation, war dieser »junge Mann« bei Amtsantritt doch gerade einmal 36 Jahre alt gewesen. Stefan Zweig erinnert sich daran, daß sich viele Männer schon mit 20 Jahren mächtige Bärte wachsen ließen. Dies geschah nicht nur aus modischen Erwägungen, sondern um für älter gehalten zu werden und damit nach landläufiger Meinung als vertrauenswürdiger zu gelten. Er selbst trug, wie auch sein Bruder, seit sein Bartwuchs begonnen hatte, einen Schnurr-bart. Alfred zwirbelte die Bartspitzen zeitweilig kunstvoll nach oben, und auf einigen Photographien hat er in seinem Sommeranzug mit elegantem Spazierstock und einem Strohhut nach englischem Vorbild gewiß keine Ähnlichkeit mit den meisten seiner Berufskollegen. Stefan legte nicht weniger Wert auf seine Kleidung, doch wirkt er in den frühen Jahren oft noch ein wenig braver und zurückhaltender. Spätestens seit der Gym-nasialzeit trug er oft eine Brille, auf die er erst in den 1920er Jahren wie-der verzichtete, wobei nicht sicher ist, ob er sie jemals als Sehhilfe benötigte oder sie doch eher das modische Accessoire eines aufstreben-den Intellektuellen war. Da seine Augen sehr empfindlich gegen allzu starkes Sonnenlicht waren, benutzte er später gelegentlich Sonnenbrillen und zog im Garten und in Straßencafés schattige Plätze vor.

Die letzten Monate, die ihm vom Studentenleben blieben, genoß er trotz aller Arbeitsbelastung in vollen Zügen. Obwohl er selbst meist als zurückhaltend und ruhig beschrieben wurde, konnte er gelegentlich nicht bloß mit seinen bisherigen Erfolgen, sondern auch mit seinem Lebensstil beeindrucken. So erinnert sich Max Brod an eine Begegnung in Wien: »Für mich war alles neu und imponierend, was ich in den wenigen Stunden mit Stefan Zweig erlebte. Wir streiften durch die Straßen Wiens, standen be-wundernd vor machtvollen, dabei diffizil ausgewogenen Barockfassaden, und schließlich war der Wurstelprater unser Ziel. Nachher nahm mich Zweig in seine Studentenbude mit. Fast unbegreiflich war es mir, einem verzogenen Muttersöhnchen, daß Zweig nicht bei seinen in Wien leben-den Eltern wohnte. Anatols Abenteuer schwirrten mir durch den armen Kopf. Und dazu bekam ich die vielen seltenen Bücher in fremden Sprachen zu sehen, bekam einen Danziger Schnaps vorgesetzt, in dem kleine dünne Goldpapierblättchen schwammen. Das erschien mir als Gipfel großstädtischer Verruchtheit. Und dazu die Weisheitssprüche des um einige Jahre Älteren kurz, ich war völlig zu Boden gewalzt.«[19] Mit diesem nach Zweigs Tod entstandenen Text revanchierte sich Brod gewissermaßen für ein Vorwort zu seinem Roman *Tycho Brahes Weg zu Gott*, das Zweig ihm 1927 geliefert hatte. Darin hatte er eine Szenerie beschrieben, in der Brod mit größter Bescheidenheit auftritt und die dessen Staunen über das Leben des vermeintlichen Bohemiens mit erlesenen Büchern und Danziger Goldwasser ebenso plausibel erscheinen läßt wie die Anspielung auf den Frauenhelden Anatol aus Arthur Schnitzlers gleichnamigem Schauspiel: »Noch sehe ich ihn, wie ich ihn das erstemal sah«, schrieb Zweig über Brod, »einen Zwanzigjährigen, klein, schmächtig und von unendlicher Bescheidenheit. Ich sehe ihn in seiner beglückten Freude, Prag, die geliebte und bezaubernde Stadt, einem Fremden erstmalig zeigen zu dürfen und von all seiner Liebe zu heroisch vergangener Welt zu erzählen. [. . .] Er erzählt von Musik, von Smetana und Janacek, [. . .] immer aber von andern, niemals von sich und seinen selbstgeschaffenen Liedern und Sonaten. Man fragt ihn nach seinem Werke: statt aller Antwort rühmt er einen völlig unbekannten Franz Kafka als den wirklichen Meister neuzeitlicher Prosa und Psychologie.«[20] Kurioserweise und wohl aus

Stefan Zweig um 1904

Freundlichkeit und dramaturgischen Gründen haben sowohl Zweig als auch Brod in ihren Texten ihr erstes Zusammentreffen in die Geburtsstadt des jeweils anderen verlegt. Wann und wo sie sich wirklich erstmals sahen, ist nicht sicher festzustellen, doch war es wahrscheinlich in Prag. Es sei an dieser Stelle noch angemerkt, daß Zweig trotz seines guten Kontaktes zu Brod dessen engsten Freund, den »völlig unbekannten Franz Kafka«, nie persönlich treffen sollte, die Weberei der Zweigs aber ausgerechnet in jenem Bezirk lag, für den Kafka später als Vertreter der *Arbeiter-Unfall-Versicherungs-Anstalt für das Königreich Böhmen* zuständig war.

Im Frühjahr 1904 rückte die Abschlußprüfung an der Universität unaufhaltsam näher. Tage und Nächte paukte Zweig gemeinsam mit seinem Kom-
militonen Erwin Guido Kolbenheyer. Dessen Biographie sollte später eine
ausgesprochen unangenehme Entwicklung nehmen, so daß Zweig Anfang
der 1940er Jahre über ihn mutmaßte, daß er »heute vielleicht nicht gerne
daran erinnert wird, weil er einer der offiziellen Dichter und Akademiker
Hitlerdeutschlands geworden ist«.[21]

Nach Durchsicht der schriftlichen Arbeit legten die Professoren Friedrich Jodl und Laurenz Müllner ihren *Bericht über die Dissertation des Cand. Phil.*
Stefan Zweig vor. Darin bezeichnen sie die Wahl des Themas als »entschieden
verdienstlich«.[22] Nicht nur, weil die Auseinandersetzung mit den philosophischen Gedanken Taines, der erst elf Jahre zuvor verstorben war, im deutschen Sprachraum bis zu jenem Zeitpunkt kaum stattgefunden hatte, sondern auch und vor allem, weil der Verfasser der Arbeit sich intensiv mit den
Quellen und der weiterführenden Literatur in der Originalsprache beschäftigt hatte. Auf dieses Lob für Zweig folgte in der mündlichen Prüfung
eine noch größere Erleichterung, da darauf verzichtet wurde, ihn auf kriti-
sches Terrain zu führen: »Der gütige Professor [...] sagte mir [...] lächelnd:
›Exakte Logik wollen Sie doch lieber nicht geprüft werden‹.«[23]

So konnte Zweig zu Beginn der Sommerferien, am 19. Juli 1904, auf
eigens gedruckten Karten seine Promotion mitteilen. Und wie eine
Selbstbelohnung für die überstandenen Mühen wirkt es, daß nicht einmal
einen Monat später der lange erwartete Novellenband *Die Liebe der Erika*
Ewald vorlag. Die Kritiker erkannten auch hierin das Talent des Autors, und
Hermann Hesse schrieb in einer Besprechung: »Zweig ist, wenn auch als
Erzähler noch nicht reif und fertig, eine besonders liebenswürdige Persönlichkeit, und das ist mehr als alle Technik wert.«[24] Der Rezensent durfte
sich sicher sein, schon bald die nächsten Werkproben in Händen zu halten,
denn in einem kurzen biographischen Abriß schrieb Zweig im selben Jahr
über sich selbst: »Nebst kritischer Thätigkeit befaßte er sich mit Ueber-
tragungen hauptsächlich aus dem Französischen. [...] Nach mehreren
kleineren essayistischen Arbeiten und Einleitungen veröffentlichte er
1904 einen Band Novellen ›Die Liebe der Erika Ewald‹, dem eine Sammlung neuer Verse baldigst folgen soll.«[25]

*»Wenn ich an meine Jahre zwischen achtzehn und dreißig
zurückdenken will und mir vergegenwärtigen, was ich damals
tat, so scheint mir, als ob ich diese ganzen Jahre einzig in der
Welt herumgereist, in Kaffeehäusern gesessen und mit Frauen
herumgezogen wäre. Mit bestem Willen kann ich mich nicht
erinnern, jemals gearbeitet, jemals etwas gelernt zu haben.
Dem aber widersprechen die Tatsachen.«* [1]

Autobiographie, 1922

Der Beobachter

»Auch ich gehe hier der Litteratur ziemlich aus dem Weg. Ich glaube – so
sah ich's wenigstens in Berlin – man denkt sich die Wiener Litteratur im
Ausland als einen großen Caféhaustisch, um den wir alle herumsitzen, tag
[!] für Tag. Nun – ich zum Beispiel, kenne weder Schnitzler, noch Bahr,
noch Hofmannsthal, Altenberg intim, die ersten drei überhaupt nicht.« [2]
Letzteres sollte sich ändern, denn nachdem Zweig dies Anfang 1903 in
einem Brief an Hermann Hesse geschrieben hatte, war er sich klarer über
seine Absichten geworden. Die freundschaftliche Beziehung zu Verhaeren
und die Erfolge seiner letzten Veröffentlichungen hatten seine größten
Selbstzweifel an der Wahl des Schriftstellerberufs vorläufig ausgeräumt.
Außerdem fand die von ihm zusammengestellte Anthologie von Verlaine-
Nachdichtungen nicht nur wegen der Mitarbeiter, sondern auch wegen
ihres niedrigen Preises eine weite Verbreitung, was sich sehr positiv auf
Zweigs Bekanntheit auswirkte.

Nun galt es, den bestehenden Kreis aus vorwiegend gleichaltrigen Autoren um einige etwas ältere und bereits etablierte Dichter zu erweitern.
Mit Rainer Maria Rilke, Hermann Bahr und Arthur Schnitzler kam Zweig
nach und nach in Kontakt. Die Zusendung seines jeweils neuesten Buches
mit einigen freundlichen Zeilen brachte als Auftakt fast immer den ge-

wünschten Erfolg und war eine gute Grundlage für einen ersten Gedankenaustausch. Nach wenigen Briefen in beide Richtungen folgte meist die Einladung zu einem Treffen. Rilke sah Zweig mehrfach in Paris, Bahr und Schnitzler wohnten in Wien, so daß sich ein gemeinsames Abendessen oder ein Gespräch im Kaffeehaus auch recht kurzfristig arrangieren ließ. Den bekannten und bewunderten Kollegen nahe zu sein, war Zweig ein wichtiges Bedürfnis geworden. Bei jedem Treffen gab es viel zu beobachten und zu lernen, sowohl für das Werk wie auch für das Leben, und am Rande konnte man sich bei dieser Gelegenheit auch noch gegenseitig mit dem neuesten Klatsch und Tratsch aus dem Literaturbetrieb versorgen.

Nach Zweigs erstem Besuch schrieb Schnitzler in sein Tagebuch: »Dr. Stefan Zweig kennen gelernt; sehr sympath. kluger junger Dichter.« Im Laufe des Abends war Zweig auch auf seine Handschriftensammlung und damit auf eines seiner Lieblingsthemen zu sprechen gekommen. Selbstverständlich geschah dies nicht ohne Hintergedanken: »Er ersucht mich um Mscrpt. und zeigt sich sehr geärgert, daß ich gerade in der letzten Zeit [. . .] Mscrpt. [. . .] verbrannt«, notierte Schnitzler weiter, der sich mit der Idee einer Werkschriftensammlung durchaus anfreunden konnte, dem Ankauf fremder Briefe jedoch reserviert gegenüberstand, zumal, wenn es sich um seine eigenen Schreiben an Dritte handelte. Leicht verstimmt hatte er seinen Tagebucheintrag über Zweigs Besuch nämlich beendet: »Er hat vor nicht langer Zeit einen ganz privaten Brief von mir gekauft. Hugo's [Hugo von Hofmannsthal] und meine Briefe werden augenblicklich 3–4 Kronen gehandelt.«[3] Dennoch wollte er die Niederschrift der nächsten größeren Arbeit für Zweig reservieren und überließ ihm schließlich das Manuskript seines Schauspiels *Der Ruf des Lebens*. Zweig bedankte sich dafür in beinahe übertriebener Großzügigkeit mit einem Goethe-Autograph, das er für Schnitzler auf einer Auktion erworben hatte.

Die Frage nach Werkmanuskripten bewährte sich jedenfalls als eine weitere und zudem gewinnbringende Möglichkeit zur Kontaktaufnahme mit anderen Autoren. Nachdem Zweigs eigener Name den meisten Empfängern durch seine Veröffentlichungen nunmehr bekannt war, erreichte die Ausbeute (selbstverständlich längst auch ohne Beilage des Rückportos) beachtliche Ausmaße. Und so bekam fast jeder einigermaßen bekannte

Schriftsteller jener Tage früher oder später einen Brief, in dem er um einige Manuskriptblätter gebeten wurde. An Emil Ludwig schrieb Zweig: »Falls Sie ein handschriftliches Manuscript eines Ihrer Dramen oder anderer Werke besitzen und nicht Wert darauf legen, es für sich zu behalten, wäre mir es ein liebes Geschenk. Ich sammle, Sie erinnern sich vielleicht noch, Manuscripte mir lieber Dichter, behüte sie in weissem Pergament und einem eisernen Schrank. Möchten Sie die Reihe nicht vermehren?«[4]

Bei der Erweiterung seiner Sammlung ging Zweig längst systematisch vor. Die Aufenthalte in Berlin und Paris hatten wichtige Bekanntschaften zu den dortigen Antiquaren gebracht, von denen er sich bei jedem Besuch sehr genau über neue Angebote informieren ließ. Das Prunkstück seiner Sammlung, das er in jenen Jahren erwarb, war das Gedicht *Im May* in einer Reinschrift von Goethes Hand. Das Blatt mit den Anfangszeilen »Zwischen Waizen und Korn« hängte er gerahmt und gut sichtbar in seinem Zimmer auf.

Die Veröffentlichung der schon seit längerem geplanten neuen Verssammlung stand im Herbst 1906 an. Zunächst hatte Zweig daran gedacht, den Band *Wege* zu nennen, ließ ihn dann aber unter dem Titel *Die frühen Kränze* erscheinen. Über fünf Jahre lag die Veröffentlichung der *Silbernen Saiten* nun schon zurück, und seither hatte sich viel neues Material angesammelt. Das Buch ist in verschiedene Abschnitte gegliedert, in denen jeweils einige Gedichte zu einem Bereich versammelt sind. *Die Lieder des Abends* und die *Sinnende Stunde* gehören dazu wie die *Fahrten*, eine Überschrift, unter der Gedichte wie *Stille Insel (Bretagne)* und *Brügge* an die Reisen der vergangenen Jahre erinnern. Selbstverständlich wurden auch die *Frauen* besungen, und dies inzwischen gewiß mit etwas mehr Erfahrung, als es noch vor Jahren der Fall war:

Wenn ich im Dämmern liege,
Drückt mich das Dunkel kaum.
Wie eine weiche Wiege
Wiegt mich der alte Traum,
Der Traum der schönen Frauen,
Wen tröstet der nicht?[5]

Wieder war der Band ein Achtungserfolg, aber Zweig wurde auch deutlich, daß er sich nicht zu sehr auf eigene lyrische Werke beschränken sollte, deren langfristiger Bestand doch zu bezweifeln war.

Mit der Neuerscheinung hatte er den Verlag gewechselt, was zunächst nicht ungewöhnlich war. Das erste Buch und die Verhaeren-Nachdichtungen waren bei Schuster & Loeffler erschienen, die *Liebe der Erika Ewald* dagegen bei Egon Fleischel in Berlin, nachdem der Plan verworfen worden war, das Manuskript an den S. Fischer Verlag zu senden. Nun druckte der Insel Verlag in Leipzig *Die frühen Kränze,* die am Beginn einer langen Reihe von weiteren Veröffentlichungen Zweigs in diesem Haus stehen sollten. Der Verlag war nach einigen Wirren um die Literaturzeitschrift *Die Insel* aus der Firma Schuster & Loeffler hervorgegangen. Unter der Leitung von Rudolf von Poellnitz sollte das Unternehmen ein Programm entwickeln, das von klassischen Autoren bis zu zeitgenössischen Werken reichte. Nach wie vor stand neben der inhaltlichen Qualität auch die moderne graphische Gestaltung und die hochwertige Ausstattung der Bücher im Vordergrund. Den Namen und das einprägsame Signet – ein Schiff, das unter vollen Segeln durch die Wogen fährt – hatte man von der Zeitschrift übernommen und entwickelte es in den kommenden Jahren zu einem Zeichen, das jedem Leser besondere Qualität versprach. Nachdem von Poellnitz, der als Kaufmann wenig Geschick gezeigt hatte, Anfang 1905 nach schwerer Krankheit im Alter von nur 40 Jahren starb, wurde der Drucker Carl Ernst Poeschel vorübergehend Leiter des Verlages. Mitte des Jahres stieg der aus Bremen stammende Anton Kippenberg in die Geschäftsführung ein, die er bald darauf allein übernahm.

Mit Autoren wie Rainer Maria Rilke, Hugo von Hofmannsthal und Ricarda Huch, deren Bindung an das Haus Anton Kippenberg zu festigen versuchte, waren dem Verlag für die kommenden Jahre gute Aussichten auf wichtige Neuerscheinungen gegeben. Gleichzeitig sollte der Bereich der klassischen Literatur weiter gepflegt und ausgebaut werden, wobei das Werk Johann Wolfgang von Goethes ganz unbestritten im Mittelpunkt aller Bemühungen stand. Die Ausrichtung auf Goethe mag wenig verwundern, hatte ihren Grund aber nicht nur in dessen unbestrittener Bedeutung für die Literatur, sondern hing auch direkt mit Anton Kippen-

bergs privaten Interessen zusammen. Er hatte nämlich schon zu Studien-
zeiten damit begonnen, eine Goethe-Sammlung mit Originalhandschriften, Erst- und Sonderausgaben, Gemälden, Graphiken und Kunsthand-
werk anzulegen, die nach Jahrzehnten die wichtigste ihrer Art in
Privatbesitz geworden war.

Für Zweig war besonders erfreulich, daß der Verlag nicht nur seine
Bücher herausbrachte, sondern auch Interesse an seinen Vorschlägen für
neue Programmschwerpunkte oder Buchreihen zeigte. Außerdem kamen
die Fragen der Buchgestaltung nie zu kurz. Selbst die exakte Tönung der
Druckerschwärze konnte man mit dem Verlagsleiter diskutieren, und
auch mit Sonderwünschen wie: »ich [möchte] bitten, dass in der Papier-
frage mein Wunsch – leichtes und dickes Papier, das sogenannte feder-
leichte Papier – berücksichtigt wird«,[6] stieß man als Autor nicht auf taube
Ohren. In solch einem Umfeld konnte sich ein Stefan Zweig sehr wohl
fühlen.

Kurz vor seinem Geburtstag wurde ihm mitgeteilt, daß er in Wien für
eine Ehrengabe aus dem Bauernfeldpreis des Jahres 1906 bestimmt worden war. Die Jury wollte mit der Verleihung sein lyrisches Werk gewürdigt wissen. In einigen Zeitungsartikeln zum Thema wurden sogar Por-
traitbilder der Preisträger veröffentlicht. Der Verleger las solche
Nachrichten über einen seiner Autoren selbstverständlich gern und
fragte in seinem nächsten Brief an Hugo von Hofmannsthal ganz beiläu-
fig, ob auch er von der Preisverleihung an Zweig gehört habe. Offenbar
hatte Kippenberg nicht im geringsten geahnt, daß er damit einen äußerst
heiklen Punkt ansprach: »Was den sogenannten Bauernfeldpreis betrifft«, schrieb Hofmannsthal zurück, »so dürfte sich Ihnen die Bemes-
sung dieser Thatsache durch die örtliche Distanz erschweren. Diese Stiftung hat sich im Geist einer ganz besonders albernen Wiener Kunstpolitik
hinlänglich kompromittiert und überdies hat Herr Z. keineswegs den B.
Preis bekommen, welcher gar nicht verliehen worden ist, sondern eine
Ehrengabe daraus, welche bescheidene Auszeichnung er mit 8 anderen
Individuen sechsten Ranges theilt. Es liegt also nicht einmal ein äußer-
licher Anlaß vor, die Valeur dieses Literaten anders einzuschätzen. Ich
glaube übrigens nach unserem Gespräch, daß Sie über das Principielle in

dieser Sache genau so denken wie ich und die schwere Schädigung nicht verkennen welche [. . .] unter der Pöllnitzschen Führung dem Prestige des Verlages zugefügt worden [ist]. Prestige ist eine undefinierbare Sache und man kann sich nur mit Leuten darüber unterhalten mit denen man sich versteht. Ich glaube wir verstehen uns vollkommen.«[7]

Wie schon erwähnt, konnte Hofmannsthal sich nie mit Zweigs Stil, Werk und Person anfreunden. Daß Zweig zu allem Überfluß auch noch im selben Verlag erfolgreich war, in dem ein Teil seiner eigenen Werke veröffentlicht wurde, vereinfachte die Angelegenheit nicht. Freilich wurde die Abneigung Zweig gegenüber nicht offen formuliert, und der wird eine Weile gebraucht haben, um Hofmannsthals wirkliche Meinung über ihn einigermaßen einschätzen zu können. Hofmannsthal hatte ihn sogar mehrmals zur Teestunde nach Rodaun eingeladen, in einem Brief selbst die günstigsten Zug- und Omnibusverbindungen für die Reise von Wien mitgeteilt und sich an anderer Stelle im Namen seiner Frau ganz herzlich für die Blumen bedankt, die Zweig bei einem Besuch mitgebracht hatte. Über solche eher oberflächlichen Dinge hinaus ließ ihn Hofmannsthal nach der Veröffentlichung der mit seiner Einleitung versehenen zwölfbändigen Buchreihe *Die Erzählungen aus den tausendundein Nächten* auch wissen, wie wichtig ihm die positive Besprechung der Bücher durch Zweig gewesen war. Daraufhin sah sich Zweig veranlaßt, Hofmannsthal mit seinen jeweiligen Neuerscheinungen zu bedenken, doch führte dies keinesfalls dazu, daß der Empfänger sich nun intensiver mit dem Werk auseinandersetzen würde. Das Postskriptum: »Sonderbarer Weise haben wir neulich über Balzac ganz ihre Novelle vergessen!«,[8] das Hofmannsthal einem seiner Briefe an Zweig anfügte, muß nicht bedeuten, daß er dieses Versäumnis sonderlich bedauerte.

Weitaus weniger problematisch waren Zweigs Beziehungen zu den Kollegen in Frankreich und Belgien. Schon Ende 1904 war er wieder nach Paris gefahren, hatte aber Verhaeren zu seiner großen Enttäuschung zunächst nicht angetroffen, da dessen Schwiegermutter im Sterben lag. Mitte Februar des folgenden Jahres machte sich Zweig auf den Weg in den wärmeren Süden und fuhr durch Spanien bis nach Algier. Ein ursprünglich geplanter Ausflug auf die Balearen unterblieb allerdings. An Franz

Karl Ginzkey schrieb er: »Sie wollten gern etwas von Spanien wissen. Es ist *herrlich*, das ist alles, was man in einem Brief davon sagen kann.«[9] Details der Reise berichtete er in mittlerweile gewohnter Manier in einigen Beiträgen für die heimischen Zeitungen.

Aus dem Süden kam er nochmals nach Paris zurück und blieb bis Mitte Juni dort. Auf dem Rückweg nach Wien fuhr er über Gaienhofen am Bodensee, um dort nach einem langen Briefwechsel Hermann Hesse endlich auch persönlich kennenzulernen. Als Zweig in dem kleinen Dorf ankam, schritt er so schwungvoll auf den Gastgeber zu, daß er sich den Kopf an einem niedrigen Türrahmen von Hesses Bauernhaus stieß und erst nach einer Weile wieder ansprechbar war. Bei gemeinsamen Spaziergängen am Bodensee kamen sich die beiden Kollegen in den nächsten Tagen in langen Gesprächen näher. Allein die Lebensweise des jeweils anderen – die beiderseits ein wenig kultiviert wurde – sorgte für genug gegenseitiges Interesse: Auf der einen Seite stand Hesse als Mann mit einfachen Bedürfnissen, in dessen Haus es nicht einmal fließend Wasser gab, auf der anderen Seite Zweig als reisefreudiger Genießer ohne finanzielle Sorgen. So gab es viele berufliche und persönliche Erfahrungen auszutauschen. Während seines Besuchs photographierte Zweig fleißig und versorgte Hesse später mit der Bilderausbeute. Als Geschenk hatte er dessen über 80 Seiten starkes Manuskript der Erzählung *Heumond* für seine Sammlung mit nach Hause gebracht.

Wieder in Wien angelangt, wollte sich Zweig nach seinen Arbeiten in Lyrik und Prosa nun mit einem Drama in einem neuen Genre erproben. Tersites, ein häßlicher Quertreiber im Griechenheer vor Troja, der wegen seiner Hetzreden eine traurige Berühmtheit erlangt hatte und schließlich von Achill erschlagen worden war, sollte im Mittelpunkt des Werkes stehen und ihm auch seinen Namen geben. Im Herbst 1905 hatte Zweig, begleitet von vielen Zweifeln an der Idee und Qualität dieser Arbeit, mit der Planung des Stückes begonnen, das auch formal ganz im Stil klassischer Dramen gehalten sein sollte. Während eines Aufenthaltes in Italien schrieb er den Text in einige dort erworbene Schulhefte nieder. Als das Werk im kommenden Frühjahr vollendet war, waren die Selbstzweifel weniger geworden. Er äußerte sogar, der Dreiakter sei zweifellos das schönste, was er bisher geschrieben habe. Aber daß das Stück jemals zur Aufführung kommen könnte, wollte er noch lange nicht glauben.

Nach den längeren Besuchen in Frankreich und Belgien, von wo aus Zweig auch die Niederlande besucht hatte, nach den Aufenthalten in Spanien und Italien, das er schon seit seinen Kindertagen kannte, war es nunmehr an der Zeit, den Kontinent zu verlassen und einige Monate in England zu verbringen. Gleich im Anschluß an den inzwischen obligatorischen Aufenthalt in Paris sollte diese Erkundungsfahrt im Sommer 1906 stattfinden. Den Wechsel von Paris nach London verglich Zweig mit einem Schritt vom grellen Sommersonnenschein in den kühlen Schatten. Er bezog dies auf das Wetter, wie auf die Menschen: »Ich lebe hier in London ein wenig unwillig, weil ich die Sonne sehr gerne habe und umdüsterten Himmel wie einen Bleiring ums Herz empfinde. Auch habe ich wenig Menschen, die mir hier nahe steht [!]: es sind zu viel Kühle, Besonnene hier und zu wenig Herzliche.«[10]

Glücklicherweise bot ihm die Stadt neben einigen Lesungen, auf denen er William Butler Yeats und Arthur Symons hörte, noch mehr als genug Zeitvertreib. Von seinem Quartier, einer nordwestlich des Hyde Park gelegenen Pension mit der Adresse 84 Kensington Gardens Square, begab er sich an vielen Tagen in den Lesesaal des British Museum, um dort seltene Bücher und Manuskripte zu studieren. Eine neue »Künstlerfreundschaft« der besonderen Art ergab sich nach dem Besuch einer Ausstellung von Zeichnungen des 1827 verstorbenen Dichters und Graphikers William Blake. Der Kunsthistoriker Archibald B. G. Russell, der schon einige Bücher über Blake verfaßt hatte, führte durch die Räume und wußte dabei interessante Details zu den gezeigten Werken anzubringen. Zweig war von Blakes Schaffen geradezu überwältigt. Als Folge dieser Neuentdeckung machte er sich daran, einen Text von Russell ins Deutsche zu übertragen, der noch im selben Jahr unter dem Titel *Die visionäre Kunstphilosophie des William Blake* erschien. Doch damit nicht genug: Für sich selbst erwarb er durch die Vermittlung Russells eine Bleistiftzeichnung von Blake mit dem Portrait des King John. Das Blatt zählte Zweig selbst zu den wichtigsten Stücken seiner Sammlung und verglich es etwas kühn sogar mit einem Werk Leonardo da Vincis. Obwohl er sich erstaunlicherweise selbst nie ausführlicher zu Blake äußerte, ließen ihn dessen Graphiken nicht mehr los. In späteren Jahren kaufte er eine zweite Zeichnung mit der Gestalt Hiobs im Mittelpunkt, und als er Mitte der 1930er Jahre in der Morgan Library in New York weitere Blätter ansah, konnte er darüber immer noch ins Schwärmen geraten: »Man hat sie nie gesehen, wenn man sie nicht in diesen Himmelsfarben kennt.«[11]

In den Sommerwochen unternahm Zweig einige Ausflüge, die ihn unter anderem nach Oxford führten, worüber er wiederum in einem Artikel für die Zeitung erzählte. Eine längere Tour ging weit in den Norden, über York bis hinauf nach Schottland. All das war spannend und mit zahlreichen Entdeckungen verbunden, nur konnte er den Kontakt zu Land und Leuten nicht finden, wie es ihm in Belgien und Frankreich mühelos gelungen war. Gespräche über aktuelle Themen wurden schlichtweg dadurch erschwert, daß jeder Einheimische die Politiker nur beim Vornamen nannte und Zweig der Konversation ohne Kenntnis der Details kaum folgen konnte, geschweige denn in der Lage gewesen wäre, etwas dazu beitragen zu können. Auch daß ihm nach eigener Aussage der Unterschied zwischen Hockey und Polo immer höchst unklar blieb und der Sportteil einer Zeitung mit allen unerklärlichen Chiffren auf ihn wirkte, als sei er in Chinesisch geschrieben, trug gewiß nicht zum besseren Verständnis der britischen Lebensweise bei.

Nein, dieses Land bot viel Interessantes, doch es würde kein enger Freund werden. Ein Feuilleton über den Hyde Park, in dem er die Seele des Landes zu ergründen suchte, beendete Zweig mit dem Satz: »Englands wahrer Traum heißt nicht Hydepark, sondern immer noch Italien«[12] – und er konnte dies von ganzem Herzen nachvollziehen. Nicht ohne Grund wählte er für einen Arbeitsaufenthalt zum Jahresende für einige Wochen Meran und Rom als Ziel aus.

Obwohl Zweig alljährlich mehrere Monate im Ausland verbrachte, blieb Wien der Mittelpunkt seines Lebens. So war es nur konsequent, sich hier eine eigene Bleibe einzurichten. Ab Februar 1907 lautete die neue Anschrift Wien VIII., Kochgasse 8, wo er sich eine nicht allzu große Wohnung mit drei Zimmern gemietet hatte. Dies war, wie all die kostspieligen Reisen, problemlos möglich, da er mit Erreichen der Volljährigkeit aus dem Erbe seiner Großmutter 40 000 Kronen ausgezahlt bekommen hatte. Zusätzlich erhielt er vom Gewinn der elterlichen Fabrik das, was sein Bruder als eine »reichliche monatliche Sustentation«[13] umschrieb, die sich auf einen jährlichen Betrag von weiteren 20 000 Kronen summierte und damit etwa dem Geschäftsanteil entsprach, den Alfred seinerzeit bereits übernommen hatte.

Die möblierten Zimmer aus Studentenzeiten und das Wohnen bei den Eltern sollten endlich der Vergangenheit angehören. Eine etwas repräsentativere Bleibe war schon deshalb wünschenswert, damit man auch Gäste zu sich nach Hause bitten konnte. Zudem war die Aussicht auf die Abwesenheit von Eltern oder Wirtinnen im Nachbarzimmer ein nicht unwichtiger Aspekt. Zweigs Freund und Kollege Victor Fleischer hatte kurz vor dem Umzug angefragt, ob man nicht gemeinsam eine größere Wohnung mieten wolle, doch machte ihm Zweig aus verschiedenen Gründen keine Hoffnungen: »Nun zu Deinem Vorschlag. Bist Du böse, wenn ich ihn von vorneherein ablehne? Ich glaube, ein Zusammenwohnen ist einer Freundschaft nicht immer ganz förderlich und – warum soll ich nicht aufrichtig zu Dir sein? – es wäre mir aus Gründen meiner Erotik nicht ganz angenehm und schließlich: ich brauche oft absolutes allein sein. Ich darf mich nicht zu einem lieben Menschen nebenan flüchten können, weil – ich es zu oft täte. Darum ist mir der Gedanke einer Ehe oft so merkwürdig, mir, der ich oft einsam durch Wochen reise, ohne mit jemandem ein Wort zu reden und nur freudig spüre, wie in mir manches wächst und sich regt. Sei mir nicht böse, daß ich so aufrichtig bin: wäre ich Deiner Freundschaft nicht so sicher, so hätte ich mich hinter einer Ausrede versteckt, die doch so unnötig ist.«[14]

Nach Alfred Zweigs Erinnerungen war sein Bruder zwar empfindsam und gelegentlich träumerisch, aber alles andere als eine romantisch veranlagte Natur. Er konnte sich nicht daran erinnern, daß Stefan in seiner Jugendzeit je verliebt gewesen wäre, wie es fast allen seinen Freunden einmal ergangen sei. Eine ständige Freundin habe sein Bruder in all den Jahren nie gehabt, was kurze (und vor allem sehr kurze) Affären keineswegs ausschloß, die aber allesamt völlig unbedeutend waren. Leidenschaftliche Liebe, so Alfred weiter, sei Stefan unbekannt gewesen, sie

Beim Schnellphotographen im Wurstelprater, vermutlich im Frühjahr 1906. Hinten links Alfred Zweig, rechts der Schriftsteller Robert Müller, vorne links der mit den Zweigs befreundete Ingenieur Robert Goldmann, rechts Stefan Zweig. Die Dame und der Herr in der Mitte sind unbekannt.

habe er nur bei anderen studiert und oft genug in seinen Werken beschrieben.

Zu all den genannten Gründen und Einstellungen, die gegen eine feste Bindung zu einer Frau sprachen, kam noch hinzu, daß ihm sein Werk weiterhin über alles ging. Die intensive Arbeit war nicht nur eine Möglichkeit, der Realität zu entfliehen, sondern noch immer der Versuch, das eigene Können zu festigen und sich dauerhaft zu etablieren. Mit dieser Einstellung wären alle weitergehenden Kontakte viel zu zeitraubend gewesen – ein Aspekt, den Zweig Jahre später, als sich eine feste Beziehung zu einer Frau anbahnte, noch immer als ein Ideal seiner Lebensplanung ansah.

In der eigenen Wohnung begann er nun damit, allmorgendlich Turnübungen zu machen, was ihm bislang undenkbar erschienen war. Sobald das Wetter es erlaubte, begab er sich zur Arbeit an die frische Luft und nahm sogar Reitunterricht. Im Park von Schönbrunn, im Prater oder am Kahlenberg werkelte er an seinen eigenen Büchern und an Übertragungen aus dem Französischen. Dabei hatte sich das Auf- und Abgehen beim Entwickeln neuer Texte als besonders hilfreich erwiesen. Nach seinen eigenen Worten entdeckte er erst jetzt die Natur, denn in den ersten 20 Lebensjahren hatte er von der Umgebung Wiens so gut wie nichts gesehen.

Zur Verfeinerung seines Lebensstils gehörten auch neue Briefbögen mit dem von Lilien entworfenen Signet. Auf edles Schreibpapier gedruckt, sollten sie Element eines Gesamtkunstwerkes werden, in dessen Vordergrund unbestritten das dichterische Werk des Autors stand, das aber auch in Gestaltung, Ausstattung und Material höchsten Ansprüchen zu genügen hatte. Für die zahllosen Bände seiner Bibliothek lag ein ebenfalls von Lilien gestaltetes Exlibris bereit, das am Ende aber nur in wenige Bücher eingeklebt wurde. An den Wänden der Wohnung hingen einige Photographien, die Zweig von Freunden und Bekannten mitgebracht oder erbeten hatte, darunter waren die Portraits von Rodin, Verhaeren, Constantin Meunier, Wilhelm von Scholz, Hugo Salus, van der Stappen, Börries von Münchhausen, Franz Evers und Karl Klammer. An prominenter Stelle waren außerdem, für jeden Besucher gut sichtbar, der *King John* von William Blake, das *Mailied* und – »Ich freue mich ganz unbändig damit!«[15] – auch eine Zeichnung von Goethes Hand unter Glas und Rahmen angebracht worden.

Neben dem Band *Rimbaud: Leben und Dichtung* mit Übertragungen von Karl Klammer und einer Einleitung von Zweig erschien im Insel Verlag nun auch der *Tersites*. Mit der Veröffentlichung des Dramas war immerhin ein weiterer Schritt in Richtung Theaterbühne getan, und die Reaktionen auf das Buch waren, wenn nicht überschwenglich, so doch sehr anerkennend. Die große Überraschung war ein Brief Ludwig Barnays, der als Direktor des Berliner Schauspielhauses ein Exemplar des Werkes erhalten hatte und nicht nur die Uraufführung des Stückes an seinem Theater in Aussicht stellte, sondern hierfür auch noch einen der berühmtesten Schauspieler der Zeit, Adalbert Matkowsky, für die Rolle des Achill vor-

gesehen hatte. Nach seiner erfreuten Zusage machte sich Zweig in zeit-
raubender Arbeit daran, größere Kürzungen und Umstellungen am Stück
vorzunehmen, die Barnay vorgeschlagen hatte. Während Zweig an der
Bühnenversion feilte, kam es am Berliner Theater zu einer Reihe von Un-
stimmigkeiten, woraufhin sich der Termin der Uraufführung zu seinem
Ärger vom März 1908 in den April und schließlich in den Mai verschob.

Ungeachtet dieser Verzögerungen rührte Zweig die Werbetrommel in
eigener Sache und schickte Anfang Mai, in der Hoffnung, nun stünde die
Aufführung endlich bevor, ein Telegramm an den Verlag: »bitte versendet
dreissig buecher tersites an grossa [!] zeitungen mit ausname [!] berliner
sollten recensions exemplare verbraucht sein bitte sie auf mein conto zu
setzen grusse [!] =stefan zweig=«.[16] Nicht etwa aus dem Theater, sondern aus der Zeitung erfuhr er dann, daß Matkowsky nicht wie vorgesehen eine der Hauptrollen übernehmen könne, da er schwer erkrankt sei.
Voller Wut und Enttäuschung zog er das Stück umgehend per Telegramm
zurück und hatte sich noch nicht beruhigt, als er gleich anschließend einen
Brief an Barnay schrieb, in dem viele Worte zur Bekräftigung zwei- und
dreifach unterstrichen waren. Zu seinem großen Entsetzen hörte Zweig
wenig später, daß Matkowsky tatsächlich schwer erkrankt (eine Angabe,
die er zunächst für eine Vorwand zur Absage des Stückes gehalten hatte)
und kurz darauf verstorben war. Als Trost blieb ihm, daß sich die Theater
in Kassel und Dresden nun zur gemeinsamen Uraufführung des Stückes
bereit erklärten. Eine weitere Zerstreuung seiner immer wieder aufkommenden Zweifel an diesem Werk und der Themenwahl hatte eine
Empfehlung seines Landsmannes Josef Kainz gebracht, der es am Burgtheater in Wien vorschlug und als Schauspieler selbst nicht etwa die Hel-
denrolle des Achill, sondern ebenjenen unglücklichen Tersites spielen
wollte, auf dessen Charakter Zweig das Stück angelegt hatte.

Mehr Vergnügen als die Beschäftigung mit diesem scheinbar vom Pech
verfolgten Drama brachte eine Neuentdeckung. Nach der Rückkehr von
einer Frankreichreise berichtete Zweig seinem Bruder, der sich eigentlich nur sehr am Rande für Literatur interessierte, voller Begeisterung
von seinen Plänen: Nach intensiven Studien habe er beschlossen, sich
zukünftig ausführlich mit dem Werk und der Person Honoré de Balzacs

zu befassen. Vielleicht werde er eine Biographie des Franzosen schreiben, teilte er mit, Material dazu gebe es jedenfalls in Mengen. Balzac war ihm fortan jede Zeile wert. Kaum eine andere Schriftstellerfigur hat ihn so sehr und so lange zu faszinieren vermocht wie der 1850 verstorbene Romancier, dessen Werkausgabe Hofmannsthal im Insel Verlag vorbereitete.

Ein wichtiger Gesprächspartner in dieser Sache war ihm niemand geringerer als Auguste Rodin geworden, mit dem er in Frankreich mehrmals zusammengetroffen war. Rodin hatte nämlich im Auftrag der Société des Gens de Lettres ab 1891 sieben Jahre lang an einem großen Standbild Balzacs gearbeitet. Zur Vorbereitung hatte er zahlreiche Bücher gelesen, aber auch Zeitgenossen befragt, die den Dichter noch persönlich kennengelernt hatten. Er ließ sich sogar dessen Hausmantel nachschneidern, um ihn den Modellen überzuwerfen und die Wirkung im Vergleich zu bekannten Portraitzeichnungen zu testen. Trotz des gewaltigen Aufwands wurde die fertige Skulptur von den Auftraggebern abgelehnt, da sie nicht ihren Vorstellungen entsprach. Zu verschiedenen Anlässen hatte Rodin dann zu Anfang des neuen Jahrhunderts auch in Deutschland versucht, durch die Ausstellung von fertigen Kunstwerken und vorausgegangenen Studien den Schaffensprozeß anschaulicher zu machen. Daß diese Gedanken Teil seines Konzepts der künstlerischen Arbeit und deren Präsentation waren, löste in Zweig selbstverständlich große Begeisterung aus. Bei einem ihrer Treffen plante Rodin, auch eine Büste Zweigs anzufertigen, zu der angeblich sogar Skizzen entstanden, von denen heute jedoch jede Spur fehlt. Richard Friedenthal berichtete später, daß Zweig ihm gegenüber mehr als einmal bedauert habe, daß die Büste nie zur Ausführung gekommen sei.

Er selbst setzte Rodin ein Denkmal, indem er in einem Gedicht mit dem Titel *Der Bildner* die Erinnerung an ein besonderes Erlebnis in dessen Atelier festhielt.[17] Später beschrieb er in der *Welt von Gestern* die Einzelheiten der Situation: Bei einem seiner Besuche in Meudon war Rodin mit ihm nach dem Mittagessen aus der Wohnung in das Atelier hinübergegangen, das mit Repliken bereits abgelieferter Werke und zahllosen Studien gefüllt war. »Schließlich führte der Meister mich zu einem Sockel, auf dem hinter feuchten Tüchern sein letztes Werk, ein Frauen-

porträt, verborgen war. Er löste mit seinen schweren, verfurchten Bau-
ernhänden die Tücher ab und trat zurück. Ein ›admirable!‹ stieß ich unwillkürlich aus gepreßter Brust und schämte mich schon dieser Banalität.
Aber mit der ruhigen Objektivität, in der kein Korn Eitelkeit zu finden
gewesen wäre, murmelte er, sein eigenes Werk betrachtend, nur zustim-
mend: ›N'est-ce pas?‹ Dann zögerte er. ›Nur da bei der Schulter . . . Einen
Augenblick!‹ Er warf die Hausjacke ab, zog den weißen Kittel an, nahm
einen Spachtel zur Hand und glättete mit einem meisterlichen Strich an
der Schulter die weiche, wie lebend atmende Frauenhaut. Wieder trat er
zurück. ›Und dann hier‹, murmelte er. Wieder war mit einem winzigen
Detail die Wirkung erhöht. Dann sprach er nicht mehr. Er trat vor und
zurück, blickte aus einem Spiegel die Figur an, murrte und gab unverständliche Laute von sich, änderte, korrigierte. Sein Auge, bei Tisch
freundlich zerstreut, zuckte jetzt von sonderbaren Lichtern, er schien
größer und jünger geworden. Er arbeitete, arbeitete, arbeitete mit der
ganzen Leidenschaft und Kraft seines mächtigen, schweren Körpers; jedesmal wenn er heftig vor- oder zurücktrat, krachte die Diele. Aber er
hörte es nicht. Er bemerkte es nicht, daß hinter ihm lautlos, das Herz in
der Kehle, ein junger Mann stand, selig, einem solchen einzigen Meister
bei der Arbeit zusehen zu dürfen. Er hatte mich gänzlich vergessen. [. . .]

  Das ging eine Viertelstunde, eine halbe Stunde, ich weiß nicht mehr,
wie lange. [. . .] Immer härter, fast zorniger wurden seine Bewegungen
eine Art Wildheit oder Trunkenheit war über ihn gekommen, er arbeitete
rascher und rascher. Dann wurden die Hände zögernder. Sie schienen erkannt zu haben: es gab für sie nichts mehr zu tun. Einmal, zweimal, dreimal trat er zurück, ohne mehr zu ändern. [. . .] Er atmete auf, tief und
entspannt. Seine Gestalt schien wieder schwerer zu werden. Das Feuer
war erstorben. Dann kam das Unfaßbare für mich, die große Lehre: er
zog den Kittel aus, nahm wieder die Hausjacke auf und wandte sich zum
Gehen. Er hatte mich total vergessen in dieser Stunde der äußersten Konzentration. Er wußte nicht mehr, daß ein junger Mensch, den er doch
selbst in das Atelier geführt, um ihm seine Werkstatt zu zeigen, erschüttert hinter ihm gestanden hatte mit gepreßtem Atem, unbeweglich wie
seine Statuen. [. . .]

In dieser Stunde hatte ich das ewige Geheimnis aller großen Kunst, ja eigentlich jeder irdischen Leistung aufgetan gesehen: Konzentration, die Zusammenfassung aller Kräfte, aller Sinne, das Außer-sich-Sein, das Außer-der-Welt-Sein jedes Künstlers. Ich hatte etwas gelernt für mein ganzes Leben.«[18] Die Erkenntnis, die Zweig aus dieser Schlüsselszene gewonnen hatte, wurde Grundlage zahlreicher Betrachtungen, die er später im Zusammenhang seiner Biographien und der Autographensammlung anstellte. Doch eigentlich war die Erfahrung in Rodins Gegenwart nur ein Déjà-vu-Erlebnis des ersten Zusammentreffens mit Verhaeren in van der Stappens Atelier gewesen. Trotz der grenzenlosen Bewunderung für den Dichter hatte Zweig auch damals den Bildhauer aufmerksam bei seiner Arbeit beobachtet und dessen Konzentration auf das Werk mit ganz ähnlichen Sätzen geschildert: »Van der Stappen trat vor, sah sein Werk und dann Verhaeren an, minutenlang wanderte sein Blick von einem zum andern. Dann trat er entschlossen zurück. Sein Auge stählte, seine Muskeln strafften sich. Die Arbeit begann.«[19]

Wenn Zweig in Wien war, versuchte er weiterhin, Kontakte zu Autoren auf- und auszubauen. So nahm er auf Einladung von Eugenie Hirschfeld an Lesungen im Kreis anderer Dichter teil, obwohl ihm das Vortragen seiner eigenen Werke vor Publikum nicht eben leichtfiel. Oft saß er am Abend im Kaffeehaus, wo er in alter Gewohnheit die aktuellen Literaturzeitschriften studierte. Dem damals vierzehnjährigen René Fülöp-Miller, der aus seinem Elternhaus geflüchtet war, sah er 1905 beim Kaffee die Manuskripte durch, in denen der Schüler sich auf dem Gebiet der Lyrik versucht hatte. Es gab keine Zweifel: Mit fast 25 Jahren war Zweig inzwischen selbst einer der »älteren« und erfolgreichen Dichter geworden, zu denen der Nachwuchs aufsah.

Im Café Beethoven versammelte er in dieser Zeit eine Runde junger Autoren um sich, die bis zum Ersten Weltkrieg in lockerer Folge zusammenkam, um neue Werke vorzustellen und zu besprechen. Mit jenen ausschweifenden Künstlertreffen, die Zweig während seines Studiums in Berlin erlebt hatte, waren diese Zusammenkünfte freilich nicht zu vergleichen. Über die Jahre gab es ein Kommen und Gehen der Teilnehmer, von denen sich zu den Terminen meist ein Dutzend versammelte.

An einem Abend brachte Zweig Arthur Schnitzler mit, in dessen Gegenwart er sich zum Erstaunen aller Anwesenden wesentlich spöttischer und sarkastischer gab, als man es sonst von ihm gewohnt war. Neben Dichtern erweiterten gelegentlich Schauspieler und Maler die Runde und das Spektrum der Gesprächsthemen, wobei künstlerische Fragen stets im Mittelpunkt standen. Politische und religiöse Themen wurden allenfalls am Rande berührt, denn mit endlosen Diskussionen über das Judentum hatte Zweig schon bei seinen Treffen mit den Freunden Lilien und Brod genug zu tun. Deren zionistischen Gedanken setzte der angehende Weltbürger Zweig seine entschiedene Meinung entgegen, daß sich die Juden universaler und kosmopolitischer geben sollten, statt die abwegige Idee einer eigenen Staatsgründung zu verfolgen.

Bei den abendlichen Versammlungen in größerer Runde ging es stets recht zwanglos zu. Man gab dem Kreis keinen Namen und scheute die Bürokratie, schließlich wollte man nicht zu einem akademischen Verein werden. Durch diesen Umstand ist leider nur wenig über die Treffen bekannt. Wenn Zweig sich auf Reisen begab, scheint sich die Gruppe jedenfalls nicht ohne ihn versammelt zu haben. Als guter Gastgeber verschickte er in solchen Fällen vor seiner Abfahrt oder von unterwegs Postkarten mit einem Terminvorschlag für das nächste Treffen.

Bei diesen Zusammenkünften war Zweig nicht nur ein aufmerksamer Beobachter seiner Umwelt, sondern wurde als Mittelpunkt der Gruppe auch selbst zum Beobachteten. Eine Rolle, die ihm eigentlich wenig behagte, da er so ungewollt mehr von sich preisgab, als es ihm lieb war. Oskar Maurus Fontana, einer der Teilnehmer der Kaffeehausrunden, gelang eine eindrucksvolle Schilderung der Situation: Im Fasching »ging er [Stefan Zweig] einmal [...] mit uns vom Café weg zu einem der Vorstadtbälle der ›süßen Mädel‹, wie sie damals Mode waren. Einige von uns tanzten mit den Mädchen, er war unter denen, die zusahen. Dann saßen wir alle mit den Mädchen, die getanzt hatten, an einem Tisch, aßen, tranken, scherzten und lachten. Er eifrig mit, aber er ließ uns nicht aus seinen glänzenden Augen, sie sogen uns förmlich ein, einen jeden von uns, die Mädchen, das Gewoge der Tanzenden, das Laufen der Kellner, das Schlendern der Promenierenden, das Betteln der Blumenmädchen. Angeregt und fast gierig war sein Schauen, aber auch ein wenig traurig, ein wenig enttäuscht. Wir gingen auch bald. Es war ihm an diesem Abend nicht geglückt, sich dem Leben einzuwurzeln. Er blieb der Voyeur im Vagen. Und das gab ihm damals wohl die Unrast, die in Wehmut überging.«[20]

»Warum fahren Sie nicht einmal nach Indien?«

»Warum fahren Sie nicht einmal nach Indien und nach Amerika?«[2] – mit dieser Frage konfrontierte Walther Rathenau Zweig zu später Stunde bei einem Gespräch in Berlin. Die beiden hatten sich an jenem Abend im Juni 1907 lange und ausführlich über Literatur, Politik und fremde Länder unterhalten, als Rathenau die Frage stellte. Sie war durchaus berechtigt, denn bislang hatte Zweig trotz seiner ausgeprägten Reiselust fast ausschließlich Länder West- und Mitteleuropas besucht. Selbstverständlich hatte er Rathenau nicht bloß von seinem Aufenthalt in Großbritannien berichtet, sondern auch über seine Schwierigkeiten, das Land und seine Bewohner zu verstehen. Rathenau meinte, ebendies könne man nur, wenn man das System des Kolonialreichs einmal aus einem anderen Blickwinkel betrachtet habe. Daher wäre der Besuch der entfernten Gegenden des Empires und der USA für Zweig ganz sicher eine Horizonterweiterung. Im übrigen, so fügte er noch hinzu, sei Zweigs Beruf, die Schriftstellerei, schließlich nicht an Termine gebunden. Ein Werk von Bedeutung könne unabhängig vom Kalender erscheinen, ganz gleich in welchem Jahr.

Zweig setzte den Vorschlag in die Tat um: In den kommenden Jahren sollte er den Kontinent zweimal für einige Monate verlassen, um die beiden genannten Ziele zu besuchen.

In Rathenau, dem damaligen Aufsichtsratsmitglied der AEG und späteren deutschen Außenminister, sah Zweig zu Recht einen der kompetentesten Gesprächspartner in weltpolitischen Fragen. Die beiden hatten sich auf Umwegen kennengelernt und schnell Gefallen aneinander gefunden: Maximilian Harden hatte in seiner Wochenzeitschrift *Die Zukunft*, zu deren ständigen Mitarbeitern Zweig gehörte, einige herausragende Beiträge eines unbekannten und unter Pseudonym schreibenden Autors veröffentlicht. Auf Zweigs interessierte schriftliche Nachfrage stellte sich heraus, daß der Verfasser dieser Artikel der Sohn des Gründers der AEG war, der ihm gleich selbst auf den Brief antwortete. Zweig reagierte umgehend mit einem weiteren Schreiben, und so setzte ein reger Briefwechsel ein. Der Kontakt zu Rathenau, der in einer ganz anderen Umgebung als er selbst und seine Bekannten wirkte, entwickelte sich äußerst interessant und vielversprechend. Im Sommer 1907 sah Zweig bei einem Besuch in Berlin die Möglichkeit gekommen, einander auch persönlich kennenzulernen. Als er kurzfristig anrief, um ein Treffen vorzuschlagen, stellte sich aber heraus, daß Rathenau am nächsten Morgen den mit ihm befreundeten Staatssekretär Bernhard Dernburg zu einer mehrwöchigen Reise nach Deutsch-Ostafrika begleiten wollte. Trotz des ungünstigen Zeitpunkts schlug Rathenau ohne zu zögern vor, daß man sich im Anschluß an seine Tagestermine am späten Abend treffen könne. Also fand sich Zweig um viertel nach elf Uhr bei ihm ein und fuhr erst nach zwei Uhr in der Nacht zurück in sein Hotel.

Das von beiden Seiten lang erhoffte Gespräch scheint ausgesprochen positiv verlaufen zu sein. Rathenau imponierte Zweig mit seiner kühlen Art und seinem scharfen analytischen Verstand. Vor allem war er von der Kombination aus Kaufmannssinn und Philosophie und damit aus Theorie und Praxis fasziniert, die Rathenau in sich vereinte. Mit ihm konnte man wichtige Fragen erörtern, ohne daß man sich in tagespolitischen Kleinigkeiten verlor, für die Zweig von jeher wenig Interesse zeigte. Die Tatsache, den Sohn eines Industriellen kennenzulernen, der sich außerdem mit großem Engagement der Schriftstellerei widmete, dürfte ihn darüber hinaus auch aus autobiographischen Gründen gereizt haben. Denn obwohl er als Geschäftsmann und Politiker bekannt wurde, sah Rathenau selbst seine schriftstellerische Arbeit nicht bloß als eine Nebentätigkeit an. Nicht zuletzt deshalb war er an Kontakten zu anderen Autoren sehr interessiert und schon seit einigen Jahren mit Maximilian Harden und Gerhart Hauptmann befreundet. Zweig versuchte, ihn in der Folgezeit bei seinen literarischen Arbeiten durch die Veröffentlichung von Kritiken zu unterstützen, in denen er sich voll des Lobes, ja beinahe überschwenglich zu Rathenaus Werken äußerte. Für Zweig waren sie erste Schritte zu einer Synthese von Lebensnähe und künstlerischem Schaffen und damit eigentlich an Modernität kaum zu übertreffen. Von einem Mann, auf den er so große Stücke hielt, ließ sich Zweig selbstverständlich gern Vorschläge zu neuen Reisen machen. Wahrscheinlich hatte Rathenau ohnehin nur Ideen ausgesprochen, die Zweig seit längerem mit sich herumtrug.

Doch ein solches Vorhaben wollte sorgfältig geplant sein. Bald war klar, daß es nicht eine Weltreise geben würde, sondern Asien und Amerika in zwei getrennten Fahrten anzusteuern wären. So gern sich Zweig für eine Weile von zu Hause verabschiedete, zu lange sollte die Abwesenheit auch nicht dauern, denn schließlich wollte er nicht in Vergessenheit geraten. Außerdem würden die Reisen nur wenig Zeit bieten, um an neuen Werken zu arbeiten, höchstens an einige Zeitungsbeiträge war unterwegs zu denken. Dabei waren Kopf und Schreibtisch voll von Ideen und Entwürfen. Ein größeres Werk über Verhaeren sollte noch bis zur Rückkehr warten, aber das Buch *Balzac: sein Weltbild aus den Werken* erschien in Zweigs Bearbeitung noch 1908 in der Reihe *Aus der Gedankenwelt großer Geister*. Die Früchte dieser Arbeit konnte Zweig schließlich auch noch als Artikel in zwei Heften von Hardens *Zukunft* unterbringen.

Über die Arbeit kam aber das Vergnügen nicht zu kurz: An einem Sommerabend fuhr Zweig mit einigen Freunden von Wien nach Rodaun, um dort das Abschiedskonzert des beliebten Sängers und Schauspielers Alexander Girardi zu hören, der an die Berliner Bühnen wechselte. Jener Girardi war übrigens am Tag von Zweigs Geburt im November 1881 im Theater an der Wien in Johann Strauß' Oper *Der lustige Krieg* aufgetreten und hatte als junger Mann in diesem Stück seinen ersten großen Erfolg als Buffo gefeiert. Nun gab er in wehmütigerem Ton ein Potpourri seiner beliebtesten Lieder zum besten. Der Garten des Gasthofs Stelzer war überfüllt, das Publikum gemischt, gar nicht wenige Gäste waren in Zweigs Alter. So auch eine Dame, die an einem Tisch in seiner Nähe Platz genommen hatte. Ihr Begleiter, der sich für Literatur interessierte und sich auch ein wenig unter den jungen Dichtern auskannte, wies sie darauf hin, daß der Herr am Nachbartisch, der sie schon mehrfach angelächelt hatte, der Dichter und Übersetzer Stefan Zweig sei, von dem sie doch gewiß schon gehört habe. Der Name war ihr durchaus bekannt, wenn sie auch sein bisheriges Werk noch nicht kannte. Der Abend verging, und jeder ging seiner Wege. Zweig hatte die junge Dame vom Nachbartisch vielleicht schon vergessen, als er sich auf den Heimweg machte. Sie dagegen sollte nicht nur wegen Girardis gefeiertem Konzert noch lange an diesen Abend in Rodaun denken.

In jenen Sommerwochen hatte sich Zweig auch mit dem Studium der wichtigsten Reisebeschreibungen und Landeskunden Indiens beschäftigt, denn die Reise war für die kommenden Winter- und Frühjahrsmonate vorgesehen, in denen man als Europäer auf ein einigermaßen erträgliches Klima hoffen durfte. An seiner Spannung und Vorfreude auf die große Fahrt ließ Zweig die Leser des *Leipziger Tageblattes* in einem Bericht unter dem Titel *Sehnsucht nach Indien* teilhaben.[3] Aus der gar nicht geringen Zahl der Indien-Bücher hatte er sich einige inhaltlich und stilistisch sehr unterschiedliche Bände ausgewählt, die er miteinander verglich und – sofern dies vor der Reise möglich war – auf ihre Brauchbarkeit für die Praxis hin überprüfte. Schillernde Berichte, die wie Passagen aus orientalischen Märchen klangen, standen neben abenteuerlichen Reiseanekdoten und kühlen politischen Analysen, *Indische Reisebriefe* von Ernst Haeckel neben Pierre Lotis Schilderung seiner Zeit als Gesandter der französischen Regierung, die den aussagekräftigen Titel *Indien (ohne die Engländer)* trug.

Der Termin für die Abreise war knapp kalkuliert: Am 26. November stand die gemeinsame Uraufführung seines *Tersites* in Dresden und Kassel auf dem Spielplan, und unmittelbar darauf sollte die große Fahrt beginnen. Um nach den Erfahrungen mit der Berliner Bühne nichts dem Zufall zu überlassen, reiste Zweig zuvor in beide Städte, um an den Proben teilzunehmen. Außerdem standen noch ein Abstecher nach Berlin und ein kurzer Besuch bei Kippenberg in Leipzig auf dem Programm. Nach allen

Zweifeln und Tücken, die das Stück in den vergangenen Jahren begleitet hatten, konnte Zweig mit der Reaktion durchaus zufrieden sein: Die Kritiker lobten seine dichterische Kunst, wenngleich man in dem Stück das Erzählerische noch zu sehr spüre und darüber die Figuren nicht die für die Bühne notwendige Plastizität bekommen hätten. Einhellig begrüßt wurde der Ansatz, die Geschichte entgegen allen früheren Bearbeitungen des Stoffes aus der Sicht des Tersites zu schildern. Mit dem Plan, die häßliche und unsympathische Rolle als eigenen Charakter in den Vordergrund zu stellen und nicht bloß als notwendige Person einzuführen, vor der der Held Achill strahlen kann, sei dem Autor ein interessanter Kunstgriff gelungen. Diesen Grundgedanken sollte Zweig in den kommenden Jahrzehnten noch viele Male mit Erfolg aufgreifen, ganz gleich ob er die Figuren seiner Erzählungen oder der historischen Biographien entwickelte.

Auf der Rückreise aus Deutschland wurde in Wien nur das Gepäck abgeholt und in den Zug nach Triest verladen. Rathenau hatte bei den Reisevorbereitungen noch auf ganz praktische Weise geholfen, indem er kurz vor Zweigs Abreise einige Einführungs- und Empfehlungsschreiben versandte, die in Indien eventuell von Nutzen sein konnten. Dem Baron Börries von Münchhausen teilte Zweig die Adressen mit, unter denen man ihn bis zur Abreise in Europa erreichen konnte, ab Ende November sei er allerdings »polizeilich unauffindbar bis Mai 1909«.[4]

Von Wien brach er gemeinsam mit einem Bekannten, dem Journalisten Hermann Bessemer, auf. Außer dem Ziel der Reise scheinen die beiden zwar wenige gemeinsame Interessen gehabt zu haben, aber es erschien doch praktischer, das bevorstehende Abenteuer nicht ganz allein anzugehen. An Bord der *Lützow* ging es von Triest zunächst durch das Mittelmeer, den Suezkanal und das Rote Meer nach Bombay und von dort durch das Landesinnere weiter nach Kalkutta mit einem Abstecher in das Hochland von Darjeeling. Über Seekrankheit konnte Zweig zu seinem großen Glück nicht klagen, doch wegen der ungewohnten Hitze einigte man sich an Land auf ein bedächtiges Reisetempo: »wir machen Alles schön pomali, wie man in Wien sagt«.[5]

Unterwegs blieb genug Zeit, die wichtigsten Freunde mit Briefen zu versorgen und Ansichtskarten zu versenden. Zweig hatte sogar eine Ka-

Stefan Zweig im Reisebus in Indien

mera dabei, doch sind seine Photos verschollen. Es existieren allerdings noch einige Aufnahmen, die Bessemer machte. Eines dieser Bilder zeigt Zweig im hellen Reiseanzug mit Sonnenbrille und Tropenhelm in einem der Busse sitzend, mit denen die Besucher auf kürzeren Ausflügen durch das Land gefahren wurden. Für weite Strecken wurde dagegen die Eisenbahn genutzt. Auch wenn er längere Reisen gewohnt war, staunte Zweig am Ende selbst, wie viele Kilometer er nach einem Monat auf den Schienen zurückgelegt hatte.

Obwohl die Tour gut durchorganisiert war und man dank der Bahnverbindungen vor Ort ohne große Schwierigkeiten, wenn auch in reich-

lich unbequemen Wagen vorankam, konnte keinesfalls von einer Vergnü-
gungsreise die Rede sein. Noch kamen nur wenige Touristen in das Land,
und von Komfort war in Bahnwagen und den meisten Hotels keine Spur
zu finden. Wer sich hierher begab, hatte dafür einen guten Grund, der
meist mit einem militärischen oder geschäftlichen Interesse verbunden
war. So bot sich im guten wie im schlechten Sinne der Anblick der Menschen und Städte dem Schriftsteller aus dem fernen Europa weitestgehend unverfälscht dar. In einem der Feuilletons, das Zweig später neben
einem Gedicht über den Taj Mahal zu seiner Reise veröffentlichte, steht
scheinbar die schillernde Buntheit des Landes im Vordergrund: »Safran-
gelb oder türkisblau glänzt der Turban des Goldschmieds, der da mit
übergeschlagenen Beinen auf dem hingebreiteten Teppich sitzt, neben
sich die goldgemalte Truhe mit ihren Schätzen, in der Hand die kleine
Waage, auf der ein paar blanke Kettchen zittern, die Frauen sind gehüllt
in farbige Musseline, [. . .] rot ist das Gewand des kleinen Lehrers, der an
der Straße vor zwei Dutzend halbwüchsiger Jungen Schule hält. Dazwischen schieben sich die Gefährte, die kleinen Wägelchen mit den Ponys,
die Zebukarren, die Reiter, die vielen Reiter, jetzt plötzlich auch ein Ele-
fant, der mit seinem schweren Schritt die Häuser zittern macht. Zwei
Tage, die man in einer solchen indischen Stadt verbracht hat, lehren einen das ganze äußere Leben dieses Volkes, so aufgetan ist alles.«[6] Was ihn
aber mindestens so beeindruckte und bewegte wie diese als geradezu
märchenhaft dargestellte Farbkulisse, war die erschreckende Armut, die
nicht nur einzelne, sondern wahre Massen von Menschen betraf. Für
einen Europäer, zumal für einen großstädtischen Bürgerssohn, muß der
Anblick der Mengen bettelnder, kranker und sterbender Menschen, die
unbeachtet am Wegesrand saßen, kauerten und lagen, trotz aller Vorbereitung unvorstellbar gewesen sein.

Die Weiterreise führte über Rangoon nach Madras und von dort nach
Ceylon. Nach der Hälfte der Tour setzte sich Bessemer ab, was Zweig
gar nicht störte, da ihm sein Reisegefährte, dem er später zurückhaltend
einen nicht ganz tadellosen Charakter nachsagte, mittlerweile gehörig
auf die Nerven gefallen war. Bessemers Pläne sahen einen längeren Aufenthalt in Indien vor. Auf dem Rückweg wollte er noch einen Stop in

Ägypten machen und von dort einen Abstecher nach Süden unternehmen. 1909 jedenfalls war auch er wieder in Europa und brachte im selben Jahr unter dem Titel *Sumpffieber* eine von allerlei abenteuerlichen
Rauf- und Trunkenbolden bevölkerte Novelle heraus, die in Zentral-
afrika spielte.

Auf der Passage von Kalkutta nach Indochina machte Zweig die Bekanntschaft mit dem Geographen Karl Haushofer, der vom bayerischen
Generalstab zum Studium der japanischen Armee abkommandiert worden war und auf dem Weg dorthin auch Indien, Korea, die Mandschurei
und Nordchina bereiste. Haushofer arbeitete sich unterwegs mit größtem Aufwand in die fremden Sprachen und Kulturen ein und diskutierte
mit Zweig oft bis in die späte Nacht.

Auch nach Haushofers Rückkehr nach Europa, wo er später eine Pro-
fessur für Geographie in München antrat, standen die beiden in lockerem
Kontakt. Freilich wußte Zweig damals nicht, daß Haushofer inzwischen
einem seiner Studenten, einem gewissen Rudolf Heß, ein väterlicher
Freund geworden war. Über Heß lernte Haushofer wiederum Adolf Hitler kennen, der sich durchaus für die »Lebensraum-Theorie« des Professors interessierte, wenngleich sie noch einige Umdeutungen erfahren
mußte, um für die Pläne der Nationalsozialisten von Nutzen sein zu können. Zweig wurde all dies erst später mit Schrecken bekannt. Ungewiß
ist, ob er auch noch davon erfuhr, daß der Aufstieg des Professors ein jähes
Ende nahm, nachdem Heß 1941 seinen Flug nach England unternommen
hatte. Haushofer, von dem man zu Recht vermutete, er sei in Heß' Pläne
eingeweiht gewesen, stand seither unter Beobachtung der Gestapo. Da
seine Frau Martha außerdem nach den Rassegesetzen der Nationalsozialisten als »Halbjüdin« galt, lebte man nun in ständiger Gefahr. Die Lage
des Ehepaares wurde noch bedrohlicher, als ihr Sohn Albrecht wegen Teilnahme an der Widerstandsbewegung hingerichtet und der Rest der Familie 1944 in das Konzentrationslager Dachau deportiert wurde. Zwar
überlebten Karl und Martha Haushofer das Lager, doch unter dem Druck
der ausländischen Presse, die ihm in der Nachkriegszeit eine Mitverant-
wortung für die aggressive Expansionspolitik Deutschlands gab, nahm er
sich 1946 gemeinsam mit seiner Frau das Leben.

Wieder in Wien, veröffentlichte Zweig über die große Reise lediglich einige Feuilletons und das schon erwähnte Gedicht. Trotz der Fülle der Eindrücke verspürte er nicht den Drang, der bestehenden Indien-Literatur ein weiteres Buch hinzuzufügen. Jahre später sollte die Legende *Die Augen des ewigen Bruders* einer der wenigen thematischen Rückgriffe werden. Andererseits war sein Interesse an Asien auch noch nicht befriedigt: Für die kommenden Jahre plante er eine weitere Fahrt, die ihn nach Rußland, China und eventuell sogar bis Japan führen sollte, letztendlich aber nie zustande kam.

Am Schreibtisch wandte sich Zweig nun wieder den Themen und Stoffen zu, die ihn seit langem beschäftigten. Im Jahr 1910 erschien eine Monographie über Emile Verhaeren, ergänzt durch zwei Bände mit Übertragungen der *Ausgewählten Gedichte* und der *Drei Dramen*. Als späten Nachklang der Englandreise schrieb er einen Aufsatz über Charles Dickens als Einleitung zu einer Werkausgabe im Insel Verlag, und schließlich brachte er unter dem Titel *Erstes Erlebnis* »Vier Geschichten aus Kinderland« heraus. Damit erschienen nach jahrelanger Pause erstmals wieder erzählerische Werke aus seiner eigenen Feder. Der in einem Brief an den Verlag zu findende Stoßseufzer: »Ich bin schon ganz verwirrt durch das viele Correkturenlesen«,[7] ist bei dieser Produktivität nur zu verständlich.

Das zweite Reiseziel, das Rathenau empfohlen hatte, steuerte Zweig 1911 an. Um während der Abwesenheit den üblichen Betrieb nicht gänzlich aus dem Takt geraten zu lassen, lag in seinem Büro zur Beantwortung etwaiger Posteingänge ein Stapel mit gedruckten Karten bereit, auf denen um Geduld gebeten wurde: »Stefan Zweig bittet entschuldigen zu wollen, wenn sich die Erledigung von an ihn gerichteten Briefen, Büchern, Drucksachen um mehrere Wochen verzögert, da er auf einer überseeischen Reise begriffen ist, und Sendungen erst nach Monatsfrist in seine Hände gelangen.«[8] Einige Wochen verbrachte er auf Dampfern, die ihn über den Atlantik in die USA und nach Kanada, nach Kuba, Puerto Rico und Panama brachten. Die schriftstellerische Ausbeute der Reise war eine Reihe von Zeitungsbeiträgen, in denen er den Lesern von den *Franzosen in Canada* berichtete und ihnen von der *Stunde zwischen zwei Ozeanen* erzählte, die er am Panamakanal erlebt hatte, der kurz vor seiner

Vollendung stand: »Seltsames, unvergleichliches Gefühl, da unten im noch trockenen Strombett des neuen werdenden Flusses zu wandern, [. . .] teilhaftig zu sein an der Umgestaltung der Welt! Irgendwie feierlich war mir's doch, da an die Erde zu rühren, die Nord- und Südamerika zur Einheit macht, kurz vor der Frist, ehe die Wellen sie für alle Ewigkeiten entzweispalten.«[9]

In den USA besuchte er Philadelphia (wo er im Schaufenster einer Buchhandlung zu seiner größten Überraschung eines seiner eigenen Bücher entdeckte) und Boston. Doch den größten Eindruck hinterließ erwartungsgemäß *Der Rhythmus von New York*, dessen Vibrieren er in jeder Straße und auf allen Brücken zu spüren vermeinte und in einem Essay unter diesem Titel festzuhalten versuchte. New York war um jene Zeit nach Berlin und Wien die drittgrößte deutschsprachige Gemeinde der Welt, doch ein größeres Kontrastprogramm zu diesen beiden Städten war kaum denkbar. Obwohl New York vielleicht noch eine der »europäischsten« Metropolen Amerikas war, ging mit dem faszinierenden Völkergemisch und der unendlichen Dynamik eine so andere Kultur einher, daß Zweig erst seine Lektionen zu lernen hatte: Als er nach der Ankunft in Manhattan den Portier seines Hotels in gewohnter Manier fragte, wo das Grab des von ihm seit der Schulzeit verehrten Dichters Walt Whitman zu finden sei, brachte er den armen Italiener an der Rezeption in größte Verlegenheit, denn dem war weder dieser Name noch ein solcher Wunsch je untergekommen.

Nach einigen Tagen des Herumwanderns und -fahrens in Fuhrwerken und Untergrundbahnen hatten sich die eigentlichen Sehenswürdigkeiten der Stadt bereits erschöpft. Um die Zeit zu nutzen und Amerika noch von einer ganz anderen Seite kennenzulernen, entschloß sich Zweig zu einem ungewöhnlichen Experiment: Er stellte sich vor, einer der zahllosen Einwanderer zu sein, die mittellos und ohne irgendeinen Kontakt in das Land kamen und Arbeit suchten. Also meldete er sich in einigen Vermittlungsagenturen und hatte schon nach kurzer Zeit mehrere Angebote zur Auswahl. Auch wenn er die Stellen nie antrat, war für ihn damit bestätigt, daß Amerika tatsächlich jedermann unbegrenzte Möglichkeiten bot, zumal ihn niemand nach seiner Herkunft oder nach einem Paß gefragt hatte.

Nach diesen soziologischen Erkundungen stand schließlich noch ein Besuch des Metropolitan Opera House auf dem Programm, wo man an jenem Abend Richard Wagners *Parsifal* gab. Nach über 60 Aufführungen des Stückes in dieser Inszenierung seit 1903 hatte sich bei Dirigent, Sängern und Orchester merklich eine gewisse Routine eingestellt. Zweig berichtete über den Abend später in einem Aufsatz für die Musik- und Theaterzeitschrift *Der Merker*. Da er kein Musikkritiker war und gewiß nicht geplant hatte, über die einige Jahre alte Inszenierung zu schreiben, dürfte ihm der Gedanke zu diesem Beitrag erst gekommen sein, als er die Besucher der Aufführung »mit andächtigem Gemüte (und Kaugummi im Mund)« herbeiströmen sah. Letztlich gelang ihm mit der Beschreibung des Opernabends eine treffende Zusammenfassung der Eindrücke, die Amerika hinterlassen hatte: »Surren und Geschwätz von überall. Dann plötzlich Dunkel und Applaus. Ein dicker Dirigent (darf ein guter Dirigent Fett ansetzen, frage ich mich) schwingt sich mit sehr viel Mühe – er ist sehr dick – auf den Stuhl. Herr Hertz, wie der Zettel verrät. Jetzt ist es stockfinster. Man sieht nur die paar Kerzen an den Notausgängen in unsicherem Licht und die Glatze des Herrn Hertz.

Musik, hymnisch rauschende Musik, und dann endlich ein sehr abgeblaßtes, vom Herumwaggonieren ramponiertes Szenenbild. Die Kostüme hängen abgetragen um gute Stimmen. Aber das Schauspiel ist anderswo. Im Publikum nämlich. Das mag die Finsternis nicht [...] und weiß sich resolut zu helfen. Sie wollen die Textbücher ($^1/_2$ Dollar) doch mitlesen! Und plötzlich blitzt es rechts und links mit leisem Knacks auf, elektrische Taschenlampen, die sich die Vorsorglichen mitgebracht. Rechts und links sieht man die kleinen, zitternden Lichtkegel auf den Textbüchern flimmern. Weihefestspiel im praktischen Land!

Auf der Bühne geht etwas vor (ich glaube, ein Schwan wird geschossen) und unten braut man Musik. [...] Der Vorhang fällt. Beifall von allen Seiten. [...] Eine liebliche Schlacht der Begeisterungen.

Die zweite ist dann im Foyer um ›ice-cream‹, die wirklich das Beste ist, was es in Amerika gibt. Ich begnüge mich mit den Brocken der Gespräche. Meist sind es ekstatische Interjektionen, wie ›grand‹, ›wonderful‹, ›astonishing‹, aber so gleichgiltig intoniert, mit so kalten, toten Stimmen, daß ich immer glaube, es galt der ›ice-cream‹.«[10]

Bald darauf kam die Rückfahrt nach Europa. Die Überseekoffer waren gepackt, der Dampfer nahm mit einigen illustren Passagieren Kurs auf die Alte Welt. Mit dem Komponisten Ferruccio Busoni, zu dem er auch in den folgenden Jahren noch Briefkontakt hielt, verbrachte Zweig viele gemeinsame Stunden an Bord. Nachdem die Ausbeute an neuen Manuskripten für seine Autographensammlung in den amerikanischen Antiquariaten denkbar gering gewesen war, erhielt Zweig – als er ausführlich von seiner Passion berichtet und deren Ernsthaftigkeit unterstrichen hatte –, von Busoni ein dreiseitiges Klavierstück mit dem Titel *Indianisches Erntelied*, das der Komponist am 12. April 1911 mit folgender Widmung versah: »Diese Skizze wurde eigens niedergeschrieben für Herrn Stephan Zweig zur Erinnerung an Amerika und an Ferruccio Busoni«.[11]

Auf dem Dampfer hätte man bester Laune sein können: »Vorfrühling lag in der Luft, die Überfahrt ging sanft durch ein blaues leichtwogiges Meer«, erinnert sich Zweig. Aber die heitere Stimmung wurde immer wieder getrübt, denn alle Anwesenden wußten auch, daß ein weiterer berühmter Passagier an Bord war, der unheilbar krank die Rückreise in seine Heimat angetreten hatte: Gustav Mahler. Für seine Überfahrt hatte die Reederei besondere Vorkehrungen getroffen und auf dem Sonnendeck einen für die anderen Reisenden nicht einsehbaren Bereich absperren lassen. Dort konnte Mahler, geführt von seiner Frau Alma und seiner Schwiegermutter, ohne Belästigung durch fremde Blicke, so gut es in seinem Zustand eben möglich war, täglich ein paar Schritte an der frischen Luft gehen. Busoni war einer der wenigen, denen erlaubt wurde, die Mahlers in ihren Kabinen zu besuchen. Mit Briefen und scherzhaften Kompositionen versuchte er, die Familie ein wenig zu erheitern. Wieder an Deck, wurde er von den neugierigen Mitreisenden entsprechend hartnäckig über den Zustand Mahlers ausgefragt.

Als jemand, der den großen Dirigenten und Komponisten in seiner Jugend als eine Symbolfigur der Moderne erlebt hatte und ihm oft genug im Opernhaus oder auf der Straße begegnet war, sah sich Zweig in dieser Situation als Schriftsteller gefordert, seine Beobachtungen und Empfindungen festzuhalten. In einem Beitrag, der nach dem Tod des Komponisten unter dem Titel *Gustav Mahlers Wiederkehr* erschien, weiß er der Überfahrt (allein darin lag schließlich schon genug Symbolik) eine besondere Dramatik zu geben, wozu selbstverständlich ein ganz anderer Schreibstil erforderlich war als für den oben zitierten Artikel über den Opernbesuch:»Immer lockte es uns, froh zu sein, aber unten, irgendwo im Schacht des Schiffes, dämmerte er, behütet von seiner Frau, und wir fühlten es wie Schatten über unserm leichten Tag. Manchmal, wenn wir lachten, sagte einer: ›Mahler! Der arme Mahler!‹ und wir wurden stumm. Tief unten lag er, ein Verlorener, verbrennend im Fieber, und nur eine kleine, lichte Flamme seines Lebens zuckte oben im Freien am Verdeck: sein Kind, sorglos im Spiel, selig und unbewußt. Wir aber, wir wußten es: wie im Grabe fühlten wir ihn drunten, unter unseren Füßen.«

Zweigs Aufsatz steuert unweigerlich auf die Frage zu, ob er, der Zeitzeuge und Beobachter, den Komponisten noch einmal zu Gesicht bekommen würde. Und tatsächlich, bei der Ankunft in Cherbourg sollte er ihn sehen. Die Reederei hatte Mahler auf dem kleineren Boot, das die Passagiere vom Überseedampfer an Land brachte, eine Liege bereitgestellt. Zweig berichtet weiter:»er lag da, bleich wie ein Sterbender, unbewegt, mit geschlossenen Lidern. Der Wind hatte ihm das ergraute Haar zur Seite gelegt, klar und kühn sprang die gewölbte Stirn vor, und unten das harte Kinn, in dem die Stoßkraft seines Willens saß. Die abgezehrten Hände lagen müdegefaltet auf der Decke, zum erstenmal sah ich ihn, den Feurigen, schwach. Aber diese seine Silhouette – unvergeßlich, unvergeßlich! – war gegen eine graue Unendlichkeit gestellt von Himmel und Meer, grenzenlose Trauer war in diesem Anblick, aber auch etwas, das durch Größe verklärte, etwas, das ins Erhabene verklang wie Musik. Ich wußte, daß ich ihn zum letztenmal sah. Ergriffenheit drängte mich nah, Scheu hielt mich zurück, von fern nur mußte ich auf ihn sehen und sehen, als könnte ich in diesem Blick noch von ihm empfangen und dankbar sein.«[12] Gefangen von der eindrucksvollen Begebenheit und bemüht, die Spannung seines Berichts zu halten, schien Zweig nicht zu bemerken (oder bemerken zu wollen), daß seine Versuche, sich Mahler zu nähern, nicht nur positiv aufgenommen wurden. Selbstverständlich hatte er in seinem Text nicht erwähnen können, warum er auf Mahler nur einen Blick aus der Ferne gewagt hatte: Weil man eigentlich mit aufgestapelten Koffern und Kisten um dessen Liegeplatz allzu neugierige Blicke zu verhindern versucht hatte. Ergriffenheit und Scheu, von denen Zweig berichtet, waren bei ihm gewiß vorhanden, aber seine Neugier und Sensationslust waren keinesfalls geringer. Dies wird zur Gewißheit, wenn man alles aus dem gegenteiligen Blickwinkel betrachtet. Auch Alma Mahler beschrieb nämlich die denkwürdige Schiffspassage, auf der Busoni ihr erzählt hatte, »daß ein junger Österreicher auf dem Dampfer sei, der Mahler und mir seine Dienste anbieten lasse«. Vielleicht ahnte sie schon, daß der Mann, dessen Namen sie nicht nennt, nicht bloß aus Hilfsbereitschaft die Nähe Mahlers suchte: »Ich ließ ihm sagen, auf dem Schiff benötige ich keine Hilfe, es könne aber bei der Landung möglich sein.« An der Identität des jungen Herrn kann kaum ein Zweifel bleiben, wenn man Alma Mahlers Bericht weiterliest: »Bei der Landung aber war er nicht zu sehen, obwohl er der einzige auf dem Tender gewesen war, der über die Koffer hinweg nach Mahler geäugt hatte, weshalb sich Mahler umgedreht hatte, um nicht von ihm gesehen zu werden. In Cherbourg aber sahen wir ihn eiligst zum Zollamt laufen. Als ich dorthin kam, war er eben fertig. Nun dachte ich, er werde mir helfen. Keine Ahnung! Er verschwand, und ich fand ihn bei Gucki [ihrer Tochter Anna], laut Märchen erzählend. Mahler fühlte sich gestört und bat, ich möge den jungen Mann ersuchen, aufzuhören.«[13]

Gustav Mahler lebte nach der Ankunft in Europa nur noch wenige Wochen. Nach seinem Tod im Mai 1911 versah Zweig sein im Vorjahr entstandenes Gedicht *Der Dirigent* mit der Unterzeile »In memoriam Gustav Mahler«. Tatsächlich dürften ihm die Erinnerungen an dessen Konzertabende in Wien vor Augen gestanden haben, als er die Strophen niederschrieb. Der Maestro steuert darin eine Barke durch das Meer der Töne. Er befördert die Illusion, bis der Vorhang fällt, die Lichter angehen, der Applaus aufbrandet und der Zuschauer aus seiner Traumwelt in die Gegenwart zurückkehrt: »Wir sind am Strand, daran die Träume scheitern.«[14]

»Aus dem einstigen Bohemien
war ein eleganter junger Mann geworden.« [1]
Friderike über Stefan Zweig im Jahr 1912

Dichtersorgen

Die übliche Abfolge von Arbeit und Reisen geriet nach der Rückkehr aus
Amerika kurzzeitig aus dem Rhythmus, als sich Zweig in das Sanatorium
von Dr. Anton Loew in Wien begeben mußte, um eine Operation am Rip-
penfell durchführen zu lassen. Weniger der Eingriff als die Folgen der
Narkose setzten ihm erheblich zu und führten zu durchwachten Nächten.
Zu seinem Ärger war er gut einen Monat nicht in der gewohnten Form,
diktierte aber trotzdem schon nach wenigen Tagen vom Krankenbett aus
wieder Briefe. Langfristig hinterließ die Operation eine große Narbe, die
ihm bei nachfolgenden Musterungen helfen sollte, weiter vorm Militärdienst bewahrt zu bleiben.

Nach dem Eingriff gönnte er sich wenig Ruhe und keine Erholungs-
fahrt. Vielmehr versuchte er, in seiner Wohnung die nötige Konzentration
zu finden und die versäumte Arbeit möglichst schnell nachzuholen. Zu
seiner großen Verblüffung hatte er im Vorjahr herausgefunden, daß das
Wohnhaus in der Kochgasse eine Überraschung bereithielt oder besser
gesagt beherbergte, die wohl nur wenige so sehr zu würdigen wußten,
wie er es tat. Bei einem zufälligen Gespräch mit der über ihm wohnen-
den Nachbarin, die in ihrer Wohnung Klavierstunden gab, erfuhr er, daß
sie dort gemeinsam mit ihrer Mutter lebte. Und diese alte Dame, Ottilie

Demelius, war niemand anderes als die Tochter von Goethes Leibarzt Dr. Vogel. Doch damit nicht genug, Goethe selbst war ihr Patenonkel gewesen und hatte an ihrer Taufe teilgenommen. Eine Vorstellung, bei der Zweig beinahe die Fassung verlor: »Mir wurde ein wenig schwindlig – es gab 1910 noch einen Menschen auf Erden, auf dem Goethes heiliger Blick geruht! Nun war mir immer ein besonderer Sinn der Ehrfurcht für jede irdische Manifestation des Genius zu eigen, und außer [. . .] Manuskriptblättern trug ich mir an Reliquien zusammen, was ich erreichen konnte [. . .]. Eine Kielfeder Goethes habe ich jahrelang unter Glas gehütet [. . .]. Aber wie unvergleichlich diesen immerhin leblosen Dingen war doch ein Mensch, ein atmendes, lebendes Wesen, das noch Goethes dunkles, rundes Auge bewußt und liebevoll angeblickt – ein letzter dünner Faden, der jeden Augenblick abreißen konnte, verband durch dies gebrechliche irdische Gebilde die olympische Welt Weimars mit diesem zufälligen Vorstadthaus Kochgasse 8.«[2] Mehr als einmal erschien Zweig zur Teestunde bei Frau Demelius und ließ es sich nicht nehmen, sie dem Goethe-Sammler Kippenberg bei einem späteren Besuch in Wien wie ein lebendiges Museumsstück vorzustellen.

Die ungewöhnliche Nachbarschaft, die ganz nach seinem Geschmack war, hatte mit dazu beigetragen, daß sich Zweig in der Kochgasse recht wohl fühlte. Man betrat seine Wohnung durch einen schmalen Flur, an dessen Wänden sich beiderseits Bücherregale entlangzogen, die bis unter die Decke reichten. Die Regalreihen setzten sich in allen Zimmern fort, Bücher, Papiere, Zeitungen und Materialsammlungen stapelten sich, wohin das Auge blickte. Inzwischen hatte er damit begonnen, seine ohnehin umfangreiche Bibliothek durch zahlreiche Auktions- und Antiquariatskataloge für Autographen zu ergänzen. Im Salon, in dem die kostbaren Blätter von Goethe und Blake an den Wänden hingen, standen mit rotem Leder bezogene Fauteuils, in denen man sich zum Gespräch bei Kaffee und Zigarre bequem niederlassen konnte; in der wärmeren Jahreszeit war dies auch auf dem Balkon möglich. Für längere Treffen mußte Zweig mit seinen Gästen allerdings fast immer in ein Restaurant oder Café wechseln, denn in der Wohnung konnte man allerhöchstens Kaffee, Tee und ein »kaltes Junggesellenabendbrot«[3] zubereiten. Die ohnehin kleine Küche

war nämlich aus Platzmangel zum Büroraum mitsamt Registratur um-
funktioniert worden. Hier waltete über Jahre statt einer Köchin die Sekretärin Mathilde Mandl, deren Schreib- und Ordnungsdienste auch
Zweigs Kollege Siegfried Trebitsch in Anspruch nahm. Der Bürobetrieb
war gut organisiert, für kurze Antworten gab es vorgedruckte Karten mit
Texten wie: »Stefan Zweig (zur Zeit auf Reisen) bitte entschuldigen zu
wollen, daß er diesmal sein Buch nicht persönlich zusenden kann.«[4] Eine
Schreibmaschine stand bereit, doch für die private Korrespondenz und
für Schreiben an geschätzte Kollegen griff Zweig selbstverständlich weiterhin selbst zur Feder, die er fast immer in violette Tinte tauchte. Diese
Farbe wurde für seine Briefe ebenso charakteristisch wie die runde, gut
lesbare Schrift und sein gedrucktes Monogramm im Briefkopf.

Die fehlende Kochmöglichkeit führte dazu, daß Zweig die Wohnung
meist zur Mittagszeit verließ. Wenn auch Alfred in Wien war, traf man
sich fast täglich am Tisch der Eltern zum Essen, wie es schon in Kindertagen der Fall gewesen war. Die Stimmung in der Familienrunde wurde
zeitweise dadurch gedrückt, daß Ida Zweig trotz der üblichen Aufenthalte
in Marienbad und neuerdings in Wiesbaden immer häufiger erkältet war
und auch ihr Mann über Probleme mit seiner Gesundheit zu klagen hatte.
Beide Söhne waren wegen dieses Zustandes ebenso besorgt wie entnervt,
da sich die Eltern trotz guten Zuredens lange nicht entscheiden konnten,
ihren (offensichtlich wenig hilfreichen) Arzt zu wechseln. »Das Herum-
rennen auf den Straßen«, schrieb ihnen Stefan, »die zugigen Tram-
waywagen und Omnibusse verderben bei Mama mehr als alle Curorte
der Welt nutzen können. Und hier muß endlich etwas Radicales geschehen, entweder ein Wagen oder dauernder Aufenthalt im Süden.«[5] Aber
auch in diesem Fall zeigten sich die Zweigs nicht zuletzt aus Sorge um zu
hohe Ausgaben wenig entschlußfreudig, und der Zustand blieb so unbe-
friedigend, wie er war.

Um seinen 30. Geburtstag herum bat Stefan seinen Vater, die bisher
monatlich aus dem Familienvermögen gezahlte Rente einzustellen und
ihm statt dessen ein entsprechendes Kapital auszuzahlen, das er selbst
verwalten wollte. Nach einigen Beratungen mit dem Cousin seiner Frau,
dem Bankpräsidenten Eugen Brettauer, der die Familie in früheren Jah-

ren auch als Anwalt vertreten hatte, übertrug Moriz Zweig seinem jüngeren Sohn den Betrag von 400 000 Kronen. Alfred wurde später im Testament seines Vaters mit einem entsprechenden Anteil berücksichtigt.

In dieser Zeit machte Stefan noch einige interessante Bekanntschaften. Darunter die des jungen Photographen Franz Xaver Setzer, von dem er sich bis in die 20er Jahre hinein viele Male portraitieren ließ. Die Aufnahmen sind schnörkellos, wirken oft ein wenig kühl und galten als modern. Das Atelier hatte sich schnell einen hervorragenden Ruf erworben und zog illustre Gäste an. Das Aufnahme- und Gästebuch verzeichnet unter anderem Arthur Schnitzler, Hugo von Hofmannsthal, Peter Altenberg und Felix Salten. Nach Setzers Hochzeit mit der aus Weimar stammenden Sopranistin Marie Gutheil-Schoder erweiterte sich sein Kundenkreis noch um Größen der Musik- und Bühnenwelt. Giacomo Puccini, Erik Frey und Max Reinhardt kamen zu Portraitsitzungen, und Reinhardts Ehefrau, die Schauspielerin Helene Thimig, posierte wie ihre Kolleginnen Hedwig Bleibtreu und Paula Wessely auch in Rollenkostümen vor der Kamera. Setzer war Zweig nicht nur als ein Dreh- und Angelpunkt der Wiener Kunstszene ein lieber Bekannter, mit ihm konnte er sich auch über sein wachsendes Interesse an der Photographie austauschen. Zweig hatte schon früh damit begonnen, auf diesem Gebiet zu dilettieren. Seine Beobachtungen in der Dunkelkammer brachten ihn sogar zu einem Vergleich mit der eigenen Kunstrichtung: »Alles Dichterische erinnert mich immer an den Process eines Entwickelns von Photografien – zuerst die leere Platte, dann setzen sich wie ein Schleier Linien an, werden deutlicher, sichtbarer, schärfer«,[6] schrieb er an Paul Zech. Doch im Gegensatz zu seinem literarischen Werk scheint von seinen Aufnahmen heute kaum etwas erhalten geblieben zu sein.

Die bewährte Zusendung seiner Werke an berühmte Zeitgenossen hatte auch einen Briefwechsel mit Sigmund Freud in Gang gebracht. Der Empfänger der Bücher studierte die Texte sehr genau, und schon über Zweigs Balzac-Aufsatz hatte er sich geradezu begeistert geäußert: »Das reißt einen nur so mit in den Wirbel den Sie schildern wollen. Der Mann paßt Ihnen wol, ich weiß nicht wer Ihr Napoleon war, aber von dem Bemächtigungstrieb der Beiden haben Sie Ihr gutes Stück mit bekommen, den üben Sie

nun an der Sprache, ich konnte während der Lektüre das Bild eines kühnen Reiters auf einem edlen Roß nicht los werden. In Ihre Gedanken finde
ich mich leicht hinein als wären es meine guten Bekannten.«[7]

Es gibt verschiedene Anspielungen und Hinweise darauf, daß Zweig
nicht nur Freuds Gesprächs- und Korrespondenzpartner gewesen ist,
sondern auch zu seinen Patienten gezählt habe. Beispielsweise machte
Zweigs Freund Benno Geiger eine entsprechende Anmerkung in seinen
(allerdings wenig verläßlichen) Memoiren, auf die an späterer Stelle noch
genauer einzugehen ist. Andererseits läßt sich weder in Zweigs Tage-
büchern noch im bisher veröffentlichten Briefwechsel mit Freud ein
Anhaltspunkt dafür finden.[8]

Unbestritten ist dagegen die Bewunderung, die Zweig Freud und seiner Arbeit entgegenbrachte. Ohne dessen Schriften bis zu diesem Zeitpunkt intensiver studiert zu haben, wußte er genau, wie sehr auch belle-
tristische Werke davon profitieren konnten, daß Freud es gewagt hatte,
bisher nur verschämt behandelte Themen und hinter vorgehaltener Hand
erzählte Dinge offen anzusprechen. Zweigs Interesse kam nicht von ungefähr, denn er versuchte in seinen neuen Erzählungen, psychologisch
spannende Begebenheiten darzustellen, die aus ungewohnter Sicht gezeigt wurden – handelte es sich bei den 1911 im Band *Erstes Erlebnis* erschienenen Texten doch um *Geschichten aus Kinderland*, wie der Untertitel
verriet. Der Kritiker der *Zeitschrift für Bücherfreunde* hob in seinem Text
die Absichten des Autors nochmals hervor und zeigte sich begeistert:
»Der große Stilkünstler war dazu geschaffen, die noch bloß geahnten, die
leisesten Äußerungen einer sich erst besinnenden Psyche nachzuzeich-
nen. Das ›Erste Erlebnis‹ ist sexueller Natur. Der Dichter entdeckte geradezu das Aufdämmern des Triebes im reinen Gefühl, während die
Körperlichkeit noch völlig kindhaft ist. Das Unverstandene, das diese
Kinder erleben, verkehrt in Tagen, Stunden ihr ganzes Wesen, ihren Charakter. Weder der Dinge, noch ihrer selbst werden sie sich bewußt, das
Unbekannte erschüttert sie, eben weil sie es nicht fassen.«[9]

Auch Freud hatte den Band erhalten und dankte umgehend für die
Kindergeschichten, die er als »feinsinnig und psychologisch bedeutsam«
bezeichnete, wobei das Werk nicht nur bei ihm selbst auf erhebliches In-

teresse gestoßen war: »Leider hat der große Leserkreis in meinem Hause mir das Buch wenigstens zeitweilig entrißen nachdem ich kaum die erste [Geschichte] gelesen hatte. Aber vielleicht werden Sie gar nicht böse sein anstatt des einen alten soviele junge Leser gewonnen zu haben.«[10]

Wie schon erwähnt, sollte man aus diesen Geschichten – wenn überhaupt –, nur sehr vorsichtig Rückschlüsse auf Zweigs Leben und Erleben ziehen. Mehr als bei allen anderen Themen und Gattungen mögen gerade die mit erotischen Verlockungen und Verwicklungen aller Art kämpfenden Personen seiner Erzählungen dazu anregen, den Autor darin wiedererkennen zu wollen. Doch die Grenzen der eigenen Darstellung verlaufen zu sehr mit dem Erdichteten, um daraus stichhaltige biographische Erkenntnisse gewinnen zu können. An Hermann Hesse hatte Zweig schon zu Beginn seiner Karriere als Erzähler Ende 1903 geschrieben: »Ich persönlich gehe in meinen Novellen nur ganz zaghaft aus mir heraus, ich habe mich in den zwei großen Novellen [*Die Liebe der Erika Ewald* und *Die Wunder des Lebens*] ganz in Mädchengestalten versteckt, so daß ich eigentlich selbst nur mehr weiß, was anerzählt und was eigenerborgt ist.«[11] Nicht anders war es auch in späteren Werken: mehr als Anhaltspunkte für Erlebtes und vielleicht auch für Ersehntes mögen sie kaum bieten, so daß fast jeder Versuch, eine Verbindung zu Zweigs Leben zu ziehen, ein Wagnis bleibt. Selbst bei einigen Briefen (wie den frühen an Georg Busse-Palma) darf man sich fragen, ob die Anspielungen auf Erlebnisse und die Ausführungen über diverse Infektionskrankheiten unbedingt den Tatsachen entsprechen oder ob hier gelegentlich auch ein gewisses Imponiergehabe und der Beruf des Dichters durchschlugen.

In der *Welt von Gestern* widmete Zweig sich in einem Kapitel sehr ausführlich dem Umgang der jungen Männer mit der Prostitution in der Zeit vor dem Ersten Weltkrieg. So berichtet er beispielsweise von Vätern, die ein »sonderbareres Mittel« der Aufklärung anwandten und »für das Haus ein hübsches Dienstmädchen [engagierten], dem die Aufgabe zufiel, den jungen Burschen praktisch zu belehren. Denn es schien ihnen besser, daß der junge Mensch diese lästige Sache unter ihrem eigenen Dache abtäte, wodurch nach außen hin das Dekorum gewahrt blieb und außerdem die Gefahr ausgeschaltet, daß er irgendeiner ›raffinierten Person‹ in die

Hände fallen könnte.«[12] Verständlicherweise weicht Zweig in diesem Abschnitt von der Icherzählung in eine allgemeine Berichterstattung aus.

In persönlichen Fragen sind seine Tagebücher weitaus unbestechlicher. So verzeichnet er an einem Tag eine innere »Unruhe, die zu sänftigen ich nachmittags mir zwei Freundinnen nach Hause nehme, deren schöne Körper mich freuen«.[13] Darüber hinaus ist noch von so manchem eigenen »Kärntnerstraßenabenteuer« die Rede. Ob er seine Erfahrungen noch weiter ausbaute? Ein Tagebucheintrag wie: »Abends [. . .] eine jener unnat. Episoden seltsamster Art, Begegnung mit dem Brüderpaar P., alles das in Eile aber Wirksamkeit«,[14] mag solche Gedanken zulassen, kann aber letztlich auch nur in Spekulationen enden.

Stefan Zweig um 1912

Im Herbst 1911 war er für eine Woche in Berlin und stieg im Hotel Prinz Friedrich Carl ab. Grund für die Reise war einmal mehr Emile Verhaeren gewesen, denn Zweig wollte vor Ort mit Max Reinhardt über dessen Inszenierung von Verhaerens Stück *Helenas Heimkehr* sprechen. Für das kommende Jahr plante er eine weitere Reise nach Deutschland und dachte daran, bei dieser Gelegenheit auch länger in Hamburg zu bleiben – doch eigentlich wäre ihm eine viel weitere Fahrt nur recht gewesen. An Busoni, den Gefährten auf der Rückreise von Amerika, schrieb er aus Wien: »Im Frühjahr komme ich hier am Burgtheater mit meinem neuen Stück, im Herbst [. . .] in einem Dutzend anderen Städten. Aber am liebsten möchte ich da wieder irgendwo zwischen Orient und Occident sein, auf einem Schiff und hoffentlich in so guter Gesellschaft wie damals.«[15]

An das »neue Stück«, *Das Haus am Meer,* mit dem er endlich auch eine Uraufführung im heimischen Burgtheater erleben wollte, konnte Zweig nur mit sehr gemischten Gefühlen denken. Für den Mai desselben Jahres war nämlich auch die Premiere seines Einakters *Der verwandelte Komödiant* im

Lobe-Theater in Breslau vorgesehen, dessen Vorgeschichte ihn wenig glücklich stimmte: Das Werk war schon zwei Jahre zuvor entstanden, nachdem der Schauspieler Josef Kainz Zweig darum gebeten hatte, ihm ein Bühnenstück für seine Gastspiele in fremden Städten zu schreiben. Zweig konzipierte daraufhin ein amüsantes, in der Epoche des Rokoko angesiedeltes Spiel und traf Kainz' Vorstellungen damit auf den Punkt: Das Werk passe ihm wie ein Handschuh, vermeldete er und hatte als Ort für die Premiere schon das Burgtheater vorgesehen. Alle Leichtigkeit des Textes und der Vorfreude kam abhanden, als Zweig die Nachricht erhielt, daß Kainz kurz vor Beginn der Proben plötzlich verstorben war. Nach den Erfahrungen, die er zwei Jahre zuvor mit seinem *Tersites* und Matkowsky in fast derselben Situation in Berlin gemacht hatte, zeigte er sich verständlicherweise doppelt bestürzt. Zu allem Überfluß fand er später bei der Vorbereitung der Buchausgabe, deren gedruckte Widmung »In memoriam Joseph[!] Kainz« lautete, in den Korrekturabzügen seinen eigenen Namen einmal mehr als »Stephan« geschrieben, was dem Verlag eine eilige Postkarte mit der dringendsten Bitte um Korrektur und eine zukünftig einheitliche Schreibweise einbrachte.

Für *Das Haus am Meer,* dessen Premiere ebenfalls mehrfach verschoben wurde, hatte er sich ein ernstes historisches Thema gewählt, in dem Menschenwürde und Gerechtigkeit im Mittelpunkt standen: Er klagte die Schachereien um deutsche Söldner für den amerikanischen Freiheitskrieg an. Eine beachtliche Ausrichtung, deren Motivation sich aus seiner Lektüre und Gesprächen mit Verhaeren und anderen ergeben zu haben scheint, denn ein aktueller Anlaß für die Hinwendung zu diesen Fragen ist nicht erkennbar.

Durch die Terminverlegungen mußte Zweig am Ende miterleben, daß während der Vorbereitungen zu seinem Stück der Theaterdirektor Alfred Freiherr von Berger verstarb, der eigentlich als Regisseur vorgesehen war. Dies warf aus seiner Sicht zwar einen weiteren Schatten auf die anscheinend vom Pech verfolgte Tätigkeit als Theaterautor, doch blieb das Stück diesmal auf dem Spielplan. Statt des ursprünglichen Termins im Frühjahr wurde die Premiere nun für den Herbst angesetzt.

Neben der eigenen Arbeit stand noch immer Verhaeren im Mittelpunkt seines Interesses. Zweig kümmerte sich weiterhin mit großem Engagement um die Verbreitung seiner Werke im deutschen Sprachraum. So übersetzte er Verhaerens Theaterstücke und dessen Künstlermonographien über Rembrandt und über Rubens, die mit zahlreichen Bildtafeln versehen beim Insel Verlag erschienen. Schwieriger gestaltete sich die Ausführung der seit langem verfolgten Idee, eine Lesereise Verhaerens in Deutschland zu organisieren. Bei den Vorbereitungen stand Zweig wohl jene Szenerie vor Augen, die Verhaerens Freund, der Maler Theo van Rysselberghe, 1901 in einem riesigen Gemälde dargestellt hatte und die ihm selbst von seinen Besuchen bestens vertraut war: Verhaeren, den Blick auf sein Manuskript gerichtet, streckt die hagere rechte Hand zur Bekräftigung seiner Worte in die Luft. Um ihn herum sitzen und stehen seine Freunde in nachdenklichen Posen und mit konzentriertem Gesichtsausdruck. Zweig hatte sich zum Ziel gesetzt, die interessierten Leser in Deutschland an solch einem fesselnden Vortrag teilhaben zu lassen. Jahrelang versuchte er, eine lohnenswerte Route für die Vorträge zusammenzustellen, was zunächst von wenig Erfolg gekrönt war. Zusätzlich machten ihm die Theater einen Strich durch die Rechnung, die Verhaerens Stücke mit sicherem Instinkt immer in jenen Wochen auf den Spielplan setzten, in denen sich die Kritiker und das interessierte Publikum eher im Urlaub als in der Stadt aufhielten. »Wäre es nicht um Verhaeren, ich hätte längst alles hingeworfen!«,[16] tobte Zweig im Juni 1911. Im folgenden Frühjahr sollte der langgehegte Wunsch dann endlich in Erfüllung gehen. Er begleitete Verhaeren auf seiner Tournee nach Hamburg, Berlin, München und Wien, wobei er sich an den Abenden selbst ganz bescheiden im Hintergrund hielt und dem Meister allein das Podium überließ.

Die Zusammenarbeit mit dem Insel Verlag – mit »der Insel«, wie Zweig zu sagen pflegte – hatte sich erfreulicherweise zu einer jährlich wiederkehrenden Folge von Manuskriptlieferungen, Rücksendungen von Korrekturbögen, Druckfreigaben, immer länger werdenden Listen der Empfänger von Freiexemplaren, Verlagsabrechnungen und neuen Vertragsabschlüssen entwickelt. Hinzu kamen auch noch Anfragen zu Beiträgen für den *Insel-Almanach* und immer wieder Bitten um Rezensionsexemplare von Insel-Büchern, über die Zweig in Zeitschriften schreiben wollte. Zunehmend wurde er für den Verlag auch zum Berater und Vermittler, was in den meisten Fällen zu positiven Ergebnissen führte, gelegentliche Fehlgriffe jedoch nicht ausschloß. So hatte er für die von ihm eingeleitete Dickens-Werkausgabe Erwin Kraus als Übersetzer vorgeschlagen, der zum Schrecken der Verlagskorrektoren »schlimmste stilistische Ungeschicklichkeiten« und direkte Übersetzungsfehler machte: »Wir sind in einiger Verzweiflung.«[17] Zweig konnte sich nur »aufs peinlichste« überrascht zeigen, da er Kraus mehrfach Englisch sprechen gehört hatte und ihm nach der Lektüre von dessen Essays keinerlei Zweifel an seiner Beherrschung des Deutschen gekommen waren.[18]

Mit den Jahren hatte Zweig eine ausgeprägte Geschäftstüchtigkeit in eigener Sache entwickelt. Bei aller persönlichen Sympathie zu Kippenberg wurde jeder Vertrag doch sehr genau überprüft, obwohl Zweig offiziell gern verbreitete, daß ihm jegliche Verwaltungsdinge nur eine große Last und eigentlich gleichgültig seien. Auch die Werbung und den Vertrieb behielt er stets im Auge und sparte nicht mit Kritik und Vorschlägen zur Optimierung von Details: »Ich glaube, es wäre besser in den zukünftigen Auflagen immer das *Tausend* zu zählen. Ich hätte lieber darin ›dritte vermehrte Auflage‹ gesehen, um den Erfolg sichtbarer zu machen.«[19] Man darf den Wert dieses Wissens im Umgang mit dem Literaturbetrieb keinesfalls unterschätzen. Zweig war sich dessen bewußt, welche Vorteile ihm dieses Wissen gebracht hatte, denn im Gegensatz zu vielen Kollegen mußte er sich im Hauptberuf nie mit anderen Dingen herumplagen als mit der Literatur. Auch bei der Wahl der Verlage hatte er von Beginn an größtes Glück gehabt. So war er gerne bereit, andere Autoren an seinen Erfahrungen teilhaben zu lassen, was sie vor den schlimmsten Anfängerfehlern bewahren konnte. Auch Hermann Hesse wies er nach dessen Berichten über Verhandlungen zu neuen Büchern mehr als einmal darauf hin, daß er sich nicht von Verlegern begaunern lassen dürfe.

Im Jahr 1912 stand ein Verlagsprojekt in den Startlöchern, auf das man große Hoffnungen setzte: Die Insel-Bücherei. Schon seit einigen Jahren war die Idee einer preiswerten Buchreihe, bei der nicht auf die gewohnte

Qualität in Aufmachung und Ausstattung verzichtet werden sollte, im Verlag diskutiert worden. Zweig hatte wegen anfänglicher Verzögerungen mehrfach bei Kippenberg nachgehakt, das vielversprechende Projekt doch endlich zu verwirklichen. Man dachte zunächst an »Flugschriften« zu einem Preis von nicht mehr als 20 Pfennigen. Um einen Erscheinungsrhythmus vorzugeben, war kurzzeitig auch der Titel *Der Monat* in der Diskussion gewesen, der dann jedoch verworfen wurde, um dem Vorhaben kein zu starres Korsett zu geben. Zweigs Anteil an der Entwicklung, insbesondere aber an der eigentlichen Idee dieser durchschlagenden Verlagsproduktion wurde in späteren Jahren zu Unrecht relativiert. Daß er lange vor der Veröffentlichung zahlreiche Anregungen zur Programmgestaltung gab und den Gedanken in jedem Fall unterstützte, steht völlig außer Frage: Gegen die Produktion preiswerter Buchausgaben, die auch noch den bibliophilen Geschmack treffen sollten, hat er nie Einwände gehabt.

Um das Vorhaben, das eindeutig auf hohe Verkaufszahlen ausgerichtet war, möglichst schnell bekannt zu machen, hatte Zweig dem Verlag den Vorschlag gemacht, jedem Buchhändler in Deutschland zum Start ein kostenloses Exemplar zuzusenden. Eine Idee, die Kippenberg in ihrer Großzügigkeit dann aber doch zu weit ging und nicht verwirklicht wurde. Dies wäre, wie die Vorbestellungen des Handels und der große Erfolg der Reihe bald zeigen sollten, auch gar nicht vonnöten gewesen.

Man einigte sich nach einigen Probeexemplaren auf die Produktion von Pappbänden mit wechselnden bunten Überzugpapieren und aufgeklebten Titelschildern. Im ersten Jahr erschienen nicht weniger als 27 Bände, in denen zahlreiche Autoren des Verlags und die bekannten thematischen Schwerpunkte aus Vergangenheit und Gegenwart vertreten waren. Die erste Nummer wurde mit Rainer Maria Rilkes *Die Weise von Liebe und Tod des Cornets Christoph Rilke* besetzt. Zweig selbst war im Gegensatz zu Hofmannsthal mit seiner Idylle *Der Tod des Tizian* und Ricarda Huch mit dem Band *Liebesgedichte* noch nicht durch einen eigenen Text vertreten, doch enthielt die Nummer 5 der Reihe Verhaerens *Hymnen an das Leben,* die selbstverständlich von Zweig aus dem Französischen übertragen worden waren.

Als die ersten Bände der Insel-Bücherei auf den Markt kamen, war Zweig bereits wegen der im Herbst anstehenden Uraufführung seines Theaterstückes *Das Haus am Meer* in großer Unruhe. Ein wenig ärgerlich war er darüber, daß sein gewohnter Tagesablauf aus den Fugen geraten war und er viel zuviel Zeit sinnlos vergeudete. Fast jeden Abend saß er im Kaffeehaus (»dieses unnötige Finale, das ich mir abgewöhnen will«),[20] studierte Zeitungen oder löste Kreuzworträtsel und las dann zu Hause noch bis spät in die Nacht. Üblicherweise war er am nächsten Tag schon wieder früh auf den Beinen, denn in den Morgenstunden ging ihm die Textarbeit am leichtesten von der Hand. Zu dieser Uhrzeit war er freilich nur ungern bereit, Besuch zu empfangen. Victor Fleischer war dies schon einige Jahre zuvor in der Studentenwohnung in der Tulpengasse aufgefallen: Er »fand ihn – obzwar es etwa elf Uhr vormittag gewesen sein muß – unrasiert und nur halb bekleidet, [. . .] das Bett noch offen und in Unordnung [. . .], als ob er eben erst aufgestanden wäre. Wenn seine eigene Erscheinung zu solcher Stunde den Eindruck erwecken konnte, daß Zweig eben erst das Bett verlassen hätte, so sollte ich bald erfahren, daß er schon etliche Stunden ernster Arbeit hinter sich hatte, daß er sich nur nicht rasierte und nicht anzog, um so in gewisser Weise sich selbst zum Zuhausebleiben zu zwingen und sich durch keinen Besuch in seiner Arbeit stören zu lassen.«[21]

In diesen Wochen aber wollte sich die zur Arbeit notwendige Konzentration nicht einstellen. Die Aussicht, bald mit dem Theaterpublikum – auch noch mit jenem im heimischen Wien – zu tun zu haben, schreckte ihn ab. Nach Gesprächen mit guten Bekannten wie Arthur Schnitzler meinte er plötzlich, bei sich selbst eine Hilflosigkeit in der Konversation feststellen zu müssen. Nichts schien wirklich gelingen zu wollen. Ausflüge mit Freunden, bei denen sie gelegentlich auch mit einem Tourenwagen in die Umgebung der Stadt fuhren, waren wenigstens eine Möglichkeit, um etwas Zerstreuung zu finden.

Ende Juli saß Zweig am frühen Abend eines warmen Tages mit einem Bekannten im Garten des Gasthauses Riedhof in Wien. Der Betrieb hatte noch kaum begonnen. So konnte er beobachten, wie einige Tische entfernt, wo eine Dame und ein Herr Platz genommen hatten, ein weiterer

Herr, offenbar ein Freund des Paares, hinzutrat und der Dame ein Geschenk überreichte. Es war ein Buch. Und selbst von weitem war an dem
grünblau-weiß gemusterten Umschlag sehr genau zu erkennen, um welchen Titel es sich handelte: den fünften Band der Insel-Bücherei, Emile
Verhaerens *Hymnen an das Leben* in der Übertragung von Stefan Zweig. In
dieser Situation konnte er sich ein Lächeln nicht verkneifen. Daß die
Dame, die sein Buch geschenkt bekam und das Lächeln erwiderte, jene
war, die er gut vier Jahre zuvor bei Alexander Girardis Abschiedsabend
beim Stelzer in Rodaun schon einmal getroffen hatte, bemerkte er freilich nicht. Sie erkannte ihn allerdings, und ihr war sofort aufgefallen, daß
er sich seither deutlich verändert hatte: »Das war kein blutjunger Bohemien mehr, sondern ein gepflegter, gut aussehender Mann – gewohnt,
wie es schien, einer Frau mit einem Blick das zu sagen, was Worte überflüssig machte.«[22] Sie war an jenem Abend nur in die Stadt gekommen,
um kurz ihren Mann zu treffen, und fuhr am nächsten Tag wieder in die
Nähe von Gars am Kamp zurück, wo sie mit ihren beiden Töchtern einige Wochen verbrachte und auch auf die Kinder eines befreundeten Ehepaares aufpaßte.

Nach dieser zweiten persönlichen Begegnung auf Distanz faßte sie
einen Entschluß.

»Ich habe grenzenlosen Ekel vor aller Literatur. Ein paar gute
Menschen, wenige, wenige, sind um mein Leben, eine Frau,
die mir sehr viel ist, deshalb aber doch gleichzeitig viel heiße
Erlebnisse (der Körper allein erlebt *ja aufrichtig), Unruhe und*
Reiselust, die ich wie ich kann, befriedige.« [1]

An Benno Geiger, 21. März 1914

Verwirrende Gefühle

Am 26. Juli 1912 fand Stefan Zweig in seiner Post einen Brief vom Vortag, dessen Absenderin eine ihm unbekannte Dame war:

»Lieber Herr Stefan Zweig,
    vielleicht bedürfte es nicht der Erklärung, weshalb es mir leicht fällt,
das zu tun, was die Leute ›unschicklich‹ nennen. Weshalb es mir sonst
nicht ungeheuerlich erscheint, das gehört nicht hierher.
    Ich war gestern auf einen halben Tag und eine Nacht in Wien, kam aus
meiner sanften Landschaft, aus meiner Mühle, wo Wald und Wasser um
mich ist und keine Stadtkultur. – Und da geschah solch ein lieber Zufall.
Ich habe Sie vor ein paar Jahren an einem Sommerabend beim Stelzer, wo
Girardi Abschied nahm, gesehen. [. . .] Es war ein hübscher Abend damals. Sie saßen, glaube ich, mit Freunden, und es war oder schien eine
Begeisterung unter ihnen. Es war damals so eine Art Wendezeit in mei-
nem Leben. [. . .] Und gestern saßen Sie im Riedhof neben mir, und ein
Bekannter brachte mir die ›Hymnen an das Leben‹. Ich las sie heute zum
Räderrollen, als ich früh morgens wieder in meine Sommerheimat fuhr.
Draußen lagen die Felder in der freudigsten Sonne. Und da erschien es
mir nicht unnatürlich, Ihnen einen Gruß zu senden. Die Hymnen sind so

schön! Einige kannte ich. ›Das Wort‹ liebe ich sehr. Ich las es mir schon aus dem Insel-Almanach mehrmals laut vor. Und als ich gestern neben Ihnen war, fiel mir so ein: Es ist nicht einerlei, ob man sein Leben lang Péladan und Strindberg oder Shaw – oder Verhaeren übersetzt. Sage mir, wen Du übersetzt, und ich sage Dir, wer Du bist. Und wie Du übersetzt wohl auch! ›Nachdichtungen‹, das ist das Herrliche!

Ich dichte auch. Vielleicht haben Sie in den vergangenen Tagen etwas von mir gelesen, oder darüber weggeschaut. [...]

Ich weiß Ihre Adresse von jemandem, der mir einmal etwas von Ihrer Veranda erzählte, als er meine Weihnachtsbücherliste sah, auf der der ›Tersites‹ stand. Ich glaube, Sie werden niemandem über diesen dummen Brief etwas zu sagen haben. Ich schreibe auch nicht, damit Sie mir etwas erwidern, obwohl es mich freute. Und wenn Sie irgend Lust hätten dazu, schreiben Sie an Maria von W., postl. Rosenburg am Kamp.

Viel[e] Grüße!«[2]

Er antwortete ihr, doch sein Brief gilt als verschollen. Aus ihrem nächsten Schreiben, das sie am 30. Juli in Mannigfallmühle bei Gars verfaßte, kann man allerdings Rückschlüsse auf seine Post ziehen. So muß er auf ihren Satz, daß auch sie gelegentlich Gedichte verfasse, mit einer Bemerkung zu »fürchterlichen Auchdichtern« geantwortet haben. Diesen Begriff jedenfalls zitierte sie in ihrem folgenden Brief und beeilte sich, hinzuzufügen, daß sie sein Mißtrauen in dieser Sache wohl verstünde, jedoch nicht gesagt haben wollte, daß es sich bloß um eine Nebenbeschäftigung handelte (sie hatte sich nach einigen Gedichten und Feuilletons nämlich auch daran gewagt, einen eigenen Roman zu verfassen). Außerdem hatte Zweig sie gebeten, ihre Halbanonymität aufzugeben. Und tatsächlich unterzeichnete sie dieses Mal mit vollem Namen: Friderike Maria von Winternitz. Und noch ein Geheimnis lüftete sie, eines, nach dem er nicht oder wenigstens nicht direkt gefragt hatte: »Sie wollen sicher wissen, ob Frau vor meinem Namen steht: Ja.«[3]

Friderike Maria von Winternitz war am 4. Dezember 1882 als Tochter der Beamtenfamilie Burger in Wien zur Welt gekommen. Nachdem eine ältere Schwester sich bei einem Festaufmarsch auf dem Schulhof mit der Diphtherie angesteckt hatte und an den Folgen der Krankheit verstorben war, schickten die Eltern Emanuel und Theresia Elisabeth Burger ihre Kinder nicht mehr in die Volksschule. So besuchte Friderike eine Privatschule, das Institut Luithlen, und durchlief später die staatliche Ausbildung zum Lehramt für Französisch. Dabei wandte sie sich mit großem Interesse der Literatur und Geschichte Frankreichs zu, ohne das Land bis dahin je besucht zu haben. In den Nebenfächern schrieb sie sich für Psychologie und Pädagogik ein.

Mit Felix von Winternitz hatte sie einen bescheiden wirkenden Jurastudenten kennengelernt, für den seine Eltern eine Karriere als Diplomat vorgesehen hatten. Sein Vater, Jakob von Winternitz, der in der Familie »der alte Herr« genannt wurde, hatte sich als Journalist aus armen Verhältnissen bis in die oberen Etagen des Außenamtes vorgearbeitet. Gleichzeitig hatte er den Vorsitz verschiedener Autorenvereinigungen inne und war Begründer einer Witwen- und Waisenkasse für Schriftsteller, wofür er den Franz-Joseph-Orden verliehen bekam und schließlich in den Adelsstand erhoben wurde. Seine Frau war sehr jung verstorben und hinterließ den Mann mit zwei Söhnen, um die er sich seitdem allein gekümmert hatte. Ihm dürfte der Schriftsteller Zweig durchaus ein Begriff gewesen sein; weniger, weil er ebenfalls in der Kochgasse wohnte, sondern, weil er die literarische Welt genau beobachtete und zudem dem Auswahlkomitee für den Bauernfeldpreis angehörte, mit dessen Ehrengabe Zweig bekanntlich vor Jahren bedacht worden war.

Im April 1906 hatten Felix von Winternitz und Friderike Burger in der Kapelle der Minoritenkirche ohne viel Prunk geheiratet. Sie nahmen sich eine Wohnung in Wien-Döbling, in der Nähe der Privatschule, in der Friderike eine Anstellung als Lehrerin gefunden hatte. Im folgenden Jahr kam eine Tochter zur Welt, die auf die Namen Alexia Elisabeth getauft und meist Lix oder Alix gerufen wurde.

Friderike hat später sowohl über ihre eigene Herkunft wie auch über die Beziehung zu Felix von Winternitz vieles im unklaren gelassen, so daß die Darstellung auch heute stellenweise unvollständig bleiben muß. Die beiden hatten katholisch geheiratet, stammten aber ursprünglich aus jüdischen Familien. Friderike war am 25. September 1905, im Jahr vor ihrer Hochzeit, aus der Israelitischen Kultusgemeinde in Wien ausgetreten und hatte sich taufen lassen. Eventuell nahm sie erst damals ihren Zweitnamen Maria an, den sie fortan fast immer hinzusetzte, wenn auch gelegentlich nur mit der Initiale »M«. Von Felix von Winternitz meint Alfred Zweig sich zu erinnern, daß auch er – wie man sagte –, »stehend«, also lange nach seiner Geburt, katholisch getauft worden sei.

Der Ehe war wohl von Beginn an wenig Glück beschieden. Was Friderike in ihrem ersten Brief an Stefan Zweig mit dem Satz über die »Wendezeit« in ihrem Leben andeuten wollte, die sie 1908 gekommen sah, bezog sich auf ihr immer stärker werdendes Gefühl, daß sie und ihr Mann, der als Finanzkommissär arbeitete, sich in ihren geistigen Interessen mehr und mehr auseinandergelebt hatten. Hinzu kamen sehr unerfreuliche Erfahrungen, die sie mit ihm gemacht hatte. An jenem Tag in Rodaun, an dem Girardi seine wehmütigen Abschiedslieder zum besten gab, hatte sie Felix nämlich am Nachmittag im Krankenhaus besucht. Es war ihr dabei keinesfalls entgangen, daß er trotz des Magenleidens, das die Ärzte bei ihm diagnostiziert hatten, schon wieder gesund genug war, um sich sehr ausgiebig einer Mitpatientin zuzuwenden. Am Abend versuchte sie, ein wenig Ablenkung zu finden, hatte ihre kleine Tochter in Pflege gegeben und sich mit einem Freund der Familie in das Lokal aufgemacht. Ebenjener Mann, von dem Friderike nur den Vornamen Clemens nennt, machte sie seinerzeit auf Stefan Zweig aufmerksam, und er war es auch, der ihr nun das Insel-Buch geschenkt hatte.

Trotz allem blieb die Beziehung zwischen Friderike und Felix von Winternitz bestehen; sie schien sich zeitweise sogar wieder gebessert zu haben. 1910 wurde eine zweite Tochter, Susanna Benediktine, genannt Suse, geboren. Als sie im Alter von nicht einmal zwei Jahren an einer lebensbedrohlichen chronischen Stoffwechselstörung erkrankte, zeigte sich der Vater wenig hilfreich, so daß Friderike mit den beiden Kindern größtenteils auf sich allein gestellt war. Trotz der ständigen Angst um die Gesundheit der jüngeren Tochter versuchte sie, sich eine gewisse Unabhängigkeit von ihrem Mann aufzubauen, und verfaßte weiterhin eigene Texte. Unterstützt wurde sie dabei von ihrem Schwiegervater, zu dem sie im Lauf der Jahre ein weitaus innigeres Verhältnis entwickelt zu haben scheint als zu dessen Sohn, ihrem Ehemann.

Als sie Zweig im Sommer 1912 wiedersah, hatte ihre Ehe einen weiteren Tiefpunkt erreicht. Sie wagte es sogar, den Junggesellen Zweig um ein persönliches Treffen zu bitten, doch stand dem zunächst seine jährliche Sommerreise nach Frankreich im Weg, die er selbstverständlich auch diesmal antreten wollte. So fuhr er Anfang August und fand gleich nach seiner Rückkehr Ende des Monats ihren nächsten Brief vor. In der Zwischenzeit hatte sie sich weiter mit seinen Büchern beschäftigt, den *Tersites* gelesen und ihrem Brief einige ihrer eigenen Zeitungsartikel beigelegt. Das langersehnte Treffen kam jedoch immer noch nicht zustande, denn eine Einladung in seine Wohnung mußte sie kurzfristig wegen einer Erkrankung ihrer Tochter absagen, und kurz darauf fuhr sie selbst nach Krumau in Böhmen.

Was tat der Schriftsteller in dieser Situation? Er griff zur Feder. Er schrieb kein Gedicht und keine Erzählung, er begann vielmehr, ein Tagebuch zu führen. Schon wesentlich früher hatte Zweig solche Aufzeichnungen gemacht, doch sind ältere Blätter, Hefte oder Kladden nicht erhalten geblieben. Wie umfangreich die bisherigen Texte waren, welche Zeitspannen sie genau umfaßten und ob Zweig sie selbst vernichtete, sie verlorengingen oder verschollen sind, ist nur zum Teil bekannt. 1902 schrieb er zumindest während seines Besuches bei Verhaeren Tagebuch. Während seiner ersten Besuche in Paris und London, jener beiden Jahre, die er später die intensivsten seines Lebens nannte, war das Tagebuch sein ständiger Begleiter, doch kamen diese Bände bei einem Diebstahl abhanden. Auch danach wird er wohl noch öfter zu Tagesnotizen zurückgekehrt sein, ohne daß sich dafür genauere Anhaltspunkte finden ließen.

Nun jedenfalls, am 10. September 1912, einige Wochen nach dem ersten Brief Friderikes und wenige Monate vor seinem 31. Geburtstag, setzt die Überlieferung wieder ein. Seit Abschluß der letzten Aufzeichnungen dieser Art mußte eine Weile vergangen sein, denn der erste Eintrag in das neue Heft liest sich wie eine Vorrede zu einem neuen und wahrlich großen Vorhaben: »Heute, an einem ganz beliebigen Tage beginne ich wieder – zum wievielten Male! – meinTagebuch. Der Grund – ich spürte gerade im

Wiederlesen eines Früheren, wie matt, wie gefährlich, wie krankhaft in. mein Gedächtnis geworden ist. Dinge, die dort mit allen Zeichen inneren Erlebens geschrieben sind, Worte sind sie nur, fremdes Vergessenes und, wie tief ich auch in mein Erinnern grabe, ich finde für diese Menschen keine Gesichter mehr. Vielleicht ist diese ganze Gier meines Neuerlebenwollens darin begründet, daß ich keinen Besitz am Vergangenen habe, daß alles gewissermaßen bei mir Fließen ist und mein Leben, sobald nichts zuströmt, ausgetrocknet wäre. [...] So beginne ich wieder –

auf wie lange! Es soll diesmal eine Willensprobe sein, und, daß ich Härtungen meines Willens von Nöten habe sagt ein Tag mehr als der andere. Die Stimmung in der ich lebe, ist flau. Seltsam, dies Vibrieren in der Stadt, die Erregung über mein ›Haus am Meer‹, in mir spüre ich sie nicht, ein einziges jener sexuellen Abenteuer ist mir mehr und die sind doch nur wertvoll durch ihre Gefahr. – Ich will nun sehen, ob ich über mich die Gewalt habe, jede Nacht, so wie ich meine Uhr aufziehe, auch in mir eine stählerne Spirale aufzurollen und – selbst an jenen traumhaft verdösten Tagen – mir Rechenschaft zu geben, Bericht zu leisten. Es wird ja viel in der nächsten Zeit an äußern Entscheidungen geben und mein Inneres – ob es noch reagiert? – soll sich da bewußter gestalten. [...] Es sei versucht.«[4]

Friderike Maria von Winternitz, Töchter Alexia Elisabeth (links), Susanna Benediktine (rechts), 1912

Ganz so beliebig, wie im ersten Satz angedeutet, war der gewählte Zeitpunkt für den Anfang der neuen Aufzeichnungen selbstverständlich nicht. Der Beginn der Proben zu seinem Schauspiel *Das Haus am Meer* stand unmittelbar bevor, und auch die Aussicht auf ein persönliches Treffen mit Frau von Winternitz, deren Briefe ihm doch nähergegangen waren als die anderer Verehrerinnen, sorgte für genug innere Unruhe.

Ende des Monats war es schließlich soweit. Nachdem wohl noch ein Telephongespräch der beiden vorausgegangen war, erschien Zweig am Nachmittag des 23. Septembers in ihrer Wohnung. Als Gastgeschenk hatte er ihr ein Exemplar seines Novellenbandes *Erstes Erlebnis* mitgebracht. Sie redeten über Literatur, kamen aber bald auch auf noch persönlichere Dinge zu sprechen. So äußerte sie, wie tragisch es sei, die Kinder nur von einem Mann zu bekommen – eine Aussage, die Zweig wegen ihrer Kühnheit und Aufrichtigkeit außerordentlich imponierte. Von ihrer Hinwendung zu den beiden Töchtern – wann hatte er zuvor solche familiären Szenen aus nächster Nähe erlebt? – zeigte er sich sehr berührt. Ein »gutes Gespräch mit einer wahrhaft sensiblen Frau« sei es gewesen, notierte er zu Hause und versuchte, sich seines eigenen Anteils daran bewußt zu werden: »Es ist mir [. . .] selig zu wissen, daß diese meine höchste Lebensgabe ist, Menschen aufzuschließen, in ihnen durch eine Aufrichtigkeit über alle Scham hinaus (ich bin da ganz frei) ein Bedürfnis zu erwecken, auch ihrerseits einen verborgendsten Gedanken zu sagen. Wie herrlich das ist, so ein Gedanke, von dem man fühlt[,] daß er sich zu einem für das erste Mal ins Wort wagt und ganz glückselig ist, wie ein Vogel, der sich zum erstenmal in die Luft wirft und aufschreit vor Lust, weil ihn die Schwingen tragen. Ich weiß, daß ich in Frauen aber auch Männern oft etwas befreie. Nur hüte ich mich, dies erotisch auszunützen, vielmehr erzeuge ich diese Freiheit erst durch eine ungesprochene erotische Ablehnung.« Der einzig unangenehme Moment des Besuchs war das Erscheinen Felix von Winternitz'. Friderike sei peinlich berührt gewesen, so Zweig, was er »recht gut zu überwinden« sich versuchte, doch mit dem Eintritt des Gatten »kam's wie kalte Luft ins Zimmer«.[5]

Die nächsten Tage vergingen für Zweig wie die vorigen, noch immer war er zu unkonzentriert, um sich größeren Arbeiten widmen zu können, und der Termin der Uraufführung seines Stückes rückte unaufhaltsam näher. Die Korrespondenz mit Frau von Winternitz ging derweil in kurzen Abständen voran. Zum Oktober stellte er einen Diener ein, wovon er sich in jeder Hinsicht mehr Ordnung für sein Leben erhoffte, das immer noch wenig produktiv zwischen Kaffeehaus, Theaterbesuchen und abendlichen Spaziergängen mit gelegentlichen »Episoden« dahinging.

Die Bühnenproben waren schließlich ein Auf und Ab der Gefühle. An einem Tag bewunderte er den Regisseur Albert Heine für dessen Umgang mit den Schauspielern, am nächsten Tag überflügelten sich beide gegenseitig mit ihrer Nervosität und gerieten aneinander. Dann kam der große Abend des 26. Oktobers. Zehn Tage zuvor hatte Zweig die beiden Bände *Tersites* und *Das Haus am Meer* an Gerhart Hauptmann geschickt, dessen Antwort ihn während der Uraufführung zwischen den beiden Akten per Telegramm erreichte. Es hätte dafür kaum einen besseren Zeitpunkt geben. In seinem nächsten Brief dankte Zweig für die ermunternden Worte des Kollegen: »Ich las und alle Bangigkeit fiel von mir ab, mit einem mal fühlte ich mich sicher.«[6] Unbesorgt sei er danach vor den Vorhang getreten, wohin ihn das Publikum nach dem Ende das Stücks nicht weniger als achtmal rief. Als er anschließend von Gratulationen überschüttet mit einigen Freunden und seinem Bruder zusammensaß, spürte er sein Hirn stillstehen, wie er im Tagebuch schrieb.

Schon am nächsten Morgen konnte er die ersten Kritiken in den Zeitungen lesen. Im großen und ganzen konnte er zufrieden sein, bloß »der alte Trottel Kalbeck« (mit dem er sich bald darauf wieder versöhnte) hatte sich im *Neuen Wiener Tagblatt* »geradezu aggressiv« gegeben.[7] Er kritisierte in seinem Artikel zunächst die grob gezeichneten Charaktere, allen voran den alternden Lotsen Gotthold Krüger, der, statt viele Worte zu machen, lieber die Faust in der Tasche ballte, was seiner Rolle freilich nicht zu viel Lebendigkeit verhalf: »Soll das eine Charakterstudie nach dem Leben sein, so ist auf dem Theater nichts mit dem stumpfsinnigen Fleischklotz anzufangen, und der Dichter brauchte ihn nicht im Verlauf des Stückes an Leib und Seele verblöden zu lassen.« Wer seine Kritik mit solchen Worten beginnt, von dem ist auch nachfolgend wenig Erbauliches zu erwarten, so heißt es weiter: »An Romantik läßt ›Das Haus am Meer‹ [. . .] nichts zu wünschen übrig. Aber diese Romantik rührt von verschollenen Abenteuerromanen her; dabei liebäugelt sie mit dem Boulevardstück und Kinematosketch. Viel interessanter als das mißlungene Schauspiel wäre der psychologische Fall seines Dichters: zu untersuchen, woher es kommt, daß ein so hochkultivierter Geist, ein so feinhöriges Sprachtalent, ein so bedeutender Schriftsteller in Vers und Prosa, wie Stephan Zweig, dem wir das formvollendete Buch über den Belgier Emile Verhaeren und anderes verdanken, sich so gröblich verhauen konnte. Gelüstete es den an Verlaine und Baudelaire gebildeten Dekadenten, den Kraftmenschen zu zeigen, wollte der Ziseleur mit der Zimmermannsaxt hantieren?«[8]

Angenehmer zu lesen war die Kritik, die das *Hamburger Fremdenblatt* wenige Tage darauf veröffentlichte. Die Autorin des Beitrags war niemand anderes als Friderike von Winternitz, die nach längerer Unterbrechung ihre gelegentliche Tätigkeit für diese Zeitung wieder aufgenommen hatte. Allerdings war ihr Bericht zur Veröffentlichung gekürzt und zudem von ihrem Schwiegervater um einige Worte ergänzt worden, was ihr ausgesprochen unangenehm war.

Doch sie hatte inzwischen noch andere Dinge eingefädelt. Schon Mitte des Monats hatte sie Zweig geschrieben, daß sie plane, im November ein bis zwei Wochen nach Berlin und Hamburg zu fahren. Ihr war nicht unbekannt gewesen, daß *Das Haus am Meer* ab dem 23. November im Hamburger Schauspielhaus auf dem Programm stand und Zweig darüber nachgedacht hatte, bei der Premiere anwesend zu sein, zumal er ohnehin unterwegs sein würde, weil er nach Berlin fahren wollte. Vor der Reise stattete sie ihm noch einen Besuch in seiner Wohnung in der Kochgasse ab. Zum ersten Mal waren die beiden miteinander allein. Sie gab sich still und scheu, was ihn »unendlich« anzog, doch: »Ich wage mich gar nicht erotisch heran: hier wäre nur zu zerstören, nicht zu schenken«, bemerkte er anschließend.[9]

Am 18. November fuhr er zunächst nach Dresden, wo er seinen alten Freund Camill Hoffmann nach langer Zeit wiedertraf. Von dort ging es weiter nach Berlin. Diesmal wohnte er im Fürstenhof. Friderike von Winternitz war schon vorausgefahren und quartierte sich, da sie ihr Hotel, das Excelsior, angeblich nicht hübsch gefunden hatte, im selben Haus wie er ein (das sie dann freilich für reizend hielt). Auch für Friederike sollte es keine reine Vergnügungsfahrt sein, denn sie versuchte, zum Ausbau ihrer schriftstellerischen Tätigkeit Kontakte zu Verlagen zu knüpfen. Schließlich bekam sie einen Brief, den Zweig bereits in Hamburg aufgegeben hatte. Er hatte sich tatsächlich entschieden, der Premiere seines Stückes beizuwohnen und ihr schon ein Zimmer im Hotel Vier Jahreszeiten reserviert, wo er auch selbst abgestiegen war. Als sie dort ankam, fand sie in ihrem Raum mit Blick auf die Binnenalster einen Blumenstrauß von ihm vor. In einem Brief schrieb er ihr, daß er sich das Wiedersehen als Belohnung bis nach der Aufführung seines Stückes aufsparen wolle, und schlug vor, daß sie dies mit der gemeinsamen Feier seines Geburtstages in Lübeck verbinden könnten (wofür er das Fest kurzerhand um zwei Tage vorverlegte, was sie selbstverständlich nicht ahnte).

Die Premiere seines Stückes verlief glänzend, der Applaus rief ihn wieder mehrfach auf die Bühne zurück, und er wirkte wesentlich entspannter als wenige Wochen zuvor bei der Uraufführung vor heimischem Publikum. Drei Tage später war er am Abend mit Friderike von Winternitz in Lübeck verabredet. Sie hatte sich tagsüber in der Stadt umgesehen und einen Ausflug an die nahe Ostsee gemacht. Nachdem Zweig am Bahnhof eingetroffen war, gingen sie zum Abendessen in den Ratskeller, wo er sie zunächst nach Art eines Professors abfragte, ob sie denn auch alle Sehenswürdigkeiten der Stadt besucht hatte: Dom? Holstentor? Rathaus? Marienkirche? Ja, sie hatte sich all das angesehen. Bald darauf lockerte sich die Stimmung, sie tranken zur (angeblichen und zur tatsächlichen) Feier des Tages Champagner und begaben sich später in das Hotel Stadt Hamburg, wo ihnen diesmal nur ein Zimmer genügt haben dürfte. »In Travemünde sah ich zum ersten Male das Meer«, schrieb Friderike in ihren Memoiren, »wie würde sich nach dieser Reise der Alltag ausnehmen? In Lübeck vergaß ich den Alltag.«[10] – Und Zweig vergaß nicht, die vier Seiten mit den Einträgen zu dieser Reise aus seinem Tagebuch herauszureißen.

Wieder in Wien, stand bald die nächste Feier an: Friderikes Geburtstag am 4. Dezember. Längst waren die beiden zum vertraulichen »Du« übergegangen. Zweigs Tagebucheintrag läßt es an Deutlichkeit nicht missen: »Nachher ist F. M. bei mir den Geburtstag feiern, was heiß und freudig geschieht, wobei die Karten der Pervers. immer offener ausgebreitet werden.«[11] Am nächsten Morgen fuhr er zur Teilnahme an der Premiere seines Stückes nach München. Sie hatte wieder daran gedacht, ihm nachzureisen, doch trafen sie sich erst einige Tage später am Semmering, wo er sich mit dem Entwurf einer Novelle beschäftigte. Friderike berichtete später, daß er ihr in den folgenden Wochen durch seinen Diener immer wieder Pakete mit Büchern bringen ließ, die er ihr zum Lesen vorschlug. Für reichlich Gesprächsstoff während der nächsten Treffen wäre damit gesorgt gewesen, doch hatte er indes ganz andere Befürchtungen: »Ich muß nur verhüten, daß es ganz ins Sexuelle niederstürze, was wirklich droht.«[12]

Mitte Januar 1913 begab sich Friderike mit ihren beiden Töchtern und der Gouvernante im Gefolge nach Bozen. Das mildere Klima sollte vor allem der Gesundheit der noch immer geschwächten Suse nutzen. Zweig fuhr derweil wieder für einige Tage an den Semmering, später nach Prag, Dresden und Leipzig. Zwar konnte er die Reisen mit der Arbeit an neuen Texten und geschäftlichen Besprechungen verbinden, doch spürte er selbst, daß er eigentlich auf der Flucht vor seiner Unsicherheit war, derer er sich immer bewußter wurde. Da gab es Friderike von Winternitz, eine Frau, die ihn, der bislang jede längere Beziehung als zu zeitraubend angesehen hatte, auf ganz ungewohnte Weise für sich einnahm. Doch andererseits schrieb er sich in jenen Tagen auf: »Die Erotik, sie entsetzt mich, weil sie mich nimmt und nicht ich sie. Ich schauere vor meiner eigenen Virtuosität. Ich spreche auf [...] eine Dame, eine Bildhauerin ein und ehe sie sichs versieht ist sie um vier Uhr morgens bei mir und in meinem Bett. Wie sie mich anstarrt als ob es nicht wahr wäre, dieses Aufwachen einer Frau bei einem Menschen, den sie gar nicht anders als körperlich kennt – das allerdings ausgiebig.«[13]

Der schriftliche Kontakt zu Friderike riß unterdessen nicht ab. Als er Anfang März zu seinem Frühjahrsbesuch in Paris eingetroffen war, wohnte er im Hôtel Beaujolais, das ihm mit seinen altertümlichen Räumen und der gebotenen Ruhe sehr behagte. Wie schon in den vergangenen Jahren traf er sich oft mit dem anderthalb Jahrzehnte älteren Romain Rolland, in dem er nach Verhaeren, den sie beide bewunderten, seinen zweiten Meister gefunden hatte. Rollands seit 1904 erschienener und im Vorjahr vollendeter mehrbändiger Roman *Jean-Christophe* hatte Zweig ebenso beeindruckt wie dessen kunst- und musikhistorische Arbeiten. Doch am faszinierendsten wirkte auf ihn die Energie, mit der der stets etwas kränkelnde Mann sich Europa verschrieben hatte. Zwischen ihren Treffen tauschten sie sich regelmäßig in Briefen aus, nun aber konnten sie sich mehrmals in der Woche sehen. In langen Gesprächen entwickelten sie Ideen für eine anzustrebende europäische Einigung. Rolland dachte in diesem Zusammenhang unter anderem daran, eine internationale Zeitschrift zu gründen. Von einem gemeinsamen Déjeuner, an dem auch Verhaeren, Rilke und Léon Bazalgette teilnahmen, schickte Zweig eine Postkarte mit Grüßen und den Unterschriften der Anwesenden an Friderike Maria von Winternitz im Neuhäuselgut, Obermais, Meran (Tirol), wohin sie inzwischen weitergereist war.

Mit Rilke unternahm Zweig Ausflüge und Spaziergänge durch die Stadt. Eben war er braungebrannt aus Ronda zurückgekehrt und saß ihm beim Essen gegenüber: »Knabenhaft wirkt er auch in seiner Art zu lachen, der prachtvollen Beweglichkeit. Sein Gesicht ist nirgends bedeutsam, die Nase verquollen, kartofflig, die Augen flach und klar, der Mund sinnlich gewölbt, nur die Hände sehr zart.«[14] Was ihn schon als Schüler für Rilke eingenommen hatte, konnte Zweig nun im persönlichen Umgang immer wieder erleben: den verinnerlichten Schönheitssinn im Sprechen und Schreiben, das unablässige Streben nach Perfektion in Ausdruck und Form.

Paris, das sagte Zweig später einmal – gerade so, als müsse er gängige Klischees erfüllen –, habe für ihn immer auch Frauen bedeutet. Im Jahr 1913 war dies sicher nicht anders als bei früheren Aufenthalten. Ganz im Gegenteil: Nicht nur dann und wann ging er in Damenbegleitung ins Varieté oder ins Theater, vielmehr bahnte sich mit der Modistin Marcelle ein viel intensiverer Kontakt an. Im Hotelzimmer erzählte sie ihm von ihrer ärmlichen Familie, aus der sie sich emporgearbeitet hatte, und von der Ehe mit einem Mann, vor dessen Brutalität sie geflüchtet war. Zweig sah von Beginn an sehr wohl das Provisorische im Kontakt zu dieser Frau, doch traf er sich in den sechs Wochen seines Besuches sooft es möglich war mit ihr. Friderike berichtete ihm zwischendurch per Brief über die Arbeit an ihrem Roman, während er für sich damit begann, die beiden Frauen miteinander zu vergleichen, die sein Leben so gründlich ins Wanken brachten. Er kam zu dem Schluß, daß Friderike wie Marcelle ernste Gestalten seien, die stark im Leiden und groß im Mitleid waren, und er fragte sich, wie er, der solcher Größe nur zu gern auswich, sich wohl dagegen ausmachte.

In anderer Angelegenheit bot ihm die Stadt paradiesische Zustände ganz ohne Reue: wie in den Vorjahren war auch dieser Besuch mit wahren Beutezügen in den Antiquariaten verbunden. Insbesondere jene Häuser, die sich auf Autographen spezialisiert hatten, durften bei jedem seiner Aufenthalte fest mit mindestens einer Visite des Dr. Zweig rechnen. Diesmal hatte er es auf einige Manuskripte Stendhals abgesehen, die er schließlich erfolgreich ersteigern konnte. Zudem hatte er um jeden Preis die *Fêtes galantes* von Paul Verlaine erlangen wollen und mußte dafür am Ende weitaus weniger Geld ausgeben als zunächst befürchtet. Verlaine war gewissermaßen ein alter Bekannter für ihn, denn mit dessen Werk hatte er sich seit der Herausgabe des Bandes mit Nachdichtungen vor nunmehr elf Jahren immer wieder beschäftigt. Wie so oft stand der Ankauf des Manuskripts nicht nur mit der Vervollständigung der Sammlung, sondern auch mit neuen Plänen in Verbindung, die er ab dem kommenden Jahr beim Insel Verlag verwirklichen wollte. Verlaine war als Thema für ihn noch längst nicht ausgereizt, und sein Ehrgeiz, die Verbreitung der französischen Literatur im deutschen Sprachraum voranzutreiben, war noch immer recht groß.

An weiteren Neuerwerbungen brachte er von dieser Reise noch Rilkes *Die Weise von Liebe und Tod des Cornets Otto Rilke* (der Name Otto wurde zum Druck in Christoph verändert) nach Hause, mit der die Insel-Bücherei so erfolgreich gestartet war. Das kostbare Manuskript war ihm vom Autor selbst geschenkt worden. Schon im Vorjahr hatte er von Rolland zwei Notizbücher mit dem letzten Band des *Jean-Christophe* erhalten.

Nach seiner Rückkehr aus Frankreich trieb Friderike die Ereignisse voran: Im Herbst zog sie mit ihren Töchtern aus der gemeinsamen Wohnung mit Felix von Winternitz aus und mietete in Baden vor den Stadttoren Wiens eine neue Bleibe. Ihr Mann wußte – wie auch der Schwiegervater – längst von ihrer Beziehung zu Zweig. Um die Situation zu klären, dachte sie nun sogar laut über eine Scheidung nach. Dies geschah nicht zuletzt in der Hoffnung, damit auch Zweigs Bedenken zu zerstreuen. Er hatte sich nämlich sehr zurückhaltend geäußert, als sie ihm während einer seiner Fahrten nach Südtirol einmal mehr hinterherfahren wollte. Im Oktober war er nach Meran aufgebrochen und kehrte erst in den letzten Novembertagen wieder nach Hause zurück. Zuvor hatte er noch Genua, Palermo, Neapel und Rom besucht. Es wurde immer deutlicher: Was ihr eine Befreiung aus der ehelichen Situation sein sollte, konnte für ihn zu einer erheblichen Einengung seines bisherigen Lebensstils werden.

Auch für das zu Ende gehende Jahr hatte er einige Neuerscheinungen vorzuweisen: *Der verwandelte Komödiant* lag endlich in einer Buchausgabe vor, und die Übertragung von Verhaerens *Rubens* ging in Druck. Der Verlag bekam eine lange Liste mit Adressen, an die Rezensionsexemplare geschickt werden sollten. Besonders wichtig waren Zweig Franz Servaes, Felix Braun, Julius Bab sowie Berta Zuckerkandl bei der *Wiener Allgemeinen Zeitung* und Ludwig Ullmann von der *Wiener Mittagszeitung*. Zudem sollten all diejenigen, die schon den vorausgegangenen Band über Rembrandt bekommen hatten, mit dem neuen Buch versorgt werden.

Immer um den Verkaufserfolg seiner Werke bemüht und der Wachsamkeit des Verlags ein wenig mißtrauend, meldete Zweig jede angekündigte Aufführung seiner Theaterstücke umgehend nach Leipzig. Somit sollte die Ausgabe des betreffenden Werkes vor Ort in ausreichender Menge verfügbar sein und die Rezensenten der lokalen Zeitungen das Buch im Idealfall bereits einige Tage vor der ersten Vorstellung im Theater vorliegen haben.

Mit seinem Essay *Vom Autographensammeln* äußerte er sich in diesem Jahr erstmals auch schriftlich zu seiner Passion, die bislang nur Eingeweihten bekannt gewesen war. Zu sehr wollte er sich über das Thema vorerst aber nicht verbreiten. So war er froh, daß der Beitrag von der *Vossischen Zeitung* in Berlin gedruckt wurde und ansonsten mit einigen Ergänzungen unter dem Titel *Die Autographensammlung als Kunstwerk* im *Deutschen Bibliophilen-Kalender* erschien, der einem Fachpublikum vorbehalten war: »Ich hätte, offen gesagt, den Aufsatz nicht gerne in der Neuen Freien Presse gesehen, einerseits weil er mir hier in Wien Neugierige angelockt hätte, die meine Sammlung besehen wollten und zweitens weil ich gar nicht mag, daß man hier in Wien weiß, einen wie beträchtlichen Teil meiner Einkünfte ich dem Sammlerteufel zediere.«[15]

Nach nur wenigen Wochen in Wien, die noch von einem Besuch bei

Hermann Bahr in Salzburg und einer Vortragsreise durch Deutschland unterbrochen wurden, war Zweig Mitte März 1914 schon wieder in Paris zu finden. Neben den üblichen Beschäftigungen verbrachte er nun viel Zeit in der Nationalbibliothek, wo er mit der Übersetzerin Gisela Etzel-Kühn den Nachlaß von Marceline Desbordes-Valmore durchkämmte, über die er eine größere Arbeit plante.

Auch Marcelle traf er wieder. Es waren aufregende Tage, in denen er mit ihr sogar einen größeren Ausflug machte. Friderike erfuhr durch ihn selbst von alldem und versuchte in ihren Briefen trotzdem das tapfere »Lamm« (so sein Kosename für sie) zu spielen. Sie kämpfte während dieser Wochen um die Scheidung von ihrem Mann, der in die endgültige Trennung zunächst eingewilligt hatte, um Friderike dann wieder hinzuhalten und schließlich doch zuzustimmen. Damit die Angelegenheit, die ihre Nerven bis aufs äußerste anspannte, nicht auch noch unnötig publik wurde, sollte sie nicht in Wien, sondern vor dem Bezirksgericht in Baden geregelt werden.

Während die Entscheidung auf sich warten ließ, plante Friderike, nach Paris nachzukommen. In einem Brief bot sie Zweig für seine Arbeit ihre Dienste an der Schreibmaschine an, wollte sich ansonsten aber so unauffällig wie möglich benehmen, die Stadt besichtigen und ihn nicht in seinem üblichen Reiseablauf stören. Mitte April kam sie an und zog ebenfalls im Hôtel Beaujolais ein. Wenige Tage zuvor hatte er über eine sensationelle Neuerwerbung für seine Autographensammlung beinahe die Contenance verloren, aber am Ende doch noch zur Ruhe finden können, wie in seinem Tagebuch nachzulesen ist: »Dann gehe ich – ach es regnet, regnet ja noch immer ohne Ende – zum Buchhändler Blaisot, [. . .] und kaufe dort – blitzschnell, hastig, gierig, trotz des Gefühls vielleicht zu überzahlen – den Roman von Balzac ›Une tenebreuse affaire‹. Ich bin ganz erregt, wirr, unfähig klar zu denken, aufgestachelt und das kühlt sich in einer Begegnung. Ich besuche dann Marcelle und wir verbringen in bestem Frieden – trotzdem – die Nacht.«[16]

Auch nach Friderikes Ankunft traf sich Zweig regelmäßig mit Marcelle, doch selbstverständlich bekamen die beiden Damen einander nicht zu Gesicht. In ihren schriftlichen Mitteilungen an ihn betrug Friderike sich heiter, erzählte von ihren Einkaufsbummeln durch die Stadt und sorgte sich sogar für ihn, als er einmal vergeblich auf eine Nachricht von Marcelle wartete. Als sie aber Jahrzehnte nach Stefans Tod auf seine damalige Geliebte angesprochen wurde, wollte sie sich eine Spitze nicht mehr verkneifen und antwortete, daß jene Dame nicht dasselbe Niveau gehabt habe.[17] Nach gut zwei Wochen in einer komplizierten Dreieckskonstellation fuhren Stefan und Friderike gemeinsam zurück nach Wien.

Kurz darauf erhielt eine ausgewählte Schar von Dichtern und Übersetzern die schriftliche Anfrage, ob sie Interesse hätten, eigene Übertragungen zu einer mehrbändigen deutschen Ausgabe der Werke Paul Verlaines beizusteuern. Unterzeichnet war der Aufruf vom Insel Verlag und vom vorgesehenen Herausgeber der Bände, von Stefan Zweig. Bald kamen die ersten Rückmeldungen, zumeist positive, denn Verlag und Herausgeber hatten sich mit früheren Vorhaben genug etabliert, so daß man auf den Start eines vielversprechenden Unternehmens hoffen konnte. Mit der Insel-Bücherei beispielsweise war man inzwischen bei weit über 100 erschienenen Bänden angelangt. Mit der Nummer 122 wurde 1914 Zweigs Novelle *Brennendes Geheimnis* veröffentlicht, einer seiner bekanntesten Texte, der schon im Sammelband *Erstes Erlebnis* enthalten gewesen war und sich als Einzelausgabe noch mehr bewährte: Bereits im ersten Jahr erreichte die Auflage die Marke von 10000 Exemplaren.

So konnte sich die Liste der Zusagen für die Mitarbeit an der Verlaine-Ausgabe sehen lassen, man verzeichnete unter anderem: Karl Klammer, Max Brod, Richard Dehmel, Walter Hasenclever, Hermann Hesse, Klabund, Rainer Maria Rilke, Johannes Schlaf, Hugo Wolf und Paul Zech. Auch Zweig selbst wollte neben der Einführung einige Nachdichtungen aus seiner Feder zum Projekt beisteuern. Nur Richard Schaukal, im Brotberuf nunmehr Ministerialrat im k. u. k. Ministerium für Öffentliche Arbeiten, begann wie schon vor Jahren bei Zweigs erster Verlaine-Anthologie, die noch bei Schuster & Loeffler erschienen war, mit den gewohnten Nörgeleien. Nachdem er sich auf die erste Zuschrift gar nicht gemeldet hatte, äußerte Zweig in einem Brief sein Bedauern, in der geplanten Ausgabe auf Schaukals Übertragungen verzichten zu müssen. Dieser Brief wurde am 2. Mai 1914 aufgegeben und ging am nächsten Tag beim Empfänger ein. Der verbrachte den 3. Mai in seiner Amtsstube damit, nicht weniger als fünf Entwürfe für sein Antwortschreiben zu formulieren, die allesamt in seinem Nachlaß erhalten blieben. Bei seiner intensiven Suche nach den passenden Worten kamen abwechselnd Federhalter und Schreibmaschine, aber auch unterschiedliche Papiere zum Einsatz: Der Briefbogen des Ministeriums, sein eigenes Briefpapier und dasselbe mit schwarzer Umrandung (wohl wegen eines zurückliegenden privaten Trauerfalls). Doch der Tenor war in allen Fällen derselbe: Der Herr Ministerialrat gedachte nicht, von vornherein sein dichterisches Können für jeden Zweck zu opfern. Er wollte für die Mitarbeit schon etwas ausführlicher umworben werden, wenn sie denn für ihn überhaupt in Frage kommen sollte.

Allein, daß man ihm nicht persönlich geschrieben hatte, sondern der Aufruf als Vordruck auf Verlagspapier versandt worden war, wertete er als Vorstufe eines Affronts: »Die gedruckte, also einerseits unpersönliche, andererseits wohl an mehr Menschen als wirklich in Betracht kommen, gerichtete Einladung von Herausgeber und Verleger einer großen Verlaine-Ausgabe habe ich nicht beantworten zu sollen gemeint, Ihrer freundlichen Wiederholung der Aufforderung zur Teilnahme [. . .] fühle ich mich verpflichtet, Gründe für meine ablehnende Haltung zu erwidern.« Diese Gründe lagen in der Furcht Schaukals vor einer Anthologie als »Zusammenfügung ungleichwertiger Stücke«, die zudem seine Nachdichtungen aus dem Gesamtzusammenhang des eigenen Werkes risse. An eine Teilnahme seinerseits sei daher nicht zu denken: »Verzeihen Sie also, wenn ich Sie darum ersuche, diese Rechtfertigung meiner Absage zu würdigen.«[18]

So leicht wollte Zweig nicht aufgeben – wohl ahnend, welche niederschmetternden Rezensionen aus Schaukals Feder folgen könnten, wenn es ihm nicht gelänge, ihn mit in das Projekt einzubinden. Also legte er in einem elfseitigen und selbstverständlich in sauberster Handschrift verfaßten Brief seine Ansichten über das geplante Vorhaben dar. Er führte aus, daß er sich in letzter Zeit selbst oft genug geweigert habe, weitere Werke als jene Verhaerens zu übertragen, jedoch hier die Chance sehe, etwas Einmaliges zu gestalten. Er gab Schaukal zu bedenken, daß er mit seiner Ablehnung nicht nur der Sache, sondern auch sich selbst schaden könnte, denn sein Fernbleiben würde auf jeden Kenner demonstrativ wirken und könnte unangenehme Fragen aufwerfen. Schließlich setzte er sich sogar noch beim Verlag dafür ein, daß man Schaukal gestattete, seine Verlaine-Übertragungen unabhängig von den Plänen der Insel in einer etwaigen Ausgabe seiner eigenen Werke veröffentlichen zu dürfen. So umworben, erklärte sich Schaukal zu Zweigs Erleichterung schließlich zur Mitarbeit bereit. Der Plan sah vor, daß im Frühjahr, spätestens im Herbst 1915 drei Gedichtbände fertiggestellt sein sollten. Doch all die Mühen und die hohe Überredungskunst nutzten am Ende wenig: Schaukals Werkausgabe erschien erst Jahrzehnte nach seinem Tod, und die ehrgeizigen Ziele für das Jahr 1915 sollten in wenigen Monaten unerreichbar werden.

Noch bevor Friderike von Winternitz' erster Roman *Der Ruf der Heimat* nach Zweigs Vermittlung bei seinem früheren Verlag Schuster & Loeffler im Juni erschien, wurde die Scheidung von ihrem Ehemann Felix vor dem Bezirksgericht Baden am 28. Mai 1914 vollzogen. Stefan verbrachte nun einige Wochen in Friderikes Nähe in Baden, wohnte allerdings nicht bei ihr. Er beschäftigte sich mit intensiven Studien zum Werk Fjodor Dostojewskis, zu dem er eine geradezu ausufernde Materialsammlung zusammengetragen hatte, wozu selbstverständlich auch ein mehrseitiges Originalmanuskript des russischen Dichters gehörte. Hier, vor den Toren der Stadt, empfing er Freunde wie Victor Fleischer und Felix Braun zu langen Gesprächen, zu denen auch Friderike gelegentlich hinzukam. Seine Familie hatte indes von der nunmehr fast zwei Jahre andauernden Beziehung zumindest offiziell noch nichts erfahren.

Am 28. Juni 1914 saß Zweig, wie er in der *Welt von Gestern* schreibt, am Rande des Badener Kurparks und las für seine Arbeit in Dimitri Mereschkowskis Buch *Tolstoi und Dostojewski als Menschen und als Künstler*. Der Himmel war wolkenlos und der sonntägliche Ausflugsbetrieb von Wien rege. Obwohl er sich in seine Lektüre vertieft hatte, bemerkte er, daß die Kurkapelle plötzlich aufgehört hatte zu spielen und ihr Podium verließ. Als er aufblickte, sah er Menschen, die sich um einen Aushang drängten, der soeben angebracht worden war. Auf dem Blatt wurde mitgeteilt, daß der Thronfolger, Prinz Franz Ferdinand, mit seiner Gemahlin Sophie von Hohenberg bei einem Besuch in Sarajevo einem politischen Attentat zum Opfer gefallen war. Da die Beliebtheit des Paares sich in Grenzen hielt, so Zweig, sei die Erschütterung der Anwesenden nicht allzu groß gewesen. Erst Tage später hätten die Zeitungen damit begonnen, die Serben der Ermordung zu beschuldigen und die Frage zu stellen, ob dies ungesühnt bleiben dürfe. Auch jetzt wurde die Angelegenheit noch nicht allzusehr beachtet, denn mit Serbien hatte es spätestens seit der Besetzung der Länder Bosnien und Herzegowina durch Österreich im Jahr 1878 ständig Streit gegeben.

So nahm auch Zweig diese ersten Anzeichen einer Krise, von der man heute weiß, daß sie der Auslöser des Ersten Weltkrieges werden sollte, nicht wirklich ernst. Gut zwei Wochen nach den tödlichen Schüssen besuchte er Mitte Juli seine Mutter in Marienbad und reiste von dort weiter nach Belgien. Friderike blieb derweil in Österreich zurück. Auf seinem Heimweg wollten sie sich in Zürich treffen und von dort gemeinsam für einige Wochen an die Seen Oberitaliens fahren.

Seine Reiseroute führte ihn in Richtung des Seebades De Haan (Le Coq-sur-Mer), von wo er im August zu einem längeren Besuch bei Verhaeren in Caillou-qui-bique aufbrechen wollte. Wie aus einem Brief Friderikes hervorgeht, war Stefan nicht allein unterwegs, auch Marcelle war mit von der Partie: »Mein Brüderchen«, schrieb Friederike ihm, »denn nicht wahr, jetzt bist Du ganz mein Brüderchen, wenn Du diesen Brief hast und mit Deiner Freundin bist. Hoffentlich hast Du ein paar schöne Tage mit ihr. Es muß ja eine doppelte Wohltat für sie sein, dem heißen, schmutzigen Paris zu Dir entkommen zu sein.«[19] In dieser wahrlich spannenden Situation dachte er darüber nach, sein und Marcelles gemeinsames Schicksal eines Tages in einem erzählerischen Werk darzustellen – ein Vorhaben, das nie zur Ausführung kam, vielleicht, weil dieses Buch wohl persönlicher geworden wäre, als es Zweig hätte lieb sein können.

Bei einem kurzen Aufenthalt in Brüssel sah er Verhaeren unerwarteterweise bereits vor dem verabredeten Termin bei seinem Freund, dem Maler Constant Montald, dem er gerade für ein Portrait Modell saß. Wie immer, wenn er Verhaeren traf, war Zweig voller Begeisterung: »Oh, wie gut war es, ihn dort zu sehen! Wir sprachen von seiner Arbeit, dem neuen Buche [...], aus dem er mir die letzten Gedichte vorlas, von seinem Stück [...], von Freunden und vom Sommer, für den wir wieder viel gemeinsame Freude erhofften. Drei, vier Stunden saßen wir dort, der Garten glänzte hell und grün, die Garben wiegten sich im Winde, und die Welt atmete Frieden und Frucht. Ein kleiner Abschied war es darum nur, den wir nahmen, denn wir sollten uns ja bald wiedersehen im stillen Haus, und noch einmal umarmte er mich zum Abschied. Am zweiten August sollte ich kommen, noch einmal rief er mir es nach, am zweiten August! Ach, wir wußten nicht, welches Datum wir damals so leichtfertig bestimmten! Die Trambahn fuhr durch die sommerlichen Felder zurück. Lang sah ich ihn noch winkend mit Montald stehen, bis er für immer entschwand.«[20]

Zweig begab sich zurück nach Le Coq-sur-Mer, wo er einige ruhige Tage am Wasser verbringen wollte. Am Strand tummelten sich die Sommergäste, viele von ihnen waren aus Deutschland herübergekommen. Die leichte Stimmung, die eben noch über allem gelegen hatte, kam nach und nach abhanden, als in immer kürzeren Abständen besorgniserregende Nachrichten aus dem Ausland oder besser gesagt aus der Heimat eintrafen: Am 23. Juli war von Österreich wegen des Anschlags auf den Thronfolger ein Ultimatum an Serbien ergangen, alle nationalistischen Aktivitäten umgehend zu unterbinden und die Hintergründe des Attentats bedingungslos aufzuklären. Die eingeschränkte Anerkennung der Forderungen ging jedoch mit militärischen Drohungen und Gegendrohungen einher. Zweig siedelte nun in die nächstgrößere Stadt Ostende über, wo sich bereits einige Freunde aus dem In- und Ausland aufhielten.

In der Zwischenzeit überschlugen sich die Ereignisse: Rußland hatte verlauten lassen, daß es Serbien im Kriegsfall unterstützen würde. Am 28. Juli folgte die Österreichische Kriegserklärung an Serbien; an der Grenze zu Rußland waren längst Truppen aufmarschiert. Durch die bestehenden Bündnisse war abzusehen, daß sich bald auch das Deutsche Reich und Frankreich als Gegner gegenüberstünden. Mit Blick auf die drohende Kriegsgefahr hatte Deutschland für seine Soldaten von Belgien ein Durchmarschrecht in Richtung Frankreich gefordert. Zweig erlebte die Reaktion darauf vor Ort mit: »Es trommelte fern, Soldaten zogen vorbei: Belgien mobilisierte. Mir schien es unverständlich, daß Belgien, das friedfertigste Land Europas, sich rüstete, und ich scherzte noch über die Maschinengewehre, die von Hunden gezogen wurden, spottete über den kleinen Trupp Soldaten, die mit wichtigen Mienen vorbeikamen. Aber die belgischen Freunde lachten nicht mit. Sie waren besorgt.«[21] Diesen Rückblick verfaßte Zweig drei Jahre nach den Ereignissen. Siegfried Trebitsch, der ihn in jenen Sommertagen im August 1914 in Ostende erlebte, schildert in seinen Erinnerungen, daß Zweig sich unter dem Eindruck der Nachrichten in Wirklichkeit von Stunde zu Stunde aufgeregter verhalten habe. Nachdem er sich eine Bahnfahrkarte für die Rückreise nach Wien gesichert hatte, habe er ihn, Trebitsch, geradezu bekniet, nicht länger zu bleiben und mit nach Hause zu kommen.

Sein letzter Brief aus Belgien ging am 30. Juli 1914 an seinen Verleger Anton Kippenberg: »Ich verlasse heute Belgien und fahre sofort nach Wien: obwohl nicht Soldat der ersten Linie will ich doch in diesen Tagen nicht ferne sein. Vielleicht komme ich jetzt einmal nach Leipzig hinüber – allerdings Bücher müssen jetzt jeden [!] anständigen Menschen letzte Sorge sein und ich werde da nicht eine so unruhige Zeit mit niedren belästigen – es sei denn, Alles klärt sich. Mir ist's leid um die Tage bei Verhaeren – aber auch dies Bedauern muß ich wohl verlieren in den wichtigeren Empfindungen der Stunde. Herzlichst Ihr Stefan Zweig.«[22]

Noch am selben Tag trat er die Heimreise mit dem Ostende-Expreß an, der der letzte Zug sein sollte, der Belgien in Richtung Osten verließ. Am 4. August marschierten deutsche Truppen in das Land ein.

Heldenfriseure

»Ich rechne es mir gar nicht (wie andere es freundlich taten) als besonderes Verdienst an, von der ersten Stunde an das verhängnisvoll Sinnlose des europäischen Selbstmordes erkannt und mich mit allen seelischen Kräften gegen den Krieg gestellt zu haben: Mir war das Gemeinsame, die Einheit Europas so sehr selbstverständlich, wie der eigene Atem und deshalb wurde mir, was andere kaum spürten, unerträgliche Qual, die Absperrung vorerst und noch mehr die heroische Lüge [. . .]. Glücklicherweise wurde mir die verhängnisvollste Prüfung erspart: ich wurde als ungedienter niemals für das Feld bestimmt und mir nicht eine Waffe zugezwungen (die ich nicht in die Hand genommen hätte).«[2] Mit diesen Worten äußerte sich Zweig 1922, fast vier Jahre nach Kriegsende, zu den Ereignissen jener Tage. Zum Zeitpunkt der Veröffentlichung dieses Textes galt er als überzeugter Pazifist (und dies gewiß zu Recht), nur war die Angelegenheit seinerzeit doch etwas komplizierter gewesen, als er es hier darzustellen versucht.

Als Zweig 1914 aus Belgien eintraf, war in Österreich bereits die Generalmobilmachung verkündet worden. Deutschland erklärte kurz darauf Rußland und Frankreich den Krieg; die Lage wurde unabsehbar. Tausende Fragen kamen auf. Plötzlich sah Zweig sich ständig gefordert,

Stellung zu nehmen. Er, der nach eigenen Worten jeder Entscheidung lieber auswich, als sich ihr zu stellen. Doch wie es seine Art war, suchte er die Antworten nicht für sich allein. Seine Arbeit als Feuilletonist wollte er jetzt, gerade jetzt, keinesfalls ruhen lassen. Wie so oft, wenn er sich an besonderen Orten und in außergewöhnlichen Situationen befand, versuchte er, die Eindrücke für sein Lesepublikum festzuhalten. Immer waren diese Arbeiten aber auch Ansätze, sich das Gesehene und Geschehene selbst zu erklären. Die lange Bahnfahrt von Belgien hatte ihm mehr als genug Zeit zum Grübeln und Nachdenken gegeben. Als er Friderike am Abend des 4. August im Kaffeehaus Eiles in Wien erstmals wiedertraf, trat er ihr mit einem Vollbart gegenüber, den er sich seit seinem Aufbruch in Ostende hatte wachsen lassen (schon bald trug er wieder die gewohnte Barttracht, nachdem sie ihn als Wanderarbeiter verspottet hatte).

Noch unterwegs war der erste Text *Heimfahrt nach Österreich* entstanden, den man bereits am 1. August in der *Neuen Freien Presse* lesen konnte. Beginnend mit dem blauen Sommerhimmel in Ostende schlug Zweig darin den erzählerischen Bogen vom Versuch, eine der letzten Fahrkarten zu bekommen, über die Reise durch das vielerorts noch so friedlich wirkende Deutschland, bis nach Österreich, wo auf dem Bahnhof in Linz schon die ersten Reservisten zu sehen waren.

Bei der Fahrt durch das Deutsche Reich hatten sich in ihm ganz eigene Gefühle geregt: »Endlich Nürnberg: in der Einfahrt schon grüßt man die uralte Stadt, die unerschütterliche Warte deutscher Art. Und wie man jetzt die Häuser blinken sieht, hell, stark und rein, die Fabriken in stolzer Geschäftigkeit, die sichere Regelung in Gleis und Haus, da überkommt einen wieder freudig – wie so oft – die Ahnung deutscher Kraft. Und man fühlt in dieser einen alle deutschen Städte, das ganze, weite, fruchtbare Land, die Stärke und Entschlossenheit der Nation, und atmet Beruhigung. Denn dies, man weiß es gewiß, ist unzerstörbar und unbesieglich, nichts kann die Festigkeit brechen, die in solchem ehernen Gefüge ruht.«[3] Das klingt patriotisch – nur war Zweig doch Österreicher? Gewiß war er es. Genauer gesagt: Er war Wiener. Und er war Jude. Aber das schloß keinesfalls aus, daß er sich weit über die Sprache hinaus der deutschen Kultur zugehörig fühlte. Ganz im Gegenteil, er war damit nicht allein: viele seiner Landsleute waren zwar nicht deutsche Juden, fühlten sich aber als jüdische Deutsche. Bislang mochte sich all das in seinen Ideen und in der Tradition und Ausrichtung seines Werkes widergespiegelt haben, doch hatte er es öffentlich nie klar und deutlich formuliert. Nun waren es ungewohnte Töne in einer ungewohnten Rolle.

Auch in den nächsten Beiträgen, die er in Druck gab – am 6. August erschien *Ein Wort zu Deutschland* –, bekannte er sich eindeutig zu dieser Sympathie, wiederum mit deutlichster Betonung des nationalen Aspekts: »Mit beiden Fäusten, nach rechts und links muß Deutschland jetzt zuschlagen, der doppelten Umklammerung seiner Gegner sich zu entwinden. Jeder Muskel seiner herrlichen Volkskraft ist angespannt bis zum Äußersten, jeder Nerv seines Willens bebt von Mut und Zuversicht.«[4]

Vermutlich gleich nach seiner Ankunft in Wien hatte er sich freiwillig zur Mitarbeit beim Pressedepartement des Kriegsministeriums gemeldet. Was nach außen wie eine Begeisterung am allgemeinen Kriegstaumel der ersten Tage klingt, bereitete ihm innerlich durchaus Schwierigkeiten, die er seinem Lesepublikum freilich verschwieg. Im Tagebuch ist für den 4. August hingegen zu lesen: »Ich glaube an keinen Sieg gegen die ganze Welt – jetzt nur schlafen können, sechs Monate, nichts mehr wissen, diesen Untergang nur nicht erleben, dieses letzte Grauen. Es ist der entsetzlichste Tag meines ganzen Lebens – ein Glück, daß F. wieder hier ist, sie hat Macht der Beruhigung über mich.«[5]

Beruhigung war nötig, denn zunächst gab es ständig andere Meldungen und vor allem Gerüchte darüber, wer zum Kriegseinsatz antreten müßte. Zweig hatte nach wie vor keinen Wehrdienst geleistet und war bislang bei jeder Musterung zurückgestellt worden – könnte sich das nun nicht von einem auf den anderen Tag ändern? Seine Mutter weinte schon im voraus um ihre Söhne, wie er anmerkte, dennoch war es gerade ihr Wunsch, daß beide Kinder dem Vaterland dienen sollten. Friderike war nicht weniger in Sorge, versuchte aber Erkundigungen darüber einzuziehen, wer auf der Einberufungsliste stand, und zeigte damit ihre praktische Art und einen einigermaßen kühlen Kopf. Ihr geschiedener Mann, der inzwischen eine neue Lebensgefährtin hatte, war bereits beim Militär, ebenso die meisten Freunde und Bekannten Stefans.

Wichtig war es für Zweig, Ordnung in das Chaos zu bringen. Wenigstens im privaten Umfeld. Dies ließ sich am besten über Formalitäten erledigen: Persönliche Papiere hinterlegen, das Barvermögen und die kostbare Autographensammlung sichern, Vorsorge über den Umgang mit dem eigenen Werk treffen, ein Testament verfassen. Dem Brief an Kippenberg, den Zweig noch vor seiner Abreise aus Belgien geschrieben hatte, folgte deshalb fünf Tage später aus Wien ein zweites Schreiben: »Lieber Herr Doktor, ich will Sie heute nicht mit literarischen oder finanziellen Dingen belästigen, sondern ein persönliches Wort sagen. Ich werde in den nächsten Tagen einberufen und ausgebildet werden und bin in paar Wochen schon aller Wahrscheinlichkeit nach an der Front: jedesfalls treffe ich heute meine Verfügungen. Es wird auch ein Wunsch an Sie darunter sein im Falle, daß mir etwas passiert[,] aus meinen Büchern bei Ihnen und Verschiedentlichem noch Unveröffentlichten eine ausgewählte Gesammtausgabe billig zu veranstalten, den Herausgeber schlage ich vor, den Zeitpunkt mögen Sie bestimmen. Ich glaube, daß ich in Anbetracht unserer mehrjährigen und stets freundschaftlichen Beziehungen auf die Erfüllung dieses Wunsches schon heute zählen kann.

Wir schicken den letzten Mann ins Feld. Die meisten unserer Dichter von Hofman[n]st[h]al an stehen schon längst in Dienst. Wenn England neutral bliebe habe ich guten Mut, wir wissen alle, es geht diesmal ums Ganze. Gott schütze Deutschland!

Herzlichst Ihr Stefan Zweig.«[6]

Zweigs dichterische Tätigkeit kam über die Ereignisse zunächst zum Erliegen. Das vor Monaten aufwendig geplante Projekt der mehrbändigen Verlaine-Ausgabe geriet gänzlich außer Reichweite. Hätte man in dieser Situation überhaupt an größere Veröffentlichungen denken können, so ganz gewiß nicht an die Werke eines Franzosen. Zudem ließ sich nicht einmal annähernd absehen, an welche Orte der Kriegsverlauf die große Zahl der vorgesehenen Übersetzer in den kommenden Wochen und Monaten bringen würde; von ihrem weiteren Schicksal ganz zu schweigen. Statt dessen brachte Zweig gegenüber Kippenberg, der von seinem Einsatz an der Westfront berichtet hatte, sogar seinen Neid darüber zum Ausdruck, daß er nicht selbst gegen Frankreich in den Krieg ziehen dürfe –

ob er dies jemals ernstlich für sich erwogen oder gar erhofft hatte? Sein rasch und unter außergewöhnlichsten Umständen entworfenes offizielles Selbstbild als Patriot und Staatsbürger mit den bisher gelebten Idealen zu vereinbaren, sollte Zweig noch manche Anstrengung kosten.

Im Oktober verfaßte er jedenfalls, immer noch als Zivilist, einen offenen Brief *An die Freund im Fremdland,* in dem er für die Dauer des Krieges Abschied von den Gefährten und den gemeinsamen Ideen nahm. Dies trug ihm umgehend einen scharfen Verweis Romain Rollands ein, der deutlichst darauf hinwies, daß er selbst die gemeinsame Sache keinesfalls so schnell verloren gebe und niemanden verlasse. Er war nun in Genf für die vom Internationalen Roten Kreuz geleitete Auskunftsstelle über Kriegsgefangene tätig. Durch die Neutralität der Schweiz war die Korrespondenz mit Zweig weiterhin möglich, was beide ausgiebig nutzten, so daß Rolland der wichtigste Briefpartner der kommenden Jahre wurde. Um die Zensur nicht unnötig herauszufordern, waren die Briefe jetzt im Gegensatz zu den früheren nicht mehr auf Französisch, sondern beiderseits auf Deutsch verfaßt. Dennoch kam es, wie festzustellen war, zu Beschlagnahmungen einzelner Schreiben: Als Rolland sich einmal für den zornigen Ton seines vorhergehenden Briefes entschuldigte, bemerkte Zweig, daß er jenen gar nicht erhalten hatte.

Unterdessen schrieb Verhaeren mehr denn je und veröffentlichte im *Mercure de France* und anderswo Gedichte, die es an Deutlichkeit nicht fehlen ließen. Bald schon erschienen sie auch in Sammelbänden: *La Belgique sanglante*, *Parmi les Cendres – La Belgique dévastée* und *Les ailes rouges de la guerre,* in denen er sich mit aller Macht seiner Worte gegen die deutschen Angreifer und ihren »germanischen Sadismus« äußerte. Obwohl er im Verlauf des Krieges mehr und mehr resignierte, hielt er unablässig Vorträge und veröffentlichte Texte mit schärfsten Angriffen gegen die Kriegsgegner Belgiens und Frankreichs.

Zweig war eines dieser Gedichte in die Hände gekommen, und er rang um Fassung, als er daraufhin einen Brief an Romain Rolland schrieb: »Mein lieber und verehrter Freund, ich schreibe Ihnen aus einer der schwersten Stunden meines Lebens. Mir ist heute erst ganz die entsetzliche Verwüstung zu Bewußtsein gekommen, die der Krieg in meiner menschlichen, in meiner geistigen Welt angerichtet hat: wie ein Flüchtling, na[c]kt, mittellos muß ich aus dem brennenden Haus meines innern Lebens flüchten, wohin – ich weiß es nicht. Zu Ihnen zuerst, um zu klagen, mein ganzes Entsetzen zu sagen. Ich habe ein Gedicht Verhaerens gelesen (das ich Ihnen sende samt seinem sehr einfältigen Commentar) und mir war, als stürzte ich in einen Abgrund. Ich meine, Sie müssen wissen was mir Verhaeren ist: ein Mensch, dessen Güte ich als so grenzenlos liebte, daß ich sie fast zu tadeln müssen meinte, weil sie so ganz ohne Beschränkung war. Ich habe nie von ihm ein Wort des Hasses gehört, eine wilde Entrüstung, denn ein großes Verstehen machte ihn weich gegen seinen eigenen Zorn. Und nun!!

Ich habe es nicht erwartet, ich verlangte es sogar vom Standpunkt der Gerechtigkeit, daß Verhaeren nicht schweigend die Tragödie seiner Heimat sehen konnte. Er ist die Stimme seines Volkes, sie *mußte* nun aufgellen in einem Schrei von Not und Haß! Ich erwartete einen Fluch von ihm, eine Absage. Aber was er schrieb, es ist so furchtbar für *ihn*! Glaubt er es wirklich, deutsche Soldaten packten sich zu ihrer Wegzehrung in den schweren Tornister abgeschnittene Kinderbeine? Konnten solche abgeschmackte[n] Ammenmärchen wirklich den Weg in solche Herzen finden, dann ist kein Grimm, kein Haß zu groß für diese Brunnenvergifter der Wahrheit.«[7]

Selbstverständlich waren auch Zweig und Rolland in ihrem umfangreicher werdenden Briefwechsel nicht immer einer Meinung, doch man konnte miteinander kommunizieren und versuchte einander zu verstehen. Verhaeren schien dagegen im doppelten Sinn unerreichbar geworden.

Friderike wagte in diesen turbulenten Monaten einen – sehr vorsichtig formulierten – Versuch, ihre Beziehung zu Stefan offiziell bekanntzumachen. Sie schlug sich selbst gewissermaßen als »Gesellschafterin« für Ida Zweig vor, nachdem Stefan ihr geklagt hatte, daß seine Mutter neben ihrem Mann eigentlich nur ihn zum Reden habe (und auch das selten genug).

Doch dieser Gedanke kam für Stefan gar nicht in Frage. Das Verschweigen der Beziehung vor den Eltern hatte mehrere Gründe. Im Falle einer offiziellen Ankündigung wäre man wohl kaum um die Frage der baldigen Legalisierung, sprich einer Hochzeit, umhingekommen. Doch die

Lage war genau in diesem Punkt besonders heikel: Friderikes Ehe mit Felix von Winternitz war zwar von einem Gericht geschieden worden, was aber von der katholischen Kirche nicht anerkannt wurde. Eine erneute Eheschließung Friderikes wäre durch die geltenden Rechte ein Gesetzesverstoß gewesen und somit vorerst unmöglich. Ganz abgesehen davon war Stefans Unsicherheit, eine feste Bindung einzugehen, noch längst nicht überwunden.

Alfred Zweig hatte vermutlich als einziger aus der Familie erfahren, daß sein Bruder eine ernsthafte Bindung eingegangen war. Eventuell war ihm Friderike sogar schon persönlich vorgestellt worden, denn sie fragte Stefan in einem Brief, ob sein Bruder wohl Mißtrauen gegen ihre Beziehung hege. Sollten sie sich damals bereits begegnet sein, so wäre Friderikes Gefühl nicht falsch gewesen, denn Alfred hatte sie von Beginn an zu respektieren versucht, doch nie sympathisch finden können.

Gut ein Vierteljahr nach Kriegsbeginn sollte die Karriere des Soldaten Stefan Zweig beginnen. Sein Freund und Schriftstellerkollege Franz Karl Ginzkey hatte im Hintergrund dafür gesorgt, daß die Einberufung gewissermaßen zielgerichtet war und Zweig tatsächlich in die gewünschte Richtung des Pressedepartmentes führte. Vor dem Hintergrund der eintreffenden Frontberichte war es durchaus eine beruhigende Aussicht, den Dienst in einem Büro und nicht im Schützengraben ableisten zu müssen. Somit wäre einerseits die Pflicht erfüllt, andererseits die größte Gefahr vorerst gebannt.

Am 12. November 1914 trat Stefan Zweig, geboren 1881, Stand: ledig, Religion: mosaisch, Beruf: Schriftsteller, erneut zur Musterung an. Die Personenbeschreibung lautete wie folgt: schwarze Haare und Augenbrauen, braune Augen, Nase und Mund sind proportioniert, das Kinn spitz, das Angesicht länglich, besondere Merkmale waren nicht festzustellen. Die Narbe, die nach der Rippenfelloperation vor einigen Jahren zurückgeblieben war, zählte zu den etwaigen Gebrechen und sollte zur Einstufung der Tauglichkeit nochmals untersucht werden. Der zu Musternde war bereits geimpft, schrieb und sprach Deutsch, hatte ein Köpermaß von 1,74 Metern und benötigte Fußbekleidung der Größenklasse 17.[8]

Im Tagebuch hielt er das Ereignis wie folgt fest: »Feierlicher Akt: meine Assentierung [. . .]. Es geht rasch, mit der obligaten Verspätung aller österreichischer Ämter. Tauglich! [. . .] Mich langweilt die Sache eher, mit 33 Jahren dort zu sein, wo die andern mit 18 sind. Jedenfalls ist der Wunsch meiner Mama erfüllt.«[9] Zunächst schickte man ihn in ein Trainzeugdepot, wo er in der Woche seines Geburtstags eine militärische Grundausbildung erhielt: »Ich werde einexerciert, fahre täglich nach Klosterneuburg und sehe tief in eine subalterne Welt. Erstes Zeichen österreichischen Gebarens: die Zeitverschwendung als System. Stundenlang muß ich auf den Oberleutnant warten, ich sehe [. . .] die unfreie Heiterkeit dieser eingesperrten Kanzlisten, ihr ödes, stumpfsinniges Dasein in überheizten schlechtgelüfteten Stuben, die versäumten zerknitterten Lebensformen und begreife in diesen wenigen Stunden viel. Auch der Oberleutnant, dumm aber voll Gerechtigkeit und Eleganz, eine echte Figur – nun verstehe ich, wie Kanzlisten, wie Balzac und andere Dichter und Gestalter wurden.«[10]

Nach wenigen Wochen erfolgte die Versetzung in das Kriegsarchiv des Kriegsministeriums in der Stiftskaserne in Wien. Zum erstenmal zog Zweig seine Uniform an, zu der trotz des angeordneten Schreibdienstes selbstverständlich auch ein Säbel gehörte: »ein wenig lächerlich [. . .], wenn man nicht dreinhauen soll«.[11] Einen Tag vor Weihnachten wurde er zum Corporal ernannt, was ihm angeblich gleichgültig war, jedenfalls die Stimmung nicht hob. Auch Friderike bemerkte in diesen Wochen, daß Stefan ihr gegenüber eher noch spöttischer und weniger herzlich als sonst war. Doch bekannte er in seinem Tagebuch jetzt für sich selbst, daß sie diejenige sei, die ihn am besten kenne, und neben Rolland wohl die einzige, die ihn aus seinen Krisen befreien könnte.

Die Aufgabe der »literarischen Gruppe« im Kriegsarchiv, der Zweig schließlich zugeteilt wurde, war die Zusammenstellung von Berichten über jene Soldaten, die für besondere Auszeichnungen vorgesehen waren. Deren mehr oder minder heroische Taten galt es mit geübter Feder und in den höchsten Tönen zu rühmen. Auf diese Weise für das breite Publikum aufbereitet, erschienen die »Geschichten« über Mut und Tapferkeit der Armee in Zeitungen und schließlich in mehreren Sammelbänden, die von Zweigs Vorgesetztem, dem Oberstleutnant Alois Veltzé, herausgegeben wurden.

Schnell machte der Begriff vom »Heldenfrisieren« die Runde. Auch sonst spaßte man gern einmal: Aus dem Titel *Österreich-Ungarn in Waffen* wurde hinter vorgehaltener Hand – und der Wahrheit bald mehr entsprechend – *Österreich ungern in Waffen*. Die Herren Literaten, deren Arbeit an der Front der psychologischen Kriegsführung selbstverständlich auch außerhalb des Dienstgebäudes wahrgenommen wurde, mußten sich von dort allerlei Spott gefallen lassen. So ließ sie Karl Kraus in seinem Mammutwerk *Die letzten Tage der Menschheit* antreten, und auch wer darin nicht mit Namen genannt wurde, war für jeden Eingeweihten ohne Probleme zu erkennen. Stefan Zweig wurde in der 9. Szene des III. Akts die zweifelhafte Ehre einer Erwähnung zuteil, als der Hauptmann einen der anwesenden »Literaten« ansprach: »No und Sie, also Ihr Föleton über die franzesische Büldhauerin, Auguste, wie heißt sie nur, also so ähnlich wie Rodaun, sehr fesch war das gschribn, also mit Ihrer Feder wird Ihnen das ja nicht schwer fallen, das Vorwort für unsere grundlegende Publikation ›Unter Habsburgs Banner‹, aber wissen S', was Packendes muß das sein, was halt ins Gemüt geht und daß S' mir also naturgemäß nicht auf ihre kaiserliche Hoheit die durchlauchtigste Frau Erzherzogin Maria Josefa vergessen!«[12]

Sehr schnell, so scheint es, hatte Zweig die Vorgaben seiner Dienststelle verinnerlicht. Nach einer inoffiziellen Anfrage seines Verlages riet er dringend von dessen Absicht ab, den neuen *Insel-Almanach* an den Erzherzog Friedrich zu senden, da darin ein Gedicht von Arno Holz abgedruckt war, »das Strophen gegen die Tschechen und Polen enthält und damit das Buch zum officiösen Gebrauch *unmöglich* macht. Hier im Kriegsarchiv, wo ich Diensteinteilung habe, werden ja die Gutachten über derlei Einreichungen gemacht und ich kann Ihnen sagen, dass eine solche Zeile zu einer Abweisung genügt (und auch mit Recht, es gibt den Einheitsgedanken!).«[13]

Kurz darauf schrieb er auf dem Briefpapier des k. u. k. Kriegsarchivs an den Verlag, um einige zeitgemäße Anregungen für das Programm der kommenden Monate zu geben: »Fragen Sie doch bitte Herrn Dr. Kippenberg an, ob er nicht in der Insel-Bücherei irgend etwas bringen möchte, was auf Österreich und den Krieg [Einfügung: etwas über Radetzky oder etwas aus dem Jahr 1809, Kriegslieder etc.] *allein* Bezug hat: vielleicht kann ich Ihnen dann etwas vorschlagen und auch jemanden zur Ausführung empfehlen. Ich selbst bin durch meine Arbeit hier vollkommen in Anspruch genommen. Ich müsste nur bald eine Nachricht haben: es würde dies zweifellos einen guten Eindruck machen.«[14] Obwohl der Krieg in letzter Zeit auch die Themenplanungen des Insel Verlages beeinflußt hatte, war die Reaktion von dort eher verhalten. Man teilte Zweig mit, daß seine Vorschläge zur Weiterführung der Insel-Bücherei stets willkommen seien, Anton Kippenberg jedoch freundlichst darum bitten lasse, »bei der Auswahl darauf Rücksicht zu nehmen, dass die Beiträge, wenn sie auch patriotischen Inhaltes sind, eine gewisse klassische Höhe einnehmen müssen, wie dies bei den bisherigen Bändchen [. . .] der Fall gewesen ist.«[15]

Während Zweig sich mit diesen dienstlichen und halbdienstlichen Belangen herumschlug, gab es zusehends schlechte Nachrichten von den diversen Fronten. Aber dies war nicht der einzige Grund dafür, daß er wieder an eine eigene literarische Tätigkeit dachte. Die Pflichtarbeiten im Archiv ernüchterten und ermüdeten ihn, wenn sie auch mit recht angenehmen Dienstzeiten von täglich 9 bis 15 Uhr verbunden waren. Ab dem Frühjahr 1915 plante er ein neues Werk, dessen Umrisse langsam deutlicher wurden. Ein Drama sollte es werden, soviel stand fest, und im Mittelpunkt sollte die Geschichte des biblischen Propheten Jeremias stehen. Schon früher hatte er über das Thema als Stoff für ein Bühnenstück nachgedacht, nun, nach einigen Monaten schönfärberischem Kanzleidienst, kam ihm die Geschichte aus den Tagen der Tempelzerstörung in Jerusalem zeitgemäßer denn je vor. Eines war schon jetzt deutlich: Es würde ein Stück gegen den Krieg werden.

Friderike, die schnell erkannte, wie sehr ihm die Arbeit an diesem eigenen Werk ein Ausgleich und eine Erlösung sein könnte, ermutigte ihn nach Kräften. Ende Juni hatte er den ersten Akt des Schauspiels beinahe beendet. Gut zwei Wochen später trat er eine Dienstreise nach Galizien an, das nach der Besetzung durch russische Truppen kurz zuvor von der Österreichischen Armee zurückerobert worden war. Anlaß der Reise

Im Kriegspressequartier in Zsolna in Galizien. Stefan Zweig stehend, dritter
von rechts, vor ihm sitzend der Schriftsteller Alexander Roda-Roda.

war der Auftrag, für einen größeren Band einen Beitrag über den feindlichen Einfall in das Land zu verfassen. Um sich für diese Arbeit einen besseren Eindruck verschaffen zu können, beantragte Zweig, der den Krieg
bislang nur aus Texten und aus dem Hinterland kannte, eine Reiseerlaubnis, die ihm bald darauf erteilt wurde. Zu seinen Aufgaben gehörte die
Sammlung aller vor Ort auffindbaren Papiere, die für eine Darstellung
der Kampfhandlungen hilfreich sein könnten. Außerdem sollte er zur Dokumentation der Ereignisse auch Photographien anfertigen.

Er schrieb in den Tagen seiner Expedition vom 14. bis zum 26. Juli intensiv Tagebuch und hielt darin auch vermeintliche Kleinigkeiten fest, deren Anzahl und Aussagekraft am Ende den grausamen Eindruck vom eben
noch umkämpften Kriegsschauplatz nur verstärken sollten. Bereits vor der
Abfahrt seines Zuges vom Wiener Nordbahnhof in Richtung Krakau spielte
sich das erste Drama ab: »Die Coupés nur dritter Classe. Auch hier ein Ge-

ruch den man nicht mehr vergißt. Lazarett, Lysol, alles schmeckt man
darin. Nackte Bänke wie Pritschen, ein paar Officiere und sonst nur die un-
sichere Masse. Denn hier schon die Tragödie Österreichs. Wie sie hilflos
sind, die braven Burschen ohne Sprache, wie sie dastehen, fromme Tiere bereit sich in jede Hürde treiben zu lassen. Der Gehorsam ist hier im Gegensatz zu dem deutschen ganz unbewußt, nur Instinct und Disciplin. Es sind
meist Südslaven. Einer von ihnen der nach Tetschen fahren will, ist in den
Zug nach Teschen geraten. Man versucht es ihm zu erklären[,] er starrt erschreckt die Leute an, als habe er ein Verbrechen begangen, aber er versteht
nichts[,] nichts. Wie man ihn auslädt, steht namenlose Angst auf seinen
kindischen Zügen, als hätte er ein Unrecht getan. In Floridsdorf expediert
man ihn vielleicht auf die Nordwestbahn, vielleicht bleibt er dort stehen
ohne Essen, ohne Alles. Ein Schicksal schon in der ersten Stunde.«[16]

Zwei Tage später hatte er die Strecke von Wien über Mährisch-Ostrau
nach Krakau zurückgelegt. Unterwegs bestaunte er den unablässigen
Bahnverkehr in alle Richtungen: »Ganze Züge mit Feldpost und Soldaten,
die Paternostermaschine ewig in Gang. [. . .] Bald ein deutscher Lazarett-
zug aus Hamburg, spiegelblank die fünfzig Wagen, jedes Laken weiß und
ohne Falte, man hätte fast Lust sich hinzulegen.«[17] Nach der Besichtigung
der Altstadt war er auf das Land hinausgefahren, wo den Spuren der Verwüstung nicht mehr auszuweichen war: »Endlich sehe ich die galizische
Straße, sie macht ihrem schlechten Ruf Ehre. Das schlechte Wetter hat sich
in Caffechokolade verwandelt und um das Auto spritzen ganze Wasser-
wellen. Wir kommen an zerstörten Häuser[n] vorbei, an ganzen Cadavern
von denen nichts über geblieben ist als das weiße Skelett, an Verstümmel-
ten, denen ein Flügel weggeschossen, ein Balcon weggerissen ist, die verkrüppelt sich überneigen. Überall auch noch Reste von Schützengräben
zum Teil schon aufgesogen von der Erde und ab und zu ein melancholisches
Holzkreuz. Debica selbst furchtbar durch die Zerstörung der Wisloka
Brücke, die entsetzlich verkrüppelt zusammengebrochen ist. Ihre Eisernen Gliedern wie von einer ungeheuren Faust zerkrümmt, die Eisenbahn-
schienen hängen wie Drähte in der Luft. Die Station selbst ausgebrannt,
nur Mauerreste aus denen höhnisch irgend ein Utensil wie ein Ofenrohr
oder ein Küchenbrett vorlugt. Der Ort selbst entsetzlich verwüstet [. . .].

Die Menschen hier ganz verschüchtert vor Grauen, sie sind weggeflüchtet oder wohnen in jämmerlichen Unterkünften. Es ist ein Bild von Grimmelshausen.«[18] Noch ganz unter dem Eindruck der Reise zog Zweig sich nach seiner Rückkehr für einige Tage zu Friderike nach Baden zurück, bevor er wieder in seinem Büro zum Dienst antrat.

Hatte der Kriegsbeginn die Planungen größerer Buchprojekte undenkbar erscheinen lassen, so fand man im Verlauf der kommenden Monate auch bei Zweigs Hausverlag Mittel und Wege, trotz der Abwesenheit zahlreicher Mitarbeiter neue Bücher vorzubereiten. Hugo von Hofmannsthal arbeitete im Auftrag des Insel Verlags an der von ihm selbst angeregten Reihe *Österreichische Bibliothek* und sollte nun auch einen *Österreichischen Almanach* zusammenstellen. Kippenberg, dem inzwischen sehr deutlich geworden war, daß die Kombination seiner beiden Autoren Hofmannsthal und Zweig nicht viel Gutes verhieß, bat dennoch darum, Zweig für den Band einen Aufsatz beisteuern zu lassen. Der Verlag habe ihm für vieles dankbar zu sein und ein Ausschluß gerade aus diesem Vorhaben wäre ihm wohl nur schwerlich plausibel zu machen. Hofmannsthal hatte bereits eine Vorauswahl der Beiträge getroffen, die (gewiß auch zu seinem eigenen Schutz vor beleidigten Zeitgenossen) vor allem ältere Texte umfaßte. So lautete sein Antwortschreiben an Kippenberg: »Ihren Wunsch Herrn Z. zur Mitarbeiterschaft aufzufordern, erfülle ich einerseits gern, weil es Ihr Wunsch ist, andererseits, wie Sie richtig annehmen, mit Überwindung. Mir wäre der Gedanke, diesen Herrn gerade für einen österreichischen Almanach heranzuziehen nie im Traum eingefallen. Nichts erscheint mir weniger österreichisch, als solche Wiener Litteratenfiguren. Ich möchte in Parenthese bemerken, daß ich weitaus den größten Teil unvergleichlich namhafterer lebender österreichischer Litteraten in diesem Almanach mit Absicht unvertreten lasse. [. . .] Alles weit namhaftere Schriftsteller als Z. Aber ich weiß einen ganz guten Ausweg. Ich werde ihn in sehr freundlicher Form bitten, mir entweder ein Stück Prosa über slawische (österreichische) Litteratur, oder etwas über österreichische Heerestaten 1914/15 zu geben, so wird seine Eitelkeit befriedigt sein und mir erspart bleiben etwas völlig distonierendes litteratenhaftes in dem Almanach mitzuschleppen.«[19]

In gewohnt entgegenkommendem Ton bat er Zweig gleich darauf um einen literaturgeschichtlichen Beitrag oder einen Aufsatz über einen Offizier oder eine ausgezeichnete militärische Mannschaft aus seiner derzeitigen Arbeit. Dabei vergaß er nicht, noch hinzuzufügen, daß er sich außerdem vielfachen Rat und Hilfe sowie selbstredend auch Kritik erhoffe. Zweig wählte bezeichnenderweise keinen aktuellen Heldenbericht, sondern einen bereits 1909 verfaßten Essay über den tschechischen Schriftsteller Otokar Březina und gestattete Hofmannsthal, den Text auf die gewünschte Länge zu kürzen.

Im nächsten Jahr erschien als 16. Band der wenig erfolgreichen *Österreichischen Bibliothek* eine Auswahl von Briefen Nikolaus Lenaus an Sophie von Löwenthal. Zweig war wiederum von Hofmannsthal um Bearbeitung gebeten worden, hatte die Arbeit selbst aber an Friderike von Winternitz weitergegeben und verfaßte bloß ein Nachwort dazu. Beide verzichteten jedoch aus gutem Grund darauf, im Impressum namentlich erwähnt zu werden.

An anderer – und vielleicht viel unerwarteterer – Stelle konnte Zweig dann noch einen eigenen Aufsatz mit dem Titel *Die Bücher und der Krieg* unterbringen, nämlich im *Bibliophilen-Kalender* für das Jahr 1916. Im selben Band fand sich auch ein Beitrag Julius Zeitlers über den eigenartigen Begriff der »Kriegsbibliophilie«. Auch hier hatte Zweig zuvor insistiert und den Herausgeber Hans Feigl ungefragt, aber reichlich mit Vorschlägen und sogar mit Material aus seinen eigenen Autographenbeständen versorgt: »Vielleicht wäre es besser, wenn Sie etwas aus meiner Sammlung reproduzieren wollen, Kleists Kriegslied der Deutschen zu wählen«, schrieb er, »Ihr Almanach sollte, wenn nicht schon kriegerisch sein, so doch der Ereignisse gedenken – einen Aufsatz über Kriegsliteratur bringen.«[20]

Über diese aktuellen Gelegenheitsarbeiten sollte man Zweigs bisheriges Werk nicht aus den Augen verlieren. An der Spitze seiner verkauften Titel lag im Jahr 1915 die Novellensammlung *Erstes Erlebnis,* gefolgt vom Theaterstück *Der verwandelte Komödiant.* Dagegen erreichte *Das Haus am Meer* im Buchhandel kaum nennenswerte Zahlen. Erstaunlicherweise wurden trotz Verhaerens bekannter antideutscher Haltung die Bände mit dessen Gedichten und Dramen in Zweigs Übersetzung noch immer gern erworben.

Da Zweig im Kriegsarchiv eine reine Bürotätigkeit zu verrichten hatte, mußte er nicht in einer Kaserne übernachten, sondern wohnte weiterhin unter seiner alten Adresse in der Kochgasse. Gelegentlich lud er des Abends zu Leserunden ein, an denen manchmal auch Arthur Schnitzler teilnahm, der ihm wieder ein wichtiger Gesprächspartner geworden war. Das Abendbrot nahmen die Gäste wie gehabt außerhalb zu sich, was Zweig nur entgegenkam, da er für kurze Zeit versuchte, sich das Fleischessen abzugewöhnen, womit er jedoch erfolglos blieb.

Friderike hatte sich zu Beginn der kälteren Jahreszeit aus Baden in die Stadt zurückbegeben und ganz in seiner Nähe, in der Langen Gasse, eine Wohnung für sich und die beiden Töchter gemietet. Stefan hatte noch immer manche »Episode«, wie er es früher nannte, und sah sich nun zusehends in der Gefahr, Friderike im falschen Moment zufällig auf der Straße in die Arme zu laufen. Zwar scheute er die Peinlichkeit, die solch ein Augenblick zweifelsohne gehabt hätte, erzählte ihr aber dennoch von der Sache selbst, was sie wiederum tapfer zu verwinden versuchte. Solange er es ihr gegenüber wiedergutmachen könne – und das sei ihm bislang stets gelungen, so schrieb sie ihm –, solle er sich mit seinen Liebschaften nicht vor ihr verstecken. Doch diesmal sprach sie in ihrem Brief auch davon, gekränkt zu sein.

Das neue Jahr brachte eine weitere Veränderung der Wohnsituation. Zwar behielt Stefan seine Zimmer in der Kochgasse, doch ab dem Frühjahr zog er mit Friderike, ihren beiden Töchtern und der Kinderfrau Elise Exner (die man in ihrer Gegenwart »Lisi« und in ihrer Abwesenheit »die Hopfenstange« nannte) nach Kalksburg bei Rodaun. Hier wohnte man getrennt und doch zusammen: Am Rande eines alten Anwesens hatten sie zwei Rokoko-Pavillons gefunden, die wie geschaffen für sie waren. Im größeren wohnten die Damen, in den kleineren zog der Herr ein. Zwischen den Häusern lag ein Garten mit einem verwitterten Brunnen. Hier konnte Zweig nach Dienstschluß und am Wochenende bis in die lauen Abende hinein im Freien arbeiten. Und er tat es ausgiebig, ging auf und ab, schrieb und feilte an seinem *Jeremias* und verstreute dabei eine Unzahl von Zigarettenstummeln auf dem Rasen.

Der Bürodienst wurde indes immer mehr zu einer Belastungsprobe. Neben dem zu verkraftenden Gefühl, nur eine untergeordnete Rolle zu spielen, wurde die Angst größer, am Ende doch noch zum Frontdienst eingezogen zu werden. Immer mehr zurückgestellte Mitarbeiter des Kriegsarchivs verschwanden nach erneuten Musterungen von ihren Schreibtischen und fanden sich kurz darauf auf dem Schlachtfeld wieder. Zweig blieb weiterhin verschont, da man bei ihm neben den bisherigen Einschränkungen auch noch ein Nervenleiden feststellte, doch konnte sich die Entscheidung über die Tauglichkeit täglich ändern. Vor diesem Hintergrund ist es nur zu verständlich, daß die noch verbliebenen »Heldenfriseure« Versuche wagten, sich vor Ort unabkömmlich zu machen. In diese Richtung zielte auch die Planung einer monatlich herauszugebenden militärwissenschaftlich-historischen Zeitschrift, zu deren inhaltlicher Gestaltung und Ausrichtung Zweig einen Entwurf vorlegte. Aus dem Projekt entwickelte sich schließlich das von Veltzé außerhalb des Archivs publizierte Magazin *Donauland*, das ab 1917 erschien.

Im Herbst bekam Zweig einen langersehnten Urlaub genehmigt. Mit Friderike fuhr er für drei Wochen nach Salzburg. Weg von Wien, weg von diesem immer belastenderen Dienst und der Stadt und ihren Menschen, deren Einfältigkeit und Tratschereien ihn, wie er sagte, bis in schlaflose Nächte und schlechte Träume hinein verfolgten. Nun wohnte er mit Friderike allein, denn die Kinder waren zu Hause zurückgeblieben, im Parkhotel Nelböck. Die Tage vergingen mit langen gemeinsamen Spaziergängen durch die Umgebung und mit Ansätzen zu einer konzentrierten Arbeit am eigenen Werk, die mittlerweile so ungewohnt geworden war. »Es ist ganz still hier, und ich höre seinen Schritt«, schrieb Friderike in ihr Tagebuch, »seine Bewegungen, wie er bei der Arbeit umherwandelnd gewohnheitsmäßig in die Hände schlägt. Blühte er hier doch auf! Wie ein böser Traum sind die Quälereien im ›bunten Rock‹ jetzt von ihm abgefallen. Er braucht nichts als Ruhe, er genießt so leicht und herzlich und empfindet seine Existenz als reinen Genuß.«[21] Doch war die Aussicht auf die baldige Rückkehr nach Wien trotzdem Anlaß für gelegentliche Stimmungsschwankungen seinerseits. Friderike selbst arbeitete ebenfalls an ihrem neuen Romanmanuskript, und Stefan ermutigte sie ausdrücklich dazu, forderte sie regelrecht auf, sich auf diese eine große Sache zu konzentrieren und sich nicht in alltäglichen Kleinigkeiten zu verlieren.

Bei ihren Erkundungen der Stadt entdeckten die beiden auf dem Kapuzinerberg, dem dortigen Kloster gegenüber, eine Villa mit großem Garten. Das gelb gestrichene Haus lehnte sich direkt an den Berg, war verwinkelt, hatte vor- und zurückspringende Dächer und sogar einen kleinen Turm. Kurzum: Es wirkte geradezu wie ein Märchenschloß. An solcher Stelle zu wohnen, wäre sehr wohl eine Alternative zu allen bisherigen Überlegungen. Friderike und Stefan hatten in letzter Zeit öfter darüber gesprochen, in Friedenszeiten – eines fernen Tages – von Wien wegzuziehen. Meran und andere Orte in Südtirol, an denen sie sich beide gern aufhielten, hatten sie genannt. Und nun Salzburg? Darüber galt es nachzudenken, denn man wäre hier einerseits weit genug von Wien entfernt, könnte die Stadt aber auch problemlos innerhalb weniger Stunden erreichen, wenn es familiäre oder geschäftliche Termine nötig machen sollten. Auch sonst lag die Stadt mehr als günstig: Man wäre schnell in Deutschland, München war als Großstadt nahe gelegen. Man würde hier mitten in Europa leben, die Schweiz und Italien, alles wäre auf vergleichsweise kurzen Wegen zu erreichen. Und, nicht zu vergessen: Man durfte sich die notwendige Ruhe erhoffen. Kollegen waren, abgesehen vom prinzipiell freundlich gesonnenen Hermann Bahr, der seit einiger Zeit hier wohnte, weit und breit nicht zu finden.

Die erste gemeinsame Reise nach Hamburg und Lübeck lag nunmehr fast genau vier Jahre zurück. Noch während des Aufenthalts in Salzburg wurde Friderike eine bemerkenswerte Auszeichnung zuteil, deren Verleihung sie in ihrem Tagebuch festhielt: »Stefan hat mich heute zu seinem dauernden ›Oberhaserl‹ ernannt. Mehr will ich nicht, möge er sich ab und zu eines Unterhaserls erfreuen. Ich gönne ihm andere und ihn anderen. Wenn ich nur immer sein Oberhaserl bin.«[22]

Bald nachdem sie wieder in Wien eingetroffen waren, wurde am 21. November die Botschaft verkündet, daß Kaiser Franz Joseph nach 68jähriger Regentschaft in Schönbrunn verstorben war. Ihm folgte

Karl I. auf dem Thron. Mit ihren Kindern und dem Vater ihres früheren Ehemannes, zu dem sie nach wie vor einen guten Kontakt hatte, sah Friderike sich ein paar Tage später aus dem Fenster eines Hauses an der Ringstraße den Trauerzug an. Feierliche Prachtentfaltung dieser Art mochte sie sehr. Schon in Paris hatte sie begeistert die edlen Kutschen bestaunt, in denen das englische Königspaar bei seinem Besuch in der Stadt herumgefahren worden war. Doch die eigentliche Schreckensnachricht dieser Tage war nicht jene vom Hinscheiden des 86jährigen Kaisers gewesen.

Am Tag nach seinem Geburtstag erfuhr Zweig, daß Emile Verhaeren am 27. November in Rouen tödlich verunglückt war. Auf dem Rückweg von einem seiner Vorträge hatte er versucht, in einen schon anfahrenden Zug einzusteigen, war dabei ausgerutscht und überrollt worden. Genau an dieser Stelle hatten sich die beiden im Juli 1914 zum letzten Mal in die Arme genommen: »Ein kleiner Abschied war es [. . .] nur, den wir nahmen, denn wir sollten uns ja bald wiedersehen im stillen Haus [. . .]. Am zweiten August sollte ich kommen, noch einmal rief er mir es nach, am zweiten August!«[23]

Stefan hatte Friderike schon am Tag telephonisch aus dem Büro benachrichtigt. Den Abend verbrachte er allein mit dem Durchblättern der alten Korrespondenz und der Tagebücher, die an die gemeinsamen Zeiten in Belgien, Frankreich und auf der Lesereise in Deutschland und Wien erinnerten. Einmal, nach der Veröffentlichung der Gedichte über die Kriegsgegner, hatte Zweig Verhaeren schon verloren, nun war er tief davon getroffen, daß eine wirkliche Versöhnung nie mehr möglich sein würde, daß sein Freund und Meister im Haß auf die Deutschen gestorben war. Eine Zeitlang benutzte er für seine Briefe als Zeichen der Trauer statt violetter die für ihn so ungewöhnliche schwarze Tinte.

Damit nicht genug: Friderike erhielt an Weihnachten die Meldung, daß das mit ihr eng befreundete Ehepaar Stoerk, auf dessen Kinder sie oft achtgegeben hatte, in Tirol von einer Lawine verschüttet worden und dabei ums Leben gekommen war. Schwer geschockt zog sie sich für einige Tage nach Rodaun zurück, wo Stefan und einige Freunde ihr Trost zu spenden versuchten.

Die Arbeit am *Jeremias* ging trotz allem voran. Zweig wußte, wieviel Energie er in das Manuskript investiert hatte, aber vor allem wußte er inzwischen, wie sehr er sich in dem Antikriegsdrama selbst offenbarte. So belastend die tägliche Arbeit im Kriegsarchiv sein mochte, sie war auch eine Triebfeder für seinen behutsamen, aber nunmehr überzeugten Widerstand geworden. An Gerhart Hauptmann schrieb er, dies sei sein erstes wirkliches Werk.[24]

Mitte Januar 1917 reiste er nach Prag, um dort Auszüge aus dem Stück vorzutragen. Der Erlös der Veranstaltung war für die Unterstützung von Flüchtlingskindern bestimmt. Friderike und ihr gemeinsamer Freund Felix Braun begleiteten ihn. Sie wollte auf der Reise ihre Kontakte zum *Internationalen Komitee für dauernden Frieden* ausbauen, das in Prag eine Versammlung abhielt. Schon seit geraumer Zeit engagierte sie sich ganz offiziell für den Pazifismus.

Sie fuhren (für Stefan noch immer ungewohnt) beengt im Waggon Dritter Klasse und wohnten im Hotel schicklich getrennt in drei nebeneinander liegenden Einzelzimmern. Trotz eines straffen Programms, das auch einen Besuch bei Max Brod vorsah, blieb noch genug Zeit zur Erkundung der verschneiten Stadt. Und wie schon in den Urlaubswochen in Salzburg wechselte Stefans Stimmung, kaum daß er Wien verlassen hatte. Friderike erinnert einen Gang durch die Gassen an einem »Abend voll unvergleichlicher, märchenumsponnener Schönheit und voll dankbaren Frohsinns, Stefan, Felix und ich zu dritt eingehängt, um nicht auszugleiten auf den vereisten Wegen. Stefan voller Einfälle und Scherze, ein ganz Befreiter.«[25]

Wieder in Wien, kamen inzwischen Sorgen um alltägliche Dinge zu den privaten Tragödien der letzten Monate und den Nachrichten von den Kriegsschauplätzen: Die Kohlen wurden knapp, Schulen und Universitäten waren zum Teil geschlossen, da sie nicht mehr beheizt werden konnten. Auch bei der Versorgung mit Lebensmitteln gab es erhebliche Engpässe, weshalb man nach der diesjährigen Übersiedlung in die Pavillons in Kalksburg auf dem Rasen eine Ziege zur Sicherstellung der Milchversorgung halten würde.

Doch trotz aller Belastungen schien Friderike nun zeitweise jene Geborgenheit zu finden, die sie sich von ihrer Partnerschaft so sehr erhoffte, wie ihr Gedicht mit dem Titel *Abendstunden an Stefans Kamin* andeutet:

> Wenn sich der Tag dem dunklen Ende neigt,
> Nichts mehr zu sorgen sich die Hände falten,
> Da hüllt mich Schlummer wie ein Mantel ein.
> In lieber Nähe träumend auszuruhen,
> Entrückt in Welten, die sich tags verschließen,
> Und doch so nah, daß durch die Wand des Schlaf's
> Ein leises Schreiten noch Gewißheit gibt –
> So flieg ich auf und bin nicht mehr im Raum
> An meiner Tiefe Grund nicht hingeschwunden.
> Bin da und dort, bei dir, bei Gott,
> Bin nicht allein und bin doch wie im Traum. [26]

Für Zweig war es inzwischen an der Zeit, sich Gedanken um eine etwaige Uraufführung seines *Jeremias* zu machen. Auch wenn man wegen dessen Antikriegsthematik eigentlich keine Hoffnungen auf eine Premiere in Deutschland oder Österreich haben durfte, bat er verschiedene Theater um ihre Meinung. In einem der Briefe merkte er an: »Die Tragödie erfordert einen Schauspieler höchster Classe (in Wien weiss ich z. B. keinen dafür).« [27]

Daß ihm der *Jeremias* am Herzen lag wie lange kein Werk, zeigt sich auch in der Intensität, mit der er den Verlag zur Eile trieb, um die Buchausgabe zustande zu bringen. Von alldem hing viel ab, auch in finanzieller Hinsicht. Allein von seinen bisherigen Einnahmen als Schriftsteller war noch nicht zu leben, doch das hätte er gern geändert. Zwar würde er Teilhaber der elterlichen Fabrik werden, aber deren weitere Entwicklung war zu diesem Zeitpunkt mehr als ungewiß. Im April gab er das Manuskript ab und schlug vor, daß der Band nach dem Muster von *Das Haus am Meer* gestaltet werden sollte. Auf dem Vorderdeckel wollte er gern die Zeichnung eines siebenarmigen Leuchters sehen, verzichtete jedoch entgegen seiner Gewohnheit auf weitere Einmischungen in dieser Frage, da die Post von Wien nach Leipzig in jede Richtung mittlerweile mehr als zehn Tage brauchte und ihm das ganze Projekt zu sehr verzögert hätte.

Das Werk war Friderike gewidmet, die alle Mühen und Plagen daran miterlebt hatte. Im Druck stand die Zeile »Friederike[!] Maria von Winternitz dankbarst« und darunter die Angabe »Ostern 1915 – Ostern 1917« zu lesen. Die Reinschrift des heute verschollenen Manuskripts aber, die er ihr überreichte und anschließend in Leder binden ließ, trug auf der ersten Seite ein Gedicht, von dem folgende zwei Strophen bekannt sind:

Als rings im Land die Waffen starrten
Und Feuer unsre Welt verheerte,
Was war da mein, ein kleiner Garten
Und du darin, Geliebte und Gefährte.

Mein Werk gedieh in deiner treuen Hut,
Wie war ich müd, wie oft wollt ich erlahmen,
Du aber gabst mir immer neuen Mut.
Zum Eingang schreib ich dankbar deinen Namen.[28]

Als das Buch Ende August endlich druckfertig war, scheint Anton Kippenberg länger nicht erreichbar gewesen zu sein, denn der Verlag vermeldete, daß man bedauerlicherweise noch keine Freigabe der Geschäftsleitung habe. Ohnehin nervös genug, schickte Zweig in der berechtigten Sorge, daß Druck und Auslieferung in Kriegszeiten nicht unbedingt reibungslos verlaufen würden, in den nächsten Wochen eine ganze Kaskade von Nachrichten nach Leipzig. Am Anfang stand seine Aufforderung per Telegramm, mit dem Druck von 2000 Exemplaren auf seine Verantwortung unverzüglich zu beginnen, da das Buch bald in allen großen Zeitungen besprochen werde. »Es ist selbstverständlich«, schrieb er kurz darauf in einem Brief, »dass die ersten zwei Auflagen bald vergriffen sein werden und ich will, dass dies, mein neues und bestes Buch *nicht eine Woche* im Buchhandel fehlt. Darauf *muss* ich bestehen.«[29] Kurz darauf war zu seiner großen Erleichterung die erste Auflage zwar gedruckt und gebunden worden, nur befand sich damit noch kein einziger Band im Verkauf. »Sehr geehrte Herren, mein täglicher Klagebrief«, setzte er in seinem nächsten Schreiben an und berichtete, daß *Jeremias* trotz bester Besprechung in diversen großen Zeitungen in Wien noch nicht im Buchhandel zu bekommen sei. In Berlin drohe – wie er herausgefunden hatte – dasselbe Debakel. Nach einer schlaflosen Nacht, der ein weiterer Tag ohne Lieferung folgen sollte, schickte er ein Telegramm: »jeremias noch immer nicht im wiener buchhandel mir und allen unverstaendlich sentet[!] doch wenigstens einzelne exemplare voraus verzoegerung kann katastrofal fuer buch werden stefan zweig«.[30] Seine Anspannung sollte ihm noch eine Weile erhalten bleiben. Die erste Lieferung war zu diesem Zeitpunkt bereits über eine Woche unterwegs und traf erst weitere neun Tage später in Wien ein, was er erleichtert mit einer Postkarte nach Leipzig quittierte.

Die Nervosität in jenen Wochen erklärt sich nicht allein durch das Warten auf das fertige Buch. Inzwischen war Zweig nochmals gemustert worden, und die Gefahr, doch noch für den Frontdienst eingezogen zu werden, wurde keinesfalls geringer. Statt diese mögliche Schreckensnachricht abzuwarten, hatte er Anfang September bei seinen Vorgesetzten ein Gesuch auf Diensturlaub gestellt, den er in der Schweiz verbringen wollte, um dort der österreichischen Propaganda zu dienen. Das Ministerium des Äußern (wo auch Friderikes früherer Schwiegervater seinen Dienst tat) hatte dem Kriegsarchiv bereits mitgeteilt, daß es sehr begrüßen würde, wenn Zweig in der Schweiz eine Tournee mit Vorträgen zum Thema *Wiener Kunst und Kultur* unternehmen könnte. Es hatte sich nämlich inzwischen in höchsten Kreisen die Meinung durchgesetzt, daß man dem Ausland deutlich signalisieren sollte, wie wenig Österreich die deutsche Kriegspolitik noch unterstützte. Somit käme die Entsendung von Botschaftern einer Friedenskultur nur gelegen. Im Oktober fragte zudem noch der renommierte Lesezirkel Hottingen aus Zürich an, ob die Herren Schriftsteller Paul Stefan, Franz Werfel und Stefan Zweig eventuell für Lesungen zur Verfügung stünden. Grundsätzlich standen die Chancen auf eine Erlaubnis zur Ausreise in die Schweiz also nicht schlecht, nur zog sich die Entscheidung erwartungsgemäß über bange Wochen hin.

Doch es gab noch mehr Aufregung zu verkraften: In einer Zeitungsannonce hatten Friderike und Stefan von einem in Salzburg zum Verkauf stehenden Herrensitz gelesen, was ihnen beinahe wie ein Wink des Schicksals erschienen sein muß. Nachdem die Beschreibung des Anwesens verdächtig an jenes Haus erinnerte, das sie im Vorjahr entdeckt hatten, reiste Friderike zur Besichtigung nach Salzburg und trug schon eine Vollmacht in der Tasche, um in Stefans Namen etwaige Verkaufsverhandlungen aufnehmen zu können. Es handelte sich wirklich um das fragliche Traumschloß, nur war der Zustand alles andere als erfreulich, eine Stromleitung gab es nicht, statt dessen tropfte das Wasser durch undichte Dächer.

Friderike aber sah die große Chance gekommen, ihrer gemeinsamen Zukunft mit Stefan ein Fundament zu geben, und zeigte sich ganz von ihrer praktischen Seite: »Ich rief erst einmal die wenigen Nachbarn zusammen und machte mit ihnen gemeinsam behufs Beleuchtung des Weges eine Petition an die Stadtgemeinde, der stattgegeben wurde. Ich liess Sachverständige kommen und schloss schliesslich einen Vorvertrag mit einem angesehenen Baumeister ab, der sich verpflichtete, die Reparaturen innerhalb einer bestimmten Frist auszuführen. Mit Zusicherungen der Stadtgemeinde und detaillierten Kostenvoranschlägen kehrte ich nach wenigen Tagen wieder nach Wien zurück, worauf Stefan, ohne das Haus selbst besichtigt zu haben, sogleich freudig den Kauf abschloss.«[31] Dies geschah am 27. Oktober 1917. Das Haus und fast 8000 Quadratmeter Grundstück waren nun Zweigs Eigentum, dafür waren seine Ersparnisse um 90000 Österreichische Kronen reduziert und somit deutlich zusammengeschmolzen. Andererseits war der Kauf einer Immobilie gewiß nicht die schlechteste Entscheidung, um das Geld in diesen Zeiten einigermaßen zu sichern. Bald darauf besichtigten Stefan und Friderike gemeinsam den Besitz, den sie wohl erst in fernen Friedenszeiten würden beziehen können.

Zunächst stand die Reise in die Schweiz an, die tatsächlich genehmigt worden war. Inzwischen war auch noch in Zürich der *Jeremias* zur Uraufführung im Schauspielhaus angenommen worden, und Friderike hatte sich mit Unterstützung ihres früheren Schwiegervaters einen Paß orga nisieren können. Sie reiste ganz offiziell als Delegierte des *Allgemeinen Österreichischen Frauenvereins* zur Vorbereitung eines Friedenskongresses. Am 13. November verließen sie das Land über die Grenze in Richtung Westen. In zwei Monaten würde der Titularfeldwebel Stefan Zweig wieder in Wien sein und seinen Schreibtisch im Zimmer 535 des Kriegsarchivs in der Stiftskaserne einnehmen. So sah es die Vereinbarung vor.

»Seltsam: was die Menschen von Ferne in der Schweiz als
Freiheit sehen, nimmt sich hier ganz anders aus. Sie sitzen
gleichsam auf der Turmspitze, abgesondert, losgelöst, irgendwie
verloren. Auch dies ein Gefängnis, dies enge Stück Erde.
Etwas Robinsonhaftes in der geistigen Existenz.«[1]

Tagebuch, 16. November 1917

Auf der Turmspitze

Nun also die Schweiz. 1906 hatte Zweig sich beim Gedanken an einen Besuch im Nachbarstaat wenig freundlich darüber geäußert. Damals schrieb
er, er »hasse, verachte, verabscheue« das Land, da es »grosstädtisch, pan-
oramenhaft, englisch und berlinerisch« sei.[2] Auch wenn er jetzt erst vor
wenigen Wochen im *Donauland* den Artikel *Die Schweiz als Hilfsland Euro-*
pas veröffentlicht hatte, worin er die moralischen und humanitären Leistungen des kleinen Landes und seiner wenigen Bewohner gegenüber den
zahlreichen Kriegsflüchtlingen rühmte, mußte sich erst noch herausstel-
len, ob die Schweiz auch für ihn zu einem Hilfsland werden konnte.

Es gab positive Aussichten: Die Gefahr seines Fronteinsatzes war zumindest vorläufig gebannt, sein mühevoll geschaffenes Theaterstück
sollte hier bald uraufgeführt werden, für die Rückkehr in Friedenszeiten
stand ein Haus bereit (das man notfalls zu Geld machen könnte), und in
wenigen Tagen würde er Romain Rolland wiedersehen, mit dem er in den
vergangenen Jahren so wichtige Briefe ausgetauscht hatte. Zweigs Besuch
bei seinem Freund in Villeneuve am Genfer See war längst angekündigt,
und er hatte auch davon berichtet, daß er Friderike mitbrächte, die
Rolland bereits in Paris kennengelernt hatte. Sie sei, so schrieb er, seine
Frau – nur eben nicht vor dem Gesetz in Österreich.

Bevor Stefan und Friderike zu Rolland fuhren, verbrachten sie einige Tage in Zürich, wo sie im Hotel Schwert wohnten. Die ersten Eindrücke der neuen Freiheit scheinen Zweig, der ohnehin nicht sonderlich euphorisch angereist war, endgültig ernüchtert zu haben. Er sprach in seinem Hotel, im Café Odeon und anderswo Revolutionäre, Flüchtlinge und Deserteure und war sehr bald entnervt über die Stimmung im Land, die von einem erheblichen Mißtrauen zwischen Einheimischen und Zugereisten geprägt war, wobei sich von letzteren auch noch ein Großteil als praktisch untätige »Kaffeehauspazifisten« entpuppten. Nach einem Besuch im »Club des Lesecircels Hottingen« ließ Zweig seinen Gedanken im Tagebuch freien Lauf: »Ein bärtiges Durcheinander von Herren vor gedeckten Tischen, dazwischen Wedekind, der vorliest in eine gespannte und doch sumpfige Sphäre. Das Lächerliche hier zu wirken, wird mir klar, glücklicherweise kommt auch niemand mir entgegen. Das Hartmäulige, Unverbindliche, Grobe, Taktlose dieser Schweizer ist mir unerträglich: man will doch keine Wärme im voraus, aber doch in einem Gespräch jenen Anfang, der einem Mut macht. Ich verstehe ja genau die feindselige Vorsicht die hier alle Menschen haben: sie sind von der deutschen Taktlosigkeit zuoft mißbraucht worden, aber diese dickflüssige Zähigkeit der Gesinnungen nimmt mir den Atem. Schrecklich hat sich mir das Kleinbürgerliche dieses Landes aufgetan, die Pygmäensphäre, diese mit Bildung und Pflichtbegriffen zu dick durchsetzte Handhabung der Kunst, diese pfennigfuchsende Nationalität, diese Spießervereine [. . .]! Ich verstehe ja wie in diesem Quengel, wo die biedern Versemacher einander ihr Zeug vorlesen, der Wind Europas wie böse Zugluft erscheint – aber welche Schmach, daß wir in diese Niederungen steigen. Ich freue mich meines Stolzes, der diesen harten Burschen keinen Schritt entgegengeht. Ich will mich nicht klein machen: der Ekel erwürgt mich. Abends noch mit Frau Albert vor der spiegelnden Limmat: grenzenlose ratlose Traurigkeit auf dieser Turmspitze Europas zu der das Blutmeer schwillt. Wirklich, trotz Chocolade und Lederstiefeln kann man ein Land als Qual empfinden.«[3]

Gleich nach der Bekanntgabe der Reiseerlaubnis hatte Zweig seinen Verlag über seine Abwesenheit von Wien informiert. Die Post werde ihm nicht nachgesandt, in dringenden Fällen wäre ein Telegramm mit der Einleitung »Saget Zweig . . . « an Albert Ehrenstein zu senden, der die Nachricht dann weitervermitteln würde. Zwar war noch nicht abzusehen, wie sich der Besuch entwickelte, doch schadete es keinesfalls, auch geschäftlich Vorsorge zu treffen. So bat er den Verlag ausdrücklich um die Belieferung der Buchhändler in Zürich mit all seinen Werken, insbesondere selbstverständlich mit dem *Jeremias*.

Nach seiner Ankunft in der Schweiz war Zweigs Enttäuschung über die Folgen seiner Bemühungen grenzenlos. Er ging durch Straßen mit Schaufenstern voller Waren, die man in Österreich schon lange nicht mehr gesehen hatte, nur in den Buchhandlungen war eines nicht zu finden: Seine eigenen Bücher. Hatte er schon bei der Herstellung des *Jeremias* vor wenigen Monaten mit unendlichen Wartezeiten zu kämpfen gehabt, so schien sich die Geduldsprobe hier in leichter Variation wiederholen zu wollen. Er zögerte nicht eine Minute, dem Verlag davon Mitteilung zu machen: »Ich habe auf der ganzen Reise, auf Bahnhöfen, Buchhandlungen nicht ein *einziges* Exemplar meiner Bücher gesehen – in *Salzburg*, *Zürich*, Städten mit regstem Verkehr *nicht ein einziges*! Und dabei lese ich hier vor, soll das Stück hier gespielt werden! Wahrlich, es ist zum Verzweifeln!«[4] In der Hoffnung, es hätte sich bei seinen Beobachtungen vielleicht doch bloß um Einzelfälle gehandelt, durchstreifte er noch am selben Tag die Stadt und machte in zahlreichen Geschäften weitere Stichproben, die das niederschmetternde Ergebnis bestätigten, so daß er nach Leipzig schrieb: »Ich frage Sie selbst, ob nicht in Ihrer Organisation irgend ein Fehler verborgen sein muss, dass man in jeder Buchhandlung jedes Buch von Fischer und Kurt Wolff findet, während ich in keiner einzigen eine neue Erscheinung der Insel [. . .] erblickte.«[5] Zweig ließ auch in diesem Fall nicht locker, bis die Buchpakete endlich eingetroffen waren. Und die Zahlen sollten ihm recht geben: *Jeremias* wurde, obwohl sich dramatische Texte üblicherweise nicht eben gut verkauften, in kürzester Zeit zu einem seiner auflagenstärksten Werke.

Ende des Monats fuhr er mit Friderike nach Villeneuve, wo Rolland im Hôtel Byron wohnte. Es war ein gutes Wiedersehen mit langen Gesprächen. Sie redeten über die Gegenwart und zukünftige Projekte, aber auch über Verhaeren, dessen Schicksal sie beide noch immer beschäftigte.

Wie sehr Zweig trotz aller Enttäuschungen an seinem Meister gehangen hatte, zeigte vor allem ein auf 100 Exemplare begrenzter Privatdruck, den er unter dem Titel *Erinnerungen an Emile Verhaeren* noch vor seiner Abreise aus Wien für seinen Freundeskreis hatte auflegen lassen. Kurz vor Verhaerens Tod hatte Zweig auf dem Umweg über Rolland noch erfahren, daß Verhaeren weiterhin fest zu ihrer Freundschaft stand. Nun konnte Rolland, der bis zuletzt direkten Briefkontakt zu Verhaeren gehabt hatte, diese Worte im persönlichen Gespräch nochmals bekräftigen.

Nach den aufregenden Wochen vor der Abreise und den wenig erbaulichen ersten Eindrücken nach seiner Ankunft kam Zweig nun ein wenig zur Besinnung, und es regte sich wieder die Faszination, die er für die Klarheit von Rollands Gedanken, für dessen Mut und Entschlossenheit seit langem verspürte. In einem Text versuchte er später, die Gründe seiner Begeisterung zu analysieren: »Was wollte Rolland eigentlich? Was sagte er, das damals so erregte? Das erste war, daß er auf dem Standpunkt der Individualität stehe, wir zwar Staatsbürger und dem Staate hingegeben seien, daß wir ihm zu folgen hätten in allem, was er uns befehle – der Staat kann über unser Vermögen, über unser Leben verfügen –, daß aber in uns selbst ein letzter Punkt ist. Das ist das, was Goethe einmal in einem Brief die Zitadelle nennt, die er verteidigt und die niemals von einem Fremden betreten werden darf. Dies ist das Gewissen, jene Zitadelle, jene letzte Instanz, die sich nicht auf Befehl zwingen läßt, weder zum Haß noch zur Liebe. R o l l a n d   w e i g e r t e   s i c h   z u   h a s s e n, einen Kollektivhaß auf sich zu nehmen. Er betrachtete es als unverlierbare Menschenpflicht, auszuwählen, wen er hasse und wen er liebe, und nicht auf einen Ruck eine ganze Nation oder ganze Nationen, unter denen er teuerste Freunde hatte, plötzlich mit einem Stoß von sich zu werfen. Das zweite war, daß Rolland das Dogma von der Allheilkraft des Sieges nicht teilte. Er glaubte nicht, daß der bloße Sieg schon genügt, um eine Nation gerechter zu machen, um sie besser zu machen. Er hatte ein tiefes Mißtrauen gegen jede Form des Sieges, weil für ihn, wie er einmal sagte, die Weltgeschichte nichts anderes darstellt als den immer wieder erneuten Beweis, daß die Sieger ihre Macht mißbrauchen. Für seine Idee ist der Sieg ebenso sehr eine moralische Gefahr wie die Niederlage, und er wiederholt damit nur ein schärferes Wort Nietzsches, der gleichfalls jede Gewaltform im Geistigen ablehnte.«[6]

Unter diesen Eindrücken übergab Zweig Rolland wenige Tage später, an seinem 36. Geburtstag, einen versiegelten Umschlag. Dieser war nur zu öffnen, falls Rolland ein bestimmtes Telegramm mit verschlüsseltem Inhalt erhielt, das ihm bedeutet hätte, daß Zweig wegen einer offenen Verweigerung des Waffendienstes mit schlimmsten Konsequenzen zu rechnen hätte. In dem Kuvert befand sich ein Schriftstück, das Zweig sein *Testament des Gewissens* nannte. Seit Tagen hatte er den Text formuliert, in dem er festlegte, daß er sich niemals zum Kriegsdienst mit der Waffe zwingen ließe. Obwohl das Zusammensein mit Rolland seine Ablehnung von Krieg und Waffengewalt weiter gefestigt hatte, spürte Zweig in dieser Sache noch immer genug Unsicherheit. Ob er den inneren Mut, mit dem er die kühnen Sätze hier niederschrieb, im Falle eines Falles auch in Wien hätte, fragte er sich selbst in seinem Tagebuch. Entschlossen war er nur darin, daß er den aktiven Dienst mit der Waffe verweigern würde. Bei anderen Verpflichtungen dagegen würde er sich wohl den Befehlen beugen. Mit anderen Worten: Ein weiterer Einsatz als Soldat im Kriegsarchiv wäre für ihn nicht ausgeschlossen, auch wenn er keinesfalls daran dachte, freiwillig an diesen Ort zurückzukehren, an dem er jahrelang staatlich angeordnete Schönfärberei betrieben hatte.

Seinen zeitlich begrenzten Aufenthalt in der Schweiz sah er jedoch auch nicht als eine wirkliche Chance zur Flucht an. Ein Lügenspiel wie beispielsweise eine vorgetäuschte Krankheit hätte ihn wohl für längere Zeit oder sogar dauerhaft vor der drohenden Rückkehr schützen können, doch wollte er diesen Weg ebensowenig beschreiten wie die offene Totalverweigerung aus der Ferne. Sein Schwanken offenbart, warum er die »Tage und Wochen in der Schweiz während der (lang vorhergesehenen) Agonie des Krieges [. . .] die intensivsten, die für Sekunden extatischsten und meist niedergedrücktesten meines Lebens«[7] nennen sollte. Mochte sein Vorgehen auf Außenstehende je nach deren Temperament als mutlos oder unentschlossen wirken, so war Zweig sich selbst gegenüber jedenfalls von schonungsloser Offenheit gewesen. Mit der Aussicht, eventuell schon bald nach Österreich zurückfahren zu müssen, verwundert es wenig, daß er sich nach wie vor seiner bisherigen Arbeit und seinem »Propagandaauftrag« verpflichtet sah. So begann er im Dezember mit der Planung eines Themenheftes zur Schweiz für *Donauland,* »die beste [Zeitschrift], die wir in Oesterreich haben«, wie er Hermann Ganz vom Magazin *Schweizerland* schrieb, den er in diesem Zusammenhang um einen Beitrag zur neuen Schweizer Dichtung bat.[8]

Nach nur wenigen Tagen bei Rolland fuhren Stefan und Friderike weiter nach Genf, wo sie die Zentrale des Internationalen Roten Kreuzes besuchten und einige neue Bekanntschaften machten. Von ihnen sollte der belgische Graphiker Frans Masereel ein enger Gefährte der kommenden Monate werden. Er belieferte die pazifistische Zeitung *La Feuille* mit Illustrationen und bebilderte mit seinen typischen Holzschnitten bald auch kleinere Druckschriften Zweigs. An seiner Seite konnte Zweig neben der gemeinsamen Arbeit auch entspannte und sogar spaßige Stunden erleben. Friderike erinnert sich an einen Besuch Masereels in Zürich, »wo eben der Generalstreik ausgebrochen war und die Schweiz mobilisierte. Eine heftige Angst vor dem Kommunismus hatte die besitzbewußten Schweizer erfaßt. Auf den unbefahrenen Geleisen der Bahn nach Zürich wandernd, spielte Frans sich als Russe auf und rief Stefan ›Iwan‹. Niemand fiel ihnen auf diese jugendlichen Scherze herein, aber die Freunde amüsierten sich königlich.«[9]

Von Genf ging es für Stefan und Friderike über Bern wieder zurück nach Zürich. Die Wochen und Monate brachten viele Zusammenkünfte mit alten Bekannten wie Hermann Hesse und Ferruccio Busoni, aber auch zahlreiche neue Kontakte, beispielsweise zu René Arcos, James Joyce und Pierre-Jean Jouve. Jouve hatte Zweig noch nach Wien einen seiner Gedichtbände mit »brüderlichen Grüßen« gesandt, und nun veranstalteten sie beide eine gemeinsame Lesung, deren Symbolgehalt groß war, trugen hier doch während des Krieges zwei Bürger verfeindeter Staaten ihre Werke in ihrer Heimatsprache vor und schüttelten einander vor dem Publikum die Hände.

In Zürich lernte Zweig auch Erwin Rieger kennen, der der Stiefsohn seines Vorgesetzten im Kriegsarchiv, des Obersts Veltzé, war. Rieger hatte sich vor dem Kriegsdienst hierher geflüchtet und arbeitete als Gehilfe in einer Apotheke. Seine eigentlichen Interessen aber lagen nicht auf dem Gebiet der Pharmazie, sondern auf dem der Literatur, insbesondere der französischen. So ist es kaum verwunderlich, daß ihn bald eine enge Freundschaft mit Zweig verband, die lange über die Zeit in der Schweiz hinausgehen sollte.

Zu Hause in Wien hatte sich Moriz Zweig Ende 1917 – er war mittlerweile 72 Jahre alt – ganz aus der Geschäftsführung der Firma zurückgezogen und den Betrieb seinen beiden Söhnen übertragen. Alfred sollte nach wie vor die geschäftlichen Entscheidungen treffen und Stefan stiller Teilhaber werden. Doch während der zweiten Hälfte des Kriegs stand die Fabrik weitestgehend still, und die Zweigs mußten von den angesparten Geldern leben. Einen Teil seines Vermögens hatte Moriz in Kriegsanleihen und andere österreichische Wertpapiere investiert, was sich in den Jahren der Inflation als sehr nachteilig erwies. Trotz seiner Ängste und der bedrohlichen Aussicht, erhebliche Summen aus seinem Kapital zu verlieren, konnte der gewohnte und liebgewordene Lebensstandard noch immer ohne größere Einschränkungen beibehalten werden. Die Wohnung in der Rathausstraße wurde gegen eine andere in der nicht weit entfernten Garnisongasse getauscht. Entgegen der früheren Gewohnheit, eine Mietwohnung zu beziehen, erwarben die Zweigs diesmal das Haus, in dem sie fortan leben wollten. Dahinter steckte der Gedanke, größere Geldbeträge vor dem drohenden Wertverlust zu retten; ein Aspekt, der auch Stefans Entscheidung für den Kauf des Hauses in Salzburg maßgeblich beeinflußt hatte, nur hatten die Eltern von diesem wohldurchdachten Schritt ihres Sohnes noch immer nichts erfahren.

Anfang Dezember fuhr Friderike – ihre Koffer reichlich mit Lebensmitteln beladen – nach Wien zurück. Neben einem Wiedersehen mit ihren beiden Töchtern und den Verwandtschaftsbesuchen zu Weihnachten war der wichtigste Zweck der Reise der Versuch, eine Verlängerung von Stefans Beurlaubung zu erreichen, die in wenigen Wochen zu Ende ging. Aus diesem Grund hatten sie bei ihrem gemeinsamen Aufenthalt in Bern auch bei der Österreichischen Gesandtschaft vorgesprochen; nun wurde eine Lösung des Problems immer dringlicher. Zweigs alter Schulkamerad Ernst Benedikt, inzwischen Herausgeber der *Neuen Freien Presse*, wurde schließlich zu einem Rettungsanker. Es gelang Friderike während ihres Aufenthalts in Wien dafür zu sorgen, daß Stefan von der Zeitung offiziell als Korrespondent in der Schweiz engagiert wurde, wozu man freilich zuvor um seine weitere Befreiung vom Militärdienst zu bitten hatte. Benedikt hatte sich zunächst nur widerwillig zur Unterstützung bereiterklärt, denn Anfragen dieser Art gab es viele. Friderike konnte ihm allerdings erfolgreich damit drohen, mit ihrer Bitte zu einer anderen Zeitung zu gehen, womit seinem Blatt der langjährige und geschätzte Mitarbeiter Stefan Zweig wohl für immer abhanden gekommen wäre. Schließlich willigte Benedikt ein, und der Vorgang durchlief erfolgreich alle Dienststellen. Die Papiere gelangten sogar bis auf den Schreibtisch des österreichischen Außenministers, der die Randbemerkung »Die mir schon längst bekannte Tatsache, daß Dr Zweig ein Drückeberger ist. – Vorgehen jedenfalls uncorrect«[10] hinzufügte – und der Sache dennoch zustimmte. Nicht zuletzt Friderikes früherer Schwiegervater hatte hierbei einmal mehr hinter den Kulissen eingegriffen und Stefan und ihr zu einer vorläufigen Perspektive verholfen. Einen Tag nach Weihnachten 1917 konnte Zweig nach Wien telegraphieren, daß er einen Vertrag mit der Zeitung abschließen werde. Die Verlängerung des Diensturlaubs galt nun bis einschließlich 28. Februar 1918. Auch nach diesem Datum blieb Zweig in der Schweiz, doch ist eine weitere Erlaubnis zu einem längeren Aufenthalt oder ein anderes entsprechendes Papier nicht mehr nachweisbar.

Der Arbeitsvertrag mit der *Neuen Freien Presse* sah vor, daß monatlich zwei Feuilletons zu einem Schweizer Thema abzuliefern waren, für die jeweils 100 Franken überwiesen werden sollten. Alltagsarbeit zwar, aber keine unlösbare Aufgabe, schon gar nicht in diesen Tagen, in denen sich ein guter Beobachter vor Material kaum retten konnte. Außerdem bestand die Hoffnung, daß die neue Beschäftigung noch Zeit für die eigentliche literarische Tätigkeit ließ. So begann Zweig Übersetzungen verschiedener Werke Rollands und hatte Friderike darum gebeten, aus seiner Wohnung in Wien das schon vor Kriegsbeginn angefangene Manuskript zu Dostojewski sowie die zugehörigen Skizzen und Entwürfe mitzubringen, mit denen er sich erneut beschäftigen wollte. Später kam noch die Arbeit an einem neuen Drama, dem Kammerspiel *Legende eines Lebens*, hinzu, in dem ein Vater-Sohn-Konflikt thematisiert wurde, wozu Zweig unter anderem Motive aus der Biographie Richard Wagners aufgriff. Auch für Friderike war eine Arbeit gefunden: Sie sollte für den Verlag Gustav Kiepenheuer eine bestehende Neuübersetzung von Jean-Jacques Rousseaus Werk *Émile ou De l'éducation* überarbeiten und damit ihren weiteren Aufenthalt in der Schweiz finanzieren können. Eigentlich hatte Zweig selbst den Auftrag angenommen, doch wollte er nun nur die Einleitung schreiben und die Herausgeberschaft übernehmen.

Gleich zu Beginn des neuen Jahres hielt er am 8. Januar 1918 in Davos eine gemeinsame Lesung mit Wilhelm Schmidtbonn ab. Von dort fuhr Zweig einige Tage darauf ins nahe Buchs, um an der Grenzstation Friderike nach geglücktem Abschluß ihrer Mission in Empfang zu nehmen. Sie brachte diesmal ihre kränkelnde Tochter Suse mit, während für die ältere Alix noch keine Ausreisepapiere vorlagen und sie das Kind deshalb in Wien hatte zurücklassen müssen. Zu dritt ging es für kurze Zeit nach St. Moritz, was allerdings nur bedingt erholsam war: »Alle mir widerlichen Leute sind hier«, notierte Zweig im Tagebuch, »Frau Lothar, Schickele, heute zum Überfluß Karl Kraus«.[11] Doch immerhin brachte ihm der Aufenthalt genug Material für einen Beitrag in der *Neuen Freien Presse*, den er mit dem Titel *Bei den Sorglosen* überschrieb. Der Kontrast zwischen den Menschen in den Ländern, die ringsum immer tiefer im Kriegsgeschehen versanken, und jenen »happy few«, die sich wie gewohnt von allen Sorgen unbeschwert dem vornehmen Müßiggang bei Walzer, Teestunde und rasanter Skiabfahrt hingaben, drängte sich als Thema geradezu auf.

Als großes Ereignis kündigte sich inzwischen für den 27. Februar 1918 die Uraufführung des *Jeremias* an. Wie den *Mitteilungen des Zürcher Stadttheaters* zu entnehmen ist, blieb das Haus wegen der Bühneneinrichtung an den beiden Vortagen des Premierenabends geschlossen. Das interessierte Publikum erfuhr aus demselben Blatt noch einige Details zum Werk und seiner Entstehung: »Im ›Jeremias‹ entrollt der Dichter vor uns die Geschicke des untergehenden Jerusalem. Und wir finden unsere heutigen Sorgen wieder in dieser Epoche des jerusalemischen Verfalls; der jetzt tobende und alles verheerende Krieg, den keine Einsicht mehr zu hemmen vermag, er spiegelt sich in ihr.« Neben lobenden Worten, die Romain Rolland für die Buchversion des Stückes gefunden hatte, zitierte man noch dessen Bemerkung, daß das Drama für die Bühne wohl einige Kürzungen nötig hätte, und fügte hinzu: »Diese dramaturgische Arbeit ist für unsere Zürcher Aufführung denn auch unternommen worden; Oberregisseur Danegger hat sie besorgt und den Proben, die im Beisein des Dichters stattfinden, zugrundegelegt.« [12]

Die Geschichte des Propheten, der vor dem drohenden Krieg mahnt und dafür Spott, Häme und Verstoßung hinnehmen muß, bis sein Volk schließlich den grausamen Tatsachen in das Auge blickt, traf in der Tat den Nerv des Publikums. Die Zeitungen waren voll des Lobes. Felix Beran berichtete im *Pester Lloyd*: »Ein voll besetztes Haus gab dem Werk hier selten gehörtes, begeistertes Echo. [...] Zahllose Hervorrufe riefen den Autor zur Rampe.«[13] Die anonym erschienene Kritik in der *Neuen Freien Presse* war indes höchstwahrscheinlich von Zweig selbst verfaßt worden – schließlich war er ja der Korrespondent dieser Zeitung in der Schweiz. Er befand sich mit diesem Vorgehen in bester Gesellschaft: Friedrich Schiller hatte, wie man weiß, einst ebenfalls anonym über die Uraufführung seiner *Räuber* berichtet.

Eintrittskarte für die Uraufführung von Stefan Zweigs *Jeremias*

Nach diesem Erfolg reisten Stefan und Friderike im April erneut nach Bern, um an einer Konferenz des Komitees für den dauernden Frieden teilzunehmen. Stefan hielt zur Eröffnung eine Rede über die österreichische Friedensnobelpreisträgerin Bertha von Suttner, die wenige Wochen vor Kriegsbeginn verstorben war. Anschließend begaben sich die beiden nicht direkt nach Zürich zurück, denn dort herrschte ständig Unruhe, und die Gesellschaft mancher Personen war doch etwas zu anstrengend gewesen. Außerdem war im Hotel der deutliche Eindruck entstanden, daß einige Anwesende fremden Gesprächen etwas zu aufmerksam zuhörten. So quartierten sich Friderike und Stefan unweit der Stadt im Hotel Belvoir in Rüschlikon am Zürichsee ein, wo sie mehrere Zimmer mieteten und sich vor aufdringlichen und spionierenden Zeitgenossen einigermaßen sicher fühlten konnten. An diesem Ort, so hoffte Zweig, könne er endlich wieder zu einer regelmäßigen Arbeit zurückkehren. Aber nicht nur die Nachrichten vom weiter andauernden Krieg, sondern auch das Gefühl, auf der Flucht zu sein, setzte ihm in nachdenklichen Stunden zu. Statt einen festen Wohnsitz zu haben, zog er von Hotel zu Hotel, während sein Haus in Salzburg praktisch unbewohnbar war und sich vorerst in unerreichbarer Ferne befand. In dieser Lage kamen ihm auch finanzielle Bedenken, denn zusätzlich unterhielten Friderike und er auf unbestimmte Zeit noch zwei Haushalte in Österreich, da weder seine Wohnung in der Kochgasse noch ihre in der Langen Gasse gekündigt worden war.

Friderikes Tochter Suse war zunächst in einem Kinderheim in Zürich untergebracht worden, während Alix noch immer in Wien beim Großvater in Pflege war. Nach einigen Anstrengungen konnte auch sie in die Schweiz einreisen, und Friderike zog mit den beiden Mädchen nach Amden bei Weesen am Walensee. Da die Gouvernante die nötige Reiseerlaubnis nicht bekommen hatte, machte sich Friderike vor Ort erfolgreich auf die Suche nach einem neuen Kindermädchen. Trotz der Unterstützung fühlte sie sich der momentanen Situation nicht gewachsen. Die Arbeit an der Rousseau-Übersetzung erledigte sie nicht einmal halbherzig. Anfangs redete ihr Stefan gut zu, erklärte sich bereit, einen Teil der Revision selbst zu übernehmen, bis er kurz vor dem Abgabetermin feststellte, daß das von ihr bereits durchgesehene Material völlig unzureichend war. Ohnehin mit Papieren seiner verschiedenen Projekte überhäuft, nahm er zähneknirschend auch noch den Großteil der Neubearbeitung des *Émile* auf sich.

Eigentlich hatte er sich in diesen Wochen weiter mit einer Novelle beschäftigen wollen, der er zunächst den Titel *Der Refractär* gegeben hatte. Die Geschichte um einen Kriegsdienstverweigerer, für die Masereel einige Illustrationen lieferte, erschien später unter dem Namen *Der*

Zwang. Außerdem war der großangelegte Essay über Dostojewski längst nicht vollendet, und das Kammerspiel *Die Legende eines Lebens* lag ebenfalls noch im Manuskript auf dem Schreibtisch.

Hatte Zweig schon in der Wiener Zeit verschiedene Veröffentlichungen herausgebracht, die den Krieg verurteilten – allen voran den *Jeremias* –, so fühlte er sich inzwischen sicherer und wagte es, auch mutigere Schritte zu gehen. Statt seine Meinung durch die Personen seiner Novellen oder Theaterstücke kundzutun, legte er jetzt sogar ein offenes *Bekenntnis zum Defaitismus* ab, das als Aufruf, den Massenmord des Krieges ein für allemal zu verdammen, in der pazifistischen Zeitschrift *Die Friedens-Warte* gedruckt wurde. Freilich hatten die österreichischen Behörden Zweig trotz seiner Dienstbefreiung nicht aus den Augen verloren. So ging nach Erscheinen des Artikels ein mahnender Brief aus der k. u. k. Österreichisch-Ungarischen Gesandtschaft in Bern an das Außenministerium in Wien auf die Reise: »*Unser* Stefan Zweig in der Friedenswarte!« schrieb der zuständige Beamte, »Haben wir das notwendig gehabt! Es wäre ja an sich nichts zu sagen, aber Propaganda macht man so nicht.«[14] In der Folge hatte sich Zweig einigen unangenehmen Fragen zu stellen, doch zeigte er sich inoffiziell sehr zufrieden darüber, daß er mit seinem Text offenbar die richtigen Personen getroffen hatte.

Auch die einheimischen Behörden waren in jenem Sommer auf ihn aufmerksam geworden. Am 26. Juli, gut ein Vierteljahr nach dem Umzug in das Hotel Belvoir, hatte die Bundesanwaltschaft in Bern das Polizeikommando Zürich um möglichst reiche und genaue, aber selbstverständlich verdeckt zu ermittelnde Auskunft über ihn gebeten. Aus dem nahen Kilchberg machte sich sogleich ein Beamter in Zivil auf den Weg nach Rüschlikon und konnte bereits am 1. August seinen Bericht an die vorgesetzte Behörde weiterreichen. Der Auslöser für die Ermittlung war, daß Zweigs Reisepaß in jenen Tagen seine Gültigkeit verlor, wie auch der Berichterstatter gleich zu Beginn seines Rapports anmerkte. Die letzte Verlängerung, durchgeführt vom Österreichischen Generalkonsulat in Zürich, galt nur bis zum 29. Juli des laufenden Jahres. Nun wollte man doch ein wenig genauer wissen, mit wem man es zu tun hatte. Allerdings blieben weitere polizeiliche Maßnahmen aus, denn auch nach intensiver

Ausforschung waren über den beobachteten Dr. Stefan Zweig, wohnhaft in Wien, Niederösterreich, Kochgasse 8, eigentlich keinerlei verdächtige Informationen zu ermitteln: »Hier betreibt er den Schriftstellerberuf & arbeitet für Theater & Zeitungen«, ist dem Bericht zu entnehmen. Und weiter heißt es: »Auf diskretem Wege gemachte Erhebungen ergaben, dass Zweig äußerst viel Korrespondenz hat & zwar sei diese vom Ausland wie von der Schweiz. Ueber den Zweck dieser Correspondenz konnte [ich] nichts näheres erfahren, als, dass solche jedenfalls hauptsächlich durch den Schriftstellerberuf in so großem Masse erfolge. Auch verkehre er mit den hauptsächlichen Zeitungen der Schweiz. Er soll Mitarbeiter der ›Freien Presse‹ Wien [. . .] sein. Gegenwärtig arbeite er Tag & Nacht an seinem großen Werke.

Zweig hält mehrere Zeitungen hier wie ›Freie Presse[‹] Wien. la Feuille, etc. Besuch soll er sehr viel empfangen & zwar viele Schriftsteller. Auch die in Zürich sich aufhaltenden Wiener sollen häufig ihn besuchen, da er als ziemlich bekannter oesterr. Schriftsteller gelten soll. [. . .]

Dr. Zweig soll hier sich auf Urlaub befinden & den Grad eines Vice Feldwebels bekleiden. Er interessiere sich sehr für den Frieden, vermutl. weil er noch großes Vermögen in Aussicht habe. [. . .]

Oefters verreise er nach Bern, Genf etc. ebenso die mit ihm gemeinsam arbeitende Frau *Winternitz, Friderike* [. . .]. Welchen Zweck diese Reisen haben sollen, ist hier nicht bekannt.

Im Hotel selber ist über Dr. Zweig nichts auffallendes & nachteiliges zu erfahren.«[15]

In diesem Sommer wurde die Schweiz von der Spanischen Grippe heimgesucht, so daß es sehr ratsam war, größere Menschenansammlungen zu meiden, um einer Ansteckung zu entgehen. Für Zweig ein willkommener Anlaß, sich zur Arbeit zurückzuziehen und Friderike in ihrer Meinung zu bestärken, daß sie und die Kinder in Amden sicherer aufgehoben wären als bei ihm in Rüschlikon oder gar in Zürich. Er selbst verordnete sich eine Arbeitsklausur, aus der er nur ausbrach, wenn es Freunde wie Robert Faesi zu treffen galt und er sich von diesen Begegnungen etwas Entspannung erwarten konnte. An Friderike schrieb er dieser Tage: »Die Hitze ist jetzt geradezu phantastisch. Ich rühre mich nicht von R[üschlikon] – auch der Grippe wegen, die in Zürich noch immer haust. Seit Du fort bist, war ich nicht einmal dort. Nur gestern abends bei Faesi, wir ruderten dann um Mitternacht über den See und das war herrlich.«[16]

Als wenig geübter Bergsteiger und trotz seiner Höhenangst, die ihm schon in den oberen Rängen eines Theaters Schwierigkeiten bereiten konnte, machte er sich in diesen Wochen mit seinem Schriftstellerkollegen Carl Seelig und sogar allein zu längeren Wanderungen auf. Von der Wengernalp schrieb er eine Ansichtskarte, nachdem er drei Stunden auf dem Eigergletscher gegangen war. Und bald darauf vermeldete er vor einem einsamen Ausflug in die Berge: »Ich nehme gar keine Ausrüstung mit als genagelte Schuhe und Rucksack.«[17]

Friderike machte derweil ihre Erfahrungen mit dem Verlagsgeschäft. Ihr Roman *Vögelchen* sollte endlich erscheinen, und sie hatte das später Romain Rolland gewidmete Manuskript an den S. Fischer Verlag in Berlin gesandt, der ihr vorerst aber nur einen Teil des vereinbarten Honorars schickte, worauf Stefan ihr einige nützliche Tips für die erfolgreiche Anforderung der Restsumme geben konnte. In besagtem Buch begegnet Zweig dem Leser deutlich erkennbar in Gestalt des feinsinnigen Nervenarztes Dr. Clemens Urbacher, der mit recht bescheidenen Mitteln, doch mit großer Sachkenntnis eine bedeutende Kollektion von Miniaturgemälden zusammenzutragen versucht – eine Reminiszenz an die beinahe vergessene Autographensammlung, die in Wien zurückgeblieben war. Urbachers Gegenspieler auf dem Sammelgebiet ist übrigens der schwerreiche Industrielle Mannsthal, wobei sich der Verdacht aufdrängt, Friderike hätte die verkürzte Form eines bekannten Dichternamens für diese menschlich unerträgliche Romanfigur nicht von ungefähr gewählt.

Während sie selbst am besten wußte, wie sehr sie Stefans Charakter in der Figur des Dr. Urbacher widergespiegelt hatte, bereitete ihr seine zunehmende Begeisterung für Dostojewski einiges Kopfzerbrechen. Schon in der Badener Zeit hatte es zwischen Stefan und ihr lebhafte Diskussionen über Balzac und Stendhal und schließlich auch über Dostojewski gegeben. Zur französischen Literatur fand Friderike recht mühelos den Zugang, doch gaben ihr die Gestalten der »gärenden, düsteren, russischen Welt«[18] manche unlösbare Rätsel auf. Ebenso rätselhaft war ihr allerdings, wie sehr sich Stefan von ebendiesen Personen faszinieren ließ – sollte er in ihnen am Ende Züge seiner eigenen Persönlichkeit entdeckt haben? Friderike versuchte, sich ihre Fragen vorläufig damit zu beantworten, daß man Dichter und Dichtung doch auseinanderhalten müsse.

Trotz der längeren Trennungen blieben ihr Stefans Stimmungsschwankungen und die ständige Berg- und Talfahrt seiner Gefühle nicht verborgen. Hätte man meinen können, daß sich sein Befinden nach dem Ende des Krieges im November 1918 besserte, so war eher das Gegenteil festzustellen. Zweig verfolgte die Vorgänge in Österreich und in Deutschland sehr genau und dachte weiter, sehr viel weiter. Mitte Dezember 1918 schrieb er Rolland einen Brief, in dem er die Ergebnisse seiner Grübeleien und seine erschreckenden (aus heutiger Sicht sogar doppelt erschreckenden) Zukunftsprognosen kundtat: »Es gibt Augenblicke, da ich mich frage, ob es sich lohnt, die nächsten zwanzig Jahre zu erleben. Ich bin niedergeschmettert durch das Doppelgewicht eines Hasses, an dem ich mich unschuldig fühle, dem Haß gegen Deutschland, den Verursacher des Krieges, und dem Haß gegen die Juden in Österreich als Kriegsgewinnler. Ich habe nicht provoziert und nicht profitiert, Gott weiß es, und doch kann ich weder die einen noch die anderen im Augenblick der Gefahr im Stich lassen. Aber das Leben wird dort Unerträglich für all jene, die keine Ehrgeizlinge und keine Gewaltmenschen sind: Menschen meines Schlages wird man vernichten, man wird ihnen nicht mal das bißchen Luft zum Leben lassen. Aber wohin sich flüchten? Die Welt wird uns verschlossen bleiben, und ich kann nicht in der Gefangenschaft eines Staates leben, der selbst mich als Fremden und Feind verachtet. Unmöglich, im Lauf der vergangenen Jahrhunderte eine ähnlich kritische Lebenssituation wie gerade die eines österreichischen Juden und Autors deutscher Sprache zu finden.«[19]

Dennoch stand der Entschluß fest, sobald der Frieden einigermaßen gesichert war, nach Österreich zurückzukehren. Ein wenig Normalität in Zweigs Leben als Autor brachte die erfolgreiche Uraufführung seines neuen Schauspiels *Legende eines Lebens* in Hamburg am 25. Dezember

1918. Außerdem kündigten sich nun die ersten Premieren des *Jeremias* in österreichischen und deutschen Städten an.

Von Rolland erhielt er in den Tagen des Abschieds von der Schweiz im März 1919 ein Manuskript mit dem Titel *La jeunesse suisse* zum Geschenk, auf dessen letzter Seite er zusätzlich eine Erklärung zur Unabhängigkeit des Geistes niedergeschrieben hatte. Es war ein doppeltes Symbol: zum einen ein Zeichen der geistigen Freundschaft, doch für Zweig auch ein wichtiges Stück im Kosmos seiner Autographensammlung, der er sich nach längerer Pause wieder intensiver zuwenden wollte. Schon im Januar hatte er sich – ein Paukenschlag zum Neubeginn –, für 4000 Österreichische Kronen ein Doppelblatt aus dem zweiten Teil von Goethes *Faust* gekauft. In seinem Neujahrsbrief schwärmte er weniger dem Verleger als dem Goethe-Sammler Kippenberg davon vor, der das kostbare Stück selbstverständlich nur zu gern in seiner eigenen Sammlung gesehen hätte. Hierfür gab es vorerst aber nicht die geringste Hoffnung: »Lieber Herr Professor, Sie begreifen, daß ich, solange ich noch Schuhsohlen habe, zögere, das Blatt, solch ein Blatt herzugeben. *Aber ich reserviere es Ihnen feierlichst, falls Not oder Tod mich zu einem Verkaufe zwingen sollten*«, schrieb Zweig, und er schloß mit den Worten: »Also ein gutes neues Jahr! Mein Versprechen gilt: *Sie als Erster erhalten das Blatt angeboten, wenn ich mich davon trennen muß.* Aber wünschen Sie darum nicht gleich Not und Tot [!] Ihrem herzlich getreuen Stefan Zweig.«

Im selben Schreiben äußerte er sich auch zu den bevorstehenden Friedensverhandlungen. Man bedenke hierbei, daß Österreich-Ungarn in mehrere Länder zerfallen war und man sich in der neugegründeten Republik Deutsch-Österreich nach der Abtrennung der Industriegebiete in Böhmen und anderswo völlig neu zu orientieren hatte. Nach den Ankündigungen der Siegermächte war abzusehen, daß der geplante Beitritt des Landes zum Deutschen Reich untersagt werden würde. Die ungewisse Zukunft vor Augen, schrieb Zweig: »Ich leide entsetzlich an dem, was in Deutschland vorgeht. Deutschland ist stärker als es weiß, die Feinde haben bittere Eile, den Friedensvertrag zu unterzeichnen, [...] Deutschland hätte, wenn es den Friedensvertrag (einen zu ungünstigen) *nicht* unterzeichnet, eine starke Waffe – nur müßte es einig sein. Aber es ist

Deutschlands Fluch, daß es immer nur in Waffen, unter Commando einig ist, nie im Frieden! [. . .] Ich rechne es mir zur Ehre, obwohl ich einer bin, der keine Kriegszeile schrieb, jetzt abseits zu stehn. Ich schäme mich als Intellectueller für diese Intellectuellen, als Jude für diese vordringlichen Juden, als Democrat für diese Revolutionäre. Sagen Sie es allen, die Sie sehen von einem, der immer Pessimist war: es steht Alles besser für Deutschland, als es glaubt, wenn es jetzt stark ist und entschlossen. [. . .] Ich dachte immer an eine große Manifestation der Geistigen für einen Burgfrieden bis zur Nationalversammlung, aber wo ist jetzt eine Einheit, eine Kraft! Und ich sage Ihnen: *wenn* Österreich jetzt verloren geht, so ist es Deutschlands Schuld. Nicht unsere! Bei Gott nicht! Wenn Deutschland jetzt Haltung zeigt und Einheit, ist es der Coalition gewachsen.«[20]

Kurz zuvor hatte Zweig dagegen in sein Tagebuch geschrieben, daß ein Beitritt des Landes Deutsch-Österreich zum Deutschen Reich sein Heimatland von allen anderen Staaten isolieren würde, Wien in solch einem Fall am Ende der Welt gelegen wäre und seiner Bedeutung somit völlig beraubt sei. Er sollte diesen Gedanken gut zwei Jahrzehnte später in der Vorrede zur *Welt von Gestern* wiederholen. Zu dieser Zeit, nach dem »Anschluß« von 1938, gehörte Österreich tatsächlich zum Deutschen Reich, und Zweig bemerkte voller Verbitterung: »Ich bin aufgewachsen in Wien, der zweitausendjährigen übernationalen Metropole, [. . .] ehe sie degradiert wurde zu einer deutschen Provinzstadt.«[21] Beim Vergleich des Briefes und der Tagebuchstelle tritt einmal mehr Zweigs Unentschiedenheit in einer politischen Frage zutage – oder sprach er gegenüber Kippenberg allein von einer geistig-kulturellen Einheit, aus der Österreich verlorenzugehen drohte, nicht von der nationalen? Kippenberg dürfte die Ausführungen seiner eigenen politischen Ausrichtung entsprechend in letzterem Sinne aufgefaßt haben, doch bleiben Zweigs Sätze unscharf genug, um beide Interpretationen zuzulassen.

Während die großen Entscheidungen und Konferenzen zum Friedensschluß in Europa noch bevorstanden, hatte Zweig auf privatester Ebene noch eigene komplizierte Verhandlungen zu führen. Bald sollte es nach Österreich zurückgehen, nur eben nicht nach Wien, sondern nach Salzburg, und das mit Friderike und ihren beiden Töchtern. Sechseinhalb Jahre dauerte ihre Beziehung nun schon; es war längst an der Zeit, daß die Eltern offiziell davon erfuhren. Außerdem konnte man sich vorsichtige Hoffnungen darauf machen, daß mit dem Ende der Monarchie die Ehegesetze geändert würden und danach eine Hochzeit möglich wäre. Kurzum: Länger ließ sich die Angelegenheit kaum verheimlichen. Aber sicher war sich Stefan in alldem keinesfalls – und ein Zauderer war er ohnehin.

Mitte Januar fuhr er erstmals nach Kriegsende wieder zurück nach Österreich. Sein Ziel war Wien, wo er sich bereits bei seinem Freund Victor Fleischer angekündigt hatte und selbstverständlich auch seine Eltern besuchen wollte, denen es einiges zu berichten galt. Unterwegs war ein Aufenthalt in Salzburg eingeplant, um sich das Haus auf dem Kapuzinerberg anzusehen, in dem bei der letzten Besichtigung noch die Gärtnerin des Vorbesitzers gehaust hatte. Doch es kam anders – und das wird Zweig nicht wirklich unrecht gewesen sein. Am 17. Januar 1919 um 11 Uhr hatte er die Grenze nach leichter Zollkontrolle passiert, freute sich sehr darüber, in Feldkirch zum erstenmal seit Jahren wieder Spezialitäten der österreichischen Küche genießen zu können, und berichtete Friderike, daß die ganze Reise ein Kinderspiel werden würde, zumal er sich schon einen Abteilplatz bis Wien reserviert hatte. In Salzburg verließ er wie geplant den Zug und mußte feststellen, daß sein Koffer in Innsbruck zurückgeblieben war. Die Fahndung nach dem kostbaren Reisegepäck war freilich ein guter Grund, der direkten Konfrontation mit der Familie aus dem Wege zu gehen. Also fuhr er am nächsten Morgen nach der Besichtigung seines Hauses zur Koffersuche nach Innsbruck zurück, entschied sich leichten Herzens, nicht mehr nach Wien weiterzureisen, und kaufte eine Fahrkarte für den nächsten Zug in Richtung Schweiz. Bevor er zurückfuhr, nahm er aber doch Papier und Feder zur Hand und schrieb seiner Mutter über Friderike, ihre gemeinsame Beziehung, die beiden Kinder aus der ersten Ehe und die Heiratsabsichten. Der Brief ist verschollen, aber er muß in einem größeren Kuvert verschickt worden sein, denn Zweig hatte nicht vergessen, Schokolade beizulegen, die er seiner Mutter aus der Schweiz mitgebracht hatte. Bei der Übermittlung der Neuigkeiten war er dennoch zurückhaltend: Eine unvermittelt auftauchende Schwiegertochter in spe würde vorerst genügen. »Die bittere Salzburger Pille«,[22] die Nachricht, daß sie zukünftig nicht in Wien leben würden, sparte er sich für sein nächstes Schreiben auf. Inzwischen hatte er von seinem Bruder erfahren, daß die Eltern in ihrem neu erworbenen Haus zu allem Überfluß auch noch eine große Wohnung für ihn reserviert hatten.

Ida Zweig antwortete schnell. Wenige Tage später konnte Stefan ihren Brief in Rüschlikon entgegennehmen, wo er mittlerweile wieder eingetroffen war. Selbstverständlich hatte seine Mutter längst von der Beziehung ihres Sohnes erfahren. Spätestens seit der *Jeremias* 1917 mit der gedruckten Widmung für Friderike erschienen war, dürfte sie sich und eventuell auch anderen die Frage gestellt haben, wer wohl jene Frau von Winternitz sei, der ihr jüngster Sohn zu Dankbarkeit verpflichtet war. Nun schrieb sie ihm:

»Mein geliebter Steferl!

Der Inhalt Deines l. [lieben] Briefes hat mich sehr überrascht, wiewohl ich schon früher, von vertrauenswerther Seite, von einem bestehenden intimen Freundschaftsverhältnis hörte. Nun sehe ich mich der Tatsache gegenübergestellt. Ich hoffe, daß Du als gereifter, ernster Mann diesen wichtigen Schritt wohl überlegt hast und eine würdige Wahl getroffen. So viel wir vernommen, steht die betreffende Dame auf erheblicher Geisteshöhe, [ist] auch sanfter Gemüthsart, was Deinem Charakter nur zu Gute kommen kann. Du weißt, mein theures Kind, wie ich mit ganzer Seele an Euch, meinen theuren Kindern, hänge und Eure Zukunft meine stete Sorge war, deshalb wirst Du begreifen, wie nahe mir Dein Entschluß geht, so viele Fragen reif werden, für die der Raum des Briefes nicht Platz findet. Das müssen wir schon auf's Mündliche aufsparen. Der sehnlichste Wunsch einer Tochter ist nun in Erfüllung gegangen, deshalb begrüßen wir Deine Erwählte im Vorhinein als solche und freue mich innig, sie an mein mütterliches Herz zu ziehen. Möge Dir die Zukunft jenes Glück bescheren, das wir für Dich, mein geliebter Sohn, erflehen. Grüße mir bestens Deine l. [liebe] Braut, die persönlich kennen zu lernen mich sehr freuen wird. Für die uns übersandte herrliche Schokolade vielmals dankend, Deine Dich innig liebende Mama.«[23]

Friderike war während Stefans mißglückter Österreich-Expedition mit den beiden Kindern, die ein wenig Französisch lernen sollten, nach Nyon gefahren. Dorthin bekam sie den Brief der Mutter samt einem Kommentar aus Stefans Feder von ihm nachgeschickt. Jetzt könne sie sehen, daß alles ohne Schwierigkeiten voranginge, schrieb er ihr. Ihrem seit langem gehegten Wunsch, seiner Mutter selbst einen Brief zu schreiben, stünde nun auch nichts mehr im Wege. Nur wäre es ratsam, weder davon zu berichten, daß sie im Moment nicht gemeinsam an einem Ort wohnten, noch das Thema der zukünftigen Versorgung der Kinder anzuschneiden. Unnötige Nachfragen mußten schließlich nicht provoziert werden, und Friderikes ausdrücklicher Wunsch, weiterhin allein für die Töchter sorgen zu wollen, hätte in Wien gewiß für Irritationen gesorgt.

Selbst Friderikes »Feind Alfred« (so nannte Stefan seinen Bruder in einem Brief ihr gegenüber),[24] den sie noch vor der Abreise in die Schweiz persönlich kennengelernt hatte, konnte Stefan von den gemeinsamen Plänen überzeugen. Alfred war es auch gewesen, der die Mutter schon vor Stefans erstem Schreiben inoffiziell auf die zu erwartenden Nachrichten vorbereitet hatte. So schickte Friderike ihren Brief nach Wien und erhielt kurz darauf Post, die Ida Zweig an die »Liebste Frau Friderike [!]« adressiert hatte. Wieder gab sie ihrer großen Freude Ausdruck, endlich eine Tochter in der Familie zu haben, denn auch Alfred war noch immer unverheiratet. »Stefan bedarf auch einer ganz außergewöhnlichen zarten Behandlung«, mahnte sie, doch war sie sicher, daß Friderike »deren Nothwendigkeit [. . .] als kluge Frau wohl erkannt« habe und ihr der Umgang mit Stefan keine Probleme bereitete. Jedenfalls, so schloß der Brief, könne weder sie noch ihr Gatte Moriz es erwarten, Friderike alsbald persönlich kennenzulernen.[25]

Nachdem diese Angelegenheit vorläufig geklärt schien, war Stefan recht froh, einige Zeit ohne Friderike und die Kinder in Rüschlikon zu sein. Sie sollen ruhig noch eine Weile in Nyon bleiben, schrieb er ihr, während er die Vorfreude auf das Wiedersehen genieße und in Ruhe an seinem neuesten Projekt arbeitete: Einem Buch über Romain Rolland. Außerdem ordnete er seine Papiere und traf erste Vorbereitungen für die Rückkehr nach Österreich. Dort war das Heim in Salzburg alsbald in

einen bewohnbaren Zustand zu bringen und der Haushalt in der Kochgasse in Wien aufzulösen. Erst kurz vor dem Abreisetermin kam Friderike mit den beiden Töchtern und der Kinderfrau, die sie auch mit nach
Salzburg begleiten sollte, zurück nach Zürich. Nicht zuletzt wegen der
Ausreiseformalitäten waren vor der Abreise noch allerlei Amtswege zu
erledigen. Am 24. März 1919 brach die Reisegesellschaft schließlich von
Zürich auf: Stefan und Friderike, Alix und Suse, deren Gouvernante Loni
Schinz und Erwin Rieger (von den beiden Kindern inzwischen »Erwinli«
gerufen) fuhren mit der Bahn in Richtung Salzburg.

Auf der Westbahnstrecke von Wien-Hütteldorf hatte sich am Vorabend
ein Sonderzug in die Gegenrichtung aufgemacht. Die Passagiere waren
Mitglieder der kaiserlichen Familie auf dem Weg ins Exil. Mit dem früheren Kaiser Karl an der Spitze begaben sie sich zunächst in die neutrale
Schweiz. Nach einer Nachtfahrt erreichten die Waggons die Grenze am
späten Nachmittag des folgenden Tages. Zu diesem Zeitpunkt kam am
selben Übergang auf Schweizer Seite in Buchs der Zug mit Stefan Zweig
und seinen Begleitern an. Zweig berichtet voller Staunen, was er zu sehen bekam, als er beim Umsteigen in Feldkirch auf den anderen Zug
blickte: »Da erkannte ich hinter der Spiegelscheibe des Waggons hoch
aufgerichtet Kaiser Karl, den letzten Kaiser von Österreich, und seine
schwarzgekleidete Gemahlin, Kaiserin Zita. Ich schrak zusammen: der
letzte Kaiser von Österreich, der Erbe der habsburgischen Dynastie, die
siebenhundert Jahre das Land regiert, verließ sein Reich!«[26]

Daß Zweig diese spannende Episode erst Jahrzehnte später in der *Welt
von Gestern* erzählte, sie jedoch niemals zuvor, weder in Briefen noch in anderen Texten erwähnt, muß ein wenig mißtrauisch machen, zumal Friderike, die ebenfalls anwesend war, in ihren Erinnerungsbüchern gar nicht
auf diese Sensation eingeht. Die Vermutung, daß Zweigs Sätze nicht als Beschreibung tatsächlich beobachteter Ereignisse, sondern eher als ein er-
zählerisches Gleichnis aufzufassen sind, liegt nahe: Als er zu Kriegsbeginn
mit dem Zug die Grenze von Belgien ins Deutsche Reich überquert hatte,
waren ihm erste Waggons mit Waffen und militärischem Gerät entgegengekommen, jetzt, in unsicheren, aber friedlichen Zeiten, fuhr er wiederum
zurück nach Österreich und es war der Kaiser, der das Land verließ.

Die Symbolik dieser Situation wäre wohl kaum zu übertreffen gewesen. Zweigs Spürsinn für die Herausarbeitung des »großen historischen Augenblicks« ist unbestritten (er sollte es mit seinen berühmt gewordenen *Sternstunden der Menschheit* später noch zu Genüge unter Beweis stellen), doch sei hier auch an seinen Text über Gustav Mahlers Heimkehr aus Amerika erinnert: Tatsachenbericht und erzählerische Beigaben machten den Stoff für Zweig erst formbar, und oft genug konnte er erst durch diese Mischung die von ihm beabsichtigte Wirkung erzielen. Details wie die Fragen, ob der Zug tatsächlich im selben Moment im Bahnhof eintraf und ob der Kaiser wirklich »hinter der Spiegelscheibe des Waggons« zu erkennen war, werden sich heute kaum mehr klären lassen. Ob und wo genau die Wahrheit in Dichtung übergeht, bleibt ungewiß. Man sollte Zweig keinesfalls die Unwahrheit vorwerfen, doch darf man niemals vergessen, seine symbolgeladenen Berichte mit kritischem Blick zu lesen. Er war immer Erzähler, nicht Historiker, auch wenn er sich der historischen Dokumentation verpflichtet sah.

Der österreichische Zug, der Zweig und sein Gefolge nach Salzburg brachte, unterschied sich merklich von jenem der Schweizer Bahn: Die Fensterscheiben waren zerborsten und nur notdürftig repariert, alle Lederstücke, die sich in den Waggons hatten finden lassen, waren von früheren Passagieren längst herausgetrennt worden, um damit Schuhe und Kleidung zu reparieren. In den Abteilen und auf den Bahnhöfen sah man überall ausgemergelte Gestalten und Soldaten in heruntergekommenen Uniformen. »Die Hölle lag hinter uns«, schrieb Zweig über die Situation, »was konnte nach ihr uns noch erschrecken? Eine andere Welt war im Anbeginn.«[27] Es war eine Fahrt in eine neue Welt – und in ein neues Leben, auch dessen war sich Zweig sehr wohl bewußt.

Teil II

Teil II

»Nach dem Kriege bin ich dann in das verstümmelte,
verhungerte Österreich zurückgekehrt, aber nicht mehr
nach Wien, nicht mehr in meine alte Existenz.« [1]

Autobiographie, 1922

Das Haus am Berg

»Die Verfasserin des ›Vögelchen‹ heisst seit 4 Tagen Friderike Maria Zweig. Wir konnten endlich heiraten.«[2] Mit einem Seufzer der Erleichterung schickte Zweig seinem Freund Carl Seelig Anfang Februar 1920 diese Botschaft nach Zürich. Dem Start in das neue Leben war seit der Ankunft in Salzburg im Frühjahr 1919 ein langwieriger Kampf um die Erlaubnis zur Eheschließung vorausgegangen. Noch vor der Ausreise aus der Schweiz hatte Zweig Anton Kippenberg von den Hindernissen berichtet, die einer Hochzeit weiterhin im Wege gestanden hatten: »Ich lebe seit Jahren in wilder Ehe (die aber sehr sanft ist) mit Frau von Winternitz, der mein Jeremias gewidmet ist [. . .]. Da sie katholisch geschieden ist, war jede zweite Heirat in Österreich für sie Bigamie und fiel unter das Strafgesetz. Nun, wir haben geduldig gewartet, bis dieses alte Österreich untergieng und ziehen im Mai oder Juni nach Salzburg, wo ein kleines Schlössel mit wunderbarem Garten so ziemlich das darstellen wird, was von unserm einstmals beträchtlichen Vermögen übrigblieb, vielleicht noch, falls Spartacus uns verschont, ein kleines Rentlein. Aber ich habe längst über Alles das [ein] Kreuz gemacht, ich weiß, wenn nur einmal Ruhe wird, komme ich schon gut durch, ein Garten und ein Haus ist schließlich Alles was ich ersehnte. Und geht es nicht, so kommt eben die Sammlung unter den Hammer; ich sehne mich nur nach fünf Jahren wieder einmal in einem eigenen Zimmer und mit meinen Büchern zu sein.«[3]

Die politische Unsicherheit war nach dem Kriegsende größer denn je. Rand- und Splittergruppen aller Richtungen versuchten in Deutschland wie in Österreich die Verhandlungen um den Friedensvertrag und die Zukunft der Staaten zumindest durch lautstarke Parolen zu beeinflussen. Zweigs Anspielung auf den marxistischen Spartakusbund kommt also nicht von ungefähr. Die Hoffnung, daß mit dem Ende des Kaiserreiches eine Reform des österreichischen Ehegesetzes beschlossen würde und die Hochzeit bald stattfinden könnte, war allerdings trügerisch. Eine reine Formsache war die Angelegenheit keinesfalls. So begann ein bürokratischer Hürdenlauf, wie jener, dem Zweig schon Anfang des Jahres 1919, nach den Bemühungen um allerlei Aus- und Einreisepapiere und auch eingedenk der eigenen Amtstätigkeit im Kriegsarchiv, in einem Feuilleton mit dem Titel *Bureauphobie* ein Denkmal gesetzt hatte. In einem fiktiven Brief an einen Arzt schildert der Autor die erschreckenden Symptome (»Herzklopfen und ein bitteres Gefühl in der Kehle«, sowie »unüberwindlichen Ekel«), die ihn befallen, sobald er eine Amtsstube betreten muß oder überhaupt nur daran denkt, einen solchen Gang vor sich zu haben. Ein übles Leiden habe ihn da ergriffen, so die Selbstdiagnose, keine »kleine Psychose, die bald vergehen wird«, sondern »jene Krankheit, die Kanzleiangst, von der ich fürchte, nie mehr ganz zu genesen«.[4]

Nach der Ausreise aus der Schweiz war Stefan Zweig nur kurz in Salzburg geblieben und dann nach Wien weitergefahren, um nach Jahren erstmals seine Familie und Freunde wiederzusehen und sich mit der Sortierung, Verpackung und Verfrachtung seines Hausstandes aus der Kochgasse zu beschäftigen. Hinzu kam noch die Organisation der nötigen Papiere für den Umzug nach Salzburg.

Dort hatte sich Friderike mit anderen Widrigkeiten herumzuschlagen: Die Arbeiten am Haus auf dem Kapuzinerberg waren noch längst nicht abgeschlossen, das benötigte Baumaterial knapp und zudem drohte die Gefahr, daß man wegen des allgemeinen Wohnungsmangels Teile des neuen Heims auf unabsehbare Zeit für Fremde zur Verfügung stellen müßte. Überdies war die Schweizer Gouvernante gleich nach der Ankunft an einer Blinddarmentzündung erkrankt, für deren Behandlung ein Arzt horrende Summen verlangte. Nach der umständlichen Organisation einer bezahlbaren medizinischen Versorgung fuhr Loni Schinz schließlich wieder zurück in ihre Heimat. Nach kurzer Zeit konnte das frühere Kindermädchen Lisi Exner aus Wien anreisen, wobei ihre notwendige Aufenthaltsgenehmigung für Salzburg auf gewohnte Weise durch Friderikes früheren Schwiegervater organisiert worden war.

Vom Parkhotel Nelböck aus, in dem Friderike Quartier genommen hatte, versuchte sie die Betreuung der Kinder und den Fortschritt der Handwerksarbeiten zu organisieren. Die Situation sollte für sie ein Vorgeschmack auf die kommenden Jahre sein: Drohte das häusliche Leben allzu chaotische Züge anzunehmen, so war es Stefan, der das Weite suchte und ihr die Arbeit überließ. Einerseits wäre Friderike in solchen Lagen tatkräftige Unterstützung wohl eine willkommene Hilfe gewesen, andererseits konnte sie eben in diesen Momenten einmal mehr ihr ausgeprägtes organisatorisches Talent unter Beweis stellen. Der Hausherr wußte dies durchaus zu schätzen, denn sein Arbeitsplan sah keinesfalls eine aktive Teilnahme an der Haushaltsführung vor. War er erst einmal weit genug vom Herd der häuslichen Unruhe entfernt, konnte er sich in Briefen sogar gutgelaunt selbst als »Stefan Pascha« bezeichnen. Liest man Friderikes Erinnerungen aus diesem Blickwinkel, so scheinen ihre Erfolge in der Betreuung von Haus und Hof einen Großteil zur Festigung ihres ausgesprochen robusten Selbstbewußtseins beigetragen zu haben.

Nach der Abfahrt von Salzburg hielt sich Stefan Zweig fast acht Wochen in Wien auf. Der Auszug aus der Wohnung in der Kochgasse sollte am 24. April stattfinden, anschließend wollte er noch bis zum 8. oder 10. Mai bei den Eltern in der Garnisongasse wohnen. Zur Vorbereitung der Übersiedlung waren der frühere Diener Josef und auch die Sekretärin Mathilde Mandl wieder in Dienst genommen worden. Beide waren mit Verpacken der Bücher und der Registratur beschäftigt, da Zweig sich kaum entscheiden konnte, etwas davon wegzugeben oder auszusondern. Lediglich einige Werke, die er nicht mehr zu benötigen meinte, verkaufte er in Antiquariaten. Zu gern hätte er Frau Mandl, die ihm wie so oft auf mütterliche Art tatkräftig zur Seite stand, auch in seinem Salzburger Büro eingestellt. Sie wäre dazu sogar bereit gewesen, doch hatte Friderike dagegen erhebliche Einwände anzubringen; jedenfalls blieb die treue Mitarbeiterin in Wien zurück.

Nebenher durchstöberte Stefan die Wohnung und den Dachboden seiner Eltern, um sich nach brauchbaren Möbeln und Hausrat umzusehen. Schließlich konnte er Friderike über seine Beutezüge Bericht erstatten: »Bei meinen Eltern fand ich einen Schatz: eine uralte herrliche eiserne Reisetruhe meines italienischen Grossvaters, das was ich für meine Manuscripte erträumte. Seit 20 Jahren steht sie am [Dach-]Boden und ich ahnte es nicht. Auch bares Geld erhalte ich etwa 20 bis 30 [Tausend Österreichische Kronen], was doch die notwendigsten Kosten deckt. So geht alles ordentlich und leidlich, falls der Communismus nicht schon übermorgen da ist. [. . .] Frau Mandl hat bei einer Freundin sehr gute Matratzen aufgespürt, Decken hat meine Mutter, einen Teppich schenkt Dir Alfred, ich hoffe also alles wird gehen.«[5]

Das Hauptgeschäft, die Arbeit an neuen Büchern, sollte nach Jahren der Ungewißheit nun keinesfalls länger aufgeschoben werden. Schon in den ersten Apriltagen lud Zweig Carl Seelig zur Vorbesprechung eines Projekts nach Wien ein: »es ist hier wunderbar schön und ganz anders, als ich mir erwartete: gar keine Traurigkeit, gar keine Verzweiflung, die Leute [. . .] leben mit einer fantastischen Leichtsinnigkeit in den Tag hinein, und der Frühling hat das Schwerste längst genommen«,[6] schrieb er nach Zürich. Dennoch sei es für Seelig zur Erleichterung des täglichen Lebens empfehlenswert, sich für seinen Besuch in Wien mit einer besonderen Währung auszustatten, weshalb Zweig – aus eigener Erfahrung –, dringend empfahl, Zigarren und Schweizer Schokolade mitzubringen: »Du wirst dafür hier von den Menschen umarmt und vergöttert werden.«[7] Am Ende der aus diesen Vorbereitungen hervorgegangenen Verhandlungen schlossen Zweig und Seelig einen Vertrag über ein Buch mit dem Titel *Fahrten*, in dem Zweigs gesammelte Feuilletons und Gedichte zu Landschaften und Städten in der Reihe *Die zwölf Bücher* im Verlag E. P. Tal gedruckt werden sollten. Das Honorar wurde mit 2000 Kronen für die 1000 Exemplare der ersten Auflage festgelegt.

Im April hielt Zweig in Wien einen Vortrag über Rolland, in dem er Material seines im Entstehen begriffenen Buches verarbeitet hatte. Auch Friderike von Winternitz, die korrekt nunmehr Friderike Winternitz hieß, da Adelstitel in Österreich offiziell nicht mehr geführt wurden, kam dieser Tage in die Stadt. Endlich standen die gegenseitigen Besuche in den Elternhäusern an. Friderikes Mutter lebte als Witwe allein und lernte ihren – wie zu hoffen blieb – baldigen Schwiegersohn kennen, Stefans Eltern machten die persönliche Bekanntschaft mit jener Dame, die ihren jüngeren Sohn heiraten wollte und mit der Ida Zweig bereits korrespondiert hatte. Friderike fühlte sich herzlich aufgenommen und gewann Stefans Eltern selbst lieb, wie sie in ihren Erinnerungen schrieb, doch kann ihr kaum entgangen sein, daß die Familie Zweig dem Vorhaben der Eheschließung mit Stefan nicht voller Begeisterung entgegensah. Vor allem Alfred hatte ernstliche Bedenken. Mußte sein Bruder denn gerade jetzt, in diesen unsicheren Zeiten, da der Familienbetrieb einem ungewissen Schicksal entgegenging und man keineswegs absehen konnte, ob der frühere Lebensstandard aufrechtzuerhalten war, eine geschiedene Frau mit zwei minderjährigen Töchtern heiraten? Es wird Alfred wenig beruhigt haben, daß eine Adoption der Kinder durch Stefan nicht vorgesehen war und Friderike weiterhin allein für die Versorgung von Suse und Alix aufkommen wollte. Konnte man denn auf literarische und damit finanzielle Erfolge dieser Dame hoffen? Würde sein Bruder am Ende nicht doch sein Geld und das der Familie einsetzen müssen? Und: Wäre dessen eigene Schriftstellerei überhaupt dauerhaft gewinnbringend? Eines war gewiß: Wenn Stefan aus Wien fortging, wäre die Betreuung der Eltern, die beide gesundheitlich angeschlagen waren, zukünftig Alfreds alleinige Aufgabe, denn er verbrachte noch immer den Großteil seiner Zeit in der Stadt.

Ihm, Alfred, so berichtete er später, sei es damals vorgekommen, als sei Stefan in einer Phase der Unsicherheit und persönlichen Hilfsbedürftigkeit in die Ehe mit Friderike gerutscht. Da Stefan seine persönliche Freiheit immer über alles gestellt habe, sei er für eine feste Bindung eigentlich nie geeignet gewesen. Nicht etwa Liebe und Zuneigung, sondern Stefans ausgeprägtes Verpflichtungsgefühl und das Drängen von Friderikes Seite hatten zur Aufrechterhaltung der Beziehung und schließlich zur Heirat geführt. Diese habe von Beginn an nicht funktioniert, so Alfred, zwischen Friderike und Stefan hätten immer erhebliche Differenzen bestanden. Die Ehe sei sogar unter »etwas eigenartigen Vorbehalten geschlossen« worden, wie Alfred an Richard Friedenthal schrieb, diese aber könne er, wie viele andere Dinge auch, nur mündlich mitteilen – wozu es jedoch nie gekommen ist.[8]

Es sind harte Worte, die Alfred erst Jahrzehnte nach dem Tod seines Bruders und zum Teil schon unter dem Eindruck der Erinnerungsbücher Friderikes in diversen Briefen äußerte. Bei der Beurteilung dieser Sätze ist einige Vorsicht geboten. Allerdings: In einer Liste mit zahlreichen sehr persönlichen Fragen, die der Literaturwissenschaftler Donald Prater Friderike erst nach Abschluß seiner Biographie Stefan Zweigs zu Beginn der 1970er Jahre vorlegte, hatte er sie auch gefragt, ob es sich bei der Ehe eher um eine »Wahlverwandtschaft« oder eine »physical union« gehandelt habe.[9] Während Friderike alle anderen, zum Teil sogar noch intimeren Fragen beantwortete, ließ sie ausgerechnet diese Frage offen.

Mit dem Einzug auf dem Kapuzinerberg sollte Stefan mit Friderike und ihren Töchtern Suse und Alix erstmals für absehbar längere Zeit an einem Ort, ja sogar in einem Haus wohnen. Das bisherige Familienleben, sofern man davon überhaupt sprechen kann, war von einem unsteten Hin und Her geprägt gewesen. Lediglich die wenigen Monate in den Rokokopavillons in Kalksburg hatten ein Zusammensein gebracht, doch selbst damals hatte sich Stefan tagsüber im Büro des Kriegsarchivs aufgehalten. Die übrige Zeit war nur selten gemeinsam, sondern in getrennten Wohnungen, Hotels, Pensionen und Kinderheimen verbracht worden.

In Friderikes Rückblick klingt der Bericht von Stefans Eintreffen in Salzburg und damit der Start des familiären Zusammenlebens geradezu feierlich: »Der Salzburger Garten quoll über in seiner wundervollen Obstblüte, als Stefan auf seinem Kapuzinerberg Einzug hielt. Er bezog für sich selbst zwei Zimmer, die auf eine riesige Terrasse gingen, und einen sehr grossen Bibliotheksraum im unteren Stockwerk, vor dem später eine grössere Registratur eingerichtet wurde, die gleichfalls mit Büchern und

Salzburg Partie vom Kapuzinerberg.

Das Haus Kapuzinerberg 5 in Salzburg

mit der immer wachsenden Sammlung der Autographenkataloge angefüllt war. Neben seinen Zimmern im oberen Stockwerk lag der ›Saal‹, der riesige Rokokoraum mit der bilderreichen Tapete des berühmten französischen Tapetenmalers Dufour. An diesen schönen, einzigartigen Raum schloss sich mein winziger Salon mit Balkon, mein Schlafzimmer, das Badezimmer und das Kinderzimmer. Es gab noch eine Mansarde, den kleinen Turm, im Parterre ein altertümlich paneeliertes Gartenzimmer mit anschliessender Waschküche und Glashaus, und eine Etage tiefer zwei Dienerzimmer neben einer riesigen Küche.«[10]

Von der Stadt war das Haus, das sich in unmittelbarer Nachbarschaft des Kapuzinerklosters befand, durch einen Torbogen an der Linzergasse zu erreichen. Von dort führte ein kaum befestigter Weg steil bergauf. So wohnte man hier nicht wirklich in Salzburg, sondern eher über Salzburg. Jedenfalls nahm das Haus eine Sonderstellung ein, und das war, wenn auch nicht unbedingt ein Grund für den Kauf gewesen, so doch eine willkommene Tatsache. Hier nun sollte der zukünftige Arbeitsplatz aufgeschlagen werden, an dem Stefan Zweig die zahlreichen Pläne verwirklichen wollte, die zum Teil schon seit Jahren auf ihre Ausarbeitung und Umsetzung warteten. Interessant ist im Rückblick, daß die meisten Werke, die er bis zum Jahr seiner Ankunft in Salzburg geschaffen hatte, kaum noch bekannt sind. Weder stößt man heute auf Gedichte des Lyrikers Stefan Zweig, noch sind seine Theaterstücke häufiger auf den Bühnen zu sehen.

Bevor das Leben in der Villa mit ihrem idyllischen Garten wirklich zu genießen war, mußten noch einige zwielichtige Gestalten abgewimmelt werden, die sich um die Kinder der früheren Gärtnersfrau geschart hatten. Bis zum Einzug der neuen Eigentümer hatten sie einen Teil des Hauses bevölkert. Kurzzeitig wurde die Tochter als Dienstmädchen eingestellt, während der Sohn, der mit seinen Kumpanen zu Wilderei und zünftigen Gelagen im Gartenhaus neigte, ein »interessantes pädagogisches Problem«[11] darstellte, wie sich Friderike ausdrückte. Als Stefan noch in Wien gewesen war, hatte sie schon für einige Annehmlichkeiten gesorgt. So war bei seinem Eintreffen bereits ein Telephon (die Nummer war Salzburg 598) mit einer zusätzlichen Klingel installiert worden, deren Dauerton sogar durch den riesigen Garten zu hören war. Im Lauf des Jahres wechselte Zweig je nach Außentemperatur von seinem Sommerarbeitszimmer mit Terrasse in das Winterarbeitszimmer, das mehr Wärme bot.

Der Entscheidung zur Einstellung einer neuen Sekretärin an Stelle von Frau Mandl mußte sich Friderike schließlich doch fügen, aber sie scheint die Tätigkeit der neuen Helferin an der Seite ihres Mannes von Beginn an mit aufmerksamem Blick verfolgt zu haben. Unter drei Bewerberinnen, die in die engere Auswahl für den Posten gekommen waren, entschied sich Zweig für die gebürtige Wienerin Anna Meingast, deren Mann im Krieg gefallen war. Kurz nach seinem Tod war sie nach Salzburg übersiedelt, wo ihre Schwiegereltern lebten. Mit ihrem noch in Wien geborenen Sohn Wilhelm, der inzwischen vier Jahre alt war, wohnte sie im Laubinger-Haus in der Linzergasse, in unmittelbarer Nähe des Torbogens, durch den man den Weg zum Kapuzinerberg hinaufging. Anna Meingast, die zuvor als Stenographielehrerin gearbeitet hatte, sollte ab 1919 für beinahe zwanzig Jahre den größten Teil von Stefan Zweigs Korrespondenz betreuen, Manuskriptabschriften vornehmen und die Ablage erledigen. Ihre Arbeitszeit waren für gewöhnlich die Stunden von 13 bis 18 Uhr am Nachmittag.

Auch wenn Zweig selbst schrieb, daß ihm, seit er in Salzburg wohnte, die Lust zu Reisen in die Ferne abhanden gekommen sei, so war er alles andere als seßhaft geworden. Lediglich Überseereisen kann er damit gemeint haben, denn ansonsten war er in jedem Jahr noch immer mehrere Wochen oder Monate unterwegs. Nicht ohne Grund sprach Romain Rolland später vom »Fliegenden Salzburger«, den Zweig mit seiner nimmermüden Reiselust für ihn verkörperte.

Im Herbst 1919 konnte Zweig von der gut verlaufenen Premiere seines *Jeremias* in Wien berichten, bei der er zugegen gewesen war. Schon kurz darauf war er wieder in Deutschland unterwegs, hielt seinen Rolland-Vortrag in Hamburg und las in Kiel und anderswo aus eigenen Werken. Die Eindrücke der Kriegsjahre und die in dieser Zeit entwickelten Ideale von Frieden und Gewaltlosigkeit sollten ihn nicht mehr loslassen. Sein Selbstverständnis als Jude war gegenüber der früher geäußerten Meinung nahezu unverändert. Den immer deutlicher propagierten Antisemitismus sah er mit Sorge, doch konnte er sich mit dem zionistischen Gedankengut und der Idee einer Staatsgründung in Palästina weiterhin nicht anfreunden. Seine Ansichten hierzu legte er in einem Brief an Marek Scherlag nochmals dar: »Ich sehe die Aufgabe des Jüdischen politisch darin den Nationalismus zu entwurzeln in allen Ländern, um so die Bindung im reinen Geiste herbeizuführen. Deshalb lehne ich auch den jüdischen Nationalismus ab, weil er auch Hochmut und Absperrung ist: wir können nicht mehr, nachdem wir 2000 Jahre die Welt mit unserm Blut und unsern Ideen durchpflügt, uns wieder beschränken in einem arabischen Winkel ein Natiönchen zu werden. Unser Geist ist Weltgeist – deshalb sind wir geworden, was wir sind und wenn wir dafür leiden müssen, so ist das unser Schicksal. Es hilft nichts stolz zu sein auf das Judentum oder beschämt – man muß es bekennen wie es ist und auch so leben, wie es eben unser Schicksal ist, nämlich heimatlos im höchsten Sinne. Deshalb glaube ich, daß es nicht Zufall ist, wenn ich Internationalist und Pazifist bin – ich müßte mich und mein Blut verleugnen, wenn ich es nicht wäre! Auch im Jeremias ist ja der Sinn gegen eine Realisierung unserer Nationalität gewandt – sie ist unser Traum und kostbarer als jede Verwirklichung.«[12]

Um die Jahreswende war der Betrieb auf dem Kapuzinerberg unter Einbeziehung von Friderike und der neuen Sekretärin einigermaßen in Gang gebracht, schließlich gab es viel nachzuholen. Im Dezember schrieb Zweig an Seelig: »Meine Hauptbeschäftigung ist seit Monaten Korrekturen meiner Bücher zu lesen und auf ihr Erscheinen zu warten, ich habe vier Neuauflagen, drei neue Bücher, aber es verschiebt sich jetzt alles ins Unendliche.«[13] Letzteres war freilich nicht Zweigs Schuld, ihm hätte es gar nicht schnell genug gehen können, seine Bücher endlich wieder im Druck zu sehen. Doch auch in den kommenden Jahren zwangen ihn organisatorische Probleme im Verlag von Finanzierungsfragen bis hin zur Papierknappheit immer wieder zur Geduld: »Alles ist jetzt Chaos und Ungewissheit. Man gewöhnt sich schwer daran, wenn man aus drei Generationen Bourgeoisie stammt!«[14] Die Schwierigkeiten dieser Art sollten sich hinziehen. So war Anfang 1922 der *Jeremias* nicht mehr im Buchhandel erhältlich, konnte aber trotz umfangreicher Vorbestellungen nicht nachgedruckt werden, da das lange georderte Druckpapier nicht eintraf. Für kommende Ausgaben verschiedener Bücher einigten sich Autor und Lektor auf eine kleinere Schriftgröße, um die Anzahl der Papierbogen zu verringern und damit den Verbrauch der kostbaren Rohstoffe möglichst gering zu halten.

Zum Glück war der erste Winter, der im neuen Heim verbracht wurde, einigermaßen milde, so daß die mangelhafte Beheizbarkeit der Räume nicht zu sehr ins Gewicht fiel. Auf den großen Saal konnte Zweig leicht verzichten, doch die wichtigsten Werke aus der darunter liegenden Bibliothek verlagerte er vorerst in seinen Arbeitsraum, denn, so schrieb er seinem Lektor Fritz Adolf Hünich, als der um eine dringende Auskunft aus einem besonderen Buch aus Zweigs Besitz bat: »ich entschliesse mich immer nur für Minuten in diese Eisgrube aus meinem warmen Zimmer herabzusteigen«.[15]

Zu Beginn des neuen Jahres sollte zwischen all der Arbeit endlich die Hochzeit stattfinden. Über Wochen und Monate hatte sich die Entscheidung hingezogen, wobei es nichts genutzt hatte, daß Friderike im Juli 1919 aus der katholischen Kirche ausgetreten war und gleichzeitig einen Antrag auf Berücksichtigung ihrer besonderen Lage gestellt hatte. Die erforderlichen Entscheidungen für die sogenannte »Dispens-Ehe« wurden höheren Ortes von Büro zu Büro hin- und hergereicht, was Zweig mit größter Ungeduld verfolgte. Als das begehrte Papier schließlich vorlag, wurde statt des Provinzstädtchens Salzburg Wien zum Ort der Hochzeit bestimmt, um die Angelegenheit durch zu erwartenden Klatsch und Tratsch für alle Beteiligten nicht noch unangenehmer werden zu lassen.

Immerhin scheint Stefan in den Tagen vor der Trauung, die er bereits in Wien bei seinen Eltern in der Garnisongasse verbrachte, in heiterer Laune gewesen zu sein. An Friderike schrieb er, er sei zu seinem Leidwesen »ganz unweiblich begleitet« gereist.[16] Im Kreis seiner Wiener Freunde verbrachte er amüsante Stunden und verschickte eine merkwürdige Einladung:

»Lieber Freund,
wie Sie Felix vielleicht schon verständigt hat, möchte ich Sie morgen *Mittwoch* den 28. Januar um Ihren Beistand bei der homosexuellen Ceremonie bitten.
Wir treffen uns ¹/₂ *11 vormittags Café Landtmann*
Um 11 geschieht das Gewaltige, um ¹/₄ 12 dürfte alles vorüber sein.
Ich darf also auf Sie zählen! Herzlichst
Ihr
Stefan Zweig.«[17]

Diese Mitteilung ohne Jahresangabe mag aus dem Zusammenhang gerissen für Erstaunen sorgen. Über die Tages- und Monatsangaben ist sie jedoch eindeutig dem Jahr 1920 zuzuordnen. Alles klärt sich bei näherer Betrachtung der bevorstehenden Hochzeit: Sie war am Ende eher der lästige Vollzug einer Amtshandlung als ein Grund zu ausgelassener Freude. Es gab kein Hochzeitsphoto, keine Torte, keine große Familienfeier und wohl auch keine Trauringe, jedenfalls ist auf späteren Bildern Stefan

Zweigs stets nur am kleinen Finger seiner linken Hand jener schmale Goldring mit einem Edelstein zu erkennen, den er schon ab etwa 1912 trug (wobei unklar bleiben muß, ob dies mit der in jenem Jahr gemachten Bekanntschaft mit Friderike zusammenhängt). Seltsam genug: Die Brautleute waren nicht einmal beide zugegen, als ihre Ehe geschlossen wurde. Vor dem Hintergrund der Erinnerungen an ihre Scheidung wollte Friderike der Trauung fernbleiben und ließ sich durch den gemeinsamen Freund Felix Braun vertreten. Als offizielle Trauzeugen waren des weiteren Hans Prager und Eugen Antoine anwesend, aus Stefans Familie nahm sein Bruder Alfred teil. Somit trat, an ebenjenem in der Einladung zur »homosexuellen Ceremonie« genannten 28. Januar des Jahres 1920, eine reine Männergesellschaft in das Zimmer des Standesamtes im Wiener Rathaus, das vom Café Landtmann nach Überqueren der Ringstraße mit nur wenigen Schritten zu erreichen ist. Pünktlich um 11 Uhr begann die Trauung, wobei die Stimmung vom feierlichen Ernst ins Groteske zu kippen drohte, als der Standesbeamte unter Hervorbringung der üblichen Floskeln und Redewendungen dem anwesenden Paar einen reichen Kindersegen gewünscht hatte, was der Bräutigam an der Seite des Brautvertreters mit lautem Gelächter quittierte.

Man könnte nun annehmen (und auch Friderike mochte es gehofft haben), daß der frischgebackene Ehemann umgehend zum Bahnhof eilte und den nächsten Zug zurück nach Salzburg nähme, um dort wenigstens im kleinsten Kreis das denkwürdige Ereignis zu begehen. Doch es kam anders: Stefan berichtete seiner Gattin von einer Zugsperre, die seine sofortige Rückfahrt verhindere, nein, so schnell sei er leider nicht wieder zu Hause, ein paar Tage müsse sie sich noch gedulden. So schrieb sie ihm einen Brief, den sie mit der durchaus berechtigten Frage: »Mein Lieber, Wie hast Du die Hochzeitsnacht verbracht?« begann. Kurz nur äußerte sie sich zu ihren Befindlichkeiten: »Steffi, jetzt fällt mir ein, daß ich vielleicht einen bräutlichen Brief an die Eltern hätte schreiben sollen. Aber ich kann nicht, das siehst Du doch wohl ein. Ich spüre so gar keine Veränderung. Das ist so, weil Du mir meine Sentimentalität abgewöhnt hast. Wäre sie eingeschaltet, schriebe ich Dir einen Brief, den Du Dir einrahmen könntest. Es schwebt mir so dunkel vor, was ich Dir darin sagen würde – aber wie gesagt, es ist nichts damit, und meine Gebete, mein Liebling, bete ich auch, wenn Du bei mir bist.« Schnell kam Friderike davon ab, weiter über ihre Gefühle in diesen Stunden zu schreiben. Und so widmete sie sich nachfolgend einigen organisatorischen Fragen, denn sie versuchte gerade, Stefans aus Wien herbeigeschaffte Papiere zu sortieren. Immerhin wußte sie noch einen kleinen Seitenhieb unterzubringen: »Sehr lästig sind mir beim Ordnen die Frauenbriefe aus der Zeit, wo ich dachte, daß neben mir nicht so viel anderes Raum hatte, andererseits sind Briefe dabei, die Dich in den Augen der biederen Frau M. [Anna Meingast] als Don Juan erscheinen ließen. Es ist also unmöglich, daß Du ihr die Korrespondenz zur Durchsicht gibst. Du hast selbst vergessen, was für und wie viel unmögliche Briefe darunter sind. Aber mit der Zeit kommt schon gute Ordnung in alles.«[18] Bevor sie den Brief mit »Es küßt Dich Mumu« schloß, kam sie noch auf ein Autograph Thomas Manns zu sprechen, das dieser zufällig am Hochzeitstag als Geschenk für Stefans Sammlung zugeschickt hatte. Bei einem Besuch im Hause Mann in München hatte der Übersetzer Alexander Eliasberg dort kurz zuvor von Zweigs Leidenschaft für Manuskripte berichtet, und Thomas Mann hatte gar nichts gegen den Gedanken einzuwenden gehabt, sich selbst mit der Handschrift seiner Novelle *Die Hungernden* an der Seite berühmter Persönlichkeiten in der Sammlung des Kollegen zu verewigen. Zweig war über diese freiwillige Gabe selbstverständlich entzückt, konnte es ihm doch nur recht sein, wenn kostbare Stücke nunmehr unaufgefordert frei Haus geliefert wurden und die Sammlung so eine gewisse Eigendynamik entwickelte. Gleich nach seiner Rückkehr nach Salzburg antwortete er nach München, und Thomas Mann vermerkte kurz darauf in seinem Tagebuch den Eingang des »ehrerbietigen Briefes« aus Salzburg.[19]

So sehr Stefan Zweigs Name heute mit Salzburg verbunden ist, so fraglich bleibt es, wie nahe er sich selbst der Stadt fühlte. In der ersten Zeit am neuen Wohnort waren bei ihm durchaus Bemühungen zu erkennen, Beiträge für das kulturelle Leben zu leisten. Anfang Juli 1920 berichtete er in einem Brief: »Wir haben jetzt hier in Salzburg eine Literarische Gesellschaft gegründet, die Vorträge und Theateraufführungen veranstaltet und sehr schönes plant«,[20] doch waren diesem Vorhaben unter seiner Beteiligung wenige nennenswerte Erfolge beschieden. Friderike versuchte dagegen, sich aktiv in das städtische Leben einzubringen und neue Kontakte zu knüpfen. In ihren Memoiren erzählt sie vom Aufbau einer sogenannten »Volksuniversität«, in der sie und Erwin Rieger sich als Dozenten betätigten, Stefan Zweigs Engagement blieb auch hier nur eine kurze Episode.

Es mochten zunächst ganz pragmatische Gründe sein, die Zweig von einem zu zeitraubenden Einsatz im lokalen Kulturleben zurückhielten. Schließlich wollte jede Stunde für die Arbeit an neuen Büchern genutzt werden. Seine Biographie Romain Rollands erschien 1921, im Jahr zuvor hatte er das schon vor dem Krieg begonnene Buch über die Dichterin Marceline Desbordes-Valmore herausgebracht. Parallel dazu arbeitete Zweig an einem größeren Projekt, das er mit dem Insel Verlag angehen wollte und über das er schon länger mit Anton Kippenberg verhandelt hatte: Die *Bibliotheca mundi*. In dieser Reihe sollten Werke der Weltliteratur in der vom Verlag gewohnten Qualität nicht etwa in Übersetzungen, sondern in der Originalsprache aufgelegt werden – ein wahrhaft internationales Vorhaben. Zweigs Erwartungen waren hoch, er hatte wenig Zweifel, daß die Bände ihre Käufer finden würden, denn für den Import ausländischer Bücher gab es seinerzeit Beschränkungen, und man durfte hoffen, somit in eine Marktlücke vorzustoßen. Kippenberg stimmte dem Projekt zu, doch sollte es sich, wie schon die von Hofmannsthal edierte *Österreichische Bibliothek*, zu aller Enttäuschung nie in der gewünschten Weise durchsetzen.

Zweig erklärte während der Planungsphase nicht nur seine grundsätzliche Bereitschaft zur Mitarbeit als Redakteur, sondern lieferte sogleich Vorschläge zu Textauswahl und Erscheinungsrhythmus mit. Parallel zur *Bibliotheca mundi* wurden im Verlag für kleinere fremdsprachige Texte auch noch die Reihe *Pandora* und für umfangreiche Romanwerke die Folge *Libri librorum* gestartet. Für die notwendige Werbung hatte Zweig bereits Pläne ausgearbeitet: ein Informationsschreiben an alle Buchhändler sollte mit gleichzeitigen Inseraten in größeren Zeitungen für Aufmerksamkeit sorgen. Seine Überlegungen sahen vor, als ersten Band Spinozas *Ethica* herauszubringen, anschließend Charles Baudelaires *Fleurs du*

Mal, gefolgt von Werken Alfred de Mussets und Stendhals. In langen Briefen wurde über die inhaltliche Gestaltung der Reihe, aber auch über Fragen des Drucks und der Bearbeiter diskutiert. Schwierigkeiten bereitete unter anderem die Besorgung der Drucktypen für einen Band mit hebräischen Texten.

Parallel zu diesem neuen großen Vorhaben hatte Zweig auch die Arbeit an der 1914 geplanten und dann liegengebliebenen Verlaine-Werkausgabe wieder aufgenommen. Immerhin waren bei ihm für die Gedichtbände bereits Übertragungen von Dehmel, Rilke und anderen Beiträgern eingegangen. Aber erst Mitte 1922 war der Band mit den Nachdichtungen endlich abgeschlossen. Die lange Unterbrechung hatte zu allerlei Komplikationen geführt, denn zunächst mußten die alten Kontakte neu geknüpft und alle bereits vorhandenen Unterlagen wieder zusammengesucht werden. Nach einer Fehlerkorrektur in letzter Minute schrieb Zweig entschuldigend an den Verlag: »dieser Irrtum konnte nur geschehen, [da] mir eben mein ganzes Briefmaterial, das vor acht Jahren zusammengestellt war, bei der doppelten Uebersiedlung und bei dem kleinen Zwischenfall eines Weltkrieges in Unordnung geraten war. Sie wissen ich arbeite sonst sehr präzise und sorgsam.«[21]

Zweigs Verbindung zum Insel Verlag war nun enger als je zuvor, was sich auch in einem entspannteren Ton in der Verlagskorrespondenz niederschlug: statt Schreiben an den »Verehrlichen Verlag« und die »Sehr geehrten Herren« wurde mit dem Lektor Fritz Adolf Hünich und auch mit Anton Kippenberg oft genug in einem freundschaftlich wirkenden »Plauderton« geschrieben. Als die Antwort des Verlages zu einem geplanten neuen Bändchen in der Insel-Bücherei zu lange auf sich warten ließ, hakte Zweig mit folgenden Sätzen nach: »Hoffentlich zwingt Ihr mich nicht damit zur Konkurrenz um die Ecke, zu Philipp Reclam zu gehen. Mir ist daran gelegen, dass diese Novelle ›Die Augen des ewigen Bruders‹ bald und billig erscheint, weil sie neben dem neuen Novellenband steht und beide sich durch ihre Verschiedenheit erst eine Folie geben.«[22] Seine Drohung – wenn sie denn wirklich eine ernsthafte gewesen war – führte zum Ziel, und parallel zur umfangreichen Novellensammlung *Amok* erschien die Legende *Die Augen des ewigen Bruders* in der Insel-Bücherei. Seine Erfolge, gerade auch in dieser Verlagsreihe, konnten sich sehen lassen: Vom *Brennenden Geheimnis* waren bis 1919 beinahe 30000 Exemplare verkauft worden, Verhaerens *Hymnen an das Leben* in Zweigs Übertragung brachten es bis zu diesem Zeitpunkt bereits auf fast 40000 Stück.

Seine Bücher waren so begehrt, daß man sich nunmehr schon mit der Frage der Verhinderung von Raubdrucken zu beschäftigen hatte. In einem bemerkenswert frechen Fall von Urheberrechtsverletzung hatte der Verlag Scott & Seltzer in New York unter dem Titel *The Burning Secret* das Buch eines gewissen Stephen Branch herausgebracht, das sich als Textplagiat mit direkter Übersetzung des Autorennamens Stefan Zweig und seiner Novelle *Brennendes Geheimnis* erwies, freilich ohne daß dafür je eine Erlaubnis eingeholt worden wäre. In der Zeitschrift *Das literarische Echo* äußerte sich Zweig sogar offiziell zu diesem Ärgernis, wobei wenig Aussicht darauf bestand, daß im Falle einer Klage ein amerikanisches Gericht zu seinen Gunsten entscheiden könnte. Wichtig war ihm aber, öffentlich mitzuteilen, daß er nicht etwa ganz offiziell seinen Namen ins Englische hatte übersetzen lassen, um so seine Herkunft zu verschleiern und damit eventuellen deutschfeindlichen Tendenzen im Ausland von vornherein aus dem Wege zu gehen. Sein *Jeremias* erschien 1922 in den USA schließlich unter dem Autorennamen Stefan Zweig als *Jeremiah* im Verlag von Thomas Seltzer, einem der Teilhaber des fraglichen Verlages Scott & Seltzer, mit dem man sich in Sachen Stephen Branch offenbar hatte einigen können.

Friderike übernahm zur Sicherung ihres Einkommens Übersetzungsarbeiten aus dem Französischen, auch solche der Werke Emile Verhaerens. Seine *Fünf Erzählungen* erschienen in ihrer Übertragung 1921 im Insel Verlag, und zwei Jahre später lag der Band *Der seltsame Handwerker und andere Erzählungen* vor. Beide Bücher waren mit zahlreichen Holzschnitten ihres Freundes Frans Masereel illustriert, der gelegentlich zu Besuchen in Salzburg erschien.

Im Sommer 1920 berichtete Friderike in einem Brief an Victor Fleischer, daß es ihr gut gehe, sie kaum Sorgen mit den Töchtern, wohl aber mit dem »Knaben« habe, der auch vor fremden Leuten gelegentlich »heftig« sei, was sie nicht immer gleichmütig ertragen könne. Dazu kamen

auch noch »Zudringlichkeiten der Intellektuellen fallobstreifen Frauen-
gezimmer«, die ihre »Fallübungen« an Stefan (ebenjenem »Knaben«) erproben wollten, so daß sie »schon einen rechten Eckel« vor dem eigenen
Geschlecht habe. In einer Nachschrift zu jenem Brief versuchte Stefan
Zweig, etwas mehr Licht in die Lage zu bringen: Salzburg sei geradezu
eine belagerte Festung, denn an dem Tag, als das Schreiben auf die Reise
ging, hatten die ersten Salzburger Festspiele mit der Aufführung von
Hugo von Hofmannsthals *Jedermann* in der Inszenierung von Max Reinhardt begonnen. Das Volk sammele sich »wie schwarze Fliegen«, schrieb
Zweig, »meine Arbeit geht ganz Futsch dabei. Und ich hätte soviel zu
tun!« Zu Friderikes Sätzen merkte er trocken an: »Fritzi ist sehr eifer-
süchtig, obwohl meine Fehltritte noch an den Fingern einer Hand abzu-
zählen sind [...]. Aber das ist ihr schwacher
Punkt, leider auch der meine.« Außerdem fügte
er noch im Briefkopf hinzu: »Fritzi hat diesen
Brief noch einmal *heimlich* geöffnet, um zu sehen, was ich geschrieben habe.«[23]

Als Stefan in diesem Jahr nach Wien fuhr, war
er froh, seinen alten Freundeskreis wiederzusehen, doch über die Zustände in seinem Elternhaus zeigte er sich in einem Brief an Friderike
erschrocken: »Es ist tieftraurig, diese alten
Menschen zu sehen, für die alles zur Complica-
tion und zur Qual wird, die viel Unglück haben
(Papa ist ganz allein, er hat alle seine Freunde
verloren, findet sich nicht in die Zeit, Mama mit
ihrer Taubheit) und zu schwerfällig sind, es sich
zu erleichtern. Statt zu begreifen, dass sie an

Stefan Zweig, 1920

ihrem Lebensabend sind und es gleichgiltig ist,
ob sie jetzt Gastein 180 oder 170 Kronen Pension täglich kostet, erschrecken sie täglich neu vor den Ziffern. Und das Komischeste: jeder
der beiden durch Alter und Gebrechen unfähigen Menschen empfindet
den *andern* als das Hemmnis. Besonders unverständig ist natürlich
Mama.

Auch Alfred immer versorgt und verängstigt, auch er am besten Wege ein Sonderling zu werden. Er geht nie in ein Theater, nie in eine Gesellschaft, sein ganzes Leben geht ohne wirklichen Genuss zwischen Geschäft und Weiblichkeit dahin. Sein Desinteressement an allen geistigen Dingen ist geradezu peinlich.«[24]

Als Zweig einige Monate darauf auf Lesereise in Deutschland unterwegs war, um »vorzusingen«, wie er selbst zu sagen pflegte, war er in bester Stimmung aufgebrochen. Victor Fleischer, den er in Frankfurt getroffen hatte, konnte Friderike über die dortige Lesung berichten: »Er hat sehr schön gesungen und ist nicht geprügelt worden.«[25] Tags darauf aber erhielt Stefan in Stuttgart einen Expreßbrief Alfreds mit der Nachricht, daß ihr Vater auf offener Straße zusammengebrochen war. Wie so oft war Alfred sofort in großer Aufregung gewesen, die sich auf seinen Bruder zu übertragen drohte. Friderike versorgte Stefan nach eigenen Erkundungen der Lage mit weiteren Neuigkeiten und setzte alles daran, ihn zu beruhigen: »Mama meinte, es sei, wie sie sich ausdrückte ›ein kleines Schlagerl‹ gewesen, das ihn gestreift hätte. Aber ich glaube das nicht, da mir Marie [das Stubenmädchen] sagte, Papa sei wie sonst und spreche und gehe herum, sei nur noch etwas schwach. [...] Du mußt wissen, mein Liebes, bei alten kränklichen Leuten macht man solche Sachen jahrelang durch.«[26] Dennoch versuchte Stefan, die weiteren Termine der Reise abzusagen und so schnell als möglich nach Hause zurückzukehren. Die Sorge um die Eltern wurde für ihn immer wieder zu einem belastenden Thema. Nicht zuletzt deshalb, weil ihn das Gewissen plagte, Alfred diese schwierige Aufgabe mehr oder weniger allein überlassen zu haben.

Friderike gab sich Mühe, die Schwarzseherei der beiden Zweig-Söhne mit konsequenter Hervorhebung der positiven Nachrichten auszugleichen. Als sie im folgenden Jahr in Wien war, besuchte sie ihre Schwiegereltern und schrieb ihrem »Lieben Stefferl«, daß es ihnen sehr gut gehe, der Vater nun ein »Wagerl« benutze, aber auch einige Schritte gehen könne. Weiter berichtete sie: »Beide Eltern sind voll Liebe zu mir, beide machen mir den Hof (Du würdest rot werden). Papa küsste mir zum Abschied die Hand, ist überhaupt wunderlieb. [...]

Überhaupt ist alles unerwartete Harmonie und Ruhe, wie nie zuvor. Ist es die Sommererholung oder daß Alfreds Nervosität, so gut sie auch gemeint ist, sich nicht auf die Eltern überträgt!?« Noch etwas konnte sie mitteilen: hinter ihrem Satz »Sehr erfreut ist Papa über Stefanie«[27] verbirgt sich die Nachricht, daß Alfred Zweig nunmehr seine Lebensgefährtin Stefanie Duschak in seinem Elternhaus vorgestellt hatte. Die beiden kannten sich zu diesem Zeitpunkt wohl schon eine Weile und heirateten am 2. Mai 1922, wodurch Friderike Konkurrenz in der Gunst der Schwiegereltern bekommen sollte.

Über mangelnde Korrespondenz konnte sich Zweig, seit der Betrieb in Salzburg wieder in Gang gebracht worden war, nicht beklagen. Neben alltäglichen geschäftlichen Briefen und der Beantwortung von Leserzuschriften, kam ihm manche Ermunterung von geschätzter Seite ins Haus. Sigmund Freud beschäftigte sich wie in früheren Jahren sehr eingehend mit jeder Neuerscheinung, die Zweig ihm zusandte. Auch zum Band *Drei Meister* mit den Essays über die Romanciers Balzac, Dickens und Dostojewski nahm er ausführlich Stellung. Während er die Beiträge zu Balzac und Dickens sehr zu loben wußte, hatte er an dem über Dostojewski einiges auszusetzen. Kritik von so berufner Stelle war Zweig freilich bereit zu ertragen.

Des weiteren brachte die Post einen Brief Samuel Fischers, der Zweig die Herausgeberschaft der in seinem Verlag erscheinenden *Neuen Rundschau* antragen wollte, die mit ihren Vorgängerpublikationen seit nunmehr dreißig Jahren bestand. Zweig lehnte jedoch ab, da er befürchtete, von der Aufgabe, diese Zeitschrift mit der notwendigen Konsequenz weiterzuführen, zu sehr in Anspruch genommen werden würde. Noch warteten zuviel eigene Projekte auf ihre Verwirklichung, dazu kamen regelmäßige Beiträge für allerlei Zeitungen und Zeitschriften (darunter seit Jahren auch *Die Neue Rundschau*) und Verlagsprojekte wie die *Bibliotheca mundi*, die es nicht aus den Augen zu verlieren galt. Die feste Bindung an eine verantwortungsvolle Tätigkeit in einem monatlich erscheinenden Blatt hätte wohl dazu geführt, einen Großteil der Zukunftspläne für immer aufgeben zu müssen. Grundsätzlich war aus Zweigs Sicht gegen die feste Bindung an einen Verlag wie in seinem Falle die »Insel« nicht das geringste einzuwenden, nur mußten Freiräume bleiben, die Manuskripte zu einem beliebigen Zeitpunkt abzugeben und sich nicht zu sehr von alltäglichen Dingen übermannen zu lassen.

Im November 1921 trat er eine Reise nach Berlin an. Geplant waren 14 Tage Großstadt, Theater, Konzerte und gesellschaftliches Leben; letzteres freilich nur in möglichst geringen Dosen. Er traf viele alte Bekannte, darunter Camill Hoffmann, Maximilian Harden und Samuel Fischer. Trotz interessanter Begegnungen und spannender Gespräche überkam Zweig bald jenes Unwohlsein, das der – diesmal immerhin selbstgewählte – Trubel bei ihm hervorrufen konnte. Hinzu kam noch eine größer werdende Abneigung gegen das Berliner Leben, die sich schon in einem seiner ersten Briefe von dort angekündigt hatte, den er an die »Liebe Fritzi« schrieb: »Berlin profondément antipathique. Es gibt Städte, die das Stehenbleiben nicht vertragen – mein Gott, wie sieht der Luxus jener Cafés und Bierpaläste nach sieben Jahren aus und andererseits wachsen nicht mehr in neuem Tempo neue Luxusdielen heran – irgend etwas Abgestandenes und Ranziges in dem ganzen Leben der Stadt, obwohl dort mehr äussere Bewegung ist als jemals. Und wie ekelhaft die Menschen sind – mein Gott, mein Gott!« Doch noch war Zweig einigermaßen bei Laune und verlieh den letzten Sätzen seines Berichts an Friderike sogar etwas Lokalkolorit: »So jetzt ist alles gesagt. Aber Du bist so wie jene Dame hier, die ich gestern in der Telefonzelle nebenan als Schluss eines Gespräches sagen hörte ›Nu sag mir noch was Süsses mein Kleinchen‹. Ich soll Dir wohl auch noch was Süsses sagen, mein Kleinchen – na also: sei herzlich umarmt von Deinem bisher noch getreuen Stefzi.«[28]

Höhepunkt seines Besuchs war ein Wiedersehen mit Walther Rathenau, der inzwischen im Regierungsauftrag wichtige Gespräche über Kriegsreparationen und Wiederaufbau führte und bald darauf den Posten des Deutschen Außenministers einnehmen sollte. Wie beim ersten Treffen vor Jahren wußte Rathenau den Besuch in seinen übervollen Terminkalender einzubinden. Zweig berichtet in der *Welt von Gestern*: »Zögernd rief ich ihn in Berlin an. Wie einen Mann behelligen, während er das Schicksal der Zeit formte? ›Ja, es ist schwer‹, sagte er mir am Telefon, ›auch die Freundschaft muß ich jetzt dem Dienst aufopfern.‹ Aber mit seiner außerordentlichen Technik, jede Minute auszunutzen, fand er so-fort die Möglichkeit eines Zusammenseins. Er habe ein paar Visitenkar-ten bei den verschiedenen Gesandtschaften abzuwerfen, und da er vom Grunewald eine halbe Stunde im Auto dazu herumfahren müsse, sei es am einfachsten, ich käme zu ihm und wir plauderten dann diese halbe Stunde im Auto. [...] Ich wollte die Gelegenheit nicht versäumen, und ich glaube, es tat ihm auch wohl, sich mit jemandem aussprechen zu kön-nen, der politisch unbeteiligt und ihm persönlich seit Jahren freund-schaftlich verbunden war.« Über Rathenaus Engagement als Außenmini-ster fügte Zweig noch hinzu: »Er war sich vollkommen bewußt der doppelten Verantwortlichkeit durch die Belastung, daß er Jude war. Sel-ten in der Geschichte vielleicht ist ein Mann mit so viel Skepsis und so voll innerer Bedenken an eine Aufgabe herangetreten, von der er wußte, daß nicht er, sondern nur die Zeit sie lösen könnte, und er kannte ihre persönliche Gefahr.«

Zu einem weiteren Treffen der beiden sollte es nicht mehr kommen, denn gut ein halbes Jahr darauf fiel der deutsche Außenminister einem At-tentat aus rechtsradikalen Kreisen zum Opfer. Während der Fahrt von seiner Villa im Grunewald zum Auswärtigen Amt war Walther Rathenau in seinem offenen Automobil erschossen worden. Beim Rückblick auf dieses folgenreiche Ereignis griff Zweig in der *Welt von Gestern* einmal mehr auf die Schilderung eines eigenen Erlebnisses aus nächster Nähe zurück, um die Dramatik zu steigern: »Später erkannte ich auf den Pho-tographien, daß die Straße, auf der wir gemeinsam gefahren, dieselbe war, wo kurz darauf die Mörder dem gleichen Auto aufgelauert: eigent-lich war es nur Zufall, daß ich nicht Zeuge dieser historisch verhängnis-vollen Szene gewesen. So konnte ich noch bewegter und sinnlich ein-drucksvoller die tragische Episode nachfühlen, mit der das Unglück Deutschlands, das Unglück Europas begann.«[29]

Die unruhige Stimmung in Deutschland machte Zweig zusehends wachsam und mißtrauisch. Für die sommerliche Festspielzeit hatte er diesmal frühzeitig vorgesorgt und eine Reise an die Nordsee geplant, die ihn ab Mitte August für gut zwei Wochen über München und den obliga-torischen Verlagsbesuch in Leipzig nach Hamburg und schließlich nach

Westerland auf Sylt führen sollte. Victor Fleischer hatte ihm vorgeschlagen, das Ziel zu ändern und gemeinsam einige Zeit auf Langeoog zu verbringen. Doch ausgerechnet von dieser ostfriesischen Insel hatte Zweig
offenbar einen Bericht über dort stattgefundene antisemitische Kundgebungen erhalten. Nur wenige Tage nach dem Attentat auf Rathenau
schickte er seinem Freund Fleischer die Absage für dessen Reisepläne und
lieferte dazu eine Zeitanalyse und eine beunruhigende Zukunftspro-
gnose: »Ich kann jetzt auf zwei Meilen weit keine alldeutschen Jungens
sehen. Lieber Frankfurter Juden, lieber Norderney als diese Geistigkeit,
die einen Rathenau ermordet hat und der 75 jährigen Mutter, die ihren
einzigen Sohn betrauert[,] anonyme Briefe ins Haus schickt, die sie ver-
höhnen. Das ist der letzte Abhub! Das Traurigste: Sie werden wieder Alles erreichen; so wie sie den Unterseebootkrieg und die Kriegsverlänge-
rung erreicht haben, werden sie in einen neuen Krieg hineinsausen. Sie
werden wieder in den Etappen sitzen und die jungen Burschen niederge-
knallt werden: in Frankreich steht Alles Gewehr bei Fuß. Man verkennt
diese Symptome nicht. Wir werden noch Einiges erleben.

Also L[angeoog], das wird nichts. Ich lasse mich nicht pardonnieren
und ›dulden‹, besonders dort wo ich bezahle. Lieber in ein Bad mit
700000 galizischen Juden! Das habe ich nicht nötig – da lieber nach Marienbad oder Italien, falls ich nichts Rechtes finde. Verstelle ich ihnen die
Luft, so verstinken sie mir die Natur: gegen diese Bande habe ich, was ich
mir sonst verwehre, einen aufrichtigen Haß.«[30]

»Ich las übrigens zum zweitenmal in einer Berliner Statistik,
dass meine Bücher zu den gekauftesten gehören (Berliner
Tageblatt). Das ist für die Insel vielleicht unangenehm, die ich
so oft mit Neuauflagen behelligen muss, aber nicht für mich.« [1]

An den Insel Verlag, 6. November 1922

Das Steffzweig und die Radioten

Einem seltsamen Geschöpf, dem »Steffzweig«, hatte der Schriftsteller
Franz Blei unter dem Pseudonym Peregrin Steinhövel in einem 1920 als
Liebhaberdruck erschienenen und später mehrfach neuaufgelegten Buch
einen Abschnitt gewidmet. Unter dem barock anmutenden Titel *Be-
stiarium literaricum, das ist: Genaue Beschreibung derer Tiere des literarischen
Deutschlands, verfertigt von Dr. Peregrin Steinhövel. Gedruckt für Tierfreunde zu
München* stellte er das Wesen mit folgenden Sätzen vor:

DAS STEFFZWEIG

Des Steffzweigs muß in diesem Bestiarium Erwähnung geschehen, da es
von einigen wenigen immer noch als ein Lebewesen angesehen wird.
Aber es ist das Steffzweig ein Kunstprodukt, hergestellt anläßlich eines
Wiener Dichterkongresses aus Federn, Haut, Haaren usw. aller möglichen europäischen Tiere. Es ist sozusagen ein Volapüktier. An seine or-
ganische Existenz glaubt man zur Zeit nur mehr in entlegenen Ländern
und in gewissen Genfer Kreisen. Einige wollen das Steffzweig in einem
Leipziger Hause, Kurze Straße 7, unter einem kleinen Glassturz gesehen
haben. [2]

Während die Ende des 19. Jahrhunderts entwickelte Plansprache Volapük, die ähnlich dem Esperanto eine länderübergreifende Verständigung ermöglichen sollte, zur Zeit von Bleis Veröffentlichung noch recht bekannt war, dürfte die Angabe über den Aufenthaltsort des seltsamen »Volapüktiers« auch damals nur Eingeweihten ein Begriff gewesen sein: In der Kurzen Straße 7 in Leipzig befand sich das Büro des Insel-Verlegers Anton Kippenberg.

Solch harmloser Spott brachte Zweig keinesfalls von seinem Einsatz für Frieden und Verständigung ab, auch wenn der Gedanke, sich damit durchsetzen zu können, vielen Außenstehenden eher utopisch oder träumerisch erscheinen mochte. Im März 1922 fuhr er in dieser Angelegenheit gemeinsam mit der Schriftstellerin und Journalistin Berta Zuckerkandl, die im Hause Zweig nur »Die Hofrätin« genant wurde, nach Paris, um dort bei einem Kongreß für die intellektuelle Einigung Europas einzutreten. Zweig reiste jedoch nicht als offizieller Vertreter seines Landes, sondern als freier Schriftsteller. Eine ähnliche Veranstaltung auch in Österreich zu organisieren war eine von ihm vieldiskutierte Idee, doch wurde sie nie in die Tat umgesetzt.

Durch Vermittlung Zweigs kam Thomas Mann auf Einladung der Literarischen Gesellschaft 1923 zu einer Lesung nach Salzburg und war bei diesem Besuch auch Gast auf dem Kapuzinerberg. Man habe sich gut miteinander unterhalten, ohne sich vollkommen zu verstehen, aber man habe sich auch nicht mißverstanden, bemerkte Zweig später zu diesem Zusammentreffen. So sehr er Thomas Mann und dessen Werk schätzte: Für eine innige Freundschaft waren die beiden Herren nicht geschaffen. So wundert es kaum, daß Katia Mann in ihren *Ungeschriebenen Memoiren* zu den Kollegen ihres Gatten anmerkt: »René Schickele hat Thomas Mann gern gehabt, auch gern gelesen. Bruno Frank war sein Freund, und er wußte sein Talent zu schätzen. Werfel hat er auch menschlich sehr gern gehabt und schätzte ihn, Stefan Zweig nicht so.«[3]

Für den Sommer des Jahres war ein weiterer Gast angekündigt: Romain Rolland besuchte die Zweigs für zwei Wochen und wurde von ihnen mit allerhöchsten Ehren empfangen. Stefan reiste ihm im Zug bis Bischofshofen entgegen, Friderike erwartete beide am Abend auf dem

Bahnhof in Salzburg, und auf dem Kapuzinerberg hatte Suse den Weg durch den Garten zum Haus mit Lampions geschmückt, die in feierlicher Prozession vom Hausherrn und seinem Besuch abgeschritten wurden. Für die Tage von Rollands Aufenthalt stellte Zweig sogar seine eigenen Arbeits- und Schlafräume als Gästewohnung zur Verfügung. Lange gemeinsame Gespräche der beiden kreisten um Europas Zukunft, für die nicht viel Erfreuliches vorauszusehen war. In Deutschland waren Unmut und Widerstand gegen die Vereinbarungen des Versailler Vertrages immer lauter geworden, und die Forderung nach einer Regierung, die in dieser Angelegenheit durchgriffe, wurde vielerorts immer unverhohlener formuliert. Neben diesen wenig ermunternden Gesprächsthemen dürfte Zweig seinem geschätzten Freund die kostbarsten Stücke seiner Autographensammlung in aller Ausführlichkeit präsentiert haben. Rolland war als Musikspezialist, der sich insbesondere mit Beethovens Leben und Werk beschäftigte, ein ausgewiesener Kenner der Materie und gewiß eine der wenigen Personen in Zweigs Umkreis, die wirkliches Verständnis für seine Sammelleidenschaft zeigten.

Indes ruhte Zweigs Arbeit als Schriftsteller kaum einen Tag. Ein Kapitel in seiner später entstandenen umfangreichen Biographie Balzacs hatte er in Anspielung auf dessen unermüdliche Tätigkeit *Die Romanfabrik Horace St.-Aubin & Co.* überschrieben, wobei man für die 1920er Jahre ohne größere Übertreibung ebensogut von der *Buchfabrik Stefan Zweig & Co.* in Salzburg sprechen könnte (was indirekt insofern geschah, als daß Zeitgenossen ihn wegen der Erträge seiner Bucherfolge als »Erwerbszweig« verspotteten).

Eine Grundvoraussetzung für einen reibungslosen Arbeitsablauf war die möglichst perfekte Organisation des Büroalltags, der nach wie vor von einer Flut ein- und ausgehender Briefe bestimmt war. Täglich wurden auf Zetteln, die am oberen Rand den mahnenden Aufdruck »Heute zu erledigen!« trugen, die wichtigsten Aufgaben des Tages aufgelistet. Korrespondenz, Ablage, Reinschrift, Korrektur, all das war zu bewältigen. Hinzu kam noch die Verwaltung der ausländischen Rechte, denn die Übersetzungen seiner Werke machten inzwischen einen beträchtlichen Anteil von Zweigs Einkommen aus. Um hierbei den Überblick zu behalten, wurde das großformatige sogenannte »Hauptbuch« angeschafft, in welches die Daten der abgeschlossenen Verlagsverträge übernommen wurden, so daß aus den Eintragungen genauestens zu ersehen war, wann man wem welche Übersetzung oder Ausgabe für welchen Sprachraum gestattet hatte.

Nach den Erfolgen von *Drei Meister*, dem Buch über die Romanciers Balzac, Dickens und Dostojewski, sollte nun die Darstellung dämonischer Naturen folgen. Der »Zusammenklang« dreier Essays in allen Widersprüchen und Gemeinsamkeiten hatte sich bewährt und war als Grundmuster für kommende Veröffentlichungen weiter zu verfolgen. Die Personen für das Vorhaben waren schon bestimmt: Friedrich Hölderlin, Heinrich von Kleist und Friedrich Nietzsche sollten es sein. Zweigs Verlagslektor Fritz Adolf Hünich bekam bald einen Brief mit der Bitte um einige Besorgungen für die vorbereitende Lektüre zugeschickt. Zu Studienzwecken plante Zweig, auch die »Hölderlinlandschaft« in Württemberg zu besuchen.

Für die Aufsätze beschäftigte er sich auch ausführlich mit den Autographen, die er in den letzten Jahren für seine Sammlung hatte erwerben können. Mit dem Kleist-Spezialisten Georg Minde-Pouet konnte er noch manches Detail für seine Arbeit klären. Auch ihm bot Zweig in gewohnter Großzügigkeit an, die wachsende Sammlung der Autographenkataloge für seine Forschungen zur Verfügung zu stellen, denn zu seinem Leidwesen wurde das umfangreiche und in dieser Geschlossenheit einmalige Material von Außenstehenden noch immer viel zu selten zu Rate gezogen.

Für jede seiner Biographien wurden große Mengen von Studienmaterial herangetragen. Nach einer Vorauswahl und der ersten Niederschrift seiner Gedanken kürzte Zweig in mehreren Schritten den so entstandenen umfangreichen Text zur endgültigen Druckvorlage zusammen. Der Essay über Dostojewski, für den am Ende etwas über 100 Druckseiten ausreichten, war angeblich aus rund 1000 Seiten Vorarbeit verdichtet worden. Ein aufwendiges Unterfangen, für dessen einzelne Schritte und Korrekturen große Konzentration notwendig war. Jedenfalls hatte sich Zweig damit weit von der Arbeitsweise seiner Frühzeit entfernt, als er, wie er damals sagte, die in einem Schwung geschriebenen Sätze nicht einmal mehr auf Rechtschreibung und Interpunktion durchgesehen hatte. Nicht zuletzt die eingehende Betrachtung der Blätter seiner Autographensammlung, die mit ihren Streichungen, Einfügungen und Überschreibungen nur zu deutlich zeigten, daß auch die größten Meister gelegentlich lange um die stimmigste Ausdrucksweise hatten kämpfen müssen, dürfte Zweig zur Änderung seiner früheren schlechten Angewohnheit geführt haben. Statt Werke schnell erscheinen zu lassen, ging auch er zu einer gründlichen Um- und Überarbeitung der Texte über. Leider ist vom Arbeitsmaterial der Salzburger Zeit nur wenig überliefert, so daß sich das Vorgehen im einzelnen kaum an Beispielen nachverfolgen läßt.

Mit der Zeit war ein straffes und effektives Arbeitsprogramm für die Buchproduktion gefunden worden. Nach Vorbereitungen im Winter wurde das Frühjahr für die Zusammenfassung des Materials genutzt, um in den Sommermonaten die letzte Niederschrift anfertigen zu können und das Manuskript dann sobald als möglich an den Verlag weiterzureichen. Satz und Korrekturen konnten so rechtzeitig bis zum Herbst abgeschlossen werden, und das fertig gedruckte und gebundene Werk lag pünktlich zum Weihnachtsgeschäft in den Buchhandlungen vor.

Für die Schreibarbeit in Salzburg hatte Zweig sich inzwischen verschiedene Plätze in Haus und Garten erobert. Während man für die Sekretärin ein Büro im Korridor vor der Bibliothek eingerichtet hatte, wich Zweig bei guter Witterung immer öfter in das kleine Gartenhaus auf dem Grundstück aus. Friderike sprach oft davon, Stefan eine besondere Atmosphäre schaffen zu wollen, die sie für seine Arbeit für günstig hielt. Doch waren diese Versuche nicht immer von Erfolgen gekrönt. War er auf Reisen, so plagte er sich regelmäßig mit ihren Berichten über die eingegangene Post herum, in denen meist kein roter Faden zu erkennen war, so daß vieles unerledigt bleiben mußte und nach seiner Rückkehr Berge von Briefen auf eine Beantwortung warteten, was eigentlich vermieden werden sollte. Friderike wußte meist eine Schuldige für das Bürochaos zu benennen: Die Sekretärin nämlich, mit deren Arbeit Zweig selbst recht zufrieden war. Von seiner Seite ist kaum Kritik an Anna Meingast zu finden. Ein Wutausbruch über eine Unachtsamkeit ihrerseits, der in einem seiner Briefe an den Verlag dokumentiert ist, bleibt die Ausnahme. Damals hatte er auf Reisen mit großer Verspätung Korrekturbögen seines neuen Buches erhalten, in denen er kurz vor Druckbeginn vertauschte Seiten in den Kapiteln hatte feststellen müssen, was ihn in einige Aufregung versetzte: »*Es ist ganz falsch gesetzt worden: ich hatte das schon in den Bogen bemerkt, hoffte es aber im Umbruch dann richtiggestellt* bitte es sofort aus meinen Correcturen richtigzustellen: es wäre ja *eine Katastrofe.* [. . .] Mein Gott, wenn man *einmal* wegreist und versucht, seiner Secretärin die zweite Correctur zu überlassen.«[4] Friderike sparte dagegen nicht mit gehässigen Einwürfen und wandelte wegen Stefans Sympathien für Frau Meingast deren Namen in Briefen an ihn kurzerhand in »Deingast« um: »Mit Deingast kann ich, wie Du weißt, nicht arbeiten. Sie gibt sich ja jetzt Mühe, macht aber alles total kopflos. Ich halte mich ihr fern, weil ich mit ihr die halbe Freude an der Arbeit habe und oft die doppelte. Ich gebe mir alle Mühe, diese Abwehr zu entkräftigen und ihre Vorzüge zu sehen, aber schon mit ihrer Schrift verdirbt sie mir die Atmosphäre, die ich um Dich will.«[5]

Dennoch erschienen die Werke in schöner Regelmäßigkeit. 1924 gab der Insel Verlag gewissermaßen außer der Reihe der biographischen Studien und der Novellen *Die gesammelten Gedichte* Zweigs heraus, die zum Großteil aus früheren Veröffentlichungen stammten und durch wenige neuere Beiträge ergänzt worden waren, denn eigentlich hatte sich Zweig von der Lyrik inzwischen weit entfernt.

Im Frühjahr 1924 frischte er Jugenderinnerungen (und wohl auch -erlebnisse) mit einer Reise nach Paris auf, was ihm sehr gut bekam: »Ich war nie so entzückt wie diesmal (wozu mein Hotel viel tut)«, schrieb er an Friderike, »freilich mit sentimentalen Augenblicken einer Rührung, der ich mich fast schäme. Du weisst eben nicht, was die Zeit hier in meinem Leben war – die Befreiung von Wien, das Menschwerden überhaupt.«[6] Überdies genoß er die Ruhe vom Alltäglichen und das Herumschlendern und Stöbern in den Buchhandlungen und Antiquariaten: »Mein Herrlichstes hier – flâner dans les rues, bouquiner – lasse ich mir nicht gern durch Verabredungen, Bindungen nehmen.«[7]

Frans Masereel fertigte während des Aufenthalts ein Portrait Zweigs an, der über die Darstellung begeistert war. Friderike, die Masereel ansonsten sehr schätzte, äußerte sich dagegen geradezu erschrocken über das heute verschollene Ölgemälde, von dem sie zunächst nur ein Photo zu Gesicht bekam: »Leider, leider gefällt es mir gar nicht. [. . .] Du siehst aus wie ein Amerikaner, dessen Mutter sich im Chinesenviertel vergangen hat. Deine lieben schmalen Hände sind brutal u. knochig wie die eines Fleischhauers. Nein, da tu ich nicht mit. Gott sei Dank war ich nicht sehr hoffnungsvoll und bin nur ganz wenig gekränkt. Arme Nachwelt, die Dich nicht sehen wird wie ich Dich! Deine Ohren! Nein, ich bin doch böse. Deine Mutter wird es gewiss auch sein. Einen anämischen, ins Leere starrenden Elegant aus Dir zu machen, dazu bedurfte es nicht der Freundeshand. [. . .] Nein, nein, nein, nein u. noch einmal nein.«[8]

Reisen wie diese nach Paris waren nicht immer mit geschäftlichen Notwendigkeiten, Lesungen oder Besuchen von Uraufführungen zu begründen, doch waren sie auch nur selten das, was man unter einem Urlaub und Erholung verstehen könnte. Vor dem Strom der Besucher, der auf dem Kapuzinerberg für Unruhe sorgte, vor dem leidigen Büroalltag und der Enge der Stadt ergriff Zweig gern die Flucht. Intensive Vorbereitungen waren der Abreise in solchen Fällen selten vorausgegangen. Mit leichtem Gepäck machte er sich plötzlich auf den Weg, so leicht, daß er mehr als einmal wichtige Dinge zu Hause liegenließ.

An Weihnachten 1923 verstarb Friderikes Mutter in Wien. Während Stefans Reise nach Paris versuchte Friderike, sich von ihrer Trauer abzulenken, und verfolgte ein Großprojekt, das in jedem Fall nur während seiner Abwesenheit umzusetzen war. In Anspielung an die unwirtlichen Zustände im winterlichen Haus auf dem Kapuzinerberg hatte er dem Dramatiker Ernst Lissauer folgende Einladung gedichtet:

Ohne Winde ohne Flammen
Ungewärmt und eingeschneit
Sitzen wir am Berg zusammen
Jederzeit für Dich bereit.[9]

Damit sollte es nun ein Ende haben, Scharen von Handwerkern zogen den Berg hinauf und installierten unter Krach und Getöse eine Zentralheizung, wodurch Friderike tatsächlich über Wochen mit Aufräumarbeiten beschäftigt war und kaum auf andere Gedanken kam. Nach vielen allein unternommenen Reisen verbrachte Stefan Ende des Jahres einige Wochen gemeinsam mit ihr in der Schweiz und in Frankreich. Zunächst besuchten sie Rolland in Villeneuve. Am 28. November waren sie in Paris und feierten Stefans Geburtstag im Kreis von Freunden, darunter Frans Masereel und Erwin Rieger, während Felix Braun das Haus in Salzburg hütete.

In seinen nunmehr bestens beheizbaren Zimmern hatte sich Zweig vor der Abreise Gedanken an ein Thema hingegeben, das ihn nicht zuletzt wegen der Menge der täglich ein- und ausgehenden Korrespondenz seit einiger Zeit nachdenklich gestimmt hatte. Als Nachwort zu einem von Otto Heuschele herausgegebenen Buch verfaßte er Betrachtungen über *Die Kunst des Briefes*: »Ich weiß nicht, ob auch andere die gleiche Beschämung empfinden; aber jedesmal wenn ich im Goethehaus stehe und dort sehe, wie der erlauchteste Meister des deutschen Wortes, dem die Feder wie unter Magie in der Hand gehorchte, wichtige und sogar belanglose Briefe zwei- oder dreimal konzipierte und korrigierte ehe er sie der Absendung für reif erachtete oder wie Nietzsche Entwürfe fast jeden Schreibens mit eigener Hand anfertigte – dann überfällt mich immer die Frage, wieviele von uns unendlich Ärmeren des Wortes, unendlich weniger sicheren Menschen noch den Fleiß und die sittliche Geduld haben, einem zufälligen Briefe soviel Liebe und Ehrfurcht zu widmen. Wir haben alle, oder fast alle den Brief neben die Kunst gestellt: er dient bei den Künstlern heute noch manchmal im Kunstgeschäft, manchmal in der Kunstpolitik, fast niemals aber mehr gewähren wir ihm den Anspruch, selber ein Kunstwerk zu werden oder zu sein.«[10]

So wie im Fall der Briefe meinte Zweig allseits einen Hang zur Oberflächlichkeit feststellen zu können, und auf den Reisen der vergangenen Jahre hatte sich bei ihm der Eindruck verfestigt, daß das Leben, die Städte, die Welt dadurch immer gleichförmiger und eintöniger wurden. In nur wenigen Jahrzehnten hatten sich die Metropolen Europas aus seiner Sicht einander so sehr angeglichen, daß ihre frühere Individualität, die er besonders schätzte, nahezu verschwunden war. Paris, so Zweig, sei zu drei Vierteln amerikanisiert. Zur Beschreibung des Zustandes seiner Geburtsstadt Wien erfand er das Wort »verbudapestet« – das nämlich sei die

Blick in den Saal des Hauses auf dem Kapuzinerberg

Stadt inzwischen. Und was für die Metropolen galt, galt seiner Meinung
nach erst recht für ihre Bewohner. 1925 legte er seine Gedanken hierzu
in dem Essay *Die Monotonisierung der Welt* dar: »New York diktiert die kurzen Haare der Frauen: innerhalb eines Monats fallen, wie von einer einzigen Sense gemäht, fünfzig oder hundert Millionen weiblicher Haarmäh-
nen. Kein Kaiser, kein Khan der Weltgeschichte hatte ähnliche Macht, kein
Gebot des Geistes ähnliche Geschwindigkeit erlebt.« Die allgemein gehaltenen Beschreibungen dürften im Haus Kapuzinerberg 5 in Salzburg
ihre Wirkung nicht verfehlt haben. Kennt man die dortige Situation, so
liest man nicht nur die Klage des besorgten Weltbürgers, sondern zwischen den Zeilen auch die des entnervten Hausherren Stefan Zweig heraus, der das Treiben in seinem nächsten Umfeld oftmals mißmutig betrachtete: Friderike und ihre Töchter waren gewissen modernen
Vergnügen nämlich durchaus nicht abgeneigt. So schien er sich nicht zu-

letzt auch an ihre Adresse zu wenden: »Ein [. . .] Beispiel: das Radio. Alle
diese Erfindungen haben nur einen Sinn: Gleichzeitigkeit. Der Londoner,
Pariser und der Wiener hören in der gleichen Sekunde dasselbe, und diese
Gleichzeitigkeit, diese Uniformität berauscht durch das Überdimensio-
nale. Es ist eine Trunkenheit, ein Stimulans für die Masse und zugleich in
allen diesen neuen technischen Wundern eine ungeheure Ernüchterung
des Seelischen, eine gefährliche Verführung zur Passivität für den einzelnen. Auch hier fügt sich das Individuum wie beim Tanz, der Mode und dem
Kino, dem allgleichen herdenhaften Geschmack, es wählt nicht mehr vom
inneren Wesen her, sondern es wählt nach der Meinung einer Welt. [. . .]«

Im Kino, im Radio, im Tanze, in all diesen neuen Mechanisierungs-
mitteln der Menschheit liegt eine ungeheure Kraft, die nicht zu über-
wältigen ist. Denn sie alle erfüllen das höchste Ideal des Durchschnittes:
Vergnügen zu bieten, ohne Anstrengung zu fordern. Und ihre nicht zu be-
siegende Stärke liegt darin, daß sie unerhört bequem sind. Der neue Tanz
ist von dem plumpsten Dienstmädchen in drei Stunden zu erlernen, das
Kino ergötzt Analphabeten und erfordert von ihnen nicht einen Gran Bildung, um den Radiogenuß zu haben, braucht man nur gerade den Hörer
vom Tisch zu nehmen und an den Kopf zu hängen und schon walzt und
klingt es einem ins Ohr – gegen eine solche Bequemlichkeit kämpfen
selbst die Götter vergebens.«[11]

Das Schimpfen über die entnervenden Eigenschaften der krächzenden
Radios und Grammophone bedeutete aber keinesfalls, daß Zweig nicht
selbst im Radio zu hören gewesen wäre (auch wenn er die Hörer im engsten Kreis nur zu gern als »Radioten« bezeichnete). Bereits in den 20er
Jahren las er mehrere Male bei Direktübertragungen aus seinen Werken.
Am 12. Dezember 1926 konnten die Hörer der Funkstunde, die aus dem
Herrenhaus in Berlin gesendet wurde, einem Stefan-Zweig-Abend lauschen, der vom Verband deutscher Erzähler veranstaltet wurde. Nach
einleitenden Worten von Georg Engel trug Zweig seinen Text *Rahel rechtet mit Gott* vor, gefolgt von Else Heims, die *Die unsichtbare Sammlung* aus
einem seiner Bücher las.

Zweig war nicht wirklich technik- oder fortschrittsfeindlich, in seinem Büro stand sogar ein modernes Diktiergerät mit Wachswalzen, von

denen die Sekretärin die Textdiktate ihres Chefs in dessen Abwesenheit abhören und in die Schreibmaschine übertragen konnte. Doch mit gewissen Wünschen für ein vermeintlich bequemeres und luxuriöseres Leben konnte sich Friderike niemals durchsetzen. Schon 1920 hatte sie Stefan begeistert von einer Spazierfahrt berichtet, die sie mit einem Freund in dessen Automobil unternommen hatte: »Ich saß die ganze Fahrt vorne (vor der Scheibe) neben ihm, habe allerlei vom Chauffieren gelernt. Der Wagen ist wunderbar weich und sicher gegangen«[12] – nur leider war ihr Mann für solche Schwärmereien nicht erreichbar. Stefan war gut zu Fuß und nutzte bei Ausflügen in die Umgebung die Trambahn oder den Omnibus, und das Haus auf dem Berg hätte man mit einem Wagen ohnehin nicht erreichen können. Die Anschaffung eines Autos wäre für ihn nur lästiger Besitz gewesen, und man darf kaum annehmen, daß er selbst einen Führerschein gemacht hätte. Dagegen wäre es gewiß nach Friderikes Geschmack gewesen, einen Wagen mit offenem Verdeck durch Bergstraßen und Felder selbst zu steuern. Am Ende hätten wohl auch die Töchter, die Zweig schon als Schülerinnen den Eindruck machten, jedem leichten Vergnügen nachzulaufen, ihre Freude daran gefunden. Aber nein, es war beschlossene Sache, ein Auto würde nicht gekauft werden. Friderike wußte diese Niederlage in ihren Memoiren mit einem Nadelstich zu erzählen: Während Stefan in einem Aufsatz über das Autographensammeln seine Verwunderung darüber geäußert hatte, daß eine Notenhandschrift Johann Sebastian Bachs kaum mehr als ein Motorrad kostete, wandelte sie sein Bonmot um, indem sie davon berichtet, daß ihr Mann, vor die Wahl gestellt, ob er ein Automobil oder Beethovens Schreibtisch kaufen sollte, sich selbstverständlich für das kostbare Möbelstück entschieden hatte.

Das Verhältnis zwischen Stefan und Friderikes Töchtern Suse und Alix war wohl niemals besonders gut und innig. In der ersten Zeit ihres Zusammenseins vor dem Weltkrieg in Wien hatte er die beiden Kinder noch mit mitgebrachten Stofftieren und anderem Spielzeug begeistern können und Friderike für ihre mütterliche Zuwendung bewundert. 1925 waren die Mädchen, die ihn Stefferl oder Stefzi, gelegentlich auch Bö oder Beu nannten, 15 und 18 Jahre alt. Nachdem man in den letzten Jahren mehr Zeit als je zuvor miteinander verbracht hatte, war schnell festzustellen gewesen, daß dem gegenseitigen Verständnis füreinander recht enge Grenzen gesetzt waren. Nach einem Besuch Victor Fleischers in Salzburg schickte ihm Stefan gleich nach dessen Abschied einen Brief nach, den er »Samstag abends (als Einziger allein zuhause)« verfaßt hatte: »Lieber Victor, ich schreibe Dir nach Deiner Abreise noch eine Zeile, um Dir herzlich zu danken für Deinen guten Besuch: Du wirst fühlen, daß es mir wirklich wohltut, mich einmal mit einem Freunde aussprechen zu können. So sehr ich es bedaure, daß die Scene mit den Kindern dazwischen kam, war es mir doch nicht leid: Du hast damit tiefer in mein wirkliches Leben hineingesehn. Ich bin mir zutiefst bewußt, hier *nicht* im Unrecht zu sein – beide Kinder sind heute, also an dem Tage, wo sie die Nachricht erfuhren, daß ihr Vater zwischen Tod und Leben liegt, abends weggewesen [. . .]. *Mir* fehlt das Verständnis dafür, daß so etwas möglich ist und daß erwachsene Kinder vier Stunden nach einer solchen Nachricht, die sie erschüttern sollte, zu öffentlichen Amusements gehen und daß ihre Mutter nicht wagt, ihnen anzudeuten, sie sollten in einer solchen Schicksalsstunde ihres Lebens nicht lieber *einmal* auf eine Tanzerei [. . .] verzichten. Ich versuche ganz gerecht zu mir selbst zu sein und muß nur sagen: *dieser* Fall müßte auch dem Fremdesten zeigen, daß in der innern seelischen Einstellung der Kinder (nicht zu *mir*) etwas nicht in Ordnung ist. Du kannst Dir Fritzi denken, die das alles fühlt, die fühlt, was für ein inneres Unrecht die Kinder begehn, an diesem Tag lustig auf ihre Tanzereien und in die Theaterposse zu gehn und nicht die Kraft hat, dreinzufahren[.]

Mein lieber Victor, mein Leben ist so nach innen gerichtet, daß ich all das nicht so fühle. Aber gerade von den Kindern her, die ich, weiß Gott, innerlich immer herzlich gerne an mein Leben gezogen hätte, weht mich in solchen Augenblicken ein Hauch von Fremdheit an – nicht nur von dem Ungeistigen Ihres Wesens, aber von jener Gefühlsgleichgiltigkeit, die mich erschreckt.«[13]

Felix von Winternitz, dessen Vater kurz zuvor verstorben war, überstand die kritische Situation, hatte aber noch länger mit den Folgen seiner Erkrankung zu tun. Zweig ging bald darauf auf Lesereise in Deutschland und konnte den heimischen Schwierigkeiten auf diese Weise kurzzeitig entkommen. Dennoch, die Situation im Haus war kompliziert und eine Besserung unter den gegebenen Umständen kaum in Sicht. In Briefen an seinen Bruder Alfred schüttete Stefan oft genug sein Herz über die Sorgen mit Friderike und den Kindern aus. Gegen seine Tendenz, aufkommenden Problemen durch Flucht auszuweichen, stand Friderikes Selbstbewußtsein, das sie in ihren späteren Schriften (auch unabsichtlich) immer wieder herausstrich. Ihre pragmatische Art bei der Bewältigung familiärer und organisatorischer Aufgaben läßt Stefan in ihrem Rückblick oft als unselbständig und alltagsuntüchtig erscheinen. Doch Alfreds spätere Bemerkung, daß Stefan für ein Familienleben nicht geschaffen war, zielt tatsächlich viel tiefer. Ein Blick in den bereits erwähnten Fragebogen Donald Praters zeigt, daß die Lage auf dem Kapuzinerberg wohl schon zu Beginn der 20er Jahre zeitweise bedrohliche Ausmaße angenommen haben muß. Prater hatte Friderike lange nach Stefans Tod auch um Auskunft darüber gebeten, warum sie und Stefan keine gemeinsamen Kinder gehabt haben. Dies, so Friderike, sei allein auf Stefan zurückgegangen, der ihr sogar damit gedroht habe, sich zu erschießen, falls sie noch ein wei-

Friderike und Stefan Zweig im Jahr 1926

teres Kind bekommen sollte. Auf die Nachfrage, ob Stefan in der Lage gewesen sei, Kinder zu zeugen, lautete ihre ausweichend-vielsagende Antwort: »He was no Don Juan.«[14]

Auch aus Wien gab es immer wieder Familienprobleme zu vermelden, die sich gegen jene in Salzburg jedoch vergleichsweise harmlos ausnahmen. Stefan sah seine Eltern zusehends von Menschen umgeben, denen nicht über den Weg zu trauen war: »Von was für Geschmeiss Mama umgeben ist und wie gemein sie verletzt wird, eine Probe«, schrieb er bei einem Besuch in Wien an Friderike. Er hatte soeben erfahren, daß man seiner Mutter zugetragen hatte, er habe sich so weit von seinen jüdischen Wurzeln entfernt, daß er einer christlichen Kirche beigetreten sei. Weiter berichtete er über seine Mutter: »Sie hat jetzt Alfred geheim gefragt, *wann* ich mich getauft hätte, ob das schon lange her sei oder erst jetzt. Sie hätte es von ›jemandem‹ *bestimmt* gehört. Beachte die Unaufrichtigkeit, selbst jetzt nicht Alfred zu sagen, wer dieser holde Zubringer ist.«[15] Allem Anschein nach spielte Alfreds Frau Stefanie im Elternhaus der Zweigs eine immer bedeutendere, heute jedoch kaum mehr zu durchschauende Rolle. Jedenfalls kam es nicht zuletzt durch ihr Zutun zu weiteren Problemen, von lautstarken Auseinandersetzungen mit dem Zimmermädchen der Eltern bis hin zu Berichten über seltsame Geheimniskrämereien. Alles das waren Ereignisse, denen sich Stefan einerseits kaum entziehen konnte, auf die er durch seine Abwesenheit von Wien andererseits aber wenig Einfluß hatte. Entnervt sprach er bei neuen Nachrichten über Streit in der Garnisongasse nur noch von »Garnisonaden«.

Immerhin scheinen Alfred und Stefan trotz aller Spannungen ein einigermaßen gutes Verhältnis zueinander bewahrt und sich größere Auseinandersetzungen über die Zwistigkeiten in der Familie erspart zu haben. Schließlich wußten sie beide, daß der jeweils andere genug mit den alltäglichen Aufgaben zu schaffen hatte, Stefan mit seinen Büchern, Alfred mit der Fabrik, die es durch wirtschaftlich schwierige Zeiten zu steuern galt. 1923 war der Betrieb in eine sogenannte Familien AG umgewandelt und in »M. Zweig mechanische Weberei A. G.« umbenannt worden. Alfred nutzte seither Visitenkarten mit dem Aufdruck:

Alfred Zweig
Präsident der M. Zweig A. G.
Ober-Rosenthal [b]/Reichenberg – Wien

Er war seit 1919 tschechischer Staatsbürger. Damals hatte man in den Ländern, die aus dem früheren Vielvölkerstaat Österreich-Ungarn hervorgegangen waren, für eine Staatsbürgerschaft optieren müssen. Alfreds Wahl sollte sich Jahre später noch als sehr hilfreich erweisen. Mit der Umstrukturierung der Firma hatte er einen Vertrag als Generaldirektor auf Lebenszeit bekommen, der ihm ein jährliches Gehalt von über 400 000 Tschechischen Kronen einbrachte und ihm für spätere Zeiten eine Pension sowie im Falle seines Todes der Witwe eine entsprechende

Versorgung gesichert hätte. Sein Geschick als Geschäftsführer und seine Aktienanteile sicherten ihm trotz aller Finanzkrisen einen gehobenen Lebensstandard. Er konnte die Wände seiner Wohnung in Wien mit Gemälden niederländischer Meister ausstatten und war nicht weniger reisefreudig als Stefan, wobei er kürzere Strecken bevorzugte. In den 20er und 30er Jahren verbrachte er mit seiner Frau jährlich meist mehrere Urlaube in der Schweiz und in Italien.

Stefan bekam eine Stelle im Verwaltungsrat der Firma eingeräumt, doch aus den geschäftlichen und bürokratischen Belangen wollte er gänzlich herausgehalten werden. Er war stiller Teilhaber, ganz im wörtlichen Sinn – wohl wissend, daß sein Rat auch kaum von Nutzen gewesen wäre (dem Insel Verlag hatte er einmal mitgeteilt: »Meine Talente zur Buch*führung* sind äusserst gering und ich pflege sie mit Absicht nicht, um mir das Talent zur Buch*schreibung* ungetrübter zu erhalten.«)[16] Außerdem bekam Stefan einen Firmenanteil in derselben Größe wie der seines Bruders. Beide hielten jeweils 7875 Aktien zum Nennwert von 400 Tschechischen Kronen, was einem Anteil von je 45% an der Fabrik entsprach. Die verbleibenden 10% der Firma in Form von 1750 Aktien besaß die Bank für Handel & Industrie in Prag.

Während Alfred viel Zeit in der Wiener Handelsniederlassung der Weberei verbrachte, saßen an verantwortlichen Stellen in Ober-Rosenthal der Fabrikdirektor und Prokurist Hugo Iltis, der dort über 30 Jahre in Diensten war, sowie der Prokurist Heinrich Stare, der bei seinem Ausscheiden aus dem Betrieb 1938 auf 50 Arbeitsjahre in der Firma Zweig zurückblicken konnte. Stare war auch für die treuhänderische Verwaltung der Betriebsanteile in Stefans Besitz verantwortlich. In regelmäßigen Telephonaten zwischen Alfred und Stefan wurden etwaige Fragen zur Anlage des Vermögens besprochen.

Für Zweigs biographische Essays war im Insel Verlag inzwischen die Reihe *Die Baumeister der Welt* eingerichtet worden, die den Untertitel *Versuch einer Typologie des Geistes* trug. Als deren zweiter Band erschien 1925 *Der Kampf mit dem Dämon* mit den Beiträgen zu Hölderlin, Kleist und Nietzsche. Zu Anfang war folgende Widmung eingedruckt: »Professor Dr. Siegmund [!] Freud dem eindringenden Geiste, dem anregenden Ge-

stalter diesen Dreiklang bildnerischen Bemühens«. Mitte April traf
Freuds Dankschreiben in Salzburg ein, auf das Zweig einmal mehr antwortete, wie sehr gerade ihm, Freud, dafür zu danken sei, daß man sich
dieser Tage ohne falsche Scheu an biographische Arbeiten heranwage und
ohne Schamhaftigkeit in die Gefühlswelt der Dargestellten eindringen
könne – und genau dafür wurde Zweig von seinem immer größer werdenden Lesepublikum geschätzt.

Im Sommer reiste er mit Rolland nach Weimar, wo sie beide gemeinsam dem Nietzsche-Archiv einen Besuch abstatteten. Elisabeth Foerster-
Nietzsche, die Schwester des Philosophen, äußerte sich entgegen Zweigs
Erwartung sehr erfreut über den Beitrag, den er über ihren Bruder veröffentlicht hatte. Bei einem anschließenden Besuch beim Insel Verlag
lernte Zweig den jungen Schriftsteller Richard Friedenthal kennen, der
ihm sehr sympathisch war und zu dem er in den folgenden Jahren einen
engen Kontakt aufbaute. Vor der Abreise aus Leipzig wurden Zweig und
Rolland noch Augenzeugen eines Massenaufmarsches von Jugendlichen,
der von rechtsgerichteten Kreisen organisiert worden war. Einziger Trost
über das Erschrecken blieb, daß man als Gutwilliger auch die Gefahren
kennen müsse, die einem auf diese Weise bewußt gemacht würden, wie
sich Zweig in einem Brief an Friderike bitter äußerte.

Die diesjährige Festspiel-Flucht führte ihn nicht in ferne Gegenden,
sondern bloß bis nach Zell am See, das man von zu Hause schnell erreichen konnte. Wie in den vergangenen Sommern fürchtete er den Einfall
wahrer Menschenmassen in Salzburg. Auch in dieser Angelegenheit war
sich das Ehepaar Zweig nicht einig: Stefan vermutete durchaus zu Recht,
daß zahlreiche anstrengende, aber kaum abzuweisende Besucher den Weg
in sein Haus finden würden, um ihm die Zeit zu stehlen oder gar mehr
oder weniger offen zu fragen, ob er nicht über etwaige Beziehungen im
letzten Moment Eintrittskarten für die Aufführungen besorgen könnte.
Friderike sah sich dagegen einige Vorstellungen an und gab am Rande des
Geschehens gern die Rolle der Dichtergattin. Besucher im Haus waren
ihr nicht unwillkommen, sie berichtet selbst, daß sie während Stefans Abwesenheit sogar den Garten als Zeltplatz für Festspielgäste aus Indien zur
Verfügung stellte, die aus religiösen Gründen nicht in einem Hotel woh-

nen wollten, unter dessen Dach »unreine Kost« zubereitet wurde. Stefans Vorschlag, unter der Sonnenuhr an der Hauswand den Spruch:

> Die Sonne hält nur kurze Rast,
> Nimm Dir ein Beispiel, lieber Gast

anbringen zu lassen, war für Friderike jedenfalls völlig indiskutabel.[17]

Zum regelmäßig wiederkehrenden Salzburger Sommerproblem kam in diesem Jahr (und wohl nicht zum ersten Mal) eine tiefer greifende Krise, die Zweig erfaßt hatte. Aus seinem Feriendomizil schrieb er an Friderike: »Hier lebe ich so isoliert wie kaum je, kenne niemanden, weder im Hotel noch im Ort – nur Piefkes und Ungarn, Wien gleich Null – [. . .] ich arbeite und lese Einiges, nicht gar zu viel, wenigstens so lange es schön war. Die Novelle, die ich grundiere, ist unziemlich schwer, es reizt mich ja überhaupt nur mehr, das Complicierte anzugehen.

Meine depressiven Zustände haben keine reellen Gründe, weder in Arbeit (die ist nicht so arg) noch im Nicotin, das ich jetzt übrigens zur Probe zwei Tage aussetzte. Es ist eine Alterskrise, verbunden mit einer allzu grossen (meinem Alter ungemässen) Klarheit – ich beschwindle mich nicht mit Unsterblichkeitsträumen, weiss wie relativ die ganze Literatur ist, die ich machen kann, glaube nicht an die Menschheit, freue mich an zu wenigem. Manchmal kommt aus solchen Krisen was heraus, manchmal kommt man durch sie noch tiefer hinein – aber schliesslich gehört sie zu einem dazu. [. . .] Und dann sind unsere Kriegsnerven eben doch nicht mehr ganz reparabel, der Pessimismus reicht tief unter die Haut. Ich erwarte mir nichts mehr – denn ob ich 10 000 oder 150 000 Exemplare verkaufe, ist doch einerlei. Wichtig wäre etwas Neues neu anzufangen, eine andere Art Leben, andern Ehrgeiz, anderes Verhältnis zum Dasein – auswandern nicht nur äusserlich.«[18]

Zweig war, als er diesen Brief verfaßte, nicht einmal 44 Jahre alt. Immer öfter erwähnte er nun, daß er die Mitte seines Lebens längst hinter sich habe. Zeitweise konnte er die Ängste vor dem Alter mit Wanderungen und Kuren vertreiben, wobei er nicht zuletzt versuchte, sich ein einigermaßen junges Erscheinungsbild zu wahren. Doch Nachrichten

wie jene über den frühen Tod seines Freundes Ephraim Moses Lilien, die
er kurz vor dem Aufenthalt in Zell am See erhalten hatte, brachten ihn
schnell wieder ins Grübeln über seine eigenen Erwartungen an die Zukunft: »Es berührt mich doch sehr, er war [. . .] nur ganz wenige Jahre älter und viel kräftiger als ich, ein lieber Jugendgefährte, und [es ist] mir
schmerzlich, seine Briefe nun in die Abteilung ›Tote‹ zu tun.«[19]

Zum Ende des Jahres hatte sich seine dunkle Stimmung wieder gebessert. Im November reiste er nach Frankreich. In Marseille speiste er
Bouillabaisse und andere Köstlichkeiten, konnte trotz der späten Jahreszeit noch im Meer baden und spazierte bei Tag und Nacht mit seinem
neuerworbenen Photoapparat durch die dunkelsten Ecken des Hafenviertels, das ihn unendlich faszinierte: »Ich möchte eine solche Gasse
schildern, wo neben einem Zigarrengeschäft im Nachbarladen vier Kühe
stehen und die Kinder auf dem Rinnstein mit ihrem eigenen Kot spielen,
indessen von allen vier Stockwerken die schmutzige Wäsche von 500 Personen pendelt und singende blinde Bettler zwischen dem Gemüse und
den räudigen Katzen herumstolpern. Dieser Gestank ist Orient: nicht
umsonst wurde dort das Räucherwerk erfunden: diese Gassen aber münden kerzengrad in die Boulevards.«[20]

In guter Laune machte er sich vor Ort an ein schon länger geplantes
Werk: Er wollte Ben Jonsons zu Anfang des 17. Jahrhunderts entstandenes Schauspiel *Volpone, or the Fox* für die Bühne neu bearbeiten. Allerdings,
so berichtete Zweig später, habe er die Originalvorlage bei der Abreise
versehentlich zu Hause liegenlassen, so daß er allein aus der Erinnerung
arbeiten mußte. Es entstand in kürzester Zeit eine Adaption des *Volpone*,
die den Untertitel *Eine lieblose Komödie in drei Akten von Ben Jonson, frei bearbeitet von Stefan Zweig* erhielt – und bis heute sein größter Theatererfolg
blieb.

Für das neue Jahr 1926 hatte Zweig sich neben der Schriftstellerei
noch ein weiteres großes Projekt vorgenommen: Endlich sollte die Autographensammlung in eine brauchbare Ordnung gebracht und ein Katalog davon für den Druck vorbereitet werden. Andere Sammler hatten
es ihm vorgemacht, nun wollte auch Zweig, der seine Sammlung durchaus als einen wichtigen Teil seines Werkes ansah, diesen Beispielen folgen.

Für die Arbeit engagierte er den jungen Alfred Bergmann, der gerade für Anton Kippenberg dessen Sammlung durchsah und gemeinsam mit Fritz Adolf Hünich deren Gesamtkatalog für eine erweiterte Neuausgabe vorbereitete.

Doch wenige Tage vor Bergmanns geplanter Anreise mußte das Vorhaben vertagt werden. Als Friderike am 2. März 1926 das Haus betrat, fand sie eine schriftliche Nachricht von Stefan vor: »Papa heute mittags plötzlich verschieden, ich fahre womöglich noch mit 2 Uhr 30, komme abends nach, nimm Dir Schlafwagen auch erste Classe.«[21] Moriz Zweig war in seinem 81. Lebensjahr ruhig eingeschlafen. In Wien versammelte sich die Familie, um zwei Tage später in aller Stille und im engsten Kreis von ihm Abschied zu nehmen. Der Familientradition entsprechend, wurden die Traueranzeige und ein kurzer Nachruf erst nach der Beisetzung veröffentlicht. Für den Verstorbenen legte man ein Traueralbum an, in dem eine Tabelle den aus dem Jüdischen Kalender errechneten Gedenktag für den verstorbenen Vater bis zum Jahr 1976 verzeichnete. Als ältester Sohn verwahrte Alfred das Dokument mit anderen Familienpapieren. Bald nach der Beerdigung kehrten Stefan und Friderike zurück nach Salzburg, wo sie seine Mutter für einige Zeit aufnahmen und mit ihr Ausflüge in die Stadt und die nähere Umgebung machten.

Den Sommer verbrachte Stefan diesmal in der Schweiz und skizzierte den Plan für ein neues Buch. Er wollte sich intensiver mit dem Leben von Napoleons Polizeiminister Joseph Fouché beschäftigen, dessen finsterer Charakter einigen Stoff für spannende Betrachtungen bot. Während er die nächste seiner ausgesprochen erfolgreichen Biographien vorbereitete, machte sich Friderike darüber Gedanken, ob es nicht an der Zeit sei, eine kleine Lebensbeschreibung von Stefan herauszubringen. Kein umfassendes Werk, aber ein Bändchen von etwa 100 Seiten mit einer beeindruckenden Bibliographie der bisher erschienenen Werke und Übersetzungen im Anhang schwebte ihr vor. Stefans Freund Erwin Rieger schien genau der richtige Autor dafür zu sein, zumal Friderike in diesem Falle – wie sie selbst anmerkte – eine Kontrolle über das Vorhaben hätte, in dessen Mittelpunkt doch eher das Werk Stefans und nicht zu sehr sein Privatleben stehen sollte.

Das Jahr setzte sich wesentlich erfreulicher fort, als es begonnen hatte: Im September reiste Alfred Bergmann an, um endlich die Arbeit am Katalog der Autographensammlung aufzunehmen. Bald war deutlich, daß die dafür veranschlagten drei bis vier Wochen keinesfalls ausreichen würden, denn die bisherigen Beschreibungen der Sammlungsstücke waren für einen wissenschaftlichen Katalog mehr als unzulänglich. Immerhin konnte er zusätzlich auf die gut sortierte Bibliothek und die Sammlung der Autographenkataloge zurückgreifen. Zweig war trotz der Verzögerung voller Freude, konnte er doch endlich schwarz auf weiß sehen, wie sich die seit Jahren zusammengetragenen Einzelblätter der Sammlung zu einem großen Ganzen fügten. Ungeduldig hatte er Bergmann am Tag seiner Ankunft in Salzburg schon vor dem Hotel Stein erwartet und gleich an seinen Arbeitsplatz auf dem Kapuzinerberg geführt. Hier beschäftigte sich Bergmann in den kommenden Wochen intensiv mit der Ordnung der Handschriften und erlebte den Alltag des Bestsellerautors Stefan Zweig aus nächster Nähe mit. Vor dem Mittag bekam er ihn nur selten zu sehen, denn bis dahin arbeitete Zweig in alter Gewohnheit in seinem Bett an neuen Texten. Bergmann erinnert sich: »War seine Arbeit beendet, so erschien er gern an dem Tische, an dem der Katalog entstand, er nahm die Handschrift zur Hand, die ich grade bearbeitete, erzählte mir wohl auch die kleine Geschichte der Erwerbung, die eine jede hatte, überlas, was ich davon geschrieben hatte, und wenn er damit nicht zufrieden war, so sagte er mir wohl mit sehr viel Zärtlichkeit im Tone der Stimme: ›Die müssen Sie mir aber noch etwas loben!‹« Während Bergmann auch an anderer Stelle Zweigs herzliche Liebenswürdigkeit betont, war ihm dessen recht lockerer Umgang mit den Erwerbungsgeschichten und der historischen Einordnung der Handschriften doch etwas suspekt. Auf Karteikarten und Mappen, die Zweig mit Angaben zu den Sammlungsstücken beschriftet hatte und die Bergmann nun für seine Arbeit nutzte, läßt sich erahnen, daß Zweigs Freude am Erzählen und Fabulieren ihn oft genug auch bei der Beschreibung interessanter Manuskripte geleitet hatte – sehr zum Leidwesen des Germanisten Bergmann, der sich bei aller Sympathie für Zweig notierte, daß er bei ihm doch eine gewisse »Neigung zum Schwindel« hatte feststellen müssen.[22]

Als Bergmann abreiste, um weiter an seiner eigentlichen Beschäftigung, der Erfassung der Goethe-Sammlung Anton Kippenbergs, zu arbeiten, schien jedenfalls der Grundstein für einen wunderbaren Katalog der Sammlung Zweig gelegt, der in den kommenden Jahren zu vollenden wäre. Nach der umjubelten Uraufführung seines *Volpone* am 6. November 1926 im Wiener Burgtheater konnte Zweig noch vor Jahresende bei der Auktion der weltbekannten Musiksammlung Wilhelm Heyer einen weiteren Triumph verzeichnen und ein Glanzstück für seine Handschriftensammlung erwerben: Joseph Haydns Variationen auf das Thema *Gott erhalte Franz den Kaiser*. Jene Melodie, die bis 1918 die österreichische und seit 1922 die deutsche Nationalhymne war.

»Mir ist, als sässen die Schrauben lockerer in der Maschine: am besten wäre,
sie im fünfzigsten Jahr ganz abzustellen und noch einmal den Versuch zu
machen, die Welt zu erfahren, statt sie zu schildern. Ich bin voll Misstrauen
gegen die unablässige Literatur, sie ist ein unnatürlicher Zustand, wenn man
nicht ehrgeizig ist. Je weniger ich von dem Spiegelwesen St. Z. höre, desto
mehr bin ich mein Ich: einmal möchte ich es noch ganz und gar sein.«[1]

An Friderike Zweig, 22. September 1927

»Gehetzt wie ein Wildschwein«

Der Erfolg, der sich schon bei der Uraufführung seines neuen Theaterstückes angekündigt hatte, setzte sich weiter fort, und Zweig war mehr
als zufrieden: »Der ›Volpone‹ ist jetzt noch immer das Kassenstück des
Wiener Burgtheaters und des Dresdner Staatstheaters, vor zehn Tagen hat
er in Berlin gesiegt [. . .] und trabt nun langsam wahrscheinlich über die
meisten deutschen Bühnen«,[2] konnte er sich im Januar 1927 freuen. Die
finanzielle Lage in jenem Jahr schien sich gut zu entwickeln, und so konnten die reichlichen Erträge, die sich aus den Aufführungen ergaben, für
die großen Auktionen zur Seite gelegt werden. Im Dezember berichtete
Zweig Rolland schließlich: »Ich muß Ihnen bekennen, daß ich alles, was
der gute ›Volpone‹ mir dieses Jahr ins Haus brachte, für Autographen aus-
gegeben habe. Aber welche Wunder haben meine Sammlung auch ver-
größert und veredelt: Johann Seb. Bach, die Kantate ›Wo soll ich fliehen
hin‹ vollständig, 16 Seiten; Chopin; Cimarosa; Brahms (die ›Zigeunerlie-
der‹, 22 Seiten); Mozart, ›Una marcia‹, 8 Menuette und 2 unveröffentlichte Menuette; Schubert; Scarlatti (großes Manuskript), etc. etc. Und
an Literatur 32 Seiten des ersten Entwurfs von Montesquieus ›Esprit des
lois‹, eine große Rede von Robespierre, [. . .] zwei Gedichte aus den
›Fleurs du mal‹ [. . .], eine wundervolle Zeichnung von Goethe – Sie wer-

den also den Kapuzinerberg in ein Museum verwandelt finden.« Zu Beginn des Briefes hatte Zweig Rolland zum Ankauf einer Beethoven-Handschrift gratuliert, die jener für seine eigene, weitaus kleinere Sammlung hatte erwerben können. Ein außerordentlicher Glücksfall, wie Zweig wußte, denn: »sie werden teuflisch selten, weil ein Züricher Geldsack sie zu jedem Preis aufkauft (er hat die 11 Seiten des ›Fidelio‹ mit 23 000 Mark bezahlt).«[3] Besagter »Geldsack« war ihm damals noch nicht namentlich bekannt, da er zu Auktionen nur Vertreter schickte oder schriftliche Gebote abgab. Später bekam Zweig durch seine guten Beziehungen zu den Händlern heraus, daß es sich um den Sammler Hans Conrad Bodmer handelte, der sich auf Beethoven spezialisiert hatte und fast jedes seinerzeit auf dem Markt befindliche Stück erwarb. Noch einige Male kam er Zweig zuvor, doch das spornte den nur in seinem sammlerischen Ehrgeiz an.

Sein erster Triumph über Bodmer war der Ankauf des Beethoven-Liedes *Der Kuß* (»Ich war bei Chloen ganz allein«), der ihm 1928 gelang. In den letzten Jahren hatte Zweig damit begonnen, die zunächst vernachlässigte Abteilung der Musikmanuskripte in seiner Sammlung konsequent auszubauen. Hier begnügte er sich gar nicht erst damit, kleinere Stücke zu kaufen, sondern konzentrierte sich gleich auf die großen Namen und deren wichtigste Werke, wie schon aus der oben zitierten Aufzählung deutlich wird. Ein besonderer Coup gelang ihm 1929, als er Hans Conrad Bodmer nochmals zuvorkommen konnte, wobei ihm die Gesetzeslage in Österreich dabei eine Hilfe gewesen war. Der damalige Ankauf gehörte zwar nicht in die Reihe der Manuskripte, paßte sich aber dennoch glänzend in die Sammlung ein. Sofort vermeldete Zweig die Neuigkeit seinem langjährigen Sammlerkollegen Karl Geigy-Hagenbach nach Basel: »Ich habe jetzt in Wien, direkt von den Erben (allerdings durch Vermittlung eines Händlers) für mein Haus etwas Einzigartiges gekauft: den berühmten Schreibtisch Beethovens (in dem auch der Brief an die unsterbliche Geliebte gefunden wurde), versteigert mit seinem ganzen Nachlass 1827 und von diesem Tage an ununterbrochen in derselben Familie, oft, ja unzähligemale abgebildet als sein einziges gutes Möbelstück. Man sollte glauben, dass eine solche unschätzbare Reliquie, der ich doch

Ludwig van Beethovens Schreibtisch mit der Geldkassette, dem Klappschreibpult und einer Violine aus Beethovens Besitz im Saal des Hauses auf dem
Kapuzinerberg

kaum eine gleichwertige zur Seite zu setzen weiss, ein Vermögen kosten
sollte. Aber dem ist nicht so, denn hier half mir unser grausames Gesetz:
ins Ausland war das Stück nicht zu verkaufen, es muss in Oesterreich bleiben. Ausserdem wünschte der Besitzer um seines Familiennamens willen
einen möglichst geräuschlosen Verkauf und so ergab sich das Unglaubliche, dass eigentlich niemand da war ausser der Gemeinde Wien, die
furchtbar langweilig bei solchen Einkäufen ist, und meiner Person. Sie
würden wirklich staunen wie billig verhältnismässig dieses Stück gewesen ist. Vielleicht bekomme ich noch aus der gleichen Hand etwas dazu.
Jedesfalls rückt damit eine gewaltige Freude ins Haus und wird festlich

in unserem grossen Saal museal aufgestellt und wohlgehütet.«[4] Es kam
wie angekündigt: Vom selben Eigentümer, der Familie von Breuning, erwarb Zweig unter anderem noch eine Violine, ein Klappschreibpult, eine
Geldkassette und einen Kompaß aus Beethovens Besitz, die auf dem kostbaren Möbel (ebenjenem, das er laut Friderike statt des Automobils erwarb) im Saal des Hauses aufbewahrt wurden.

Zweig wußte die Aura solch geschichtsträchtiger Objekte außerordentlich zu schätzen. Auch in der Atmosphäre des Bibliotheksraums, der inzwischen mit Tausenden von kostbaren Büchern gefüllt war, fühlte er sich
sehr wohl und verstand es bestens, das Haus und dessen Schätze effektvoll
einzusetzen, wenn er Besucher zu sich bat. Konnte Zweig hoffen, daß der
Gast nur einigermaßen empfänglich für die Reize antiquarischer Kostbarkeiten war, so legte er mit wachsender Begeisterung Manuskripte aus seiner Sammlung vor. Nur wenigen wird dabei die Euphorie entgangen sein,
mit der er von den Sammlungsstücken, ihrer Herkunft, ihrem Inhalt und
ihrer Geschichte zu berichten wußte, doch dürfte der Kreis derjenigen, die
seine Leidenschaft wirklich nachfühlen konnten, wesentlich kleiner gewesen sein. Für die meisten waren die Autographen eben doch der von Zweig
vielzitierte »Wust verstaubter, gebräunter, zerfallener, beschmutzter Pa-
pierblätter, ein raschelndes Durcheinander von Briefen, Akten und Dokumenten, ein Krümel abgetaner unlebendiger Dinge, scheinbar nichts Besseres wert als zerfetzt und verbrannt zu werden«.[5] Wie schon erwähnt,
war Rolland einer der wenigen, die seine Ausführungen bestens nachvollziehen konnten. In seinem Vorwort zur französischen Ausgabe von Zweigs
Amok merkte er zu dessen Sammelleidenschaft an: »Autographen rafft er
zusammen in seinem Fieber, im Geheimnis der großen Männer, der großen
Leidenschaften, der großen Schöpfungen all das zu entdecken, was sie dem
Publikum verschweigen, was sie nicht ausgeplaudert haben. Er ist der fre-
che und zugleich fromme Liebhaber des Genius, dessen Mysterium er ver-
gewaltigt, aber nur, um es tiefer zu lieben, der Dichter, der sich den ge-
fährlichen Schlüssel Freuds zu eigen gemacht hat, der Seelenjäger.«[6] In der
Tat verstand es Zweig, aus den ihm vorliegenden Blättern Funken zu schla-
gen, an denen er ein ganzes Feuerwerk erzählerischer Ideen abbrennen
konnte. Daß seine Phantasie und Fabulierfreude gelegentlich mit ihm

durchging, nahm er zugunsten der dramatischen Wirkung seiner Texte billigend in Kauf. Dabei kannte er sehr wohl die Grenzen der Deutungsmöglichkeiten. Ganz richtig bemerkte er: »ebenso wie eine Liedschrift nicht das Lied ist, so ist ein Liebesbrief noch nicht die Liebe, ein Todesurteil noch nicht der Tod – alles Geschriebene bleibt ja immer Chiffre und Zeichen eines Unsichtbaren, das im eigenen Elemente waltet.«[7] Wohlweislich verzichtete er in seinen biographischen und historischen Studien fast vollständig darauf, detailliert auf einzelne Manuskripte der dargestellten Personen einzugehen, doch lieferten ihm Autographen aus der eigenen Sammlung und aus Bibliotheken und Archiven reichlich Anregungen und Material. Näherte er sich einer neuen historischen oder literarischen Figur, so dauerte es meist nicht lange, bis ein Autograph der betreffenden Persönlichkeit in seiner Sammlung zu finden war.

Seine 1927 erstmals erschienenen *Sternstunden der Menschheit* sind wohl die besten Beispiele für Zweigs Fähigkeit, Geschichten aus einem einzelnen Dokument oder einer einzigen Begebenheiten im Leben historischer Personen zu entwickeln, beziehungsweise deren Leben und Wirken in einem charakteristischen Augenblick ihrer Biographie zu verdichten und zu erzählen. So berichtet er unter anderem, wie Goethe seine *Marienbader Elegie* schrieb, wie Scott im *Kampf um den Südpol* unterlag und Napoleon in der *Weltminute von Waterloo* seine Lektion zu lernen hatte. Der Band mit der Nummer 165 in der Insel-Bücherei, in dem die *Historischen Miniaturen* erschienen, zählte bald zu Zweigs bestverkauften Büchern.

Zu den Stücken seiner Sammlung und zum Autographensammeln im allgemeinen äußerte er sich in den 20er Jahren in einer ganzen Reihe von Aufsätzen, die sowohl in Fachblättern wie in Publikumszeitschriften erschienen, und schon 1923 hatten die Mitglieder der Gesellschaft der Freunde der Nationalbibliothek in Wien seinem Vortrag *Die Welt der Autographen* lauschen können. Neben allen Anregungen für neue Werke bot die Beschäftigung mit seiner Autographensammlung Zweig auch eine willkommene Möglichkeit, sich in eine eigene Welt begeben zu können, die den Damen des Hauses verschlossen blieb.

Nicht nur die Zahl der biographischen Essays, die oft in Wechselwirkung zu seinem Interesse für Handschriften standen, auch das davon weitestgehend unbeeinflußte erzählerische Werk Zweigs wuchs unablässig. Der Insel Verlag hatte Zweigs beim Lesepublikum außerordentlich beliebte Novellensammlungen in den letzten Jahren in einer Folge herausgegeben, die durch gleichgestaltete Leinenbände in unterschiedlichen Farben gekennzeichnet war. Das Vorhaben trug den Namen *Die Kette*. Das erste Glied bildete die Neuausgabe der schon vor dem Weltkrieg unter dem Titel *Erstes Erlebnis* erschienenen *Vier Geschichten aus Kinderland*, gefolgt von *Amok – Novellen einer Leidenschaft*, dem 1926 *Verwirrung der Gefühle* als drittes Glied hinzugefügt werden sollte. Hierfür arbeitete Zweig intensiv an den Novellen *Vierundzwanzig Stunden aus dem Leben einer Frau* sowie *Untergang eines Herzens* und der Titelgeschichte *Verwirrung der Gefühle*.

Die Bücher verkauften sich glänzend. Zeitungskritiken wie jene, die die *Neue Freie Presse* schon früher zum Sammelband *Amok* veröffentlicht hatte, kamen dem Verlag sehr gelegen und wurden dankbar in der Werbung für die Neuausgabe zitiert: »Atemraubende Spannung, komprimierter Affekt, leidenschaftliche Intensität, die ganze Suggestivkraft der Zweigschen Diktion, die uns, sei es auch wider Willen, einfängt, anpackt, bezwingt und bis zum letzten Worte festhält. Darüber hinaus unvergeßlich einprägsame Bilder: Tropennacht auf Deck eines Überseedampfers, lastendes Brüten und Glühen einer Dolomitenlandschaft vor dem losbrechenden Gewitter, Großstadtszenerien von einem Leben und einer Fülle, die oft an Frans Masereel erinnern, dem dieses Buch gewidmet ist.«[8] Spannend und gefühlsgeladen waren seine Erzählungen in der Tat, Ironie und Sarkasmus, zu denen er in Briefen durchaus in der Lage war, versagte er sich darin fast völlig. Wer seine Bücher vor allem las, war allseits bekannt, und Kurt Tucholsky brachte es in *Der schiefe Hut* auf den Punkt: »Frau Steiner war aus Frankfurt am Main, nicht mehr furchtbar jung, ganz allein und schwarzhaarig; sie trug Abend für Abend ein anderes Kleid und saß still an ihrem Tisch und las feingebildete Bücher. Ich will sie ganz kurz beschreiben: Sie gehörte zum Publikum Stefan Zweigs. Alles gesagt? Alles gesagt.«[9]

Mochten die Kollegen auch hinter mehr oder weniger vorgehaltener Hand über Zweig lächeln oder spotten: Er schien ein Kind des Glücks zu sein. Die Tinte floß ihm offenbar leicht aus der Feder, die Verkaufszahlen seiner Werke kletterten oft schon in der ersten Woche nach Erscheinen in ungekannte Höhen, die Ideen gingen ihm scheinbar nicht aus und in der Liste seiner brieflichen und persönlichen Kontakte fehlt kaum eine wichtige Person seiner Zeit, schon gar nicht aus der literarischen Welt. Dennoch haderte er oft genug mit seinem Erfolg und der Produktionsmethode, die er mit einer kaum mehr aufzuhaltenden, unablässig in Gang befindlichen Maschinerie verglich. An Richard Specht, der sich mit einer kurzen Biographie Zweigs als Einleitung zu einer in Rußland geplanten Werkausgabe beschäftigte, schrieb er Anfang 1927: »Lieber Freund, [. . .] Wie verstehe ich Deine Ermattungen, ich kenne sie selbst. Ich staune alle Menschen an, die leicht, frei und gerne schreiben. Auch meine Müdigkeiten sind manchmal schwer und ich bin doch jünger.« Schon früher hatte Zweig Specht mitgeteilt, wie gern er es sähe, wenn in dessen Essay über ihn nicht nur sein allseits bekanntes schriftstellerisches Werk, sondern auch seine Leistungen als Initiator deutlich betont würden. Noch immer war ihm seine gemeinsame Lesung mit dem damals offiziellen Kriegsfeind Pierre-Jean Jouve im Jahr 1917 in Zürich als Symbol künftiger Friedens- und Verständigungsbemühungen von besonderer Bedeutung. Auch sein Einsatz für die Verbreitung ausländischer Literatur, allem voran für das Werk Verhaerens, sollte nicht nur am Rande erwähnt werden. Und schließlich wäre, mit Blick auf den russischen Leserkreis, noch seine intensive Beschäftigung mit Werk und Person Dostojewskis besonders hervorzuheben. In seinem nächsten Brief an Specht äußerte Zweig sich selbstkritisch zu seiner literarischen Arbeit der letzten Jahre: »Deine Einwände, ich billige die vollkommen. Ich weiß, dass in ›Amok‹ besonders das Erzählen etwas überhitzt ist. Den inneren Grund weiß ich heute: ich empfand ›Erstes Erlebnis‹ als um einen Ton zu weich, zu süß, zu unstraff. Dann kam noch die Beschäftigung mit Dostojewski, eine von innen her kommende Vermännlichung und Passioniertheit seit dem Krieg: da warf ich mich hinein. Ich sagte mir (oder ich fühlte): jetzt darf nur Vehementes gelten, Starkes. Tieftreffendes. Für die kleinen Dinge, die zarten Gefühle bleibt kein Raum mehr: tief hinein, tief hinab! So habe ich unbewusst vielleicht ein wenig zuviel Volldampf genommen. In ›Verwirrung‹ ist schon manches (die mittlere Novelle [*Untergang eines Herzens*])

wieder beherrschter. Aber all das, ›Jeremias‹, ›Der Kampf mit dem Dämon‹ ect. ist eine Epoche, die ich im Ganzen liebe, ich bin doch durch
den Hochdruck des Krieges, erst mit dem ›Jeremias‹ wirklich aus mir
herausgekommen.«[10]

Erholung von den Strapazen der literarischen Tretmühle und ihren
Folgen sollte im Sommer 1927 ein Aufenthalt im Kurhaus Castell in Zuoz
im Ober-Engadin bringen. Einmal mehr versuchte Zweig, sich das intensive Rauchen und Kaffeetrinken abzugewöhnen – und einmal mehr
sollte er damit erfolglos bleiben. Auf dem Kapuzinerberg wurden derweil
unter Friderikes Oberaufsicht im gesamten Haus Gasleitungen verlegt.
Nach Stefans Rückkehr räumte Friderike im September das Feld und begleitete Suse, die ein halbes Jahr in einem Pensionat der Quäker in Gland
am Genfer See verbringen sollte, in die Schweiz. Stefan beschäftigte sich
zu dieser Zeit schon wieder mit neuen Essays für den dritten Teil der
Reihe *Baumeister der Welt*. Diesmal sollten *Drei Dichter ihres Lebens* vorgestellt werden, wie der Untertitel verriet. Ursprünglich waren Beiträge
über Stendhal, Tolstoi und Rousseau vorgesehen, doch hatte Zweig in der
Vorbereitungsphase im letzten Moment eine Umbesetzung des Personals
beschlossen. Grund dafür war sein Ärger über die Verlegerfamilie Brockhaus, die seit Jahrzehnten das Originalmanuskript von Casanovas Lebenserinnerungen verwahrte und niemandem die Einsichtnahme gestattete.
In einer beinahe als Trotzreaktion zu bezeichnenden Entscheidung hatte
Zweig, dem nie in den Sinn gekommen wäre, der Wissenschaft Handschriften aus seiner eigenen Sammlung vorzuenthalten, daraufhin den
Beitrag über Rousseau gegen eine Lebensbeschreibung Casanovas ausgetauscht. Im darin enthaltenen Abschnitt *Genie der Selbstdarstellung* sparte
er ebensowenig mit Kritik an der Familie Brockhaus wie in einem Zeitungsartikel, den er unter dem Titel *Beschwerde gegen einen Verleger* im *Berliner Tageblatt* veröffentlichte.[11]

Einigermaßen ungestört arbeitete er den Herbst über in Salzburg an
den Texten. An Friderike schrieb er: »Mein Leben verläuft, Du weisst es,
jenseits aller grossen Bewegtheiten, es sind jetzt auch keine Besuche,
mein Hauptfreund ist jetzt Herr Casanova.«[12] Nur seinen Sammlerkollegen Geigy-Hagenbach empfing er in diesen Tagen zum gemeinsamen

Schwelgen in den Autographenmappen, doch dies war für Zweig wirklich keine Belastung, sondern eine willkommene Abwechslung. Voller Vorfreude ließ er seinen Gast wissen: »Hochverehrter Herr Geigy! Ich freue mich also schon ausserordentlich, [. . .] und meine Sammlung, insoweit man toten Objekten Gefühle zuschreiben darf, ist schon sehr stolz, von Ihnen besehen zu werden.«[13]

Es hatte sich als geschickt erwiesen, die kurz nach dem Krieg drohende Abtretung von Wohnräumen in dem aus Sicht der Behörden doch recht großen Haus mit dem Praktischen zu verbinden. Der Einquartierung wildfremder Leute auf amtliche Weisung hatte Zweig zunächst durch die Aufzählung der für seine Erwerbstätigkeit nötigen Räume, die den Wohn- und Schlafzimmern der Familie hinzuzuzählen waren, zuvorzukommen versucht. Schließlich handelte es sich nicht nur um ein Wohnhaus, sondern auch um eine Arbeitsstätte. Bereits ab 1921 waren dann in einem Seitenteil des Hauses Untermieter aufgenommen worden, womit die Gefahr, doch noch Mitbewohner zugewiesen zu bekommen, gebannt gewesen sein dürfte. Zunächst ist für kurze Zeit der Oberwachmann Johann Trauner als Mieter verzeichnet, im Frühjahr 1922 folgte dann das Ehepaar Franz und Maria Schirl, das bis 1940 blieb. Zu Anfang wurde auch Franz Schirl als Oberwachmann geführt, 1935 hatte er es auf der Karriereleiter bis zum Posten eines Polizeirittmeisters gebracht. Mit diesen Nachbarn durfte man sich in dem einsam gelegenen Haus mit all seinen Kostbarkeiten wohl einigermaßen sicher fühlen. Außerdem gehörte schon in der ersten Zeit auf dem Kapuzinerberg ein Hund zu den Hausgenossen, an dem Zweig mit besonderer Liebe hing: Gelegentlich sprach er sogar von seinem »Sohn«, wenn er den Schäferhund Rolf meinte, der zu seinem großen Schmerz im Herbst 1927 eingeschläfert werden mußte. Noch zu Rolfs Lebzeiten war ein Spaniel mit Namen Kaspar hinzugekommen, der mit der Hündin Henny eine ganze Dynastie begründen sollte. Auch an ihn hatte Zweig schnell sein Herz verloren. Als die Israelitische Kultusgemeinde in Salzburg einen angeblich offenstehenden Beitrag anmahnte, schrieb er an Friderike: »Ich bin gewiss, die Rate gezahlt zu haben. [. . .] Sie sollen mir alles, nur den Kaspar nicht pfänden.«[14]

Beinahe war es zu erwarten gewesen: Im Gegensatz zu Stefan gaben

Im Garten des Hauses auf dem Kapuzinerberg, von links: Stefan Zweig, Friderikes Töchter Suse und Alix von Winternitz, Friderike Zweig und unter dem Stuhl liegend der Spaniel Kaspar

die Mädchen Suse und Alix wenig auf die Hunde und hingen mit Hingabe an ihren Katzen, die wiederum Stefan höchstens duldete und keinesfalls mochte. Zu seinem Ärger hatte ausgerechnet Romain Rolland ihn bei seinem Besuch vor den versammelten Damen des Hauses vorgeführt, als er unter Kopfschütteln – »Un poète, qui n'aime pas le chats!«[15] – fragte, wie es denn nur möglich sei, daß ein Dichter keine Katzen mochte, und zu allem Überfluß auch noch bei jeder sich bietenden Gelegenheit Suses Lieblingskatze auf den Arm nahm und streichelte.

Um die Arbeitsatmosphäre nicht zu stören, war auf dem Kapuzinerberg nicht nur das Radiohören verpönt, es war nicht einmal eine Zeitung abonniert – wobei Zweig die Lektüre inkonsequenterweise allabendlich im Kaffeehaus nachholte. Darüber hinaus war »Adolf Schustermanns Zeitungsausschnittdienst« in Berlin damit beschäftigt, jede Meldung über Zweig und seine Werke aus der deutschsprachigen Presse gewissenhaft nach Salzburg zu liefern. So trafen auch nach den Lesereisen regelmäßig die Kritiken aus der Lokalpresse des Veranstaltungsortes ein. Diese Zeitungsartikel beinhalten interessante Details zur Wirkung Zweigs in der Öffentlichkeit – und auch manch kuriose Passage, wie die Einleitung zu einer Kritik im *Wiesbadener Fremdenblatt* vom 26. November 1926: »Gestern abend las Stefan Zweig im Kasino aus eigenen Werken vor. [. . .] Der weitaus grösste Teil der Zuhörerschaft bestand aus Damen, was wohl auffiel, aber schliesslich nichts zur Sache tut. Stefan Zweig selbst, ein Mann ›in den besten Jahren‹, erinnert in seinem Aeusseren (allerdings gesehen von der 10. Stuhlreihe ab rückwärts) sehr an Hermann Löns. Aber dies nur zur äusseren Orientierung.«[16]

Mancher Zuhörerin und manchem Zuhörer wird bei Zweigs Lesungen das aufgefallen sein, was Friderike bereits 1912 bemerkt hatte, als sie ihn bei der Uraufführung von *Das Haus am Meer* unter dem Beifall des Publikums die Bühne betreten sah: »Er war nicht für den öffentlichen Applaus geschaffen.«[17] Tatsächlich konnte er auch mit beinahe 50 Jahren in größeren Gesellschaften noch immer schüchtern und ein wenig unsicher wirken. Er selbst wußte dafür zumindest im Falle eines besonderen Auftritts eine Erklärung zu liefern: »Als einmal auf einer Vortragsreise man den großen Hörsaal der Universität für mich gewählt hatte und ich plötzlich entdeckte, daß ich von einem Katheder herab sprechen sollte, während die Hörer unten auf den Bänken genau wie wir als Schüler, brav und ohne Rede und Gegenrede saßen, überkam mich plötzlich ein Unbehagen. Ich erinnerte mich, wie ich an diesem unkameradschaftlichen, autoritären, doktrinären Sprechen von oben herab in all meinen Schuljahren gelitten hatte, und eine Angst überkam mich, ich könnte durch dieses Sprechen von einem Katheder herab ebenso unpersönlich wirken wie damals unsere Lehrer auf uns; dank dieser Hemmung wurde diese Vorlesung auch die schlechteste meines Lebens.«[18]

Besser erging es ihm in Hannover, wo er zum »Tag des Buches« im März 1929 »mit sonnigem Lächeln und eilig wie ein übermütiger Conférencier« das Podium betreten hatte, wie der *Volkswille* zu berichten weiß.[19] Über dieselbe Veranstaltung schrieb der *Hannoversche Anzeiger*: »Dann kam Stephan Zweig, lehnte lächelnd, mit abwehrender Geste die Beifallsbegrüßung durch das Publikum ab, und brachte mit seiner unsagbar weichen und doch plastisch betonenden Stimme eine sehr fein empfundene Improvisation ›Dank an die Bücher‹ zum Vortrag. Schöner und eindringlicher kann man wohl kaum zum ›Tage des Buches‹ sprechen als in diesen lyrisch hingehauchten Worten von den wartenden, mit geduldigen Augen auf uns blickenden Büchern, die uns, in rechter Stunde zur Hand genommen, von räumlicher und zeitlicher Gebundenheit loslösen und hinwegführen in das Reich des Ewigen und denen wir als einzigen Dank Liebe entgegenzubringen vermögen. Stephan Zweig, den man mit seiner weichen Stimme, seiner äußeren Erscheinung und auch seiner grazilen Bewegtheit nach für einen Franzosen halten könnte, ist ein vorzüglicher Interpret seiner Lyrik.«[20]

Auf den Lesereisen lag der Schwerpunkt eindeutig in den Städten Nord- und Westdeutschlands und in Berlin. Nur sehr selten zog es Zweig nach Osten. Auftritte wie eine Lesung in Breslau blieben die absolute Ausnahme, Ostpreußen hat er nie besucht. Auch an seinem Verlagsort Leipzig war er nie auf dem Podium zu finden. In Salzburg las er allerhöchstens still und für sich allein in seinem Haus oder Garten, und durch das übrige Österreich unternahm er – abgesehen von einigen Vorträgen in Wien – nicht eine Tournee. Über die Gründe dafür kann spekuliert werden, jedenfalls konnte er es sich leisten, nur dort aufzutreten, wo es ihm gefiel. Bayern war ihm spätestens seit den politischen Unruhen um Erich Ludendorff und Adolf Hitler zu einem äußerst unsympathischen Aufenthaltsort geworden. Meist machte er auf dem Weg von Salzburg nur kurz in München Station, um Freunde und Bekannte zu treffen, und verabschiedete sich danach so schnell als möglich in Richtung Norden. Während einer Tournee im November 1927 las er ausnahmsweise auch in München und zudem noch in einem Kinosaal, dem Phoebus-Palast, mit dessen akustischen Eigenheiten er reichlich zu kämpfen hatte. Vor über 1000 Zuhörern stellte er seinen neuen Text über Tolstoi vor: »Der Vortrag war glänzend besucht, auch Thomas [und] Heinrich Mann[,] Ponten ect anwesend, ich leider nicht sehr in Form, weil ich wilde Sprünge und

Kürzungen improvisieren und im Riesensaal Stimme erhoben werden
musste. [. . .] Morgen werde ich an den Erfahrungen gelernt haben. Mittags bei Bruno Frank, [. . .] dann bei Thomas Mann.«[21]

Von dort ging es über Stuttgart und Frankfurt am Main weiter nach
Bremen und schließlich nach Hamburg, jene Metropole, für die er längst
seine besondere Vorliebe entdeckt hatte und die er mehr als einmal seine
liebste Stadt im Reich nannte. Überhaupt gefiel es ihm nördlich des Mains
immer besser: »Hier im Norden habe ich ja eine Art Heimat«, schrieb er
an Friderike. Und man tat vor Ort viel dafür, daß der berühmte Schriftsteller seinen Aufenthalt genießen konnte. In Bremen war er auf Kosten
des Hauses im Nobelhotel Hillmann zu Gast gewesen, im Vier Jahreszeiten in Hamburg stand bei seiner Ankunft schon ein riesiger Blumenstrauß
mit einer Empfehlung des Hoteldirektors bereit. Er habe dort ein »herr-
liches, nur boshafter Weise zweischläfriges Zimmer« gehabt, berichtete
Stefan seiner Frau – nicht ohne Hintergedanken an ihre erste gemeinsame
Reise im Jahr 1912, auf der sie in ebendiesem Hotel gewohnt hatten.[22]

In Hamburg verlief alles bestens: »Vor den Toren eine Phalanx von Lu-
xusautos, im Innern das in diesem Winter selten gesehene Schildchen
›Ausverkauft‹. Masse Mensch erwartungsvoll und interessiert«,[23] wie der
Hamburgische Correspondent berichtete. Das Publikum im großen Saal des
Überseeclubs, in dem die Lesung stattfand, lauschte aufmerksam und ap-
plaudierte ausgiebig. Die *Altonaer Nachrichten* verneigten sich am Tag nach
der Lesung mit den pathetischen Worten: »Dank Dir, Stefan Zweig, Du
feiner, adliger Mensch und Dichter, für diese erhebende Stunde!« vor
dem »zartfühlenden Wiener, diesem bescheidenen Mann mit dem durch-
seelten Antlitz und den unbeschreiblich reinen, gütigen Augen.«[24] Doch
beim Blick aus dem Hotelfenster auf die Alster konnte Zweig schon wieder melancholisch werden: »Ich sehne mich immer mehr nach Rückzug,
will auch trotz aller Annehmlichkeiten mit allem Öffentlichen Schluss
machen. Auch mit der Briefschreiberei und Herumtuerei: ich denke mir
[. . .], wie herrlich es sein müsste, wieder ganz privat zu leben, sein Leben, und zu reisen ohne Pflichten und Menschen. Hoffentlich können wir
es uns erfüllen: dieses künstliche und künstlerische Imschwungsein zer-
stört innerlich viel Kostbares in uns allen. Vor mir reist Werfel: wo ich

lese, war er tags zuvor, und ich begegne ihm also nie, nur die gleichen
Portiers bringen dem einen das Gepäck heraus und dem andern herein:
ein Symbol des Betriebs! Ich eigne mich gar nicht für das Repräsentative
und den Betrieb, weil mir der Ehrgeiz fehlt und ich dem Wert sowohl
meiner Arbeit als jener Öffentlichkeit zu sehr misstraue.«[25]

Zu Hause wußte man sehr wohl, daß ihm der Kontakt mit dem Publikum und der damit verbundene Trubel um seine Person, so sehr er ihn gelegentlich suchte, nicht immer gut bekam. Schon im Vorjahr hatte er einen
Brief von einer mit Terminen vollgepackten Vortragsreise mit den Worten:
»Gehetzt wie ein Wildschwein schreibe ich nur im Fluge« begonnen.[26]
Und während er nun wieder durch Deutschland fuhr und Tag für Tag »vor-
sang«, erreichten ihn als Nachschrift zu einem Brief Friderikes, die sich gerade in Wien aufhielt, sogar einige liebevoll-besorgte Zeilen aus der Feder
seiner Mutter: »Schone Dich doch ein bisserl, nicht jeden Abend Vorträge
halten, das macht sehr nervös. In Liebe Deine alte Mama.«[27]

Doch Ida Zweigs »Stefferl« gab wenig auf den mütterlichen Ratschlag
und plante auch im kommenden Jahr längere Reisen. Im Mai 1928 über-
raschte er mit Gedanken über ganz ungewohnte Ziele: »Ich bin inzwischen still hier gesessen und bleibe es auch, abgesehen von kürzeren Ausflügen, bis zum Juliende, wo ich nach Belgien will. Hoffentlich gelingt
mir mein Vorhaben, dort in einem Privathaus 2, 3 Zimmer zu mieten und
damit dem Fremdenhotel zu entgehen. Ich möchte mir's so einteilen,
dass ich frei herumziehen kann, vielleicht meine Familie zurücklassend,
einige Zeit nach London oder Holland fahren.«[28] In Ostende ist er in jenem Sommer während der Festspielzeit tatsächlich gewesen. Unge-
wöhnlicherweise sogar in Begleitung von Friderike und Suse, doch London, das er zuletzt vor über 20 Jahren gesehen hatte, besuchte er nicht.

Als er wieder zu Hause angekommen war, fand er in der Post eine Ein-
ladung aus der Sowjetunion, Österreich bei den Feierlichkeiten zu Leo
Tolstois 100. Geburtstag zu vertreten. Schon am 7. September sollte die
Reise beginnen, und Zweig zögerte keinen Moment mit seiner Zusage.
Die zwei Wochen, die zwischen seiner Abfahrt und der Rückkehr nach
Salzburg lagen, brachten ihm kaum eine ruhige Minute. Aus dem Grand-
Hôtel in Moskau erstattete er Friderike am 11. September Bericht über

die vergangenen Tage und über all das, was ihn in der mehr als knapp be-
messenen Zeit noch erwartete: »Angekommen Montag 3 Uhr, begrüsst,
photografiert, cinematografiert, gewaschen, geplaudert, gegessen, um
sechs in das herrliche Opernhaus, das viertausend Personen fasst, drei
Stunden auf der Tribüne den Reden zugehört, dann selbst eine improvi-
siert, während sechs Scheinwerfer einem die Augen blendeten und neben
einem der Kinematograf curbelte, vor einem das Radio und 4000 Personen standen, dann um 1 Uhr nachts noch durch die Stadt. Morgens
Dienstag Dostojewskimuseum, das herrliche historische Museum, dann
das Tolstoi Haus eröffnen geholfen, tausend Leute kennengelernt, dann
ins Tolstoi Museum (mein Tolstoibuch wird an allen Strassenecken für 2 5
Kopeken verkauft [. . .]). Nachmittags bei Boris Pilniak mit allerhand Rus-
sen, nachher bei Antiquaren und über alle Strassen in der Droschke,
abends Opernhaus Eugen Onegin, jetzt 1 2 Uhr Abfahrt nach Tula, Ankunft morgen Mittwoch 6 Uhr, mit dem Auto dann nach Jasnaja Poljana,
nachts wieder Schlafwagen zurück (was ist ein Bett), Donnerstag 4 Mu-
seen, 1 0 Besuche vorgesehen, auch zu Gorki, abends Theater, nachts
Bummel, Freitag ähnlich viel, ebenso Samstag. Samstag abends, von meinem Verleger geladen, ›Ausflug‹ nach Leningrad, 1 2 Stunden Schlafwagen, Sonntag Rembrandts und Leningrad, Sonntag abends im Schlafwagen 1 2 Stunden zurück, Montag (falls der Zug geht) im Schlafwagen nach
Warschau, Dienstag Schlafwagen nach Wien bis nachmittags, Donnerstag
spätestens Freitag Salzburg. [. . .] Alles rasend interessant. Ich bin glücklich alles gesehen zu haben, es ist ein Eindruck für das ganze Leben. [. . .]
Beantworte alle Briefe mit dem Vermerk, ich bliebe noch einen Monat
aus. Mir geht es gut, ich fühle mich durch die Intensität der Eindrücke
frisch und besser als je. Herzlichst Stefan.«[29]

Das Land bot ihm mit seinen Kontrasten erwartungsgemäß reichlich
Erzählstoff, und wie in früheren Zeiten veröffentlichte er über seine
Reise einen ausführlichen Bericht, den die Leser der *Neuen Freien Presse* in
mehreren Ausgaben Ende Oktober und Anfang November im Feuilleton
der Zeitung studieren konnten. Gleich zu Beginn des Artikels wies er auf
die völlig anderen Dimensionen hin, an die sich Besucher des Landes in
jeder Beziehung zu gewöhnen hätten. Entfernungen und Zeit würden mit

gänzlich anderen Maßstäben gemessen, wie er schon nach kurzem Aufenthalt selbst hatte erfahren müssen: »Eine Stunde Verspätung bei einer Verabredung gilt noch als Höflichkeit, ein Gespräch von vier Stunden als kurze Plauderei, eine öffentliche Rede von anderthalb Stunden als kurze Ansprache.« Mit Kommentaren zur Politik des Landes hielt sich Zweig freilich vorsichtig zurück und machte nur einige Bemerkungen zu den Inszenierungen der kommunistischen Macht durch nächtlich angestrahlte rote Flaggen und Lenins gläsernen Sarg. Es lag ihm schon eher, darüber zu sinnieren, ob er auf den Mauern des Kreml möglicherweise an ebenjener Stelle stand, von der aus Napoleon einst die brennende Stadt zu seinen Füßen gesehen hatte.[30]

Die Assoziation zu Napoleon war für Zweig mehr als naheliegend, zumal er sich gerade in letzter Zeit intensiv mit dessen Leben und Epoche beschäftigt hatte und die Biographie über den Polizeiminister Joseph Fouché langsam deutliche Züge annahm. Vertraulich ließ Zweig seinen Umkreis wissen, daß er die Hauptfigur dieses Buches nicht im geringsten ausstehen könne und er nie wieder den Fehler machen werde, über ein solches Scheusal zu schreiben. Parallel dazu arbeitete er gleich an zwei neuen Theaterstücken, die ebenfalls zur Zeit der Französischen Revolution und Napoleons spielten: Die Tragikomödie *Das Lamm des Armen* und das Drama *Adam Lux* über einen aus Mainz stammenden glühenden Verehrer der Republik, der in den Wirren der Revolution unter der Guillotine endete. Die historische Person des Lux hatte er schon vor dem Ersten Weltkrieg für sich entdeckt und immer wieder an der Dramatisierung von dessen Lebensgeschichte gearbeitet. Doch die Fertigstellung wollte ihm einfach nicht gelingen: Nur das Vorspiel erschien zu Zweigs Lebzeiten im Druck, weitere neun Bilder des unvollendeten Stückes fanden sich in seinem Nachlaß. Auch wenn Zweig gelegentlich das Gegenteil behauptete, war das Theater nach wie vor von großem Interesse für ihn. 1927 hatte er mit Alexander Lernet-Holenia (unter dem von der Kritik bald aufgedeckten gemeinsamen Pseudonym Clemens Neydisser) die Komödie *Quiproquo – Gelegenheit macht Liebe* verfaßt, in der die Schauspielerin Paula Wessely im November 1928 ihre ersten Erfolge feiern konnte, und nur wenige Monate zuvor war in Kiel sein Stück *Die Flucht zu Gott* uraufgeführt worden.

Für den Abschluß des Jahres 1928 standen noch zwei weitere Reisen an: Zunächst ein kurzer Abstecher nach Paris, wo wenige Tage vor Zweigs Geburtstag Ende November die französische Fassung seines *Volpone* unter donnerndem Applaus ihre Premiere erlebte. Nach der Rückkehr blieb er nur wenige Wochen in Salzburg. In der Vorweihnachtszeit brach er dann allein in die Schweiz auf und hielt sich dort über die Feiertage bis ins neue Jahr auf. In Montreux fand er ein wenig Ruhe und sogar Zeit für sportliche Übungen. Er traf sich während seines Aufenthalts mehrmals mit Rolland, der sich ausgesprochen wohl fühlte, so daß sich Zweig um dessen Gesundheit ausnahmsweise einmal keine Sorgen machen mußte. Schon auf dem Hinweg war er in Zürich seinem Bruder Alfred begegnet, der mit seiner Frau im Winterurlaub war, und auf der Rückreise machte er bei Karl Geigy-Hagenbach in Basel Station.

Auch über das Jahr 1929 konnte Zweig später nur als von einer weiteren »Hetzjagd« sprechen, die ihn wie gewohnt von Manuskript zu Manuskript und kreuz und quer durch Mitteleuropa trieb. Das, was Rolland in seinem Vorwort zur französischen Ausgabe von *Amok* geschrieben hatte, wurde Zweig langsam, aber sicher zur Belastung: »Immer ist er auf Reisen, alle Gebiete der Kultur durchstreift er, stets beobachtend und notierend, seine persönlichsten Werke schreibt er auf flüchtiger Rast in irgendeinem Hotelzimmer.«[31] Gleich im März war er in Belgien und den Niederlanden unterwegs. In Brüssel hielt er den Vortrag *Der europäische Gedanke in der Literatur* – allerdings nicht ganz aus freien Stücken, wie er Geigy-Hagenbach wissen ließ: »Diesmal war ich wahrhaftig von allen Seiten dazu gezwungen, denn es handelt sich darum, dass bei dieser internationalen Veranstaltung nun endlich einmal ein Deutscher zu Worte kommt und bei der dortigen nationalistischen Stimmung musste *ich* ausrücken, weil ich von Verhaerens Zeit her und durch die Uebersetzung seiner Werke den meisten Kredit dorten habe.«[32] Anschließend besuchte er noch Rotterdam, Utrecht und Den Haag, wo er aus seinen Werken las und reichlich Bücher zu signieren hatte.

Die kommenden Monate waren mit der Arbeit an der Endfassung der Biographie Fouchés blockiert. Er habe sich die Peitsche, die ihn vorwärtstrieb, selbst bestellt, sagte Zweig, denn der Insel Verlag erwartete

Stefan Zweig bei einer Signierstunde in der Buchhandlung Dijkhoffz in Den Haag am 19. März 1929

das fertige Manuskript nach seinem Versprechen am 1. Juli. Immerhin träumte er während des Schreibens davon, im Winter einmal fern aller Manuskripte eine Erholungsreise nach Madeira oder sogar in den Orient zu unternehmen. Noch während die Korrekturen am *Fouché* zu erledigen waren, machte sich Zweig daran, auch *Das Lamm des Armen* zu beenden. Das Schauspiel widmete er seinem Bruder Alfred zu dessen 50. Geburtstag im Oktober 1929.

Die Festspielzeit verbrachte er in diesem Jahr ausnahmsweise zu Hause in Salzburg. Kurz vor Beginn des Sommertheaters hatte er erfahren, daß Hugo von Hofmannsthal völlig unerwartet am 15. Juli in Rodaun verstorben war. »Erst Rilke, dann er – das ist kein Zufall mehr, sondern ein Symbol und kein gutes«,[33] schrieb Zweig an Kippenberg. Und Rolland gegenüber sprach er sogar davon, daß mit dem Tod dieser beiden Dichter das Ende des alten Österreichs gekommen sei. Im Gedenken an Rilke hatte Zweig 1927 den Text *Abschied von Rilke* verfaßt und in München und an verschiedenen anderen Orten vorgetragen. Nun wurde er gebeten, auch bei der Trauerfeier für Hofmannsthal, die Mitte Oktober im Wiener Burgtheater stattfinden sollte, die Gedächtnisrede zu halten. Eine Ehre, die er selbstverständlich nicht ausschlug, doch äußerte er sich im Vorfeld vorsichtig kritisch über den Verstorbenen: »Sein Leben war eine lange Tragödie – Vollendung mit 20, und dann haben ihm die Götter ihre Stimme entzogen. Ich mochte ihn persönlich wenig, aber ich war sein Schüler, und sein Tod hat mich sehr bewegt.«[34]

Im Herbst erschien das Buch über Joseph Fouché mit dem Untertitel *Bildnis eines politischen Menschen* und einer gedruckten Widmung für Arthur Schnitzler im Insel Verlag. Ernst Weiß zeigte sich in seiner Kritik begeistert: »Auf jeden Fall erscheint dieses Werk Zweigs der Gipfel des auf diesem Gebiet bisher erreichten zu sein, und ist, bis auf kleine, verbesserbare Schwächen das klassische Beispiel dieser Art Geschichtsschreibung und zugleich das klassische Beispiel dieser Art Kunst. Denn um beides handelt es sich: Um die Historie, die Wissenschaft als Hauptsache, und nebenher um den Roman, ein Kunstwerk der Phantasie.«[35] Tatsächlich hatte Zweig für die populäre Biographieschreibung seiner Zeit inzwischen neue Maßstäbe gesetzt. Als das Buch auf den Markt kam, war er längst mit den Vorbereitungen zum nächsten Werk beschäftigt. Die Reihe *Baumeister der Welt* hatte zwar wie *Die Kette* mit dem jeweils dritten Band ihren Abschluß gefunden, doch griff er die erfolgreiche Idee, drei aufeinander bezogene Lebensläufe in einem Buch zu veröffentlichen, wieder auf. Mit der *Heilung durch den Geist* wollte Zweig sich beschäftigen und seinen Lesern die Lebensläufe des Arztes Franz Anton Mesmer und der Begründerin der Christian Science Mary Baker Eddy vorstellen. Die Arbeit am dritten Essay, das war schon zu Beginn der Planungen abzusehen, würde die mit Abstand komplizierteste werden: Zweig wollte sich nämlich daranwagen, das Werk Sigmund Freuds darzustellen.

Bis er an die Feinarbeit ging, blieb noch etwas Zeit. Nach einer kurzen Parisreise mit Friderike und Alix im Oktober fuhr Stefan mit seiner Frau zu Anfang des Jahres 1930 für einige Wochen nach Italien und traf dort in Sorrent mit Maxim Gorki zusammen, den er bereits auf der Fahrt in die Sowjetunion persönlich kennen- und schätzengelernt hatte: »wir vertragen uns trotzdem wir beide unsere Sprachen nicht verstehen, ausgezeichnet.«[36] Doch dann setzten leidige Probleme mit der Theaterwelt dem Aufenthalt ein schnelles Ende. Als nämlich deutlich wurde, daß es Probleme mit der geplanten Uraufführung von *Das Lamm des Armen* geben könnte, die sich nicht per Brief oder Telephon lösen ließen, reisten die Zweigs schon Anfang Februar wieder zurück nach Salzburg.

Zu Hause hatte ihn der Alltag schnell wieder eingeholt. Die Arbeit an seinem neuen Buch erledigte Zweig in mehreren Etappen, wobei er sich den schwierigsten Teil bis zum Schluß aufhob. Im Frühjahr war der erste Essay fast vollendet, der zweite in Arbeit. Seiner italienischen Übersetzerin Lavinia Mazzucchetti konnte er bereits fertige Textpassagen auf die Post geben. In einem Begleitbrief schrieb er ihr im Mai: »Die Mrs. Eddy schicke ich Ihnen weiter zu und mache gerade den Mesmer fertig, dann kommt der Freud und dann – ein Luftsprung!«[37]

Fehlleistungen

Die Uraufführung von *Das Lamm des Armen* fand am Abend des 15. März 1930 an mehreren Orten gleichzeitig statt, nämlich in Lübeck, Breslau, Hannover und Prag. Zweig reiste zunächst nach Breslau, wo er über die Inszenierung einigermaßen erschrocken war – »Ich sah hier die Probe zu einem sonderbaren Lustspiel, das mich ein wenig an das Lamm des Armen erinnerte«[2] – und nahm dann an der Vorstellung in Hannover teil. Er ließ sich vom Premierenpublikum bejubeln, und das Stück bekam recht gute Kritiken. Leider hielt es sich nicht so lange wie erhofft auf den Spielplänen, von denen Zweig nun gelegentlich meinte, sie seien zu »fleischlos« – eben weil sein »Lamm« auf der Bühne fehlte. Der Stadt Hannover widmete er noch einen Beitrag mit dem (sehr positiv gemeinten) Titel *Hannover – Stadt der Mitte,* der im folgenden Jahr gern als Geleitwort im Werbebüchlein *Hannover zu allen Jahreszeiten* abgedruckt wurde.[3] Aber bei allen Sympathien für den Norden Deutschlands hatte Zweig es schon wieder eilig weiterzukommen. In Berlin wartete Albert Einstein auf ihn, der sich zu Zweigs eigenem Erstaunen als ein eifriger Leser seiner Bücher entpuppt hatte und ihn unbedingt treffen wollte. Doch auch hier machte er nur kurz Station, schon am nächsten Tag ging es zurück nach Hause, denn das neue Buch sollte endlich zu einem Abschluß kommen.

Stefan Zweig beim Besuch der Uraufführung seines Theaterstücks *Das Lamm des Armen* am 15. März 1930 in Hannover. Von links: Raul Lange (Fouché), Carola Wagner (Pauline Fourès), Stefan Zweig, der Regisseur Georg Altmann, Theodor Becker (François Fourès) und Hugo Rudolph (Napoleon Bonaparte)

Nachdem er sich ausgiebig mit der Materie beschäftigt hatte und die ersten beiden Beiträge für *Die Heilung durch den Geist* fertiggestellt waren, drohte die Umsetzung des Essays über Sigmund Freud schwieriger zu werden als gedacht. Um die Arbeit zu einem glücklichen Ende zu bringen, nutzte Zweig schließlich die Festspielzeit im Sommer 1930 und wählte sich mit Hamburg den nach eigener Aussage »merkwuerdigsten aller Sommerplaetze« als Ort für die Weiterarbeit an seinem Manuskript.[4] Die größte Annehmlichkeit dieser Stadt war für ihn, daß er hier nahezu keine Freunde oder Bekannten hatte und sich ohne größere Verpflichtungen einzugehen der Arbeit und der abendlichen Freizeit hingeben konnte. Der junge Schriftsteller Joachim Maass, der seit einiger Zeit mit Zweig in Kontakt stand, hatte ihm für den Arbeitsaufenthalt von etwa drei Wochen eine Wohnung im Haus Alsterglacis 10 und für die Freizeitgestaltung einige andere Adressen vermittelt – dabei waren Zweig die einschlägigen Etablissements der Stadt von früheren Besuchen wohlbe-

kannt, schon 1926 hatte er dem Kollegen Erich Ebermayer mit besonderem Nachdruck empfohlen, das Vergnügen eines Abends in der »Roten
Mühle« keinesfalls zu versäumen.

Seit Monaten hatte Zweig Bücher und Akten zur Geschichte der Psychoanalyse und zur Bedeutung Freuds, aber auch zum Widerstand gegen
dessen Lehre durchstöbert. Während er noch versuchte, die Erkenntnisse
in einen Aufsatz zu fassen, war anderswo bereits sein nächstes Projekt in
Vorbereitung: Sein Freund Erwin Rieger hatte mit Zweigs finanzieller
Unterstützung schon im März im Hôtel Manchester in Paris in der Nähe
der Nationalbibliothek Quartier bezogen und ging dort mit dem französischen Übersetzer Alzir Hella die Übertragungen von Zweigs Essay über
Casanova und seiner Biographie Fouchés durch. Vor allem aber widmete
sich Rieger in der Bibliothek ausgiebigen Studien über eine Dame, mit deren Geschichte Zweig sich bald genauer beschäftigen wollte. Es war die
aus Österreich stammende französische Königin Marie Antoinette, deren
Leben mehr als genug von jenem Stoff versprach, aus dem seine Bücher
entstanden.

Doch zunächst ging es darum, in die jüngere Vergangenheit und die
Gegenwart zu blicken und über das Leben und Wirken des Zeitgenossen
Sigmund Freud zu berichten. Der Gedanke daran fiel beiden Seiten nicht
leicht. Weder Zweig, der Freud über alle Maßen bewunderte, aber sich
bislang nie mit den Details der Psychoanalyse beschäftigt hatte, noch
Freud, der selbstverständlich um das Projekt wußte und dem die Aussicht, mitsamt seiner Wissenschaft in einem Aufsatz Zweigs dargestellt zu
werden, nicht wirklich zu behagen schien. Deutlich wird dies im Briefwechsel zwischen Freud und dem – mit Stefan Zweig weder verwandten
noch verschwägerten – Schriftsteller Arnold Zweig. Als Stefan Zweig sich
in Hamburg zur Arbeit niedergelassen hatte, erholte sich Freud gerade
am Grundlsee von anstrengenden Voruntersuchungen zu einer bevorstehenden Kieferoperation. Von dort schrieb er am 21. August 1930 an Arnold Zweig, der ihm einige Tage zuvor zur Verleihung des Goethe-Preises
gratuliert hatte:

»Lieber Herr Doktor

Von den vielen Glückwünschen, die mir der Goethepreis eingetragen, hat mich keiner so ergriffen wie der, den Sie Ihren schlimmen Augen abgerungen haben – obwohl man Ihrer Schrift nichts anmerkt – und dies offenbar, weil ich in kaum einem anderen Falle so sicher fühle, daß meine Sympathie auf treue Erwiderung trifft.«[5]

Arnold Zweig, der sich selbst gerade im Hotel Drei Mohren im österreichischen Leermoos aufhielt, antwortete bald darauf und konnte sich eine Bemerkung zu einem Fehler Freuds nicht verkneifen. Der hatte ihm nämlich in seiner Briefanrede einen Doktortitel »verliehen«, den Arnold Zweig gar nicht trug. Kurzerhand »entzog« er dem Professor daraufhin dessen akademische Ehren:

»Lieber Herr Freud,

Diese Enttitelung ist die unmittelbare Folge der Ernennung zum Doktor, die ich zwar von Ihrer Hand lieber als von jeder anderen entgegennähme, die aber nach Gesetz und Recht zu empfangen mir nicht zukommt.«[6]

Vom Grundlsee kam umgehend die Antwort, mit einer Entschuldigung Freuds für seinen Fehler und vor allem mit einer Erklärung dafür:

»Lieber Arnold Zweig

Ich beeile mich Ihnen zu bekennen, wie sehr ich mich meines Irrtums schäme. Ich hatte zwar ein unsicheres Gefühl, als ich die Titulatur niederschrieb, aber da hier offenbar unbekannte Mächte im Spiele waren, ist es nicht verwunderlich, daß ich mich rasch über die Mahnung hinwegsetzte. Die sofort angestellte Analyse dieser Fehlleistung führte natürlich auf heikles Gebiet, sie zeigte als Störung den anderen Zweig auf, von dem ich weiß, daß er gegenwärtig in Hamburg mich zu einem Essay verarbeitet, der mich in Gesellschaft von Mesmer und Mary Eddy Baker [!] vor die Öffentlichkeit bringen soll. Er hat mir im letzten Halbjahr einen starken Grund zur Unzufriedenheit gegeben, meine ursprüngliche starke

Rachsucht ist jetzt ganz ins Unbewußte verbannt, und da ist es ganz gut möglich, daß ich einen Vergleich anstellen und eine Ersetzung durch-führen wollte.«[7]

Der »andere Zweig« war derweil mit Hilfe einer eigens engagierten Se-kretärin dabei, besagten Essay in eine brauchbare Form zu bringen. Die arbeitsreichen Wochen im verregneten Hamburg führten bei ihm zum si-cheren Entschluß, den kommenden Winter gemeinsam mit Friderike im warmen Süden verbringen zu wollen. Gelegentlich dachte er sogar daran, eine zweite Reise nach Indien zu unternehmen. Und immer öfter sprach er davon, sich in den kommenden Jahren wieder einmal für längere Zeit nach London zu begeben – dies freilich zur Arbeit, nicht zur Erholung.

Im Februar 1931 – Zweig war inzwischen tatsächlich in Spanien – lag *Die Heilung durch den Geist* schließlich fertig gedruckt vor. Freud bekam sein Exemplar vom Verlag zugesandt und bedankte sich umgehend bei Zweig. Der Essay über Mesmer sei am besten geraten, während ihn jener über Mary Baker-Eddy aus fachlicher Sicht nicht so sehr beeindruckt habe, ließ er wissen. Zweigs Beitrag über ihn, Freud, und sein Werk war vom Meister selbst am schwierigsten zu beurteilen. Wirkliche Begeiste-rung verraten die Worte, die er dazu äußerte, nicht: »Sonst könnte ich es beanstanden, daß Sie das kleinbürgerlich korrekte Element an mir allzu ausschließlich betonen, der Kerl ist doch etwas komplizierter.« Und wei-ter heißt es: »Ich gehe wahrscheinlich nicht irre in der Annahme, daß Ih-nen der Inhalt der psa. [psychoanalytischen] Lehre bis zur Abfassung des Buches fremd war. Umso mehr Anerkennung verdient es, daß Sie sich seither soviel zu eigen gemacht haben.«[8] Dem Erfolg des Buches tat diese Kritik freilich nicht den geringsten Abbruch. Erwartungsgemäß stieg die Auflage schnell in die von Zweigs Büchern gewohnte Höhe, und die Buchhändler hatten einzig und allein darüber zu klagen, daß auf dem Vor-derdeckel des Buches statt des Autorennamens und des Titels der Äsku-lapstab mit der Schlange abgebildet war, der zwar sehr hübsch anzusehen sei, die Präsentation in Schaufenstern aber erschwere, da man bei diesem Anblick kaum ahnen könne, daß sich hinter den Buchdeckeln ein neuer Bestseller Stefan Zweigs verbirgt.

Der anhaltende Erfolg führte dazu, daß Zweig in Salzburg mit immer gewaltigeren Briefmengen und zahlreichen angemeldeten (und zu seinem Leidwesen auch unangemeldeten) Gästen zu tun hatte. Also galt es, sich den Gegebenheiten anzupassen und für einen möglichst effizienten Ablauf der Korrespondenz und der Besuche Sorge zu tragen. Neben der Sekretärin waren für die reichliche Arbeit in Haus und Garten über die Jahre verschiedene Zimmermädchen und Gärtner eingestellt worden. Seit 1928 tat Johann Thalhuber seinen Dienst auf dem Kapuzinerberg. Seinen Beruf hatte Friderike Zweig in der Meldekartei mit' »Herrschaftsdiener« angegeben – eine schmeichelhafte Umschreibung, denn er war »Mädchen für alles« und konnte sogar mit der hauseigenen Waschmaschine umgehen. Vorrangig aber war er für die Erfüllung der Wünsche des Hausherrn zuständig. Wenn Gäste angekündigt waren, hatte sich Johann üblicherweise für deren Empfang bereitzuhalten.

Der Maler Ludwig Schwerin besuchte Zweig im Herbst 1930. Er schildert seine ersten Eindrücke wie folgt: »Ein Diener in weisser Schürze, umwedelt von 3 jungen schwarzweissen Vorstehhunden, öffnet mir und führte mich gleich in die Bibliothek. Stefan Zweig begrüsste mich sehr herzlich. Er hatte gerade einen grossen Gasofen in Brand gesetzt und entschuldigte sich, dass es noch etwas kühl sei – es werde bald warm werden. Die Bibliothek wirkte prächtig durch die vom Boden bis zur Decke ganz mit Büchern bedeckten Wände. Eine grosse Kommode steht inmitten des Raums, schöne Bücher liegen darauf, in den Schubladen große Reproduktionswerke und eine ist ganz gefüllt mit Holzschnittwerken Masereels. An der Wand hängt ein Bild von der Hand Masereels, darstellend den Hafen von Marseille. An der Fensterwand sind 3 Originalzeichnungen Goethe's. In der einen Ecke, vor einem großen runden Tisch, stehen tiefe Ledersessel. Dort nehmen wir Platz. Stefan Zweig bietet mir eine Zigarre an; während wir die in Brand setzen, stellt der Diener ein silbernes Tablett mit 2 Tassen Mokka, einer Kanne, Likörflaschen und Bechern auf den Tisch und verschwindet.« Kaum fünf Wochen zuvor war Zweigs rumänischer Übersetzer Eugen Relgis auf dem Kapuzinerberg zu Gast gewesen. Ihm war Zweig selbst durch den Garten entgegengekommen, um die Pforte zu öffnen: »In seinem grünen

Anzug des unermüdlich Reisenden, mit dem kleinen Tiroler Hut, mit der langen und dünnen Zigarre zwischen den Zähnen, ist er von einer Natürlichkeit und Offenherzigkeit, die seine große Gabe als Dichter, Kritiker, Essayist, Dramatiker und Novellist schwer ahnen lassen. Er empfängt einen herzlich, doch man kann vermuten, daß er einen durchdringt und eingehend prüft. Seine leicht geröteten Wangen verraten die Unschuld eines Jünglings an der Schwelle des Unbekannten.« Relgis, den Zweig ebenfalls in die Bibliothek gebeten hatte, erinnert sich: »Neben der Tür, die zur Terrasse führt, liegt auf dem Tisch ein offenes Gästebuch: darin die Unterschriften jener Hunderte von Besuchern, die auf den Kapuzinerberg gestiegen sind und hier eine Rast machten.«

Mit beiden Gästen unternahm Zweig im Anschluß an den Empfang in der Bibliothek einen Rundgang durch die übrigen Räume des Hauses. Schwerin erzählt dazu: »Wir steigen in das 1. Stockwerk. Ein Portal mit Barocksäulen führt in den geräumigen Musiksaal. Eine alte Tapete mit lustiger figurenreicher Landschaft schmückt die der Fensterreihe gegenüberliegende Wand. Einige russische Ikonenbilder hängen dort, eines von seltener Schönheit. [...] Zweig führte mich dann vor eine Kommode. Liebevoll darüber streichend sagte er: ›Das ist unser Familienheiligtum. Sie war im Besitz von Beethoven.‹ [...] Nebenan in die Zimmer gingen wir. Selbst in sein Schlafzimmer, – ›Sie müssen entschuldigen, aber ich möchte Ihnen da ein Bild zeigen.‹ Es war das eine Kohlezeichnung eines Franzosen, Zweig in frühen Jahren darstellend. Zwischen Musik- und Schlafzimmer lag sein kleines, einfach gehaltenes Arbeitszimmer.«[9] Von diesem weiß wiederum Eugen Relgis einige Details zu berichten, er sah darin »Tische an der Wand, auf denen, wie auf einer Baustelle, geordnete oder verstreute Materialien liegen: offene Bücher mit Randbemerkungen, Zeitschriften mit Zetteln, mit Rot oder Blau beschriebene Blätter, Dokumente, Zeitungsausschnitte. Obwohl jemand Zweig den ›Kritiker ohne Zitate‹ nannte, warten diese alle auf die architektonische Einordnung.«[10]

Wer Zweig auf dem Kapuzinerberg besuchen durfte (und nicht, um die Länge des Treffens von Beginn an einzuschränken, im Kaffeehaus empfangen wurde), konnte unter Umständen einem Mann begegnen, der mit jenem auf den bekannten Portraitphotos nicht allzuviel gemein hatte.

Verschwunden waren der dunkle Anzug aus edlem Stoff, die blanken Schuhe und die feine Krawatte mit der stets darin steckenden Perlnadel. Zu Hause trug Zweig in den Sommermonaten zur Verblüffung mancher Besucher oft genug kurze Lederhosen und schneeweiße Hemden mit offenem Kragen. Zwar war diese Tracht kein Ausdruck von Heimattümelei, sondern hatte sich in Salzburg als »dernier cri« auch in den oberen Gesellschaftsschichten durchgesetzt, nur war dies nicht jedem Gast geläufig, was Zweig mancherorts die wenig schmeichelhafte Bezeichnung eines »Salontirolers« einbrachte. Auch Carl Zuckmayer, der sich einige Jahre zuvor im nahen Henndorf niedergelassen hatte, wußte seinen Schriftstellerkollegen wegen dieser seltsam anmutenden Kostümierung aufzuziehen. Vor einem geplanten Treffen in Berlin schrieb er Zweig über dessen Aussichten, mit seiner Kleidung in der dortigen Lokalpresse für Schlagzeilen zu sorgen: »Ich freue mich ungemein auf Ihren Besuch, obwohl ich mir schwer vorstellen kann, wie Sie sich in Ihrer Lederhose und ihrem schönen rotschwarzen Janker ausnehmen werden. Auch die Virginia dürfte Aufsehen erregen und in den Gazetten als exotische Nuance gefeiert werden.«[11]

Zuckmayer gehörte zum überschaubaren Kreis der Personen, die Zweig nicht nur gezwungenermaßen treffen mußte, sondern gern in seiner Nähe hatte. In heiterer Laune entwarfen die beiden eines Tages sogar gemeinsam einen Schwank über die Eigenarten Salzburgs, insbesondere die jährlich wiederkehrende Wandlung von der biederen Provinzstadt zur herausgeputzten Festspielmetropole. Ein Hauptbestandteil der Komödie war auf die Darstellung des Buhlens um die Devisen amerikanischer Juden angelegt (wobei in die Posse eingeplant wurde, daß die Salzburger umgehend in die gewohnte antisemitische Grundeinstellung zurückfielen, sobald die reichen Gäste der Stadt den Rücken gekehrt hatten).

An Zuckmayers Seite war Zweig zu ungeahnten komischen Leistungen fähig, und es konnte im Gegenzug passieren, daß sich die aus der Hundefamilie der Zweigs stammenden Welpen Flick, Flock und Bonzo, die bei Zuckmayers untergekommen waren, in amüsanten Briefen an ihr früheres Herrchen zu Wort meldeten.[12]

Zweigs übrige Männerfreundschaften sind schnell aufgezählt. In Salzburg war er regelmäßig von einem Kreis von Freunden umgeben, die er zum Teil schon aus der Wiener Zeit kannte. Fast alle waren selbst Schriftsteller, wenngleich keiner von ihnen auch nur annähernd so erfolgreich war wie Zweig. Felix Braun gehörte zu diesem Zirkel, ebenso Erwin Rieger, der Zweig oft bei der Vorbereitung neuer Bücher zur Hand ging und von dem Friderike schrieb, er habe »eine ausgesprochen österreichische Anmut und das Wesen eines Edelmannes« besessen.[13] Weder Braun noch Rieger waren starke Persönlichkeiten, beiden haftete etwas Kindliches an, und vor allem Rieger betrachtete Zweig voll ergebener Bewunderung. Zahlreiche Briefe Riegers beginnen mit der Anrede »Liebster Stefan«, und er benutzte dafür meist die gleiche violette Tinte, mit der auch Zweig schrieb.

Über Emil Fuchs, der Zweigs abendlicher Spielpartner im Kaffeehaus war und daher den Beinamen »Schachfuchs« bekam, ist wenig bekannt, obwohl (oder gerade weil) er zu den engsten Vertrauten Zweigs gehörte und vielleicht sein einziger wirklicher Freund war. Bei Fuchs, so berichtet Alfred Zweig, habe Stefan oft genug sein Herz über den häuslichen Ärger mit Friderike und den beiden Töchtern ausschütten können. Doch kein einziger Brief von oder an den »Schachfuchs« ist bekannt, viele Informationen sind nur auf mündlichem Weg ausgetauscht worden, und eventuell vorhanden gewesene Papiere scheinen vernichtet worden zu sein. Politisch stand Fuchs links, war Mitglied der Sozialdemokratischen Partei und arbeitete für das Parteiorgan *Salzburger Wacht*, was Friderike Zweig sehr viel weniger behagt haben dürfte als ihrem Mann. Wenigstens kam sie mit Fuchs' Frau Rosa, die gelegentlich als Sekretärin bei den Zweigs aushalf, besser zurecht als mit Anna Meingast.

Zu den regelmäßigen Besuchern in Salzburg gehörten auch einige Bewunderer aus den Reihen jüngerer Schriftsteller. Es war weithin bekannt, daß Zweig ihm zugesandte Manuskripte trotz seiner Arbeitsbelastung aufmerksam las und sich unter Umständen sowohl in ideeller wie finanzieller Hinsicht um Nachwuchsautoren und deren Werk kümmerte. Joachim Maass, Walter Bauer und Erich Ebermayer waren auf diese Weise mit Zweig in Kontakt gekommen und standen über Jahre in schriftlicher und persönlicher Verbindung mit ihm. Sie alle konnten feststellen, daß Zweigs beinahe legendäre Hilfsbereitschaft trotz seines Ruhmes nicht geringer geworden war. Er wußte aus eigener Erfahrung nur zu gut, wie ermunternd der Zuspruch etablierter Kollegen sein konnte. So wurde der aus Leuna stammende Walter Bauer, der, kaum 20jährig, Zweig seine Arbeitergedichte mit dem Titel *Kameraden zu euch spreche ich* zugeschickt hatte, mit lobenden Worten zur Weiterarbeit ermutigt. Und für den unter chronischem Geldmangel leidenden Erwin Rieger wurde Hilfe durch die Vermittlung neuer Aufgaben oder auch eine Finanzberatung durch Stefans Bruder organisiert. Im Gegenzug zeigte Zweig sich mehr als dankbar, als sich Ebermayer bereit erklärte, einen weiteren schwer vermittelbaren Sproß des Spaniels Kaspar zu übernehmen (der schließlich den Namen Fouché bekam und sich zu einem ausgesprochenen Störenfried entwickelte).

Zu seinen neueren Bekanntschaften zählte die mit Joseph Roth, der sich Mitte 1929 erstmals in Salzburg zu einem Besuch anmeldete und bald zu einem geschätzten Brief- und Unterhaltungspartner Zweigs wurde. Dagegen drohte die Beziehung zu Rolland, mit dem Zweig nach wie vor in regelmäßigem Kontakt stand, Risse zu bekommen. Gelegentlich gingen die Meinungen über den gemeinsamen Kampf für Freiheit und Pazifismus doch deutlich auseinander. Als Zweig zur Tolstoi-Feier nach Rußland gereist war, hatte Rolland beispielsweise angemerkt, daß Tolstoi alle Regierungen mißbilligt hatte und er, Rolland, eine Regierung, die nun ausgerechnet diesen Dichter für sich in Anspruch nehme, selbst keinesfalls durch einen offiziellen Besuch anerkennen könne.

Weitere Kritik seines französischen Freundes traf Zweig in einer verzwickten Situation, die er im Überschwang der Gefühle als seinen bedeutendsten literarischen Erfolg bezeichnete, der ihm von mehr Wert gewesen war, als der Nobelpreis es je hätte sein können. 1932 hatten sich die Verwandten des in Italien verhafteten und zum Tode verurteilten Antifaschisten Giuseppe Germani an Zweig gewandt, in der Hoffnung, er als Autor von europäischem Rang könne ihnen helfen. Germani war wegen seiner Unterstützung der Angehörigen des von Faschisten ermordeten Sozialisten Giacomo Matteotti festgenommen worden. Zweig, der sich im Mai des Jahres selbst zu einem Vortrag über »Die historische Entwicklung des europäischen Gedankens« in Italien aufgehalten hatte, entschloß sich nach Zaudern und Zögern, einen Bittbrief an Benito Mussolini zu schreiben – und das Unglaubliche geschah: Germani wurde nach quälenden Monaten des Wartens tatsächlich begnadigt und in die Verbannung auf eine Insel in Süditalien geschickt. Dies brachte dem Duce einen in beinahe jubilierendem Ton verfaßten Dankesbrief Zweigs ein, und ein nicht weniger vor Begeisterung überschäumendes Schreiben ging an Rolland. Der jedoch wollte Zweigs Vorgehensweise, mit Mussolini wie mit einem gewöhnlichen Regierungschef zu kommunizieren, nicht folgen. Die Begnadigung Germanis war in seinen Augen nur ein gut durchdachter Akt der Propaganda gewesen. Tatsächlich, so Rolland, könne man Mussolini, der seine Macht einzig auf den Einsatz von Gewalt begründe, nur mit Mitteln der Gewalt begegnen.

Zweigs Bücher waren zum Ende der 20er und Beginn der 30er Jahre in gewohnter Regelmäßigkeit erschienen. Doch gerade die Arbeit an einem seiner früheren Lieblingsprojekte entwickelte sich zu einer Niederlage auf ganzer Linie. Über dem seit langem geplanten Katalog seiner Autographensammlung schien ein Fluch zu liegen. Nachdem Alfred Bergmann 1926 seine ersten Vorbereitungen abgeschlossen hatte, war er von der weiteren Bearbeitung der Goethe-Sammlung Kippenberg und von nachfolgenden Projekten dermaßen beansprucht worden, daß an eine Fortführung von Zweigs Katalog kaum zu denken war. Nur wollte Bergmann das verlockende Projekt trotz der Arbeitsbelastung nicht aus der Hand geben. Vorsichtig hatte Zweig daraufhin versucht, ihm einen Mitarbeiter für die vorbereitenden Arbeiten und die Recherche zur Seite zu stellen, so daß ihm, Bergmann, am Ende die Oberaufsicht und die Herausgeberschaft des gewichtigen Bandes sicher wären. Doch entpuppte sich der zu diesem Zweck eingestellte Münchner Student Karl Werner Klüber als etwas zu geschäftstüchtig, denn nachdem er einige Monate damit verbracht hatte, Zweigs Bibliothek und Teile der Sammlung zu sortieren und Material für den Katalog zusammenzustellen, forderte er neben seiner bisherigen Bezahlung erhebliche zusätzliche Summen, falls ein aus seinen Vorarbeiten entstandenes Manuskript in Druck gehen sollte. Über Wochen und Monate plagte sich Zweig mit den Forderungen Klübers herum. Gerade konnte er noch verhindern, daß der Streit eskalierte und vor Gericht endete, doch wurde der Ton in seinen Briefen in diesem Zusammenhang ungewöhnlich scharf.

Da Bergmann durch andere Verpflichtungen weiterhin ausfiel, sollte schließlich Zweigs Lektor Fritz Adolf Hünich die Weiterarbeit übernehmen. Inzwischen hatte sich Zweig aus zwei Gründen dazu entschlossen, den Katalog nicht wie ursprünglich geplant im Insel Verlag erscheinen zu lassen. Erstens drohte seiner Sammlung mitsamt Beethoven-Schreibtisch und allen anderen Kostbarkeiten nach einer offiziellen Publikation des Bestandes nämlich eine Art Denkmalschutz von staatlicher Seite, der dazu geführt hätte, daß anschließend kein einziges Stück daraus hätte verkauft, verschenkt oder getauscht werden dürfen. Und dies war weder vor dem Hintergrund der bisherigen Praxis von Neuerwerbung und Abgabe noch mit Blick auf die Erhaltung einer flexiblen Geldanlage, die die Sammlung schließlich auch war, eine angenehme Vorstellung. Der zweite Punkt, der zu Zweigs Entscheidung geführt hatte, war die in jenen Jahren rasant wachsende Armut, die nicht zuletzt zahlreiche seiner Schriftstellerkollegen betraf. Auch wenn es ein offenes Geheimnis war, daß Zweig bereits seit seinen frühesten Wiener Zeiten Kollegen mit Geldbeträgen aushalf, schien es ihm unangebracht, seinen eigenen in der Sammlung angehäuften Reichtum der Öffentlichkeit auf beinahe provokative Art zu präsentieren.

So sollte Hünich nun mit dem Katalog der Sammlung ein Denkmal schaffen, das Zweig zu seinem 50. Geburtstag im November 1931 auf private Kosten drucken und als Geschenk an gute Freunde und Sammlerkollegen verteilen wollte. Doch auch diesmal ging die Rechnung nicht auf. Der seit Jahren so zuverlässige Hünich fand keine Zeit, um sich nach Feierabend um die Weiterführung des Manuskripts zu kümmern, und erst recht nicht den Weg nach Salzburg, um die Manuskripte genauer zu besehen. Neben vielen anderen Aufgaben, die ihm im Verlag zukamen, hatte er auch noch die undankbare Arbeit übernommen, eine Bibliographie der Werke Zweigs zusammenzustellen. Diese stattliche Liste sollte an Stelle des ursprünglich vorgesehenen Katalogs als kleine Geburtstagsgabe des Verlags zu Zweigs rundem Geburtstag erscheinen. Als endlich ein Termin für Hünichs Besuch auf dem Kapuzinerberg gefunden worden war, erkrankte er kurz vor der Anreise schwer. Im letzten Moment versuchte Zweig, die Arbeit an seinen bewährten Mitarbeiter Erwin Rieger zu übergeben, und bat Hünich um die Übersendung des Materials. Erst da stellte sich heraus, daß Hünich trotz aller Beteuerungen seit Monaten offenbar nicht einen Federstrich für den Katalog getan hatte. Zweigs Wut und Enttäuschung waren grenzenlos: »Ärgernis wegen Hünich, der alles, Bibliografie und gar Katalog total verbummelt. Immer mehr die Erkenntnis – wichtig für das Buch M. A. [Marie Antoinette] – daß Schwäche das größte Laster ist, weil es die anderen corumpiert. Klüber, Hünich, alle im Hause habe ich durch meine Nachgiebigkeit, mein Vorauserfüllen und Vertrauen nicht angespornt, sondern geschwächt, sie moralisch verdorben. Und der Ärger strömt aus dem Unterbewußtsein gegen einen zurück und mit Recht: Schwäche ist Schuld.«[14]

Als kleinen Ersatz für die entgangene Freude des Katalogs konnte Zweig seinen Freundeskreis dann wenigstens mit einem anderen, wenn auch weitaus bescheideneren Privatdruck erfreuen. Zu Beginn des Jahres 1931 hatte er nämlich vier Originalbriefe Mozarts an das »Bäsle«, seine Cousine Maria Anna Thekla Mozart, erwerben können. Wie üblich hatte Zweig den Ankauf von Briefen für seine Sammlung zunächst abgelehnt, dann aber davon erfahren, daß Mozarts Schreiben einen recht anrüchigen Inhalt hätten und deshalb noch nie vollständig publiziert worden seien. Daraufhin änderte er seine Meinung sofort, und es dauerte nicht lange, bis er die vier neuen Autographen in seinen Sammlungsschrank einordnen konnte. Anläßlich seines Geburtstags ließ Zweig einen der Briefe als Faksimile mit einer Übertragung des Textes und einem kleinen Kommentar in einer Auflage von nur 50 numerierten Exemplaren nachdrucken. Die Herstellung übernahm der Wiener Verleger Herbert Reichner, dessen Antiquariatszeitschrift *Philobiblon,* für die Zweig schon einige Beiträge geliefert hatte, hohes Ansehen genoß. Der nachgedruckte Mozart-Brief hatte ganz den gewünschten Erfolg: Sigmund Freud äußerte sich interessiert über die derben Äußerungen des Komponisten, und mit Richard Strauss hatte Zweig einen weiteren Empfänger erfreuen können, der seinem Dankschreiben die Worte hinzufügte: »Es wird Sie interessieren, daß ich einen Originalbrief des Göttlichen – auch an das Bäsle – besitze, der aber leider so anständig ist, daß er sogar in einem Mozartverein verlesen werden kann.«[15]

Die Zusendung des Mozart-Faksimiles an Strauss war übrigens die erste Kontaktaufnahme Zweigs mit ihm gewesen und hatte einen wichtigen Hintergrund: Mit dem Tod Hugo von Hofmannsthals hatte Strauss nämlich den Librettisten seiner Opern verloren und bislang noch keinen Ersatz finden können. Anton Kippenberg hatte daraufhin vorsichtig seinen Erfolgsautor Stefan Zweig in die Diskussion gebracht, und nun galt es, eine Verbindung zwischen dem Komponisten und dem möglichen neuen Textdichter herzustellen. Im November fand das erste Treffen der beiden im Hotel Vier Jahreszeiten in München statt und Zweig konnte seine Pläne vortragen. Seit längerem hatte er Skizzen zu einer Tanzpantomime mit dem Titel *Marsyas und Apoll* vorbereitet, doch traf dies nicht Strauss' Vorstellung – er dachte vielmehr an eine komische Oper. Zweig war jedenfalls hocherfreut, sich mit dem Musiktheater einem Genre widmen zu können, für das er bislang noch nicht gearbeitet hatte.

Das ganze Vorhaben war für ihn auch ein Triumph ganz anderer Art: Nach Hofmannsthals Tod waren Zweig glaubhafte Gerüchte zu Ohren gekommen, der Verstorbene habe vor Jahren bei seiner Einwilligung zur Mitarbeit an Max Reinhardts Salzburger Festspielen ausdrücklich darauf bestanden, daß der vor Ort ansässige Autor Stefan Zweig keinesfalls daran beteiligt würde. Doch die Geschichte um Neid und Mißgunst war mit Hofmannsthals Ableben noch nicht beendet: Als Zweig im Wiener Burgtheater die Gedenkrede für ihn hielt, war die Witwe der Veranstaltung demonstrativ ferngeblieben. Und nun sollte ausgerechnet er, Zweig, Hofmannsthals Nachfolger als Textdichter Richard Strauss' werden.

Schließlich kam man überein, daß Zweig sich für die Oper mit einem weiteren Stück Ben Jonsons beschäftigen sollte, dessen *Volpone* ihm so viel Erfolg eingebracht hatte. *Epicoene, or The Silent Woman* hieß das Original, dessen Übersetzung aus der Feder Ludwig Tiecks sich Zweig vornehmen wollte. *Die schweigsame Frau* sollte das Werk heißen – und diese Dame sollte ihm noch manchen Kummer bereiten.

Im Monat vor Zweigs 50. Geburtstag starb Arthur Schnitzler in Wien. Der Tod von Menschen ergreife ihn an sich zwar wenig, sofern er nicht von besonderer Tragik für deren Familie begleitet sei, schrieb Zweig, aber mit Schnitzler verband er doch viele gute Erinnerungen. So war die Nachricht von dessen Ableben ein Anlaß, nach langer Zeit wieder ein Tagebuch zu beginnen. Dies geschah aber vor allem in der Vorahnung, daß kritische Zeiten bevorstünden, deren Verlauf es festzuhalten galt, und außerdem mit Blick auf den ganz persönlichen »dunklen Tag«, der im Kalender immer näher rückte. Um dem ärgsten zu erwartenden Trubel um seinen 50. Geburtstag zu entkommen, entschloß sich Zweig, schon einige Tage vorher nach München zu flüchten und dort so still als möglich abzuwarten. Er steckte mitten in der Arbeit zur Biographie Marie Antoinettes und kam damit an seinem Fluchtort sogar ein wenig voran. Außerdem traf er alte Freunde, ging in die Oper, wo man Beethovens *Fidelio* gab, über dessen Wirkung er beim Wiederhören nach langer Zeit ein wenig enttäuscht war, und fand auch Gelegenheit, seine eigene Wirkung als Endvierziger zu testen, wie er im Tagebuch notierte: »Abends mit dem netten Mädchen aus dem Café. Furchtbar diese Anforderungen! Dieser Dienst 1 – ¹/₂ 2 ohne Hinsetzen, dann einstündiger Weg nach Hause. Zerstörung der ganzen Existenz. Sehr nett mit ihr in der Bar, erstaunliche Confidenzen.«[16]

Schließlich kam der Abend des 27. November 1931: »Blick auf die Uhr, morgen, nein, in einer Viertelstunde werde ich (gräßlich!) fünfzig Jahre[.] Ob je noch ein neues Element bei mir ins Spiel kommt? Ob die Reserven, ob die Spannkraft reicht? Vederemo. Nur nie an Kalenderdaten sich abergläubig bekreuzigen oder sich gesegnet fühlen. Vorwärts, noch einmal. Hoffentlich nicht weit, aber dies Stück anständig.«[17]

Die erste Gratulationspost war ihm von Friderike aus Salzburg nachgeschickt worden. Unter der Flut der Briefe fand sich folgendes Schreiben von Carl Zuckmayer, der aus Henndorf auch im Namen seiner Familie gratulierte:

»Lieber und verehrter Meister!

Wohl kann ich durchaus verstehen, dass Sie sich den zu Ihrem Festtag vorbereiteten Ehrungen, dem Fackelzug der Salzburger Heimwehrgruppe, dem Ansturm der Telegraphenboten, der Abordnung des Vereins der reinrassigen Cocker-Spanielzüchter usw. usw. durch die Flucht entzogen haben. [. . .]

Nun, dem Spalier und der Waderlnparade des Henndorfer Jungfrauenbundes werden Sie nicht entgehen. Mit den Vorbereitungen wird bereits begonnen. – Ich bin lange nicht aus meinem Versteck herausgekommen [. . .]. Aber jetzt hoffe ich, Sie bald einmal wiederzusehen! In Herzlichkeit! Stets Ihr Zuck!«[18]

Zu dem erhofften Wiedersehen sollte es schneller kommen, als Zuckmayer es erwartet hatte: Kurzerhand lud ihn Zweig nämlich nach München ein, um mit ihm am Geburtstag im jüdischen Restaurant Schwarz zu Mittag zu essen. Bei Tafelfreuden – »Champagnerspende des Herrn Schwarz und sonst viel gute Laune« – wurde es in der Gegenwart des Freundes doch noch eine vergnügliche Feier.[19] Als Zweig nach Salzburg zurückkam, wartete dort ein Berg von Post und Geschenken auf ihn. Als einziger Brief an seinen Bruder Alfred ist Stefans Antwort auf dessen Gratulation zum 50. Geburtstag erhalten geblieben, die einmal mehr nicht nur eine Rückschau, sondern seine seit Jahren immer düsterer werdenden Zukunftsahnungen zeigt:

»Lieber Alfred,

ich danke Dir sehr herzlich für Deinen Brief. Zwischen uns sind viel Worte nicht vonnöten, wir haben immer und in allen Dingen mit unbedingtem Vertrauen zusammengehalten, nie einer dem andern je eine Lüge gesagt oder etwas verschwiegen – ich wüßte nicht, warum sich nach einem halben Jahrhundert restloser Erprobung und Bewährung sich jemals eine solche cementierte brüderliche Beziehung abschwächen sollte. Wahrscheinlich behält uns die kommende Zeit allerhand Überraschungen und Prüfungen bevor, wo ein solcher Zusammenhalt sich notwendiger erweisen wird als jemals. Ich habe da keine Sorge und danke Dir für alle erwiesene Liebe. [. . .]

Ich lese eben in den deutschen Blättern ziemlich unverhüllte Dinge. Aber ich fühle mich notfalls noch frisch genug, den ganzen Hausrat wegzuschmeißen und noch einmal zu beginnen: als Söhne unseres Vaters haben wir von ihm eine gewisse persönliche Bedürfnislosigkeit gelernt. Ich könnte bequem in zwei Zimmern leben, ein paar Cigarren, einmal Caféhaus im Tag, mehr brauche ich eigentlich nicht. Deshalb ist es unnötig, sich viel zu sorgen, auch Mama werden wir ja die letzten Jahre ungestört erhalten können, was immer kommt und daß Du und ich keine Kinder haben, bin ich seit langem gewöhnt, als ein Glück zu betrachten. Was mich manchmal bedrückt, nämlich daß ich an Fritzis Kindern ganz andersartige und meinen Interessen fremde Menschen habe, das entlastet mich andrerseits auch, eigentlich obliegt uns so nur die Pflicht, unser eigenes Leben anständig zu Ende zu leben und das wird, bei unverbrüchigem Zusammenhalt [,] sicher gelingen. Ich fürchte mich eigentlich vor nichts mehr. [. . .]

Herzlichst Dein Stefan«[20]

Wie man aus dem Brief erahnen kann, hatte sich an der Situation um Friderike und ihre Töchter in den letzten Jahren wenig geändert. Ganz im Gegenteil: Je älter und unabhängiger Suse und Alix wurden, desto explosiver konnte die Stimmung zwischen ihnen und »Stefzi« werden. Sofern aus den spärlich vorhandenen Dokumenten ersichtlich ist, scheinen beide Kinder wenig Interesse an einer Berufsausbildung gehabt zu haben. Die immer wieder kränkelnde Suse hatte in der Schule mit Lernproblemen zu kämpfen gehabt und anschließend einige Kurse in Säuglings- und Kinderpflege belegt. In späteren Jahren nahm sie an Lehrgängen für Photographen teil, und im Salzburger Haus wurde sogar eine kleine Dunkelkammer eingerichtet. Ihre geschäftlichen Erfolge als Photographin blieben aber trotz einiger Förderungsversuche eher begrenzt. Von Alix sind verschiedene Beschäftigungen als Mitarbeiterin in Werbe- und Reisebüros überliefert, doch eine feste Anstellung scheint sie nie gehabt zu haben. Beiden war gemein, daß sie das Temperament ihrer Mutter geerbt hatten. Der Antiquar Heinrich Hinterberger weiß von einem Besuch in Salzburg zu erzählen, daß Zweig zu Beginn der 20er Jahre »mit dem Gedanken spielte, wenigstens eines der beiden Mädchen später einmal zu seiner Mitarbeiterin zu erziehen«, doch dürfte diese Idee schon bald verworfen worden sein.[21]

Friderike und Stefan Zweig auf dem Salzburger Hauptbahnhof

Richard Friedenthal berichtete Zweig einmal sein Unverständnis darüber, daß die beiden Mädchen ihn während all der gemeinsam verbrachten Jahre nicht ein einziges Mal darum gebeten hatten, Autographen aus
seiner Sammlung betrachten zu dürfen. Diese Äußerung Zweigs mag naiv
erscheinen, doch Suse und Alix zeigten nicht bloß an geistigen Dingen
kein Interesse, sie ließen sich auch von der illustren Gästeschar, die sei-
netwegen auf dem Kapuzinerberg ein- und ausging, wenig beeindrucken.
Bei Zweig, der als Schüler vor den Bühnenausgängen der Theater und
Opernhäuser versucht hatte, einen Blick auf die Schauspieler und Sänger
zu erhaschen, und ihnen im besten Falle ein Autogramm abzujagen,
mußte dieses Desinteresse zwangsweise zu völligem Unverständnis
führen. Er präsentierte den jungen Fräuleins fast alle Größen der Zeit im
eigenen Garten (und die der Vergangenheit in seinem Autographen-
schrank) und erntete dafür nicht die geringste Bewunderung. Kurioserweise fühlte sich also Stefan von den beiden Kindern »stiefmütterlich«
behandelt und nicht umgekehrt.

Eine Möglichkeit zur Vermeidung von Konflikten hatte man freilich gefunden: Man ging sich möglichst oft und lange aus dem Weg, was sich bei der allgemeinen Reisefreudigkeit, die im Hause Zweig vorherrschte, wie von selbst ergab. Und notfalls wich Stefan zur Arbeit nach Thumersbach bei Zell am See aus. Nur lösen konnte man die Probleme auf diese Weise nicht.

Immer wieder dachte Zweig darüber nach, das Haus, die Stadt und vielleicht sogar das Land für längere Zeit zu verlassen. Eine ausgiebige Reise nach Südamerika und selbst ein mehrjähriger Aufenthalt in Palästina wurden mittlerweile in Erwägung gezogen. Doch noch verbrachte er genug Zeit in Salzburg, und jedes Wiedersehen mit der Familie konnte in Kürze zu neuen Enttäuschungen und gegenseitigen Vorwürfen führen. An Silvester 1930 hatten Alix und Suse für ihren Freundeskreis eine Feier auf dem Kapuzinerberg organisiert. Dies geschah offenbar mit Friderikes Einverständnis, zumindest mit ihrem Wissen, in jedem Fall aber gegen Stefans Willen. Er selbst empfing an diesem Tag nur eine kleine Gesellschaft, nämlich den Schauspieler Emil Jannings mit seiner Familie und Erich Ebermayer, der den Verlauf des Abends in seinen Memoiren festhielt. Nach Mitternacht unternahm Zweig mit seinen Gästen einen Rundgang durch das Haus und zeigte ihnen wie üblich die Bibliothek und den Saal mit Beethovens Schreibtisch. Beim Weitergehen waren hinter einer Seitentür unvermutet Stimmengewirr und Grammophonmusik zu hören. Als Zweig die Tür aufriß, fand die Feststimmung bei allen Anwesenden ihr jähes Ende. Zwar konnte er vor den Gästen einen lauten Wutausbruch unterdrücken, doch erinnert sich Ebermayer an ein ungewohntes Bild: »Er wurde abwechselnd wachsbleich und glühend rot.«[22]

Die andauernden familiären Spannungen, Stefans unaufhaltsamer Drang zu weiterer Arbeit (der letztlich auch eine Form der Flucht war) und die Aussicht auf eine düstere Zukunft für Deutschland und Österreich blieben nicht ohne Folgen für seine Beziehung zu Friderike. Während eines Aufenthaltes in der Schweiz schrieb sie ihm am 16. Januar 1932: »Ach, es kommen schlechte Zeiten, und ich habe in bösen Nächten schon Hitlerbomben auf unser Haus herabfallen sehen. Wann hätte man je gedacht, daß man die Wiederwahl Hindenburgs in sein Gebet einschließen wird! Und es ist keine Zeit zu verlieren, Entschlüsse zu fassen. [. . .] Mich trifft der Vorwurf nicht, daß Du zu wenig gearbeitet hast. Es hätten doch kaum mehr Bücher von Dir und noch erfolgreichere erscheinen können. Du bist von Jahr zu Jahr in den Büchern gewachsen. Der Mensch in Dir ist vielleicht karger geworden aus Routine, aber er wird wieder aufleben, wenn Du Kleinlichkeiten wieder von Dir weist. Dem Arbeiter in Dir bist Du nichts schuldig geblieben. Seitdem Du mit mir bist, Lieber, ist in ununterbrochener Kette Deine Arbeit gewachsen, und ich habe Dir, wenn auch keine Stenotypistin, doch wirklich alles gegeben, was an Umwelt der Ungestörtheit ein Künstler braucht. Von allein ist das nicht [gekommen]. Unterschätze das nicht, indem du dafür eine Stenotypistin aus mir machen möchtest u. schon gar jetzt noch mit meinen weißen Haaren. Zu bißchen Briefhilfe reicht es deshalb dennoch. [. . .] Sei umarmt, Liebes u. von Suse gegrüßt« Unterschrieben hat Friderike mit »Deine Exmumu«[23] – ein deutliches Zeichen ihres Unwillens, die bestehenden Verhältnisse weiterhin zu dulden. Wenige Tage später traf sie ihren Mann in Paris, und bald darauf verbrachte sie allein einige Wochen zum Skiurlaub in Kitzbühel. Einen dorthin geschickten Brief mit allerlei Salzburger Belanglosigkeiten beendete Stefan mit den Worten »Sonst nichts Neues, mache keine Skisprünge, eher Seitensprünge, falls es Dir gelingt. Grüsse St.«[24] – war dies nur Ironie?

Der *Völkische Beobachter* hatte sich im Jahr 1932 in erwartungsgemäß abfälligem Ton über Zweigs Werke und seine allseits bekannte pazifistische Einstellung geäußert: »Stefan Zweig steht mit den Grundregeln der deutschen Sprache dauernd auf dem Kriegsfuß, was dem Absatz seiner in Massenauflagen vorliegenden Opera bisher keinen Abbruch getan hat. 1914 bis 1918 stand er dagegen nicht auf Kriegsfuß. Wohl aber ›litt‹ er, der bei Kriegsausbruch dreiunddreißigjährige österreichische Staatsangehörige, ›mit einer Tischrunde europäischer Kameraden unter dem Kriege unendlich‹. In der Schweiz nämlich. Für uns, die wir im Felde unter dem Kriege unendlich gelitten haben, genügt diese Tatsache, um uns jede Erziehung zur Menschlichkeit durch den Juden Zweig zu verbitten. Weil für uns die große Menschlichkeit des Weltkrieges darin bestand, dem deutschen Bruder in Stahlgewittern zur Seite zu stehen.«[25] Immer öfter waren solche Anschuldigungen nun zu lesen, immer ungenierter äußerten sich die Gegner mit zum Teil offen zur Schau gestelltem Antisemitismus in Zeitungen und Zeitschriften. Nach Jahren des Schweigens und der Entfernung voneinander tauchte auch Zweigs alter Bekannter Richard Schaukal wieder auf und sorgte mit regelrechten Pöbeleien gegen ihn für Aufsehen. Bereits 1930 hatte er sich mit dem Beitrag *Krönung Stefans des Großen – Deutsche Prosa auf Zeithöhe* in der Zeitschrift *Deutsches Volkstum* erstmals lautstark über Zweigs angebliche Unfähigkeit, sich in der deutschen Sprache korrekt auszudrücken, geäußert. Das hatte zuvor zwar auch schon Karl Kraus in der *Fackel* getan, doch war Schaukals Stoßrichtung nicht die einer Satire, sondern die einer persönlichen Abrechnung mit einem wesentlich erfolgreicheren Schriftsteller, die sich mit entsprechend deutschtümelnden Anmerkungen versehen und an die richtige Adresse geschickt, dieser Tage ohne größere Schwierigkeiten in Druck geben ließ.

Freilich lieferte Zweig mit seinen oftmals etwas gespreizten und umständlichen Formulierungen genug Material für jeden Kritiker, der in seinen Werken nach sprachlichen Versehen und Ungenauigkeiten suchen wollte. Der in seinem Zeitungsartikel *An die Freunde im Fremdland* aus dem Jahre 1914 zu findende Satz »der geringste plattdeutsche Bauer, der kaum ein Wort meiner Sprache versteht und sicherlich kein Wort meines Herzens, steht mir näher in diesen Stunden als ihr«,[26] dürfte trotz des Ernstes der damaligen Lage bei manch einem Plattdeutsch sprechenden Leser (sei er Bauer in Norddeutschland gewesen oder nicht) für ungewollte Heiterkeit gesorgt haben.

Ausgerechnet Schaukal hatte Zweig schon 1914 während der Vorbereitungen zur Verlaine-Werkausgabe über seine eigene Arbeitsweise erklärt: »Mir geht es leider so, dass das einmal Gedruckte mir widerwärtig ist wie alles Kaltgewordene und ein innerer Ekel mich hemmt (trotz der intellectuellen Einsicht in die Unzulänglichkeit) noch einmal daran zu rühren«[27] – ein Eingeständnis, das der Empfänger dieser Zeilen nun, nach beinahe zwei Jahrzehnten, dankbarst aufzunehmen und auszunutzen wußte. In seinem ersten Artikel, der oben erwähnten *Krönung Stefans des Großen,* zog Schaukal nicht nur über Zweigs damals gerade erschienene

Biographie Joseph Fouchés her, sondern nahm sich auch noch einen Beitrag aus der Feder Erich Ebermayers vor, der darin über einen Besuch bei
Zweig berichtet hatte. Seine nächste Tirade nannte Schaukal noch unver-
blümter *Der Fall Stefan Zweig – Ein Beitrag zur Geschichte der Dummheit.*
Diesmal war die Zeitschrift *Deutschlands Erneuerung* dankbarer Abnehmer
gewesen, und der junge Schriftsteller Hanns Arens, der wie Ebermayer
in einem Zeitungsartikel ein wenig schwärmerisch über einen Tag auf
dem Kapuzinerberg geschrieben hatte, geriet gleich mit ins Schußfeld.
Wer sich in Zweigs Umkreis begab und auch noch selbst etwas veröffentlichte, wurde von Schaukal sogleich in Sippenhaft für angebliche Vergehen gegen die deutsche Sprache genommen. Daß er Zweig mit Angriffen auf dessen Freunde und »Schüler« gleich in doppelter Weise traf,
war Schaukal mehr als recht. Den Höhepunkt erreichte die Kampagne
mit seinen Äußerungen im Januarheft 1933 von *Die Neue Literatur.* Darin
konnte er seiner Leserschaft mitteilen, er habe zufällig davon erfahren,
daß der Insel Verlag Zweigs inzwischen erschienene *Marie Antoinette* von
einem Literaturwissenschaftler auf stilistische Fehler habe durchsehen
lassen. Wesentlich schlimmer als der Artikel war jedoch, daß sich Schaukals Bericht im Kern als wahr erwies. Anton Kippenberg hatte tatsächlich
und ohne Zweigs Wissen den Literaturhistoriker Walther Linden damit
beauftragt, im Sinne der Vermeidung von Fremdwörtern und der Pflege
der deutschen Sprache unter »modernen« Gesichtspunkten Korrektur-
vorschläge für Neuauflagen der *Marie Antoinette* zu machen. Zwar wurden
diese Korrekturen im nächsten Nachdruck des Buches nicht übernommen, doch für Zweig mußte die Sache an sich eine Vorwarnung für vieles sein, was er in dunklen Stunden ohnehin schon hatte kommen sehen.
Die Freude darüber, daß die *Marie Antoinette* das meistverkaufte Buch des
Weihnachtsgeschäfts 1932 geworden war und zu Beginn des neuen Jahres bereits das 50 000ste Exemplar in den Handel gehen sollte, war durch
diese Nachrichten jedenfalls reichlich gedämpft worden.

Seit dem 30. Januar 1933 hieß der Deutsche Reichskanzler Adolf Hit-
ler. Was Zweig seit langem befürchtet hatte, war nun Realität geworden.
Seine ohnehin angespannte Wachsamkeit wurde nun noch größer. Die
Angst vor Krieg und Verfolgung war kaum mehr zu unterdrücken, und es

war sicher, daß in kürzester Zeit vieles von dem, was bisher als Angriff einzelner Widersacher gelten konnte, durch den Staat legitimiert, gefördert und sogar gefordert werden würde.

Im März trat Zweig eine Lese- und Vortragsreise in die Schweiz an. Noch einmal konnte er sich in seinem Erfolg baden. Aus Montreux schrieb er an Friderike: »Bern und Zürich erledigt, sehr glücklich beides, Zürich will dringend Wiederholung, weil der Saal ebenso wie in Bern überausverkauft war und die Zurückgewiesenen Krach machten – in den beiden Buchhandlungen habe ich an die 800 Exemplare meiner Bücher signieren müssen. Hier wird noch tüchtig gekauft. [...] Bisher geht es mir recht gut, obwohl ich gar nicht zum Schlafen kam, diesen Brief schreibe ich in der Bahn und mit Bleistift, weil meine Tintenfedern (drei) vom vielen Signieren erschöpft sind.«[28] In Bern sprach er am Abend des 12. März zur besten Sendezeit im Rundfunk. Die *Schweizer Radio-Illustrierte* kündigte eine Lesung seiner bewährten Vortragstexte an. Bei dieser Gelegenheit entstand die bis heute einzig bekannte Aufzeichnung der Stimme Stefan Zweigs. Zu hören ist in der gut fünf Minuten langen Aufnahme, wie er mit dramatischem Tonfall und unverkennbar wienerischem Einschlag seine beiden Gedichte *Hymnus an die Reise* und *Der Bildner* ins Mikrophon sprach.

Noch während der Reise hatte Zweig sich entschlossen, eine bereits geplante Tournee durch Skandinavien, die ihn erstmals nach Norwegen, Schweden und Finnland geführt hätte, vorsichtshalber abzusagen und seinem alten Bekannten Franz Karl Ginzkey zu überlassen. An Karl Geigy-Hagenbach schrieb er in diesem Zusammenhang nach Basel: »Ich möchte im gegenwärtigen Augenblick nicht durch Deutschland reisen, das nicht so ungefährlich ist als es aussieht und auch nicht die ganzen widerlichen Diskussionen in den völkischen Blättern haben, ob ich berechtigt bin, dort als deutscher Schriftsteller aufzutreten (Sie in der Schweiz wissen vielleicht gar nicht, wieweit der Irrsinn in Deutschland jetzt geht).«[29]

Besagter Irrsinn führte am 10. Mai zu staatlich organisierten öffentlichen Kundgebungen in zahlreichen deutschen Städten, auf denen Bücher oppositioneller und jüdischer Autoren auf Scheiterhaufen geworfen wurden. An Sigmund Freud schickte Zweig die im selben Jahr erschienene brasilianische Ausgabe seines Freud-Essays aus *Die Heilung durch den Geist* mit der bitteren handschriftlichen Widmung: »Dem verehrten Meister im Jahr der Verbrennung sein getreuer Stefan Zweig«.[30]

Im Frühsommer begab er sich mit den üblichen und bald wieder ignorierten Vorsätzen, sich das übermäßige Kaffeetrinken und Rauchen abzugewöhnen, zur Kur nach Bad Gastein. Der von vorsichtig dosierter Arbeit begleitete Aufenthalt bekam Zweig sehr gut, und er schmiedete Pläne, für sein aktuelles Buchprojekt eine Studienreise nach Basel zu unternehmen. Dort wollte er sich mit Archivalien zum Humanisten Erasmus von Rotterdam beschäftigen, über den er ein Portrait plante. Als vorläufigen Untertitel hatte er dafür *Bildnis eines Besiegten* gewählt.

Während der Festspielzeit 1933 besuchten ihn – ausnahmsweise in Salzburg – Bruno Walter und Richard Strauss, der auf dem Klavier bereits die ersten zwei Akte der *Schweigsamen Frau* zum besten gab, für die sich Zweig immer mehr begeisterte: »Sie ist musikalisch ganz hervorragend und könnte ein wahrhaftiger Schlager werden.«[31]

Seine Pläne für den Herbst sahen wiederum ein üppiges Reiseprogramm vor: Zunächst arbeitete und erholte er sich für gut einen Monat in Montreux, von wo aus er gemeinsam mit Friderike in Richtung Frankreich weiterfahren wollte: »Am 16. oder 18. Oktober bin ich in Paris zu einem Vortrag, dann gehe ich wahrscheinlich über Holland nach London, um mich dort still hinzusetzen und weiterzuarbeiten (London ist die einzige Stadt mit einer grossen Bibliothek, wo ich wenig Bekannte und vollkommene Ruhe habe). Vor dem neuen Jahr komme ich keinesfalls zurück, mich lenken diese ewigen politischen Spannungen in Oesterreich ab und ich wohne unglückseligerweise gerade auf dem gefährdetsten Punkt. Es ist Zeit, dass ich innerlich zur Ruhe komme, die deutschen Herrschaften haben etwas ausgiebig auf meinen Nerven Klavier gespielt.«[32]

Fast drei Jahrzehnte nach dem letzten Besuch sollte nun also London sein Ziel sein. Von der Schweiz aus reiste er mit Friderike in Richtung Norden und über den Ärmelkanal. Zunächst wohnten sie in Brown's Hotel, suchten aber gleich nach einer größeren Bleibe, denn Stefan plante einen längeren Aufenthalt. Ende Oktober teilte er Geigy-Hagenbach von seiner neuen Adresse 11 Portland Place mit: »Ich [. . .] will Ihnen sagen, dass ich mich hier ausserordentlich wohl fuehle. Wir sind aus dem Hotel gleich in den ersten Tagen in ein ausgezeichnetes Service-Flat gezogen, wo ich alle Bequemlichkeiten zur Arbeit habe. Den Vormittag verbringe ich immer im Britischen Museum. Ich habe dort auch die Erlaubnis fuer das Manuskript-Zimmer, habe aber bisher nur ganz wenig angesehen und mir vorlegen lassen. [. . .]

Fuer mich ist jetzt am Wichtigsten, dass ich zu einer geschlossenen Art Arbeit komme und hier geht das vorläufig unerwartet gut. Die Stadt liegt mir sehr weil sich hier niemand um einen kuemmert und jeder die Zeit des anderen respektiert.«[33]

Während Zweig sich freiwillig ins Ausland begeben hatte und jederzeit ungehindert nach Salzburg zurückkehren konnte, waren viele Kollegen aus Deutschland bereits zu Emigranten geworden. Klaus Mann plante, bald nachdem er seine Heimat verlassen hatte, eine Exilzeitschrift, die den Titel *Die Sammlung* bekommen sollte. In der ersten Nummer, die im September erschien, war Stefan Zweig als zukünftiger Beiträger des Blattes genannt worden. Er hatte seine Zusage gegenüber den Herausgebern davon abhängig gemacht, daß es sich bei dem Blatt um eine rein literarische Zeitschrift handeln würde. Doch ohne daß darin jemals auch nur eine einzige Zeile aus seiner Feder erschien, sollte allein die Zusage für größte Komplikationen sorgen, und noch bevor Zweig das erste Heft überhaupt in Händen hielt, zog er sein Angebot zur Mitarbeit in einem Brief an Klaus Mann wieder zurück. Seine Begründung zu diesem Schritt klingt etwas fadenscheinig: Er habe sich dazu entschlossen, da er von verschiedenen auswärtigen Blättern dafür kritisiert worden sei, ihnen nichts beisteuern zu wollen, der *Sammlung* dagegen aber einen Beitrag versprochen habe. Er wolle abwarten, bis man mit einer Stimme spreche, und bis dahin für keine der Zeitschriften arbeiten. Vor allem aber hatte Zweig – dies erwähnte er Klaus Mann gegenüber nicht – mit anderen Einsprüchen gegen seine Mitarbeit zu kämpfen. Anton Kippenberg hatte ihm nämlich dringend empfohlen, seine Zusage zurückzuziehen, denn jeder Beitrag in diesem Blatt hätte die ohnehin komplizierte Situation für Zweig und seine Bücher in Deutschland nur weiter erschwert.

Auch Richard Strauss schwante wenig Gutes für seinen Textdichter und die in Arbeit befindliche Oper. Zweig war mit seiner Entscheidung nicht allein, aus ähnlichen Gründen hatten auch Alfred Döblin, Thomas Mann und René Schickele ihre ursprünglich angekündigte Mitarbeit an der *Sammlung* wieder abgesagt. Als Zweig das erste Heft bekommen hatte, teilte er Klaus Mann umgehend mit, daß er bei dem entgegen allen Versprechen deutlich politischen Charakter des Blattes auch zukünftig nicht bereit sei, Texte zu liefern. Um auf etwaige Angriffe wegen der Ankündigung in der ersten Nummer schnell reagieren zu können, bereitete Kippenberg eine längere Erklärung ähnlichen Inhalts in Zweigs Namen vor, die dieser nach einigen kleinen Korrekturen billigte. Zweig war, als er seine Zustimmung zu diesem Schreiben erteilte, in der Schweiz unterwegs, Anton Kippenberg befand sich derweil zur Kur in Garmisch. Von dort wies er seinen Stellvertreter im Verlag an, Zweigs Brief vorsorglich an das zuständige Reichsministerium für Volksaufklärung und Propaganda zu schicken, und beging damit einen entscheidenden Fehler. Dort war man über die prominente Absage nämlich sehr erfreut, denn was hätte aus Sicht des Ministeriums Besseres geschehen können, als daß sich suspekte ausländische Schriftsteller und deutsche Exilanten nicht einig wären und auch noch gegenseitig beschuldigten? So wurde Zweigs Erklärung umgehend und ohne die Absender zu informieren an das längst gleichgeschaltete *Börsenblatt für den Deutschen Buchhandel* weitergegeben. In dessen Ausgabe vom 14. Oktober 1933 erschienen die Dementis von Döblin, Thomas Mann und Schickele und auf einem beiliegenden roten Blatt die Erklärung Zweigs, die um die Anrede an Kippenberg gekürzt worden war und somit wie eine offizielle Erklärung für das *Börsenblatt* wirkte. Die Redaktion hatte in einem ergänzenden Kommentar zudem ausdrücklich hervorgehoben, daß Zweig über die wahren Absichten der *Sammlung* getäuscht worden sei und daher jede Gemeinschaft mit ihr ablehne. Der Skandal war perfekt. Aus allen möglichen Richtungen erreichten Zweig nun Schreiben von Exilschriftstellern und Gegnern der deutschen Regierung mit der empörten Frage, wie er die Opposition auf so schmähliche Weise hatte verraten können. Zweigs nächstes Schreiben an Klaus Mann ist voll von Verbitterung über die Geschehnisse: »Dieser

Brief ist an Sie privat, Sie können ihn jeden [!] zeigen, aber ich möchte keinen Abdruck und keine öffentliche Discussion mehr – Lieber Klaus Mann, diese Sache hat mich krank gemacht. Sie können es sich nicht ausdenken – ich war unterwegs seit Wochen, hörte hier in London, es würden gegen mich Angriffe gerichtet wegen einer Erklärung, die ich im Buchhändlerbörsenblatt erlassen hätte. Ich eine Erklärung? Ich wußte von nichts, bis ich nach abermals einer Woche erfuhr, daß ein Brief den ich dem Inselverlag zu seiner persönlichen Information auf seinen Wunsch geschrieben, ohne mich anzufragen oder auch nachträglich zu verständigen veröffentlicht worden war. Muß ich sagen, daß ich nie im Leben eine solche demonstrative Veröffentlichung gewünscht oder geahnt habe, die doch eine Art moralischen [!] Selbstmord für mich wäre?«[34]

Die aufgebrachten Gemüter der Kollegen ließen sich mit einiger Mühe besänftigen, aber die Aufkündigung der Zusammenarbeit mit dem Insel Verlag schien unausweichlich. Fraglich war, was in solch einem Fall mit Zweigs bisher dort erschienenen Werken geschehen sollte. Ende November 1933 erreichte Kippenberg mit einem Brief des Börsenvereins der Deutschen Buchhändler eine streng vertraulich zu behandelnde Aufstellung der Werke aus seinem Verlag, deren Vertrieb im Sortimentsbuchhandel nicht mehr erwünscht war und deshalb ab sofort zu unterbleiben hatte. Lediglich eine Abgabe an Wissenschaftler mit entsprechenden Interessen war fortan noch erlaubt. Auf der Liste waren Johannes R. Becher mit vier, Leonhard Frank mit zwei, Heinrich Mann mit einem und Stefan Zweig mit nicht weniger als 15 Werken vertreten.[35]

In einem daraufhin an das zuständige Reichsministerium für Volksaufklärung und Propaganda gerichteten Brief merkte Kippenberg an, daß ein Verschwinden der Bücher Zweigs aus dem Buchhandel von der Öffentlichkeit sofort bemerkt würde, zumal sich die auflagenstarken Titel aus der Reihe *Baumeister der Welt* und die Bände der Insel-Bücherei, darunter die beliebten *Sternstunden der Menschheit,* auf der Liste befanden. Kippenberg wies ausdrücklich darauf hin, daß es sich in allen Fällen um »völlig unpolitische, zumeist um rein dichterische Werke« handelte. Weiter teilte er mit, daß, falls der Beschluß zur Einstellung des Handels bestehen bliebe, Zweig sicher alle seine Werke in einem ausländischen Verlag drucken ließe. Wenn es dagegen zu einer freundschaftlichen Einigung käme, »so würde ich Herrn Dr. Zweig bestimmen können, einen Verlag zu wählen, in dem keine Emigrantenbücher erscheinen und der in keiner Weise deutschfeindlich eingestellt ist«. Schließlich bat er noch, ihm mitzuteilen, wie er sich fortan bei Fragen aus dem Buchhandel und insbesondere auch gegenüber dem Autor verhalten solle.[36]

Noch bevor der Börsenverein die Beschränkung zum Vertrieb der Zweig-Bände aus der Insel-Bücherei im März 1934 wieder aufhob, hatte sich in Zweigs Leben die nächste Katastrophe ereignet. Anfang des Jahres hatte er sich von England über Zürich zurück nach Österreich begeben, von wo er in absehbarer Zeit wieder nach London zurückkehren wollte. In der *Welt von Gestern* berichtet er selbst über jene Tage im Februar: »Ich war nachmittags von Wien in mein Haus nach Salzburg zurückgekommen, hatte dort Stöße von Korrekturen und Briefen vorgefunden und bis tief in die Nacht gearbeitet, um alle Rückstände zu beseitigen. Am nächsten Morgen, ich lag noch im Bett, klopfte es an die Tür; unser braver alter Diener, der mich sonst nie weckte, wenn ich nicht ausdrücklich eine Stunde bestimmt hatte, erschien mit bestürztem Gesicht. Ich möchte hinunterkommen, es seien Herren von der Polizei da und wünschten mich zu sprechen. Ich war etwas verwundert, nahm den Schlafrock und ging in das untere Stockwerk. Dort standen vier Polizisten in Zivil und eröffneten mir, sie hätten Auftrag, das Haus zu durchsuchen; ich solle sofort alles abliefern, was an Waffen des Republikanischen Schutzbundes im Hause verborgen sei. Ich muß gestehen, daß ich im ersten Augenblick zu verblüfft war, um irgend etwas zu antworten. Waffen des Republikanischen Schutzbundes in meinem Hause? Die Sache war zu absurd. Ich hatte nie einer Partei angehört, mich nie um Politik gekümmert. Ich war viele Monate nicht in Salzburg gewesen, und abgesehen von all dem wäre es das lächerlichste Ding von der Welt gewesen, ein Waffendepot gerade in diesem Hause anzulegen, das außerhalb der Stadt auf einem Berge lag, so daß man jeden, der ein Gewehr oder eine Waffe trug, unterwegs beobachten konnte. Ich antwortete also nichts als ein kühles: ›Bitte, sehen Sie nach.‹ Die vier Detektive gingen durch das Haus, öffneten einige Kästen, klopften an ein paar Wände, aber es war mir sofort klar an der lässigen Art, wie sie es taten, daß diese Nachschau pro forma geschah und keiner von ihnen ernstlich an ein Waffendepot in diesem Hause glaubte. Nach einer halben Stunde erklärten sie die Untersuchung für beendet und verschwanden.«[37]

Nach dieser Provokation packte Zweig umgehend seine Koffer und reiste über Zürich und Paris zurück nach London. Von dort wies er wenige Tage später seinen Bruder Alfred an, ihn beim Einwohnermeldeamt Salzburg abzumelden. Will man ein Datum für das Ende von Stefan Zweigs »zweitem Leben« nennen, so wird man mit dem Tag der Hausdurchsuchung, dem 18. Februar 1934, gewiß nicht falschliegen.

Teil III

»Natürlich verlasse ich mein Haus. Jetzt ist es vorbei. Sie wissen, daß ich
schon früher gehen wollte, aber immer bin ich zurückgewichen, um kein
Zeichen abzugeben. Der Kapitän muß das sinkende Schiff als Letzter
verlassen. Aber diese Kränkung der dummen Polizisten, diese moralische
Ohrfeige macht meine Entscheidung legitim. Im Grunde freue ich mich
über diese Kränkung. Sie hat mir geholfen.«[1]

An Romain Rolland, 25. Februar 1934

Grenzerfahrungen

Die Hausdurchsuchung in Salzburg war selbstverständlich nicht von ungefähr angeordnet worden. Als Zweig sich nach seiner Rückkehr aus London im Februar zunächst für einige Tage in Wien aufgehalten hatte, hatte
er miterlebt, wie es dort zu einem regelrechten Bürgerkrieg gekommen
war. Auch in anderen Städten Österreichs bekämpften sich die rechtsra-
dikale Heimwehr, die der Regierung des Bundeskanzlers Engelbert Dollfuß nahestand, und die Anhänger des verbotenen Republikanischen
Schutzbundes aus dem Umkreis der Sozialdemokratie mit Waffengewalt.
Hunderte Todesopfer wurden gezählt. Der Versuch konservativer und an-
tisemitischer Kreise, Zweig anzuhängen, daß er den Schutzbund durch
ein Waffenversteck in seinem Haus unterstützt hätte, hatte vor diesem
Hintergrund seine Wirkung nicht verfehlt. Wie sicher Zweigs Entschluß,
Salzburg zu verlassen, bei seiner Ankunft in Österreich auch gewesen sein
mag, nach dieser Provokation war er unumkehrbar. Konsequenterweise
hatte er nicht nur seinen Bruder Alfred beauftragt, ihn an seinem bisherigen Wohnsitz abzumelden, sondern umgehend einen Rechtsanwalt angewiesen, seinen Namen auch aus den Listen der Steuerbehörden tilgen
zu lassen. Sogar aus der Goethegesellschaft schied er nach Zahlung des
letzten Jahresbeitrags aus, da er seine Bibliothek aufgeben wolle, wie er

seiner Sekretärin mitteilte. Sie bekam außerdem den Auftrag, die komplette Korrespondenz zu Vorträgen in Deutschland zu vernichten, da sich dieses Thema für ihn erledigt habe.

Nun war Zweig wieder in die Wohnung am Portland Place in London zurückgekehrt und mußte sich bald mit neuen Vorwürfen herumplagen: Aus der österreichischen Gesandtschaft in Paris war ein Bericht an das Bundeskanzleramt in Wien gegangen, in dem davon die Rede war, daß er sowohl bei seinem letzten Aufenthalt in Paris als auch in London bei geschlossenen Veranstaltungen und anderen Gelegenheiten Propaganda gegen sein Heimatland betrieben hätte. Der österreichische Gesandte in London konnte auf die Anweisung seiner Vorgesetzten, Zweigs Verhalten umgehend entgegenzuwirken, jedoch nur berichten, daß über entsprechende Tätigkeiten nichts bekannt sei und er, Zweig, lediglich im November 1933 bei einem Bankett im Hause des Bankiers Rothschild in London einen Vortrag gehalten habe. Österreich war in dieser Rede aber nicht einmal erwähnt worden, denn Zweig hatte sich an jenem Abend mit ganz anderen Problemen beschäftigt: Er hatte mit Nachdruck dazu aufgerufen, umfangreiche humanitäre Hilfe für jüdische Kinder in Deutschland zu organisieren. Ein Thema, dem er dieser Tage die höchste Priorität gab. Nach der Rückmeldung aus London schien sich die Lage in Diplomatenkreisen zu beruhigen. Doch Zweig erfuhr von diesen Anschuldigungen gegen seine Person und sah sich einmal mehr in seinen düsteren Vorahnungen bestätigt.

Wenigstens das Verlagsproblem, das sich mit der Trennung von »der Insel« ergeben hatte, war einigermaßen elegant zu lösen gewesen. In Wien übernahm der Verlag von Herbert Reichner, mit dem Zweig unter anderem schon in Sachen des Mozart-Faksimiles zusammengearbeitet hatte, seine zukünftigen Werke. Zweig durfte sich sicher sein, auch hier die vom Insel Verlag bekannte bibliophile Ausstattung seiner Bücher erwarten zu können. Außerdem hatte er seinem alten Freund und Schachpartner Emil Fuchs, dessen bisheriger Posten bei der sozialdemokratischen *Salzburger Wacht* mit dem Parteiverbot verlorengegangen war, eine Lektorenstelle bei Reichner verschaffen können und damit gleichzeitig einen Vertrauensmann im Verlag untergebracht.

Der Band über Erasmus von Rotterdam war Zweigs erstes Werk, das nach der Trennung vom Insel Verlag bei Reichner erschien. Trotz aller Drohungen und Einschränkungen sollte der Vertrieb seiner Bücher in Deutschland noch bis in die ersten Monate des Jahres 1936 möglich sein. Erst dann kam das endgültige Verbot, und das Verkaufsgebiet für die deutschsprachigen Ausgaben seiner Werke schrumpfte auf Österreich und die Schweiz zusammen.

Zweigs neuer Verlag hatte laut Impressum die Standorte Wien, Leipzig und Zürich, doch waren in Deutschland und der Schweiz nur Kommissionäre tätig, die Geschäftsleitung und die übrigen Mitarbeiter waren in Wien ansässig. Auch die »Firma Stefan Zweig« hatte nun gewissermaßen drei Niederlassungen: In Salzburg, London und Wien nämlich. Es war zunächst nicht einfach gewesen, die Arbeit im bisherigen Heim mit der kompletten Registratur, die Zusammenarbeit mit dem Verlag in Wien und die Produktion neuer Texte in London (oder wo immer Zweig gerade schrieb) zu koordinieren. Die Sekretärin Anna Meingast arbeitete weiterhin im Haus Kapuzinerberg 5, und die Korrespondenz zu organisatorischen Fragen zwischen ihr und dem »Herrn Doktor« nahm unter Friderikes wachsamen Augen immer größere Ausmaße an. Für Zweig wurde die Bahnreise von London über Paris, Zürich und Salzburg nach Wien und zurück bald zu einer vertrauten Angelegenheit, da er um Deutschland buchstäblich einen Bogen machte.

Friderike war Stefan kurz vor Ostern 1934 nach London nachgereist. Einerseits wollte sie bei der Herrichtung der möblierten Wohnung helfen, andererseits schien sie nach wie vor die Hoffnung zu haben, ihn noch zur Rückkehr nach Salzburg überreden zu können, was ihr jedoch nicht gelang. Eines war sicher: Wenn die Weiterarbeit in London unter diesen angespannten Verhältnissen gelingen sollte, so war dafür eine weitere Sekretärin vor Ort vonnöten. Im Woburn House, wo die Hilfsorganisation für jüdische Flüchtlinge ansässig war, wurden Erkundigungen eingezogen, ob unter den Immigranten aus Deutschland wohl eine Dame sei, die als Sekretärin in Frage käme. Wichtig war, daß sie einwandfreies Deutsch sprach und schrieb und außerdem Französisch sowie selbstverständlich Englisch beherrschte, denn die Korrespondenz mit britischen und amerikanischen Briefpartnern würde in der kommenden Zeit absehbar an Bedeutung gewinnen. Vermutlich durch die Vermittlung von Wiener Bekannten wurde Zweig Elisabet Charlotte Altmann für den Posten vorgeschlagen. Lotte oder Lieselotte Altmann, wie sie sich selbst nannte, war am 5. Mai 1908 als Tochter eines Eisenwarenhändlers in Kattowitz zur Welt gekommen und hatte ursprünglich geplant, in Deutschland zu studieren, was ihr als Jüdin jedoch verboten worden war. Sie war daraufhin nach London gegangen, wo bereits ihr Bruder Manfred mit seiner Frau Hannah und weitere Verwandte lebten.

Friderike hatte die Bewerberinnen um den Posten der Sekretärin kritisch beurteilt und war an der letzten Entscheidung maßgeblich beteiligt gewesen. In ihren Memoiren berichtet sie über die damals gerade 26jährige alleinstehende Frau, sie sei: »ein besonders gesetztes, ja fast melancholisch wirkendes Mädchen [gewesen], das sich wie eine Verkörperung des ihr und so vielen Leidensgenossen widerfahrenen Schicksals ausnahm. [...] Körperlich war die junge Sekretärin eine schwächliche Erscheinung, sie hatte etwas von jenen verschüchterten Wesen an sich, wie sie Dostojewski so ergreifend geschildert hat. Mit bewunderungswürdiger Energie überwand sie aber ihre Gebrechlichkeit. Ihr unermüdlicher Fleiss und ihre besondere Eignung waren schon erwiesen, als wir erfuhren, dass sie seit ihrer Kindheit an einem Asthmaleiden litt und vergeblich Kuren dagegen versucht hatte.«[2] Diese im Rückblick verfaßten Sätze Friderikes klingen wie die Beschreibung einer Antiheldin zu ihrer eigenen Person – und dies war wohl auch ihre Absicht gewesen, wie nach Betrachtung der kommenden Ereignisse deutlich werden wird.

Unbestritten steckte die Ehe der Zweigs in einer tiefen Krise. Friderike war sich nur zu bewußt, daß Stefans Entscheidung, sich in London eine kleine Wohnung zu nehmen, der Anfang des Endes vom Leben auf dem Kapuzinerberg werden könnte. Für ein paar Tage machten sie gemeinsam einen Ausflug aufs Land nach Dorset, und auch hier versuchte Friderike, ihren Mann von seinem Entschluß abzubringen. Die Mühe war vergeblich. Eine Rückkehr in das bisherige Leben stand vor dem Hintergrund der drohenden Gefahren aus Deutschland und in Österreich, der zerrütteten Ehe und der Situation um Friderikes Töchter für Stefan völlig außer Frage.

Daß Zweig sein Leben umstellen wollte, wird an vielerlei Dingen sichtbar, so auch an seiner Autographensammlung. In den Jahren 1933 und 1934 waren die Zuwächse nur spärlich gewesen, selbst den Ankauf einer Bratsche aus Mozarts Besitz schlug er aus. Solange die Frage seines weiteren Aufenthaltsortes nicht wirklich geklärt war, wollte er sich keinesfalls mit weiteren Stücken belasten. Zeitweise dachte er sogar über eine Auflösung der Sammlung nach. Einer der wenigen Neuankäufe dieser Zeit verdient noch eine besondere Erwähnung: Im August 1933 erwarb Zweig unter strengster Geheimhaltung ein 13seitiges Redemanuskript Adolf Hitlers. Ein Ankauf, der auf den ersten Blick Befremden hervorrufen muß und sich erstaunlicherweise doch mit Zweigs bisheriger Motivation zum Autographenkauf erklären läßt. Wie in den Fällen, in denen er sich den Größen der Literatur und Musik über ihre Handschriften zu nähern versucht hatte, so hoffte er nun offenbar, sich auch die Persönlichkeit Hitlers auf die oftmals bewährte Art und Weise wenigstens teilweise erschließen zu können. Freilich hatte Zweig mit dieser beinahe mystisch anmutenden Vorgehensweise schon bei »gewöhnlichen« Autographen wenig Verständnis bei Freunden und Bekannten zu erwarten gehabt. In diesem speziellen Fall erzählte er nicht zuletzt deshalb niemandem von seiner Neuerwerbung und ließ sich vom Antiquariat Hellmut Meyer & Ernst in Berlin, das den Ankauf vermittelt hatte, die Eigentumsverhältnisse an dem Stück ausdrücklich bestätigen.

Während er sich mit dem Hitler-Autograph beschäftigte, hatte er noch an seinem *Erasmus* gearbeitet, einem Buch, das ihm in persönlicher Hinsicht von so großer Bedeutung sein sollte, wie lange keines seiner Werke es gewesen war. Kurz vor dem Abschluß der Arbeiten schrieb er an Lavinia Mazzucchetti: »›Erasmus‹ hat mir so sehr geholfen wie während des Krieges der ›Jeremias‹, er ist für mich eine Art ›Nothelfer‹ geworden und ich habe manches für mich selbst durch ihn in klarere Form gebracht. Wenn man sich in diesen Zeiten viel mit Geschichte beschäftigt, so sieht man auch das Gegenwärtige mit einem überlegenen Blick; ich denke nicht daran, mich in eine unfruchtbare Opposition zu Tagesgeschehnissen drängen zu lassen und mir von außen das jüdische Problem als die einzige und wichtigste Frage des Lebens aufnötigen zu lassen.«[3] Dennoch kam er nicht umhin, sich gerade zu diesem Thema ständig zu äußern. Bei einer Rundfrage über jüdische Literatur zeigte sich Zweigs Meinung dazu weiterhin fast unverändert: jüdische Autoren dürften sich seiner Ansicht nach keinesfalls von der übrigen Literatur absondern, doch stünden sie gerade jetzt unter einem besonders großen moralischen Druck, der ihr Verantwortungsgefühl erhöhen werde. Die Qualität ihrer Bücher, so hoffte Zweig, werde sich verbessern, denn nun könne man nicht bloß gut verkäufliche Unterhaltung produzieren, sondern müsse den Forderungen der Zeit Rechnung tragen. Ihm selbst war dies mit seinem *Erasmus* gelungen, was auch Kollegen wie Joseph Roth und Thomas Mann in wohltuenden Briefen anerkannten. Die Darstellung des Humanisten, der die Wahrheit sieht und sich mit seinen Warnungen doch nicht durchsetzen kann, war ein Spiegelbild ihrer eigenen Situation.

Nachdem Zweig sich in den vergangenen Jahren immer ausführlicher mit dem Seelenleben historischer Gestalten beschäftigt und sich dabei mehr und mehr von der erzählenden Literatur entfernt hatte, war er sich nach Abschluß des *Erasmus* sicher gewesen, vorläufig keine Biographien mehr zu schreiben. Schon seit langem war keine jener Novellen mehr erschienen, die seinen literarischen Ruhm mitbegründet hatten. Dies mochte seinen Ursprung auch darin haben, daß sich Zweig seit Jahren in mehreren Anläufen vergeblich darum bemüht hatte, einen Roman zu Papier zu bringen. Bereits bei seinen Sommeraufenthalten in Thumersbach bei Zell am See hatte er mit Skizzen und ersten Kapiteln zu einem solchen Projekt begonnen, es aber nie zu einem glücklichen Ende gebracht. Die von ihm geplante »Postfräuleingeschichte« sollte ein großer österreichischer Roman werden, doch nicht zuletzt die aktuellen Ereignisse im Land führten dazu, daß sich der Stoff nicht wie ursprünglich angedacht formen ließ.[4] Erst 1936 begann Zweig die intensive Arbeit an einem zweiten Romanmanuskript, das 1939 als sein einziges Werk dieser Gattung zu Lebzeiten unter dem Titel *Ungeduld des Herzens* erschien.

In seinem schriftlichen Nachlaß fanden sich noch einige Aufzeichnungen und Vorarbeiten zu weiteren Projekten aus der Mitte der 30er Jahre, darunter eine umfangreiche Materialsammlung zu einer Erzählung um den Architekten Eduard van der Nüll und den Bau des von ihm mitentworfenen Wiener Opernhauses sowie zwei Notizhefte mit Skizzen für eine »Autographennovelle«, die ebenfalls nie zu Ende geschrieben wurde. Im Mittelpunkt dieser Geschichte sollte ein Sammler stehen, der eine erstklassige Kollektion kostbarster Musikmanuskripte zusammengetragen hatte, doch durch die Inflation und andere Widrigkeiten zum Verkauf seiner Schätze gezwungen wird. Diese Novelle wäre im Falle ihrer Ausarbeitung das einzige erzählerische Werk Zweigs geworden, in dem er seine Sammelleidenschaft direkt thematisiert hätte. Bislang waren Erlebnisse aus dem Bereich der Bibliophilie und der Antiquariate bereits in seine Geschichten *Buchmendel* und *Die unsichtbare Sammlung* eingeflossen.

Trotz anderer Planungen bescherte ihm seine Neugier für Manuskripte die nähere Bekanntschaft mit einer weiteren historischen Gestalt, deren spannender Lebenslauf ihn alle Vorsätze vergessen ließ: »Ich hatte genug von Biographien. Aber da geschah mir gleich am dritten Tage, daß ich im Britischen Museum, angezogen von meiner alten Leidenschaft für Autographen, die im öffentlichen Raum ausgestellten Stücke musterte. Darunter war der handschriftliche Bericht über die Hinrichtung Maria Stuarts. Unwillkürlich fragte ich mich: wie war das eigentlich mit Maria Stuart? War sie wirklich am Mord ihres zweiten Gatten beteiligt, war sie es nicht? Da ich abends nichts zu lesen hatte, kaufte ich ein Buch über sie. Es war ein Hymnus, der sie wie eine Heilige verteidigte, ein Buch, flach und töricht. In meiner unheilbaren Neugier schaffte ich mir am nächsten Tage ein anderes an, das ungefähr genau das Gegenteil behauptete. Nun begann mich der Fall zu interessieren. Ich fragte nach einem wirklich verläßlichen Buch. Niemand konnte mir eines nennen, und so suchend und mich erkundigend geriet ich unwillkürlich hinein ins Vergleichen und hatte, ohne es recht zu wissen, ein Buch über Maria Stuart begonnen, das mich dann Wochen in den Bibliotheken festhielt.«[5] Zur weiteren Recherche für dieses vielversprechende Thema brach Zweig noch im Frühjahr 1934 nach Schottland auf, um die Orte zu besuchen, an denen Maria Stuart gelebt hatte. Dabei wurde er von seiner Sekretärin Lotte Altmann begleitet, deren Dienste er schnell zu schätzen gelernt hatte und die sich in ihrem neuen Beruf an der Seite eines der bekanntesten Schriftsteller Europas bestens zu bewähren schien.

Die Umstände erforderten es, daß Zweig sich mit Blick auf seine kommenden Veröffentlichungen nicht zu sehr auf den deutschsprachigen Markt konzentrierte. Es zahlte sich nun doppelt aus, daß seine Bücher in den letzten Jahrzehnten weltweit gedruckt worden waren und er zu einigen ausländischen Verlegern seit längerem in engem Kontakt gestanden hatte. Der Amerikaner Ben Huebsch von Viking Press und sein englischer Kollege Newman Flower mit dem Verlag Cassell & Co. gehörten ebenso dazu wie die Übersetzer Alfredo Cahn in Argentinien und der Verleger Abrahão Koogan in Brasilien, wo Zweigs Werke Auflagen von ungeahnter Höhe erreichten.

Noch immer stand er in freundschaftlicher Verbindung zu Anton Kippenberg, dessen Tätigkeit als Verleger und als Sammler er nach wie vor bewunderte und mehr als einmal in Aufsätzen gewürdigt hatte. Kippenberg bemühte sich nach Kräften, seinen Verlag durch die unruhigen Zeiten zu bringen. Dies war nach den jüngst gemachten Erfahrungen und den bereits verhängten oder drohenden Buchverboten sowohl finanziell als auch politisch zu einem riskanten Unternehmen geworden. So kam beispielsweise im September 1934 eine Anfrage der Leipziger Polizei zum korrekten Fahnenschmuck der Verlagsgebäude und seines Privathauses in der Richterstraße 27 auf Kippenbergs Schreibtisch. In seinem Antwortschreiben erklärte er umgehend, es werde stets »geflaggt«, und zwar mit der schwarz-weiß-roten Flagge. Der konservative Kippenberg hatte den Mast vor seinem Haus 1919 demonstrativ absägen lassen, um ihn zu erneuern, sobald diese Flagge wieder aufgezogen werden durfte, was 1933 geschah. Außerdem betonte er gegenüber der Polizei ausdrücklich, daß er das Ankleben von Plakaten der NS-Volkswohlfahrt an der Grundstücksmauer seines Hauses ohne Umschweife gestattet hatte und 1933 vom Verlag 1000 Reichsmark für die sogenannte Hitler-Spende überwiesen worden waren.[6] – In ideologischen Fragen wollte man offensichtlich nicht unnötig negativ auffallen.

Im Sommer 1934 traf sich Zweig mit dem Journalisten Egon M. Salzer zu einem Gespräch. Salzers Bericht wurde bald darauf im *Neuen Wie-*

ner Journal unter dem Titel *Plauderei mit Stephan Zweig* abgedruckt (wieder einmal war der Vorname falsch geschrieben worden, daran hatten auch Zweigs Popularität und seine hunderttausendfach gedruckten Bücher nichts ändern können). Bevor Salzer den Zeitungslesern die Themen der »Plauderei« ausbreitete, lieferte er eine kurze Beschreibung des Mannes, der ihm gegenübergesessen hatte: »Die träge Gelassenheit seines äußeren Charakters ist mitnichten ein Zeichen seines wahren Wesens. Stephan Zweig ist einer der produktivsten Meister der deutschen Sprache. Er ist Oesterreicher. Seine dunklen, verträumten Augen gemahnen an slawischen Einschlag. Seine feinen, sensitiven Hände sind sprechend, sein vorwärtsstrebender Gang verrät diesen, die jeweilige Umgebung überstrebenden Drang nach außen, nach den Grenzgebieten der menschlichen Seele, die er besser zu sezieren wußte als irgendein anderer Dichter.«[7] Das wichtigste Thema ihres Gesprächs war eine Reise Zweigs in die USA gewesen, die er in absehbarer Zeit antreten wollte, um vor Ort Vorträge zu halten und Kontakte zu knüpfen. Europa und Amerika seien kulturell längst nicht mehr so weit voneinander entfernt, wie es noch bei seiner ersten Fahrt über den Atlantik der Fall gewesen war, ließ er Salzer wissen. Er freue sich jedenfalls auf zahlreiche neue Eindrücke, die ihm der Aufenthalt in Übersee gewiß bringen werde.

Bevor er nach Amerika aufbrach, stand noch ein weiterer Besuch in Österreich auf dem Programm. Dort war es seit der Ermordung des Bundeskanzlers Dollfuß durch österreichische Nationalsozialisten zu weiteren Unruhen gekommen. Zunächst traf er Friderike in der Schweiz und fuhr anschließend mit ihr nach Salzburg, von wo er einen Abstecher nach Wien unternahm. Nachdem er seine Rückreise angetreten hatte, ging in der Presse das Gerücht um, er wolle sein Haus verkaufen und Österreich für immer verlassen.

Die Reise in die USA sollte im Januar 1935 mit dem Schiff von Villefranche-sur-Mer beginnen. Vorher war noch das Manuskript der *Maria Stuart* in die endgültige Form zu bringen, so daß man sich im Reichner Verlag während Zweigs Abwesenheit mit den Druckvorbereitungen beschäftigen konnte. Anfang Dezember war Stefan mit Friderike nach Nizza gefahren. Hier wollte er die letzten Arbeiten an der Biographie erledigen.

Zu seiner Unterstützung reiste kurz darauf auch Lotte Altmann an. Sie plante, anschließend in die Berge zu fahren und in der Höhenluft ihr Asthma zu kurieren. Wenige Tage vor dem Aufbruch nach Amerika, während Zweig und seine Sekretärin letzte Änderungen am Manuskript vornahmen, bat er Friderike darum, auf dem Konsulat das Visum in seinen Paß eintragen zu lassen. Sie machte sich auf den Weg, erfuhr vor Ort jedoch, daß die Papiere unvollständig waren. Noch war es aber nicht zu spät, die nötigen Unterlagen zu beschaffen. In ihren Memoiren berichtet Sie:»Um die zusätzliche Erklärung zu holen, eilte ich rasch ins Hotel zurück und trat von meinem Zimmer aus in Stefans Arbeitsraum – leider in einem unglücklichen Augenblick. Nie habe ich ein menschliches Wesen so bestürzt gesehen, wie dieses aus einer tiefen Benommenheit aufgescheuchte junge Mädchen. Auch Stefan war sehr erschrocken. Ich bemühte mich ruhig zu bleiben, doch meine Stimme bebte, als ich berichtete, dass ich noch rasch Dokumente auf dem Konsulat abgeben müsste, ehe das Büro geschlossen würde.«[8] Was Stefan sich seiner Frau nicht zu sagen getraut hatte, war nun durch eine zufällige, vielleicht aber auch bewußt herbeigeführte Situation zur Gewißheit geworden: Lotte Altmann war nicht nur Stefan Zweigs Sekretärin, sondern auch seine Geliebte.

In der Verwirrung der Gefühle gingen alle drei ihrer Wege: Lotte reiste umgehend zu ihrem geplanten Kuraufenthalt, Friderike brach in Richtung Österreich auf, und Stefan fuhr nach Amerika. Als sein Schiff bereits ablegte, ließ er Friderike, die ihn bis zum Pier begleitet hatte, ein ungeöffnetes und an ihn adressiertes Briefkuvert überreichen. Es enthielt einen Liebesbrief von Lotte.

Der Aufenthalt in den USA brachte ihm ein volles Programm und ein Wiedersehen mit der Stadt New York, die sich seit seinem letzten Besuch erheblich verändert hatte. Staunend beobachtete er die neu entstandenen Wolkenkratzer und machte sich seine Gedanken zum Wesen der Amerikaner:»Dann durch den Central Park, wo die Häuser beginnen, wie eine riesige Burgmauer einen inneren Hof zu umschließen[,] ins Metropolitan Museum. Gerade ein symphonisches Concert in der Vorhalle – wie in Rußland die Absicht, die Menschen hereinzulocken, System der Kirche mit Musik und Predigten, hier durch Lectures und Musik. Könnte mir denken, daß man Candy gratis gibt, um die Jugend heranzuziehen.«[9]

Schon im Februar war er wieder nach London zurückgekehrt und von dort bald darauf über Salzburg nach Wien gefahren, um die Drucklegung der *Maria Stuart* vorzubereiten. Das Buch drohte, »ein wahrscheinlich verspätetes Osterei« zu werden.[10] Zweig logierte fast drei Monate lang im Hotel Regina, gleich neben der Votivkirche. Seine frühere Schule und die Rathausstraße, in der er um die Jahrhundertwende mit seinen Eltern gewohnt hatte, lagen jeweils nur wenige Schritte entfernt. Auch das Stadtzentrum und die Garnisongasse, wo seine Mutter lebte, waren von hier schnell zu erreichen. Zu seiner Erleichterung ging die Vorbereitung des Buchdrucks ohne Komplikationen voran. Dafür hatte er sich Mitte April nach erheblichem Widerstand einer aufwendigen Zahnbehandlung zu unterziehen, die ihn über einige Tage zur Ruhe zwang. Anfang des kommenden Monats war sein Werk über die schottische Königin schließlich in den Buchhandlungen erhältlich. Am 5. Mai 1935, an dem Ida Zweig im Kreis ihrer Familie ihren 81. Geburtstag feierte und Lotte Altmann, die in London geblieben war, 27 Jahre alt wurde, erschien in der *Neuen Freien Presse* eine Rezension des Buches aus der Feder des Theaterwissenschaftlers Joseph Gregor. Daß er als Freund Zweigs das Werk lobte, muß kaum erwähnt werden, daß es trotz aller Beschränkungen und der Zeitumstände ein weiterer Bestseller wurde, ist dagegen bemerkenswert.

Die Brüder Stefan und Alfred Zweig mit ihrer Mutter Ida

Nicht alle Freunde und Bekannten waren Zweig dieser Tage so wohlgesonnen wie Joseph Gregor. Zukunftsangst, Armut und andere existentielle Bedrohungen führten gerade in Schriftstellerkreisen mehr denn je zu neidischen Blicken auf den berühmten Kollegen, dem, wie es nach außen schien, nicht einmal die politischen Katastrophen wirklich etwas anhaben konnten. So schrieb sein Jugendfreund Benno Geiger, der für seine zupackende Art bekannt war, ein Gedicht mit dem Titel *Stefan der Wohltäter*. Die erste Strophe lautet:

> Das Lieblings-Wort in seinem Munde
> von morgens früh bis abends spät,
> zu jeder Sprech- und Schweige-Stunde
> war Weltverbrüderung im Bunde
> mit Liebe und Humanität.

Hierauf folgt die Geschichte eines Mannes, der sich in größten Finanznöten befand, als er Zweigs *Erasmus* las und auf die Idee kam, den Autor des Buches um Unterstützung zu bitten:

> Und schrieb dem gütigsten der Dichter,
> er möge helfen in der Not,
> die Kasse werde licht und lichter,
> bedrohlicher die Schreckgesichter
> der Gläubiger von Bett und Brot.

Doch die Hoffnung trog, »Stefan der Humanitäre, der Europäer großen Stils« lehnte es ab, dem Bittsteller auszuhelfen:

> Und da er sinnvoll im Erwägen
> und konsequent im Handeln war,
> gab er dem Bettler seinen Segen
> und schrieb: »Weg hast du allerwegen!
> Gott sei dir Gnädig immerdar.«[11]

Es ist nicht bekannt, ob sich Geiger mit seinem Gedicht auf einen bestimmten Fall bezieht – wobei es vermutlich nicht er selbst war, der um Geld gebeten hatte – oder ob er die Begebenheit in Kollegenkreisen aufgeschnappt und umgehend weiterverarbeitet hatte. Tatsächlich wurde Zweig in Österreich wie in England um Unterstützung aller Art gebeten, was ihn weniger finanziell als seelisch belastete. Daß er nicht immer zur

Hilfe bereit oder in der Lage war, ist selbstverständlich. Jedenfalls hatte es der Quertreiber Geiger zeit seines Lebens und so auch diesmal bestens verstanden, seinen Finger in offene Wunden zu legen. Diese und weitere Bemerkungen über Zweig verdienen insofern eine nähere Betrachtung, als daß Geiger ihn länger kannte als die meisten Weggefährten und die Verbindung über die Jahrzehnte nicht abgebrochen war. Auch in seinen Lebenserinnerungen, die erst lange nach Zweigs Tod erschienen, äußerte sich Geiger in merkwürdiger Weise über seinen Jugendfreund. Zum besseren Verständnis des Textes sei erwähnt, daß Zweig in reiferen Jahren gelegentlich den Eindruck erweckt hatte, trotz seiner mit großer Freizügigkeit erzählten Geschichten im persönlichen Umgang gehemmt und unsicher zu sein, wenn Frauen anwesend waren. Andererseits hat er im Gespräch mit Freunden das Thema oft genug in Richtung der Erotik gelenkt. In Carl Zuckmayers *Horen der Freundschaft* heißt es über Zweig: »Ansonsten war er ein komischer Vogel – mir fällt dieses Bild ein, weil er tatsächlich kleine und dunkle, scharf blitzende Knopfaugen hatte, in denen man die Wärme, auch die Melancholie, erst durch längere Vertrautheit erkannte. Er liebte Frauen, verehrte Frauen, sprach gern von Frauen, aber ›in the flesh‹ – es gibt auf deutsch keinen gleichwertigen Ausdruck dafür – ging er ihnen eher aus dem Weg. Wenn er zum Tee bei mir in Henndorf war und meine Frau oder eine Freundin uns Gesellschaft leisten wollte, wurde er leicht nervös, ging auf keine richtige Unterhaltung ein, wehrte höflich ab, wenn man ihm etwas anbieten oder ihn bedienen wollte, so daß man uns dann verständnisvoll allein ließ: sofort taute er auf und überließ sich, unter Männern, seiner intensiven und immer anregenden Beredsamkeit. Dabei ließ er gern, mit listigem Zwinkern, kleine Andeutungen über erotische Erlebnisse fallen, zu denen er aber nie Zeit hatte, und am liebsten sprach er über die Stoffgebiete, die ihn gerade beschäftigten; es war eine Lust zuzuhören [. . .].

Einmal fragte meine Frau, als er nach einem solchen intimen Zwiegespräch gegangen war: ›Was hat dir der Stefan heute so aufgeregt erzählt?‹ – ›Den letzten Klatsch aus der Französischen Revolution‹, sagte ich nur; denn er arbeitete gerade an seiner ›Marie Antoinette‹ und wußte über jede Phimose, Lues oder Gonorrhoe der Akteure so genau Bescheid, als sei er damals Hautarzt in St. Germain gewesen. Auch erwähnte er solche Dinge mit dem gleichen, diskreten Lächeln, die Hand etwas vor den Mund gelegt, wie es jener Arzt unter Freunden wohl getan hätte.«[12]

In den Memoiren Benno Geigers gibt sich derselbe Stefan Zweig weitaus weniger zurückhaltend. Geiger weiß aus den Jahren vor dem Ersten Weltkrieg Folgendes zu berichten: »Auch Zweig hatte seine kleine Perversion, und um nicht gegen das Gesetz zu verstoßen, hatte er sich von Freud, der in dieser Sache Bescheid wußte, eine Erklärung ausstellen lassen, daß er einer seiner Patienten und bei ihm in Behandlung sei. Er selbst hat mir dies erzählt. Er litt an der Sucht des Exhibitionismus, das heißt an dem unwiderstehlichen Drang, sich in Anwesenheit eines einsamen jungen Mädchens zu entblößen. Diese Lappalie bezeichnete er mit dem von ihm erfundenen Begriff: ›Schauprangertum‹. Beliebte Plätze waren die Wege im Park von Schönbrunn; besonders das alte Affenhaus, welches, als Käfig längst aufgegeben, im Zentrum einer Art Labyrinth gelegen ist. Dort konnte man, über die geschnittenen Buchsbaumhecken hinweg, rechtzeitig die Gendarmen bemerken, auch wenn sie sich auf leisen Sohlen näherten. Zweig kannte jede Ecke in Schönbrunn, einschließlich der Gassen, durch die er entwischen konnte.«[13]

Dem Wahrheitsgehalt dieses Berichts auf die Spur zu kommen, ist kaum möglich. Geigers Lebenserinnerungen, die im Jahr 1958 in kleinster Auflage und nur auf Italienisch herausgegeben wurden, strotzen wie viele seiner Gedichte vor phantastischen und gelegentlich sehr geschmacklosen Details. Hatte er das oben Erzählte im Park von Schönbrunn wirklich so oder ähnlich miterlebt? Wohl kaum. Hatte ihm Zweig davon berichtet und die Wahrheit – wie immer sie lauten mochte – dabei eventuell ausgeschmückt? Beispiele für seine blühende Phantasie bei der Beschreibung seiner Erlebnisse sind reichlich bekannt. Hat Geiger ernsthaft glauben können, ein so umstrittener Mann, wie Sigmund Freud es seinerzeit war, hätte es gewagt, einem seiner Patienten mit exhibitionistischen Neigungen eine Art »Jagdschein« auszustellen, der im Falle einer Festnahme zu Nachsicht und mildernden Umständen von seiten der Behörden hätte führen sollen? Man darf zu Recht annehmen, daß ein so zweifelhaftes Vorgehen für Arzt und Patienten eher mit großen Schwierigkeiten geendet hätte. Erhebliche Zweifel an Geigers Darstellung sind also angebracht.

Doch seine Ausführungen gehen noch weiter. Er berichtet außerdem über das »große dichterische Bekenntnis« Zweigs, das unter dem Titel *Ballade von einem Traum* erstmals im August 1923 in der *Neuen Rundschau* erschienen war. Wie seine Novelle *Verwirrung der Gefühle,* in der sich Zweig dem Thema der männlichen Homosexualität mit für damalige Verhältnisse großer Offenheit genähert hatte, war das besagte Gedicht bestens dazu geeignet, allerlei Gerüchte über den Autor zu befördern. Doch im Gegensatz zu Zweigs Novellen, deren autobiographischer Gehalt nahezu unbestimmbar war, sahen interessanterweise auch seine Freunde die Verse der Ballade als eine wesentlich persönlichere und damit der Wirklichkeit nähere Form der Selbstspiegelung ihres Autors an. In mehr als einem Dutzend Strophen berichtet der Dichter darin von einem nächtlichen Traum, in dem er von verdrängten und unterdrückten Erinnerungen und Geschehnissen eingeholt wird:

> Was wach ich nie mir eingestand,
> Stand klar in seinem Spiegelrand,
> Und dieser Traum, der fremd mich fand,
> Hat tiefer mich als Tag erkannt

heißt es gleich zu Beginn. Schwankend und von fremden Blicken verfolgt, hetzt der Träumende durch dunkle Räume, bis unter Blitz und Donnerschlag eine Hand als Menetekel die Worte »Du bist erkannt! Du bist erkannt!« auf eine Wand schreibt. Nun wird dem Flüchtenden die Aussichtslosigkeit der Lage deutlich:

> Vergebens daß ich vierzig Jahr
> Der Hüter meines Herzens war –
> Geheimstes Laster, dunkles Tun,
> Die fremden Wände wußten's nun!
> Was ich zutiefst in mich verbarg,
> Mit Dunkel düngt' wie einen Sarg,

Was ich mit Worten feig versteckt,
Mit Lügenlaken zugedeckt,
Mein tiefstes Ich, mein Urgeheim
War nun in aller Schwatz und Schleim,
Und diese Hand dort an der Wand,
Sie macht' es weit und weltbekannt:
Du bist erkannt! Du bist erkannt!

Weiter strauchelt und torkelt der Verfolgte, bis endlich, endlich die Rettung naht: Das Erwachen. Der Dichter schlägt die Augen auf und bemerkt schnell, daß die quälenden Worte »Du bist erkannt!« für niemanden als für ihn sichtbar gewesen waren:

Die Schrift, die Schrift, sie brannte nicht
Und niemand, niemand kannte mich! [. . .]

Da – lachte ich in mich hinein,
Tat an mein buntes Kleid von Schein,
Schloß Schweigen um mich als Gewand
Und trat, im tiefsten unerkannt,
Mein Tagwerk an, das wartend stand. [14]

Doch so einfach wollte Geiger Zweig nicht wieder an sein Tagwerk zurückgehen lassen – jedenfalls nicht in seinem lange nach dessen Tod geschriebenen Rückblick. In den Gedichtzeilen

Und jeder Blick der blinkernd kam,
Der zwinkerte auf meine Scham

sah er ein eindeutiges Bekenntnis Zweigs zu seinen angeblichen exhibitionistischen Neigungen. Zur Untermauerung zitiert Geiger Passagen aus einem an ihn gerichteten Brief Felix Brauns, der einige Zeit nach Zweigs Tod geschrieben wurde: »Alles, was Du von Stefan sagst, ist mir bekannt. Dessen ungeachtet glaube ich, dass wir es jetzt, eingedenk seines armseligen Endes, vergessen müssen. Und dies auch, weil man nicht das Recht hat, zu urteilen. [. . .] Stefan drückte in seinem großen dichterischen Bekenntnis, das selbst Hofmannsthal loben mußte, aus, was weder ihm noch uns an seiner Art zu leben gefallen konnte. Und wenn du recht hättest, daß er es am Ende nicht ertragen konnte, sich im Spiegel anzusehen, wäre dies nicht ein elender Zustand gewesen? Das größte Leiden von Stefan war, daß er nicht leiden konnte. Schon während des Ersten Weltkriegs war er dem Selbstmord nahe, von dem ihn nur Friderike zurückhalten konnte. In meinem Leben habe ich die Erfahrung gemacht, dass die, die uns am nächsten sind, am wenigsten von uns wissen.«[15]

Freilich, weitere deutliche Aussagen in dieser Angelegenheit findet man nicht. Doch allein die Gedichtveröffentlichung sorgte langfristig für genug Aufruhr hinter den Kulissen: Als Zweig sich 1942 das Leben genommen hatte, äußerte Thomas Mann in einem Brief an seine Gönnerin Agnes E. Meyer wenig gerührt: »Ich vermute, dass das liebe Geschlecht im Spiele war und dass irgend ein Skandal drohte. Er war gefährdet in dieser Beziehung.«[16] Welche weiteren Gerüchte seinerzeit auch kursieren mochten, Zweigs *Ballade von einem Traum* dürfte an Manns Gedanken einen bedeutenden Anteil gehabt haben. Inwieweit die Mutmaßungen und Behauptungen um Zweigs sexuelle Eskapaden der Wahrheit entsprechen, bleibt jedoch weitestgehend im dunkeln. In bezug auf sein Werk fand er dagegen selbst offene Worte; Ende 1926 hatte er dem Schriftsteller und Kritiker Oskar Maurus Fontana geschrieben: »Ich habe kein Gefühl für Grenzen im Erotischen.«[17]

Auch in den 30er Jahren hielt Zweig seine Buchproduktion unablässig in Gang. Friderike merkte später an, daß Stefan sich gerade in Phasen besonderer Bedrückung in intensive Arbeit gestürzt habe, um Depressionen zu vertreiben. Und selbstverständlich hatte er, als die Biographie der *Maria Stuart* erschien, längst das nächste große Projekt in Arbeit. Nach dem Werk über Erasmus von Rotterdam sollte der Band *Castellio gegen Calvin oder Ein Gewissen gegen die Gewalt* seine zweite Auseinandersetzung mit den Herausforderungen der Zeit werden. Um den Konflikt um Religion und Weltanschauung zwischen Sebastian Castellio und seinem früheren Freund Johannes Calvin darstellen zu können, wollte Zweig wie üblich auf Originaldokumente zurückgreifen. Im Laufe des Jahres 1935 legte er deshalb während der Reisen zwischen Wien und London längere Zwischenstops in der Schweiz ein und studierte in der Basler Bibliothek und anderswo die entsprechenden Unterlagen. Im Mai war er in Zürich gewesen, um an einem Empfang zu Thomas Manns 60. Geburtstag teilzunehmen. Mit seinem Geschenk zu diesem Anlaß traf er durchaus den Geschmack des Jubilars, der in sein Tagebuch notierte: »Goethe-Autogramm, von Zweig geschenkt, macht mir Freude«[18] und nun ein kleines gerahmtes Goethegedicht in dessen Handschrift an die Wand seines Arbeitszimmers hängen konnte.

Um die *Schweigsame Frau*, deren Uraufführung für den Juni in Dresden vorgesehen war, hatte es im Vorfeld noch erhebliche Komplikationen gegeben. Die entscheidenden Fragen waren gewesen, ob es im Jahr 1935 überhaupt möglich wäre, in Deutschland eine Oper mit dem Text eines jüdischen Schriftstellers uraufzuführen und diesen auch noch auf den Plakaten und Programmheften beim Namen zu nennen. Letzteres jedenfalls strebte Richard Strauss, der seit 1933 Präsident der Reichsmusikkammer war, gegen alle Widerstände an. Zweig, der auf die Nennung seines Namens gern verzichtet hätte, verfolgte das Gerangel, das bis in allerhöchste Etagen von Staat und Partei getragen wurde, aus der Ferne und fühlte sich dabei sehr unwohl: »Der gute Richard Strauss hat mir wenig Freude gemacht, ich verstehe nicht, dass Künstler dieser Art immer das Bedürfnis haben, politisch zu manifestieren, wobei sich zeigt, dass ihre Privatintelligenz bedeutend geringer ist als ihre künstlerische.«[19]

Wenige Wochen vor dem Premierentermin traf ein dickes Paket mit dem kompletten Klavierauszug der Oper in der Handschrift des Komponisten bei Zweig ein. Er hatte sich diese besonderen Autographen für seine Sammlung beim Vertragsabschluß mit Strauss ausdrücklich zusichern lassen. Am 24. Juni 1935 fand die Uraufführung in Anwesenheit des Komponisten statt. Und wie von Strauss angekündigt, war der Name Stefan Zweigs auf den Plakaten und Programmen der Dresdner Staatsoper abgedruckt worden. Es wurde ein festlicher Abend, an dem sich die Prominenz ein Stelldichein gab. Anton Kippenberg hatte wegen des gleichzeitig stattfindenden Bach-Festes in Leipzig nicht teilnehmen kön-

nen, doch seine Frau Katharina war zur Galavorstellung erschienen.
Anschließend berichtete sie dem früheren Starautor im Verlag ihres Mannes, dem Librettisten Stefan Zweig: »Das Haus war ausverkauft bis auf
den letzten Platz – eine sehr glänzende Versammlung, die Damen hatten
sich so hübsch und elegant gemacht, wie sie nur konnten, in der Mittel-
loge thronte der Reichsstatthalter Herr Mutschmann mit seiner Frau, in
einer der Bühnenlogen des ersten Ranges Blomberg mit einigen Offizie-
ren. Die Stimmung war sehr festlich. Ich musste an den ›Rosenkavalier‹
– vor ach, wieviel Jahren, oder sagen wir lieber Jahrzehnten denken, [. . .]
an Hofmannsthal der vor lauter Aufregung nur Aspirin zu Mittag ass. [. . .]
›Die schweigsame Frau‹ war ein großer, unbestrittener, voller Erfolg,
ganz gewiss nicht zum wenigsten dem Text zu verdanken, der entzückend
ist, und von dem Richard Strauss ja gesagt hat, seit dem ›Figaro‹ wäre kein
so guter geschrieben worden, es wäre der brauchbarste, den er in die
Hände bekommen hätte.«[20] Das Ende der Euphorie – von der Zweig sich
kaum anstecken ließ – kam sehr schnell: Nach nur drei Aufführungen der
Oper wurde das Verbot für weitere Vorstellungen im gesamten Reich ausgesprochen. Und Strauss, der nach der Premiere in einem Brief an Zweig
ausdrücklich hervorgehoben hatte, daß er sich nicht davon abhalten ließe,
weitere Textvorlagen von ihm zu vertonen, mußte schließlich von seinem
Posten an der Spitze der Reichsmusikkammer zurücktreten. Der offizielle Grund dafür war seine angeschlagene Gesundheit, doch tatsächlich
war er von höchster Stelle dazu gezwungen worden, denn besagter Brief
mit der Sympathieadresse für Zweig war nie beim Empfänger angekommen, wohl aber in die Hände der Gestapo gelangt. Zudem war in der Öffentlichkeit das Gerücht gestreut worden, Zweig habe vor der General-
probe seine Tantiemen offiziell einer jüdischen Organisation im Ausland
zugedacht. Eine weitere Zusammenarbeit zwischen Zweig und Strauss,
der Deutschland nicht verlassen wollte, war nun ausgeschlossen. So
wurde der von Zweig bereits entworfene Plan für eine weitere Oper, die
später den Titel *Friedenstag* bekommen sollte, schließlich von seinem
Freund Joseph Gregor ausgeführt, der noch andere Texte für Strauss verfaßte und damit nach Zweigs Intermezzo die dauerhafte Nachfolge Hofmannsthals als Librettist antrat.

Im Juli verbrachte Zweig einige Tage in Pontresina im Engadin, wo er auch mit Erich Ebermayer zusammentraf. Dem war Zweigs veränderte Stimmung im Gegensatz zu früheren Begegnungen deutlich aufgefallen: »Er ist mit seiner jungen Sekretärin Lotte Altmann hier, einem gescheiten Geschöpf mit melancholischen Augen. Zweig spricht kaum von Salzburg, kaum vom Kapuzinerberg, gar nicht von seiner Frau. Ich vermeide alle Fragen. [. . .] Persönlich scheint er mitten in einer schweren Krisis zu stehen, das ist aus jedem Wort zu spüren. Sein altes Leben ist im Zerbrechen. Er baut an einem neuen.«[21]

War er in Österreich, so vermied Zweig es inzwischen, sich unnötig lange bei Friderike in Salzburg aufzuhalten. Im September 1935 wohnte er nach einem Kuraufenthalt in Marienbad wieder im Hotel Regina in Wien. Als offizielle Begründung für die Abwesenheit von seinem früheren Wohnsitz mußte gegenüber weniger vertrauten Briefpartnern noch immer seine allseits bekannte Flucht vor den Festspielen als Entschuldigung herhalten. An Geigy-Hagenbach schrieb er aus Wien: »Ich bin ungeheuer zufrieden, den Salzburger Rummel versäumt zu haben; so grossartig die Darbietungen, so grässlich scheinen die Snobs gewesen zu sein, die diesmal Salzburg erfüllten. Alle künstlerischen Geschäftemacher und alle ›Adabeis‹ wie wir in Oesterreich sagen, das heisst Leute, die bei allem dabeigewesen sein wollen, hatten sich dort versammelt und mein Haus wäre dort Restaurant, Hotel, Kartenbüro, Fremdenauskunftsstelle und Bankhaus in einem gewesen.«[22]

Was Zweig seinem Sammlerfreund noch nicht verriet, war, daß er am Rande seines Besuchs in Wien bereits Verhandlungen zum Verkauf von bedeutenden Teilen seiner Autographensammlung führte. Mit der Änderung seines bisherigen Lebensstils wollte er auch die Sammlung verkleinern und auf möglichst wenige Spitzenstücke reduzieren. Schon seit längerem hatte er die wertvollsten Manuskripte ohnehin nicht mehr im Haus, sondern im Safe einer Salzburger Bank deponiert und konnte sich deshalb nicht mehr zu beliebiger Stunde damit beschäftigen, was der Sache einen erheblichen Teil ihres Reizes nahm und die Autographen langfristig zu einer bloßen Geldanlage zu degradieren drohte. Um bei der Ausfuhr nicht unnötig mit den zuständigen Behörden in Kontakt zu geraten, entschloß sich Zweig, die auszusondernden Blätter in Österreich zu verkaufen. »Das alles hängt mit der Reorganisation meines Lebens dank Herrn Hitler und den übrigen Geschehnissen unserer Zeit zusammen«,[23] schrieb er später an Rolland. Für das groß anzulegende Unterfangen fiel seine Wahl auf den Antiquar Heinrich Hinterberger, der erst kürzlich ein eigenes Geschäft eröffnet hatte. Zuvor war er bei der alteingesessenen Firma Heck beschäftigt gewesen und hatte Zweig unter anderem den Kauf des Beethoven-Schreibtischs und der übrigen Erinnerungsstücke vermittelt. Hinterberger genoß zwar nicht Zweigs grenzenloses Vertrauen, doch war seine Geschwindigkeit beim Katalogisieren und Verkaufen von Sammlungen legendär. Da Zweig sich darauf verlassen wollte, daß die Angelegenheit möglichst schnell und reibungslos vonstatten ging, schien Hinterberger also die richtige Wahl zu sein. Außerdem blieb zu hoffen, daß er sich bei der Chance, in seinem noch jungen Unternehmen eine so bedeutende Sammlung anbieten zu können, besondere Mühe geben würde. Mit Rücksicht auf den Ärger mit Friderike, den es nicht noch auszuweiten galt, sollte sie über das Vorhaben vorerst nicht informiert werden.

Zunächst gab Zweig einige kleinere Handschriften von Wiener Autoren in den Verkauf (darunter auch vier Verlaine-Nachdichtungen Richard Schaukals, die sich als absolut unverkäuflich erweisen sollten). Ende 1935 folgten dann über 300 Autographen von größtenteils erstklassiger Qualität. Um das Angebot noch interessanter zu gestalten, trennte sich Zweig sogar von einigen Prunkstücken. Selbst das vielzitierte *Mailied* Goethes stand zum Verkauf, doch Goethes Blatt aus *Faust II*, von dem Zweig Kippenberg einst gesagt hatte, er würde es nur abgeben, wenn Not und Tod ihn dazu zwängen, behielt er mit anderen unveräußerlichen Stücken für sich zurück. In der erwarteten Geschwindigkeit legte Hinterberger den Verkaufskatalog schon kurz nach der Einlieferung der Autographen vor. Unter dem Titel *Repräsentative Original-Handschriften. Eine berühmte Autographen-Sammlung. I. Teil* ging das Manuskript Anfang 1936 in Druck, freilich ohne daß Zweigs Name darin erwähnt wurde. Mit Blick auf Finanz- und Devisenprobleme bekam Hinterberger jedoch bald Angst vor der eigenen Courage und machte sich noch vor der Auslieferung des

Katalogs erhebliche Sorgen darum, ob man die Stücke zu den geforderten Preisen würde absetzen können. Mehrere Vorstöße seinerseits, die Sammlung komplett zu verkaufen und dem Kunden in diesem Falle einen erheblichen Nachlaß zu gewähren, lehnte Zweig kategorisch ab. Bei dem vorliegenden Angebot würden die Käufer nicht lange auf sich warten lassen, sagte er voraus und behielt recht. Der Schweizer Martin Bodmer – der Bruder des »Züricher Geldsacks« und Beethoven-Sammlers Hans Conrad Bodmer – erwarb beinahe alle Autographen aus der Literatur-Abteilung des Katalogs für seine private Bibliothek. In einem zweiten Schritt kaufte Bodmer auch noch einen Großteil der Musikautographen und machte zu Hinterbergers Erleichterung schließlich sogar den Druck eines weiteren Katalogs für die Manuskripte ausländischer Autoren überflüssig, da er diese ebenfalls übernahm. Das *Mailied* Goethes war jedoch mit einem Preis von 2500 Schweizer Franken auch Bodmer zu teuer und wurde weiterhin angeboten.

Ein Kuriosum des Verkaufs war das Angebot eines weiteren Stückes, das Zweig erst kurz zuvor bei einer Auktion in Paris erworben hatte. Von anderen Interessenten offenbar unbemerkt, hatte er dort zu einem recht niedrigen Preis das Manuskript von Heinrich Hoffmann von Fallerslebens Gedicht *Das Lied der Deutschen* ersteigern können. Obwohl er mit diesem Blatt und den Haydn-Variationen auf das Thema *Gott erhalte Franz den Kaiser* nun Text und Melodie der deutschen Nationalhymne in Originalhandschriften der Autoren besaß, wollte er nur die Notenblätter behalten und das Gedicht mit den wenig erbaulichen Zeilen »Deutschland, Deutschland über alles« so schnell (und teuer) als möglich weiterverkaufen. Hinterberger übernahm auch dieses Blatt, druckte dafür sogar einen eigenen Prospekt und schlug Zweig mehrfach vor, es auf vertraulichem Weg einem gewiß sehr interessierten Kunden namens Adolf Hitler anzubieten. Zu solchen Gedanken enthielt sich Zweig jeden Kommentars und konnte sehr bald die frohe Botschaft aus Wien entgegennehmen, daß auch dieses wertvolle Autograph mit Martin Bodmer einen neuen Besitzer gefunden hatte.

Während Hinterberger sich um den Autographenverkauf und damit von Friderike unbemerkt um den ersten Teil der Auflösung des Salzburger Hausstandes kümmerte, zog Zweig im März innerhalb Londons um.

Die möblierte Wohnung am Portland Place hätte langfristig nicht den Platz geboten, den er für die Dinge benötigte, die er aus Salzburg herschaffen wollte. Seine neue Bleibe in der Hallam Street war nur einen Block vom Portland Place entfernt. Im Haus mit der Nummer 49 mietete Zweig sich ein Apartment. Einen größeren Unterschied zur Villa auf dem Kapuzinerberg hätte man sich kaum denken können: Die Oxford Street lag kaum 500 Meter südlich, das British Museum mit seinem Lesesaal war zu Fuß zu erreichen, und in Richtung Norden war man in wenigen Minuten im Regent's Park angekommen. Kurzum: Zweig wohnte inmitten der größten Stadt Europas.

Im August ging endlich ein seit Kinderzeiten gehegter Traum in Erfüllung: Eine Reise nach Südamerika. Auf dem Weg zum internationalen PEN-Kongreß in Argentinien wollte Zweig zuvor in Brasilien Station machen und unter anderem seinen dortigen Verleger besuchen. Es hatte wenig genutzt, daß Zweig, der Gast der Regierung sein sollte, vor der Abreise ausdrücklich

Stefan Zweig auf seiner
Reise nach Südamerika
im Sommer 1936

darum gebeten hatte, keinen besonderen Aufwand um seine Person zu treiben. Er war unbestritten der meistgelesene europäische Autor auf diesem fernen Kontinent, und das sollte ihm einen Empfang bescheren, der dem eines Staatsbesuchers in nichts nachstand. Auf dem Weg von Southampton machte das Schiff auch Station im spanischen Vigo. Zweig ging als einer der wenigen Passagiere an Land, was nicht ungefährlich war, denn die Stadt war von Faschisten besetzt worden. Die Neugier trieb ihn: Er machte sogar Photos von Kindern, die schwer bewaffnet durch die Straßen liefen. Nach einem weiteren Stop in Lissabon folgten neun Tage auf See. Am 20. August 1936 heißt es im Tagebuch: »Morgen Rio de Janeiro! Früh aufstehen«.[24] Und schon vor dem Anlegen war Zweig von der Stadt fasziniert: »Morgen[s] die Einfahrt: eine Herrlichkeit. Zuerst die Inseln, grün oder steinig auftauchend aus dem Meer, dann im leich-

ten Morgennebel der Corcovado [. . .], der Bucklige und die Pao d'Azu-
car, beide wie Monolithen aufsteigend und daran, in wunderbar ge-
schwungenen Buchten die Stadt, immer von neuem beginnend, immer
wieder unterbrochen von den Vorgebirgen, die wie die Finger einer Hand
hinabgreifen, um sie zusammenzuhalten. Etwas Schöneres läßt sich nicht
erdenken als diese[s] liebliche Auffächern einer Stadt, dazwischen am
Meer die eilfertigen Ferryboote: schon mischt sich in den Arom des
Meers ein weicher parfümierter Duft vom Land, man ist weich umfan-
gen und die Einfahrt wirklich wie ein südlich warmer Empfang, während
Newyork ähnlich großartig mit steinernen Eisbergen grüßt und seinen
Lärm einem triumpfierend entgegendröhnt. Newyork ruft, Rio erwar-
tet, männlich das eine, weiblich das Andere und diese ondulierenden
Linien haben etwas von der Gestalt einer Frau die den Wellen entsteigt,
Venus Anadyomene[.] Unvergeßlich ist dieser erste Anblick, man wird
ihn ewig in den Augen behalten und bei jedem Blick verändert sich das
Bild, bei jedem Blick bleibt es im andern Sinne schön – Rio hat nicht
einen Blickpunkt wie Neapel[,] es ist herrlich von überall, von den Bergen hinabgesehen zum Meere, vom Meere hinauf zu den Bergen und vom
Strand und jedem Durchblick. Dazu diese Farben, weich und gleichsam
tönend. Diese Stadt hat wirklich Magie.«[25]

Die kommenden Tage waren voll von Empfängen und anderen Verpflichtungen. Die Erlöse seiner überfüllten Vorträge und Lesungen stellte
Zweig den zahlreichen Flüchtlingen aus Übersee zur Verfügung. Sein Verleger Abrahão Koogan bat zu weiteren Gesprächen und Veranstaltungen,
der Staatspräsident Getúilo Vargas und sein Außenminister, sie alle wollten sich an der Seite des berühmten Dichters aus Europa sehen lassen,
dem für die Reise durch das Land eigens ein Adjutant zur Seite gestellt
worden war.

An einem Ausflugstag ging es mit dem Auto in die alte Königsstadt Petrópolis, und auf der Fahrt durch die Berge dorthin kamen plötzlich Erinnerungen an die Heimat auf: Zweig fühlte sich von dieser Landschaft an
den Weg zum Semmering erinnert. Zu seiner großen Freude folgte auch
noch der Besuch einer Kaffeeplantage. Von der Qualität seines Lieblings-
getränks, das hier überall und aus der Sicht eines Europäers zu geradezu

lächerlichen Preisen ausgeschenkt wurde, war er begeistert: »Man trinkt
ihn auf andere Art als bei uns – oder vielmehr, man trinkt ihn eigentlich
gar nicht, sondern stülpt ihn mit einem einzigen scharfen Ruck hinunter
wie einen Likör, ganz heiß, so heiß, daß, wie man hierzulande sagt, ein
Hund heulend davonlaufen würde, wenn man ein paar Tropfen auf ihn
schüttete.«[26] Über die richtige Zubereitung des Kaffees informierte man
Zweig schließlich im Instituto do Café in São Paulo, wo ihm als Geschenke gleich noch ein Sack Kaffee und eine Kaffeemaschine überreicht
wurden. Aus dem dortigen Esplanada Hotel – »hier habe ich nur 3 Zimmer, statt 4« – berichtete er Friderike: »Aus dem schönsten Tollhaus der
Erde viele Grüße. [. . .] Heute erlebte ich wieder irrsinnige Dinge. Ich
besuchte das weltberühmte Gefangenenhaus in Sao Paolo, eine der
großartigsten und humanitärsten Anstalten der Erde, wurde dort – wie
täglich – vierzigmal photographiert (alles wird im Hause gemacht und als
ich bescheiden fragte, was eigentlich der Photograph angestellt habe, erzählte man mir, daß er ein dreifacher Mörder sei). Im Hofe marschierte
unterdessen die Kapelle der Zuchthäusler von 30 Mann auf, ich kam zur
Inspizierung, worauf sie die Österreichische Volkshymne (zum erstenmal
im Leben mir zu Ehren) spielten, zwei Drittel Mörder, ein Drittel Diebe
etc. All das hat schon einen grotesken Charakter.«[27]

Seine Reisebriefe erinnern an längst vergangen geglaubte Zeiten. Wie
seinerzeit in Rußland kam er vor lauter Terminen kaum zur Ruhe. Von
seinen Idealen, die er 1926 im Aufsatz *Reisen oder Gereist-Werden* vorgestellt hatte, war er hier weit entfernt. Statt, wie er es am liebsten tat,
einen fremden Ort auf eigene Faust zu erkunden, konnte er dieser Tage
kaum einen Schritt ohne Begleitung machen: »Es geht zu toll zu. Ich muss
heute, nachdem ich die ganze Nacht ohne Schlaf an einem Vortrag gearbeitet habe 1) zum Präsidenten der Republik, 2) Historischen Museum,
3) Empfang der Academie, wo ich wieder eine Rede halten muss. Sonntag gab der Aussenminister für mich ein Dejeuner (60 Personen, die
schönsten Frauen), und wir fuhren dann in das schönste Haus und die
schönste Landschaft, die ich je gesehen. Es ist zum Tollwerden grossartig,
aber ich werde zerstückelt, zerrissen, ich nehme täglich ein Kilo ab durch
das Herum und Photografiertwerden – aber Brasilien ist unglaublich, ich

könnte heulen wie ein Schlosshund, dass ich hier weg soll. [. . .] Mir graut nur vor der Öffentlichkeit, täglich mit neuen Bildern in allen Zeitungen zu sein. [. . .]

Ich bin sehr glücklich, dass ich hier gewesen bin – wie ich empfangen wurde, darüber wage ich nicht zu sprechen, ich bin eben 6 Tage hier Marlene Dietrich gewesen.«[28] Tags darauf fiel der Vergleich nicht weniger großartig aus: »ich bin ja hier eine Art Charlie Chaplin«,[29] schrieb er diesmal – und nicht zu Unrecht; nach der Reise stellte der Verlag ihm ein Album mit allen Zeitungsausschnitten seines Besuchs zusammen: Dutzende von begeisterten Artikeln feiern den großen Autor, und in kaum einem davon fehlt das obligatorische Photo inmitten der Damen in feinster Garderobe, der Herren in dunklen Anzügen, bei festlichen Banketts, vor Mikrophonen und mit Blumenstrauß oder sogar einer Kaffeetasse in Händen.

Bei der Weiterreise nach Argentinien, wo Zweig als Gast am Internationalen PEN-Kongreß teilnahm, dessen Vorsitz er allerdings abgelehnt hatte, war ihm die Hochstimmung schnell abhanden gekommen. Dank der Anwesenden aus aller Welt wurde jedes Wort nacheinander in drei Sprachen übersetzt, was ohnehin endlos erscheinende Debatten noch quälender in die Länge zog. Außerdem holten ihn hier wieder die Probleme der Heimat ein, und als Emil Ludwig sich als Vertreter des deutschen Exil-PEN-Clubs an die Versammlung wandte, mußte Zweig auch noch schlechte Erfahrungen mit der Presse machen: »Die Zeitungen verfolgen einen von früh bis nachts mit Photografien und Stories – mit Riesenformat war ich abgebildet, wie ich bei der Rede Ludwigs *weinte* (!!!). Ja, so stand es mit Riesenlettern – in Wahrheit hatte ich mich so widerlich gefühlt, als man uns als Märtyrer hinstellte, dass ich den Kopf in die Hände stützte, um mich nicht photografieren zu lassen, und gerade *das* photografierten sie und erfanden den Text dazu. Mich ekelt dieser Jahrmarkt der Eitelkeiten.«[30]

Nach Abschluß des Kongresses trat er mit dem Schiff die mehrwöchige Rückfahrt an. Seine Begeisterung für Brasilien war beinahe grenzenlos, und er schien dieses Paradies, das er in nur wenigen Tagen für sich entdeckt hatte, in nahezu jeder Hinsicht positiv betrachten zu wollen. So war ihm beispielsweise auch hier die Armut von großen Teilen der Bevölkerung, die ihn bei seiner Vorkriegsexpedition nach Indien so bewegt hatte, nicht entgangen. Doch in seinen Aufzeichnungen verklärte er das Leben in den entsprechenden Stadtteilen zu einem bunten Zusammensein eines Völkergemischs, dessen Angehörige trotz des Elends glücklich zu sein schienen.

Den Stoff für neue Werke hatte er jedenfalls gefunden: Schon auf dem Dampfer, der ihn zurück nach Europa brachte, betrieb er Studien zum ersten Weltumsegler Magellan, dem er eine neue *Sternstunde der Menschheit* widmen wollte, die er schließlich zu einem ganzen Buch ausweitete. Und Jahre später erschien sein Buch *Brasilien – Ein Land der Zukunft*, in das zahlreiche Erlebnisse und Beobachtungen dieser Reise einflossen. Doch bis es soweit war, sollte er Südamerika noch ein weiteres Mal besucht haben.

»Keiner würde auch nur im Traum daran denken, daß dies der Tag ist, an dem die größte Katastrophe für die Menschheit begonnen hat! Was für ein Unterschied zu den Tagen in Österreich — wie man, trunken vor Begeisterung und Bier, laut herumgrölte. Doch war das ja eine Generation, die den Krieg nicht kannte, die romantische Vorstellungen von ihm hatte und (wie mein eigener Vater) glaubte, daß ein Krieg eine Angelegenheit von paar Wochen wäre und alles unverändert weiterginge danach.«[1]

Tagebuch, 1. September 1939

Verdunkelung

»Morgen hat man mich eingefangen zu einem 5-Minuten-Interview in der ›Television‹«, schrieb Zweig im Sommer 1937 an seine Frau, »es ist ganz amüsant, das zu lernen, wie man zu ungesehenen Leuten sichtbar spricht.«[2] Alles Wettern über die »Radioten« in Salzburg war vergessen — in London experimentierte man seit einigen Jahren erfolgreich mit einem neuen Medium: dem Fernsehen. Im November 1936 hatte die BBC den Sendebetrieb offiziell aufgenommen, und schon wenige Monate später, am 23. Juni 1937, fand sich Stefan Zweig in den Studios im Alexandra Palace ein, um dort sein erstes und, soweit bekannt, einziges Fernsehinterview zu geben. In der Sendung *Picture Page*, die im Nachmittagsprogramm zwischen 15.30 Uhr und 16 Uhr ausgestrahlt wurde, stellte Leslie Mitchell, eine der Ikonen des jungen Mediums, Zweig einige Fragen. Selbstverständlich war alles zuvor genauestens abgesprochen und geprobt worden. Bild und Ton wurden nicht aufgezeichnet, der Text liegt jedoch als Mitschrift vor:

Leslie Mitchell:

Wie ich höre, Herr Zweig, sind Sie nicht länger nur als Besucher in London, sondern haben beschlossen, sich hier bei uns mehr oder weniger dauerhaft niederzulassen?

STEFAN ZWEIG:

Ja, so ist es. Ich plane, im Jahr sieben oder acht Monate in London zu verbringen. Den Rest der Zeit werde ich reisen. Im vergangenen Jahr war ich zum Beispiel in Südamerika, in Brasilien und Argentinien. Aber in London möchte ich arbeiten. Für einen Autor ist es eine wunderbare Stadt, um dort zu leben.

LESLIE MITCHELL:

Sie meinen in Hinblick auf die Arbeit? Warum mögen sie die Stadt so sehr?

STEFAN ZWEIG:

Ich halte sie aus drei Gründen für die ideale Stadt. Zunächst einmal hat man hier die besten Bibliotheken – das British Museum, die London Library und so weiter. Und außerdem wird London zur Hauptstadt der Musik. Und drittens man kann hier völlig ungestört arbeiten. Es gibt nicht diese angespannte Atmosphäre, die man heute in so vielen Großstädten findet. Ich habe festgestellt, daß es in London für den Einzelnen möglich ist, sein Leben ganz nach seinem Geschmack zu leben, ohne daß sich andere Menschen einmischen. (Mit Nachdruck) Es ist möglich allein zu sein, und diese Freiheit ist von größter Bedeutung für einen schaffenden Künstler.

LESLIE MITCHELL:

Ich freue mich, daß Sie es hier so angenehm finden. Herr Zweig, – nebenbei gefragt, ist es das erste Mal, daß Sie nach England gekommen sind?

STEFAN ZWEIG:

Oh nein. Meinen ersten Besuch machte ich als Student, vor dreißig Jahren, ich war damals besonders an William Blake und englischer Literatur interessiert. Ich war entschlossen, irgendwann einmal zurückzukommen und (lächelt) hier bin ich, wie Sie sehen. [. . .]

LESLIE MITCHELL:

Planen Sie im Moment weitere Bücher?

STEFAN ZWEIG:

Neben der Biographie [Magellans], habe ich gerade an einem neuen Roman gearbeitet und außerdem an einem weiteren Sachbuch, das im nächsten Jahr veröffentlicht wird.

LESLIE MITCHELL:

Drei Bücher auf einmal! Da ist viel zu tun. – Vielleicht möchten Sie uns etwas über die anderen Bücher [neben dem Magellan] erzählen, an denen Sie schreiben. Wie lautet beispielsweise der Titel des Romans?

STEFAN ZWEIG:

Auf deutsch ›Mord durch Mitleid‹ [erschienen unter dem Titel *Ungeduld des Herzens*]. Sie könnten es mit ›Murder by Kindness‹ oder ›Murder by Compassion‹ übersetzen.

LESLIE MITCHELL:

(lachend) Erzählen Sie mir nicht, daß sie jetzt zu Detektivgeschichten wechseln, Herr Zweig!

STEFAN ZWEIG:

(ebenfalls amüsiert) Nein, keinesfalls. Sie dürfen sich vom Titel nicht irreführen lassen. Tatsächlich ist das Buch eine zeitgenössische psychologische Studie, die in Wien spielt, und ich berühre darin zum ersten Mal einige neue medizinische Probleme. [. . .]

LESLIE MITCHELL:

Ich denke es ist korrekt zu sagen, daß Sie einer der am meisten übersetzten Autoren der Welt sind – so ist es doch, Herr Zweig? Gibt es eine Sprache, in die Ihr Werk noch nicht übertragen wurde?

STEFAN ZWEIG:

(entgegnet belustigt) Nun, ich weiß nicht, ob die Tibeter bis jetzt ein Interesse an mir gezeigt haben![3]

Wie das anhängende Protokoll verrät, trat Zweig mit einer Bezahlung von »Two guineas [. . .] for interview as Austrian Author« den Heimweg an.[4] Die Erfahrung mit dem Fernsehen mochte interessant gewesen sein, aber inhaltlich waren ihm solcherlei Gespräche doch etwas zu belanglos. Im Dezember wurde er von der BBC gefragt, ob er für ein Radiointerview zur Verfügung stünde. Lotte Altmann antwortete in seinem Auftrag, daß er nur sehr ungern bereit wäre, in kurzen Sendungen zu sprechen, in denen man kaum mehr als ein paar grundlegende Sätze von sich geben könne. In den kommenden Monaten wurden verschiedene Möglichkeiten für ein längeres Programm durchdacht. Unter anderem bereitete man einen Beitrag über seine Tragikomödie *Das Lamm des Armen* und den Vortrag anderer Werke aus seiner Feder vor, doch scheinen diese Planungen, wie nach den vorliegenden Dokumenten zu schließen ist, bald darauf im Sande verlaufen zu sein.

Stefan Zweig beim Fernsehinterview mit der BBC

Ein nicht zu unterschätzendes Problem bei öffentlichen Auftritten in England war für Zweig nach wie vor die Sprache. Englisch hat er sich nie so weit erschließen können wie Französisch, und das freie Sprechen war ihm immer ein Graus, wie aus zahlreichen seiner Bemerkungen hervorgeht. Im Oktober des Jahres gab er die Einführung zu einer Reihe von Vorträgen über Leben und Werk Rilkes in der London School of Economics. Um sich durch den Text zu retten, hatte er die Aussprache der Worte vorher fleißig geübt und sein Redemanuskript reichlich mit Pausen- und Betonungszeichen versehen.[5]

Ganz so, wie Zweig es zu Beginn des Fernseh-Interviews gesagt hatte, wohnte er zum Zeitpunkt der Ausstrahlung, im Juni 1937, offiziell in

London. Dem Adreßwechsel waren langwierige und heftige Auseinandersetzungen mit Friderike vorausgegangen. Sie und ihre Töchter hatten sich standhaft geweigert, Salzburg oder Österreich zu verlassen. Bekannte und Freunde, ja sogar Stefans Mutter wurden animiert, ihn von seiner endgültigen »Vaterlandsflucht« abzuhalten. Er aber hatte schon im Herbst 1935 bei der Erneuerung seines österreichischen Reisepasses offiziell London als Wohnort in das Dokument eintragen lassen. Zur gleichen Zeit nahm auch sein Gesuch um eine unbefristete Aufenthaltsgenehmigung für Großbritannien den Weg durch die Amtsstuben, und bereits im Mai des Jahres waren einem Immobilienmakler in Salzburg die Bedingungen für den Verkauf der Villa auf dem Kapuzinerberg mitgeteilt worden.

Friderike wollte sich noch längst nicht damit abfinden, daß das gemeinsame Leben aufgegeben werden sollte und auch ihre zweite Ehe durch eine Scheidung zu enden drohte. Als einen entscheidenden Grund für Friderikes Widerstand vermutete Stefan auch und zu Recht ihre Ängste um den Bestand ihrer finanziellen Sicherheit. Diese wurden noch dadurch vermehrt, daß sich Friderike in besonderer Weise für ihre beiden Töchter verantwortlich fühlte. Immer häufiger war in den Briefen Stefans deshalb davon die Rede, daß sie sich mit Nachdruck darum kümmern solle, Alix und Suse oder wenigstens eine der beiden zu einer Heirat zu bringen, damit sie endlich unabhängig würden.

Für Zweig war zumindest der Verkauf des Salzburger Anwesens eine beschlossene Sache. Mit seinem Umzug in das Apartment in der Hallam Street gingen bereits die ersten Möbel aus der Villa auf die Reise nach London. Einen Schreibtisch, Schränke, Teppiche, seinen Lieblingssessel (ein Geschenk von Friderike), einige Bücherregale samt Inhalt, ein paar Bilder und kleinere Dinge wurden nach England spediert, wo Friderike in seiner Abwesenheit die Zimmer für ihn einrichtete.

Neuerdings legte er für seine Besuche auf dem Kontinent den Weg zwischen England und der Schweiz gelegentlich mit dem Flugzeug zurück. War er in Salzburg, so übernachtete er nicht mehr in seinem Haus, sondern in einem Hotel und hielt sich nur tagsüber auf dem Kapuzinerberg auf, um die Angelegenheiten der Haushaltsauflösung zu regeln. Dabei wurde in mehreren Etappen ein Großteil der Korrespondenz und anderer Papiere vernichtet. In einer geheimen Aktion hatte Zweig bereits ab 1934 die wichtigsten bei ihm eingegangenen Briefe, darunter jene von Verhaeren, Rolland, Freud, Gorki, Hofmannsthal, Rilke und Rathenau sowie von Thomas und Heinrich Mann, an die Jewish National and University Library in Jerusalem verschickt. Bedingung für die kostenlose Überlassung der Korrespondenz war neben der Geheimhaltung, daß das Material bis zehn Jahre nach seinem Tod unter Verschluß gehalten würde. Die Entscheidung Zweigs kam nicht von ungefähr, schon seit Jahren hatte es Anfragen der im Aufbau befindlichen Bibliothek gegeben, ob er das Institut nicht durch Schenkungen oder andere Hilfen unterstützen könnte. Im Mai 1937 sollten den von Boten überbrachten versiegelten Briefpaketen noch 38 Autographen aus seiner Sammlung als Geschenk folgen. Zweig reagierte damit etwas halbherzig auf die Bitte der Bibliothek um Handschriften jüdischer Autoren. Diejenigen Manuskripte, die er nun schickte, fielen kaum in diesen Sammelbereich, vielmehr handelte es sich um einen vermischten Restbestand von Blättern aus seiner Sammlung, die er erst bei den letzten Aufräumarbeiten in Salzburg wiedergefunden hatte.

Zu Beginn des Jahres 1937 hatte Zweig den Hausverkauf mit Vehemenz vorangetrieben. Er scheute sich bei der Durchsetzung seines Zieles nicht, Friderike erheblich unter Druck zu setzen. Der »Herrschaftsdiener« Johann Thalhuber, der Friderike und ihre beiden Töchter vorübergehend nach Wien begleitet hatte, war dort mit ihnen in Streit geraten, daraufhin verschwunden und schließlich entlassen worden, was die Mißstimmung zwischen den Ehepartnern nur noch förderte. Aus London schrieb Zweig an seine Sekretärin Anna Meingast: »Sie können sich denken, wie schmerzlich mir die Nachricht war. Ich kann mir natürlich kein ganz gerechtes Bild von der Ferne machen, aber ich kenne leider den Ton, welchen die jungen Damen anzunehmen belieben wenn ihnen etwas nicht paßt. Auch ich bin vor diesem Ton und diesem Benehmen ausgerückt wie jetzt Johann.«[6] Anna Meingast, deren Dienste nach der Auflösung des Standortes Salzburg nicht mehr nötig waren, sollte es besser ergehen. Für sie zahlte Zweig nach ihrer offiziellen Entlassung noch weiterhin eine Unterstützung.

Im Lauf der Auseinandersetzung mit Friderike hatte sich herausgestellt, daß Stefan sich zwar bei seinem Weggang nach London beim Salzburger Finanzamt abgemeldet hatte, seine Steuerpflicht entgegen seiner Annahme damit aber nicht aufgehoben war. Solange Friderike noch offiziell in Österreich gemeldet blieb, mußte er als Ehegatte dort weiterhin Zahlungen leisten, obwohl er auch in England Steuern abzuführen hatte. Die Angelegenheit wurde immer komplizierter: Auch Friderike, die plante, sich anderswo in Österreich niederzulassen, hatte als Ehefrau einerseits finanzielle Ansprüche gegen Stefan, doch andererseits wollte sie verhindern, daß eine bindende Abmachung in dieser Sache die persönliche Trennung manifestierte.

Im April 1937 ging ein Kaufangebot für die Villa auf dem Kapuzinerberg ein. Die Salzburger Kaufmannsfamilie Gollhofer wollte das Anwesen zum Preis von 63 000 Schilling übernehmen. Bei Vertragsabschluß war die Summe von 40 000 fällig, der Rest sollte mit entsprechender Verzinsung innerhalb von zwei Jahren folgen. Die erste Rate des Kaufpreises und weitere 7000 Schilling gingen Zweig sogleich verloren, denn er hatte zunächst seine aufgelaufenen Steuerschulden in Höhe von 47 000 Schilling zu bezahlen, die als Hypothek auf das Anwesen eingetragen waren. In einem Brief an Friderike machte er seinem Ärger Luft: hätte er das Haus gleich nach seiner Abreise an einen Fremden verschenkt und somit in Österreich seit 1934 keinen gemeinsamen Wohnsitz mit ihr gehabt, hätte er weitaus weniger Geld verloren. Doch wichtiger als diese Frage war ihm, endlich die Belastung loszuwerden, die das Haus und alle damit verbundenen Unannehmlichkeiten inzwischen für ihn bedeuteten.

In der Folge galt es um jeden Preis zu verhindern, daß die Steuerbehörden auf die Idee kommen könnten, er habe noch irgendwelche Besitztümer oder gar einen Wohnsitz in Österreich. Als er erfuhr, daß Friderike sich ein Haus im Salzburger Stadtteil Nonntal gemietet hatte und darin eine Pension betreiben wollte, traf er umgehend Vorsichtsmaßnahmen, die ihn davor schützen sollten, daß dieses Vorhaben auch nur im geringsten mit ihm in Verbindung gebracht werden könnte. Er sah der Angelegenheit auch sonst mit sehr gemischten Gefühlen entgegen, nicht zuletzt weil Friderike weiterhin ausgerechnet in dem Ort leben wollte, in dem man ihn mit der polizeilichen Hausdurchsuchung so sehr schikaniert hatte. Dennoch überwies er ihr eine erhebliche Summe für die Mietzahlungen und schenkte ihr zum Einzug das *Mailied* Goethes, das er aus dem laufenden Verkauf der Autographensammlung herausgenommen hatte.

Bei der Räumung des Hauses auf dem Kapuzinerberg im Mai 1937 hatte Heinrich Hinterberger die wertvollsten Teile von Zweigs umfangreicher Bibliothek übernommen und bot sie bald darauf in seinem Antiquariatskatalog mit der Nummer XIX an. Auch die einmalige Sammlung der über 4000 Autographenkataloge schaffte er nach Wien. Sie sollte allerdings nicht in den Verkauf gelangen, sondern als Handbibliothek für sein Antiquariat dienen und kam tatsächlich erst nach dem Zweiten Weltkrieg in den Handel. Nicht nur von den Büchern hatte Zweig so wenig wie möglich mit nach London nehmen wollen, auch der übrige Hausstand bedeutete ihm wenig, wie seine Kommentare in einem Brief an Friderike zeigen: Das Klavier aus dem Saal? »verkaufen, weil es schlecht ist«, die Eisentruhe seines Großvaters, in der die Autographen aufbewahrt waren? »kann verkauft werden«, der große Tisch im Bibliothekszimmer? »ich bin für verkaufen« – schnell und endgültig sollte die Trennung vonstatten gehen: »Ich hänge an gar nichts, will nur freien Kopf.«[7]

Kurz vor seiner Anreise zur letzten Räumaktion in Salzburg hatte er Friderike um einige Vorbereitungen gebeten: »Es sollen – auf meine Rechnung – eine Reihe Bücherkisten und anderer Kisten bereitstehen, in denen ich Bücher (die dedicierten von Wert) verpacken kann (aus den andern reißt man einfach die Widmungen heraus[)]. [. . .] Verpacken will ich noch Correspondenzen (Insel, Jugendfreunde, Recensionen)[.] Ich nehme mir von den Gegenständen höchstens zwei Bilder und Stiche. Sonst will ich nichts davon. [. . .]

Die Sachen im Gang (alte Contecorrente ect) die überflüssig sind, bitte ich jetzt schon zu verbrennen damit die Übersicht für mich leichter ist. Suse soll jedesfalls da sein und auch Alix sich möglichst frei nehmen, damit man rascher fertig ist[.] Je mehr Du vorher abverkaufst umso besser. Laß Dir doch einen Antiquar kommen und verkaufe alles mindere für 1 Schilling das Stück [.] Reiße nur immer Dedication heraus[.]«[8] Das

Haus war so innerhalb kürzester Zeit geräumt worden. Friderike behielt ihre eigenen Bücher, einen Teil der Möbel, Geschirr und Erinnerungsstücke. Wichtige Bürounterlagen, darunter Blankoschecks und das Hauptbuch mit den Einträgen zu den Auslandsverträgen und Lizenzvergaben, nahm Anna Meingast in Zweigs Auftrag mit zu sich nach Hause.

Zweigs Ängste, in irgendeiner Form mit den österreichischen Behörden in Konflikt zu geraten, nahmen in der Folgezeit immer größere Ausmaße an. Schon während der Anfänge des Autographenverkaufs hatte er davon gesprochen, daß er eine »geradezu pathologischen Sorge, in allen Dingen gesetzmässig vollkommen korrekt zu handeln« habe.[9] Als er nach Abschluß des Hausverkaufs im Herbst 1937 bei Hinterberger ein bedeutendes Konvolut von Handschriften Richard Wagners erwarb, erreichten seine Vorsichtsmaßnahmen beinahe groteske Züge: Statt selbst als Käufer aufzutreten, übernahm er offiziell nur eine Vermittlerrolle und schob Hinterberger gegenüber einen anonymen »Freund« vor, der diese Stücke angeblich kaufen wollte. Aus den erhaltenen Unterlagen zur Autographensammlung und der Tatsache, daß sich die Wagner-Handschriften allesamt in Zweigs Nachlaß fanden, ist jedoch eindeutig ersichtlich, daß der besagte »Freund« in der Realität nie existiert hat und von Zweig nur aus Gründen des Selbstschutzes erfunden worden war.

Das wohl kostbarste Objekt des Hauses, der Schreibtisch Beethovens, war von Salzburg zunächst nach Wien geschafft und dort eventuell bei Alfred Zweig untergebracht worden. Zumindest ein Teil der kleineren Erinnerungsstücke wie Beethovens Violine, der Kompaß, das Klappschreibpult und die Geldkassette wurde bei einem Rechtsanwalt deponiert. Zunächst hatte Zweig wegen des Ausfuhrverbots und seiner Befürchtungen bezüglich der Behörden nicht vorgesehen, die Dinge außer Landes zu schaffen. Wann und wie genau es ihm dann doch gelang, das Möbelstück nach England zu bringen, läßt sich nicht ermitteln. Jedenfalls taucht der Schreibtisch später wieder in London auf. Noch am 3. März 1938 hatte Zweig in einem Brief an Rolland geschrieben, er habe alles in Wien zurückgelassen, »weil man nicht erlaubt hätte, diese Reliquien außer Landes zu bringen (oder es hätte einen großen Lärm verursacht). Ich hatte sie in meinem Testament der Stadt Wien vermacht; diese Verfügung werde ich ändern.«[10] Es ist anzunehmen, daß Alfred Zweig als erfahrener Fabrikdirektor seinem Bruder bei der Frage des Transports und der eventuell notwendigen Auslösung des wertvollen Tisches behilflich war, den man – im Zweifelsfall ohne den Namen Beethovens überhaupt zu erwähnen – auch als ein Familienerbstück hätte deklarieren können. Von den übrigen Objekten aus Beethovens Nachlaß blieben die Violine und ein silberner Oberschöpfer mit dem später eingravierten Namen des Komponisten in Wien zurück und gelten heute als verschollen.

Ein weiteres Mal kam Zweig Ende November 1937 mit dem Flugzeug von London nach Wien. Daß Österreich als eigenständiger Staat an der Seite Deutschlands nicht mehr lange existieren würde, hatte sich längst abgezeichnet. Zweig war sich bewußt, daß dies sein letzter Aufenthalt in seiner Geburtsstadt werden könnte, und so war es an der Zeit, letzte Verfügungen für seine dort noch vorhandenen Besitztümer zu treffen. Da Friderike weiterhin in Österreich gemeldet war und Stefan nach seinen früheren Erfahrungen mit dem Finanzamt dem Frieden nicht trauen wollte, suchte er noch immer fieberhaft nach einer Möglichkeit, einen Schlußstrich unter diese Angelegenheit ziehen zu können, die ihm manche schlaflose Nacht bereitet hatte. Es fand sich ein ungewöhnlicher Weg: Joseph Gregor, der Leiter der Theatersammlung der Nationalbibliothek in Wien, fädelte hinter den Kulissen eine großzügige »Schenkung« ein. 101 Autographen aus Zweigs Sammlung sollte das Institut übernehmen (was in zahlreichen Zeitungsartikeln als Sensation gefeiert wurde), im Gegenzug sollte Zweig offiziell vor künftigen Steuerforderungen aus Österreich sicher sein (was der Presse gegenüber selbstverständlich nicht erwähnt worden war). Für den zuständigen Bundesminister der Finanzen Rudolf Neumayer und den Sektionschef Heinrich Weigl war für ihr großzügiges Entgegenkommen noch eine private Zugabe nötig, wie Gregor an Zweig schrieb: »Für Dr. Weigl genügen 2 bis 3 Bücher, die Dedikation an Dr. Neumayer muß wohl etwas größer sein, ich stelle mir vor: das gesamte Werk.«[11] Auch diese unfreiwilligen Geschenke lieferte Zweig ohne Murren, wenn damit nur endlich die bedrohliche Aussicht aus der Welt geschafft war, die Finanzbeamten könnten noch ein weiteres Mal Zahlungen von ihm einfordern. In seiner Aufregung setzte er unter die handschriftliche Liste, die er im Hotel Regina an seinem 56. Geburtstag zusammengestellt hatte, nicht das Tagesdatum, den 28. November 1937, sondern sein Geburtsdatum mit der Jahreszahl 1881.

Nach Erledigung dieser und weiterer organisatorischer Angelegenheiten galt es Abschied zu nehmen. In der *Welt von Gestern* beschreibt Zweig das Ende seines Aufenthaltes: »Ich habe in jenen letzten zwei Tagen in Wien jede einzelne der vertrauten Straßen, jede Kirche, jeden Garten, jeden alten Winkel der Stadt, in der ich geboren war, mit einem verzweifelten, stummen ›Nie mehr‹ angeblickt. Ich habe meine Mutter umarmt mit diesem geheimen ›Es ist das letztemal‹. Alles in dieser Stadt, in diesem Land habe ich empfunden mit diesem ›Nie wieder!‹, mit dem Bewußtsein, daß es ein Abschied war, der Abschied für immer. An Salzburg, der Stadt, wo das Haus stand, in dem ich zwanzig Jahre gearbeitet, fuhr ich vorbei, ohne auch nur an der Bahnstation auszusteigen. Ich hätte zwar vom Waggonfenster aus mein Haus am Hügel sehen können mit all den Erinnerungen abgelebter Jahre. Aber ich blickte nicht hin. Wozu auch?«[12]

Die Auswahl der Autographen, die er seinerzeit »verschenkte«, verdient noch eine kurze Betrachtung. Es handelt sich vornehmlich um Manuskripte zeitgenössischer Autoren, die Zweig selbst größtenteils als Geschenk bekommen hatte, darunter auch ein Blatt aus Franz Kafkas Roman *Amerika*, das ihm Max Brod einst überlassen hatte, und die von Thomas Mann übersandte Skizze *Die Hungernden*. Ein offizieller Verkauf dieser Stücke wäre kaum möglich gewesen, doch es gab keine wirkliche Not, gerade diese Autographen auszuwählen. Nachdem sich Zweig bei Hinterberger vom Ballast der älteren deutschen Literatur befreit hatte, sortierte er nun auch Manuskripte Hesses, Hauptmanns, Roths und Rollands aus – der Freundes-, Kollegen- und Bekanntenkreis, der in der Realität bereits in Auflösung und Zerfall war, ging so auf symbolische Art ein weiteres Mal verloren.

Insbesondere das seit Jahrzehnten andauernde Verhältnis zu Rolland hatte in letzter Zeit sehr gelitten. Immer häufiger waren sich die beiden einstigen Gefährten uneinig über die Bewertung aktueller Ereignisse und die Konsequenzen, die daraus zu ziehen wären. Zweig kreidete Rolland dessen zeitweilige Sympathie für Stalin an, für Rolland dagegen war

Zweig in vielen Fragen nicht radikal genug und viel zu ängstlich gewesen. Aus Rollands Unterstützung für Friderike während der Auseinandersetzungen um Haus und Ehe ergaben sich weitere Spannungen mit Stefan. Selbst über angenehme Dinge, wie das gemeinsame Interesse an alten Handschriften, konnte sich nun Unmut entwickeln. Als Rolland auf Umwegen davon erfuhr, daß Zweig mit der Auflösung seiner Sammlung begonnen hatte, warf er ihm vor, ihn nicht darüber informiert zu haben. Außerdem, so Rolland in seinem Brief, habe Zweig ihm überhaupt niemals Details über die zahlreichen Beethoven-Stücke zukommen lassen, obwohl ihm doch bestens bekannt gewesen war, wie sehr er, Rolland, sich für Leben und Werk des Komponisten interessierte: »Ich kann nicht begreifen, daß Sie sie eher in fremde Hände verstreut haben, die nicht so viel damit anzufangen wissen wie ich – als sie mir zu zeigen.«[13] Rolland war freilich nicht richtig informiert gewesen und ließ sich auch von seiner Erinnerung täuschen. Erstens wurde nicht, wie es ihm offenbar zugetragen worden war, die komplette Sammlung aufgelöst, und zweitens hatte Zweig seinem Freund früher sehr wohl und voller Stolz über die Ergebnisse seiner Beutezüge in Sachen Beethoven berichtet.

Erst wesentlich kürzer bestand Zweigs Kontakt zu Joseph Roth, den er für sein schriftstellerisches Können außerordentlich bewunderte. Nachdem Roths Frau Friederike wegen einer schweren Nervenerkrankung dauerhaft in einem Sanatorium lebte, hatte sich ihr Mann mehr und mehr dem Alkohol hingegeben. Als Roth sich zu Beginn der 30er Jahre in einer tiefen Krise befand, unterstützte ihn Zweig nach Kräften. Roths Sucht nahm bald bedrohliche Züge an und ließ den Umgang mit ihm nicht leichter werden. Auf die Beziehung zu Zweig wirkte sich außerdem negativ aus, daß Roth ebenso wie Rolland eine enge Freundschaft mit Friderike Zweig pflegte, was zur Zeit der Salzburger Haushaltsauflösung zu unschönen Szenen führte. Als Stefan es vermieden hatte, Roth, der sich zu Friderikes Unterstützung in Salzburg befand, während seines dortigen Aufenthaltes im Mai 1937 zu treffen, wetterte der empört: »Mit Scheißkerlen verkehren Sie viel intimer, als mit mir. (Das weiß ich durch Zufall.)«[14] Bald darauf hatte sich die Situation wieder etwas beruhigt, und Stefan konnte Friderike mitteilen, daß er von Roth dessen letztes Buch

zugeschickt bekommen hatte: »Es ist eigentlich ein Wunder, wie unbe-
schädigt doch sein Gehirn geblieben ist. Er ist genau der grosse Künstler
wie früher, und vielleicht hat nur das Stoffliche für uns nicht mehr die Frische und Neuheit wie damals. Es sieht doch so aus, als wäre er noch rett-
bar. Nur täte ihm ein Dragoner von einer Frau Not und nicht alle die, die
seinen Alkoholismus noch fördern.«[15]

Roth hatte sich nach dem Verbot seiner Bücher in Deutschland
zunächst nach Österreich und später nach Paris begeben. Im Exil kam es
noch zu einigen Treffen mit Zweig, der unter den ärmlichen und abge-
rissenen Gestalten der übrigen Emigranten freilich besonders auffiel.
Roths Geliebte, die Schriftstellerin Irmgard Keun, berichtet von einem
Besuch in Ostende: »Stefan Zweig wirkte sehr dekorativ – ganz so, wie
der Kinobesucher sich einen berühmten Schriftsteller vorstellen mag.
Weltmännisch, elegant, gepflegt, mit sanfter Melancholie im dunklen
Blick. [. . .] Mit liebevoller Innigkeit sprach er von Wien und malte in an-
mutigem Pastell Bilder eines Lebens, das bereits angefangen hatte, leise
und unaufhaltsam in Verwesung überzugehen.«[16]

Am 12. März 1938 ließ Adolf Hitler seine Truppen in Österreich ein-
marschieren. Nur drei Tage später konnte er auf einer Kundgebung in
Wien unter dem Jubel der Zuhörer den »Anschluß« seines Heimatlandes
an das Deutsche Reich verkünden. Die bedrohlichen Gesetze und Bestimmungen, die seit seinem Machtantritt in Deutschland erlassen worden waren, betrafen nun umgehend auch die österreichischen Juden und
Oppositionellen. Eine neue Fluchtwelle setzte ein. Im letzten Moment
konnte sich der schwerkranke Sigmund Freud, den Zweig bei seinem
Aufenthalt in Wien im November 1937 noch besucht hatte, mit seiner Familie über Paris nach London retten. Auch er nahm nur einen Teil seiner
umfangreichen Bibliothek mit ins Exil. Den in Wien verbliebenen Rest
verkaufte ein findiger Antiquar: Heinrich Hinterberger, der seine neuesten Kataloge für ausländische Kunden nunmehr mit der Ortsangabe
»Vienna (Germany)« versah.[17]

Zu der Angst um Familienangehörige und Freunde, die mit der Be-
drohung durch die Nationalsozialisten in Österreich einherging, kamen
auch noch geschäftliche Tragödien. Stefan Zweigs Verlag in Wien war seit

dem »Anschluß« nicht mehr existent. Herbert Reichner war mit seiner Familie umgehend nach Zürich geflüchtet und lebte ab 1939 in den USA, wo er später ein Antiquariat eröffnete. Die Zusammenarbeit mit Zweig war in der relativ kurzen Zeit, in der dessen Bücher bei Reichner erschienen waren, unter wachsenden Spannungen verlaufen. Zu Beginn hatte Zweig auch hier noch einige seiner Ideen und Vorschläge umsetzen können. So hatte er dem Verlag mit Erfolg den jungen Autor Elias Canetti und sein Werk *Die Blendung* empfohlen. 1936 war Zweigs Buch *Castellio gegen Calvin – Ein Gewissen gegen die Gewalt* erschienen (in dem ihm durch eine Falschinformation ein peinlicher Fehler passiert war, der nur in einem Teil der ersten Auflage hatte geändert werden können). Noch im Herbst desselben Jahres hatte Reichner die beiden Bände *Die Kette* und *Kaleidoskop* herausgebracht, die die gesammelten Erzählungen Zweigs enthielten. Allerdings waren dabei Entscheidungen ohne den Autor getroffen worden, der daraufhin vor Wut über seinen Verleger kochte: »Er hat alles falsch gemacht. Statt des Titels ›Gesammelte Erzählungen Band I und Band II‹ mit den Untertiteln hat er den Gesamttitel einfach weggelassen, [. . .]. Dabei ist der Einband scheusslich ordinärste Sackleinwand – ich bin verzweifelt, weil ich alles jetzt immer selbst überwachen muss (in allen Sprachen); wie war das doch bei der Insel! Aber dieser Dummkopf und Starrkopf versaut nur alles.«[18]

Neben einigen kleineren Veröffentlichungen und bibliophilen Drucken war bei Reichner ursprünglich auch eine große Werkausgabe Stefan Zweigs vorgesehen gewesen, die nach seiner Kündigung beim Insel Verlag im Februar 1936 möglich geworden war. Doch schon im folgenden Monat war der Vertrieb aller Bücher Zweigs in Deutschland offiziell verboten worden. Die Lagerbestände Reichners in Leipzig waren daraufhin beschlagnahmt worden und konnten erst nach aufwendigen Bemühungen freikommen und ausgeführt werden.

Zu allem Überfluß hatte in Zusammenhang mit der Werkausgabe auch noch die Witwe des Verlegers Tal, bei dem kurz nach dem Krieg Zweigs Aufsatzsammlung *Fahrten* erschienen war, Einspruch gegen einen Nachdruck der darin enthaltenen Beiträge erhoben. Rechtlich hatte sie wenig Aussichten auf Erfolg, da die frühere Honorarzahlung an die einmalige

Auflage gebunden gewesen war, aber die Korrespondenz zwischen Zweig, seinem Wiener Rechtsanwalt Josef Geiringer, der Verlegerwitwe und deren Rechtsvertreter füllt einen ganzen Aktenordner und führte zu erheblichem Verdruß.

Als Zweigs letztes Buch bei Reichner wurde Mitte November 1937 (bereits mit der Jahreszahl 1938 im Impressum) die Studie über Magellan ausgeliefert. Nachdem die Zustände in Wien im Chaos endeten, kündigte Zweig im April 1938 offiziell seinen Vertrag mit Reichner. Die bereits geschlossene Vereinbarung über den Druck seines ersten Romans *Ungeduld des Herzens* war damit hinfällig geworden. Doch Zweig sollte nur wenige Wochen ohne einen Verlag bleiben. Gottfried Bermann Fischer, der Schwiegersohn des 1934 verstorbenen Verlegers Samuel Fischer, führte zunächst in Wien, später im schwedischen Exil in Stockholm den Bermann-Fischer Verlag, zu dessen Autoren Zweig nun zählen sollte. Außerdem wurden seine Bücher zunächst in Kooperation mit dem Verlag Allert de Lange in Amsterdam publiziert.

Zweigs Bruder Alfred verließ Wien Ende März 1938 gemeinsam mit seiner Frau Stefanie ungehindert in Richtung Schweiz, wo er als tschechischer Staatsbürger keine Probleme hatte, eine Aufenthaltsgenehmigung zu bekommen. Seine Mutter Ida hingegen konnte und wollte sich nicht so rasch, wie es die dramatischen Umstände gefordert hätten, dazu entschließen, ihren Haushalt aufzulösen. Mit ihrem österreichischen Paß wäre ihr die Einreise in die Schweiz damals ohnehin nicht gestattet worden. Unter großen Mühen hatte Alfred Anfang Juni mit Unterstützung des Anwalts der tschechischen Gesandtschaft in Paris einen Weg gefunden, seiner Mutter und ihrer Pflegerin ein Visum für die Ausreise nach Frankreich zu beschaffen. Sosehr er sich auch bemüht hatte: Die alte Dame fühlte sich zu schwach, den beschwerlichen Weg auf sich zu nehmen, und der Rückfall einer schweren Magenerkrankung machte die Pläne endgültig zunichte.

Vor seiner Ausreise aus Österreich hatte Alfred noch sicherstellen können, daß seine Mutter ständig betreut wurde. Mit dieser Aufgabe wechselten sich ihr Neffe Egon Frankl, Alfreds langjährige Sekretärin Fräulein Schönkopf, zwei Haushaltshilfen aus der Garnisongasse und Alfreds eigene Haushälterin Frau Kruder ab. Die medizinische Versorgung lag in den Händen des Internisten Dr. Gang und einer Pflegerin, der es als Arierin jedoch nicht erlaubt war, über Nacht bei der jüdischen Patientin zu bleiben. Von Zürich aus telephonierte Alfred zweimal täglich mit dem Personal und dem Arzt in der Garnisongasse, um sich über das Befinden seiner Mutter zu informieren. Jeweils am Abend erstattete er dann seinem Bruder am Telephon Bericht über die Lage. Ende Juli hatte sich Ida Zweigs Zustand weiter verschlimmert, kurz darauf gab es für sie keine Hoffnung mehr. Am 23. August 1938 erlag sie ihrer Krankheit, nachdem sie bereits seit über einer Woche nicht mehr bei Bewußtsein gewesen war. Alfred wurde umgehend über den Tod seiner Mutter informiert und überbrachte Stefan die traurige und doch erleichternde Nachricht am Telephon.

Ida Zweigs Beisetzung in der Familiengrabstätte im jüdischen Teil des Wiener Zentralfriedhofs fand wenige Tage später statt. Bis auf die Pflegerin waren dabei alle Personen anwesend, die ihr in den letzten Tagen beigestanden hatten, und auch der Anwalt der Familie war erschienen. Wie bei den Zweigs üblich, wurde der Trauerfall erst nach der Beerdigung offiziell bekanntgegeben.

In den kommenden Wochen gingen zahlreiche Wertsachen und Erinnerungsstücke aus der Wohnung Ida Zweigs verloren. Alfred hatte schon früher dafür gesorgt, daß ein Teil der Korrespondenz aus Sicherheitsgründen vernichtet wurde. Der Schmuck seiner Mutter aber, der in einem Safe aufbewahrt wurde, verschwand ebenso wie ihre Sammlung von Zeitungsausschnitten und anderen Papieren mit den Gedichten, Essays, Kritiken und Buchbesprechungen ihres Sohnes Stefan.

Laut Testament erbten Alfred und Stefan das Haus der Eltern in der Garnisongasse 10 zu jeweils gleichen Teilen. Die Aussicht, dieses Gebäude jemals wiederzusehen oder es gar selbst nutzen zu können, war für beide Brüder gering. Für sein eigenes Haus in der Sieveringerstraße 75 in Wien-Döbling hatte Alfred dagegen noch frühzeitig Vorsorge getroffen. Bevor er Österreich verließ, hatte er die Liegenschaft gegen eine monatliche Zahlung von 100 Schilling an seinen Schwiegervater Franz Duschak übergeben. Da die Familie seiner Frau keine jüdischen Wurzeln hatte, blieb Alfred somit die Hoffnung, wenigstens das Möglichste getan zu haben, um Grundstück und Gebäude vor Beschlagnahmungen jüdischen Vermögens zu sichern und sie so eventuell in bessere Zeiten zu retten. Im Falle der Weberei in Ober-Rosenthal hatte er schon vor 1938 mehrere erfolglose Anläufe unternommen, den Betrieb zu verkaufen. Im Jahr 1941, nachdem auch Tschechien von deutschen Truppen besetzt worden war, erhielt Alfred Zweig an seinem neuen Wohnsitz in New York Post des Rechtsanwaltes E. Just aus Reichenberg, der vom dortigen Regierungspräsidenten als Treuhänder eingesetzt worden war. Ohne vorherige Ankündigung waren die Firmenanteile der Brüder Zweig an die Vereinigten Färbereien AG in Reichenberg verkauft worden. Auf mehrere Protestschreiben erhielt Alfred Zweig keine Antwort, die Fabrik war verloren.

Stefan hatte noch weitere Verluste zu beklagen: Die zweite Rate des Kaufpreises für sein Haus wurde ihm nie überwiesen, und an seinem 57. Geburtstag im November 1938 setzte sein Anwalt Josef Geiringer in Wien ein Schreiben an ihn auf, in dem er das in Österreich beziehungsweise nunmehr Deutschland verbliebene Vermögen auflistete, um es nach den Vorschriften über die sogenannte »Judenvermögensabgabe« den Behörden anzumelden und die Freigabe zu beantragen. Der Endbetrag von 255703 Reichsmark, von dem 20 %, also über 51000 Reichsmark, von der Regierung beschlagnahmt werden sollten, setzte sich unter anderem aus Stefans Anteil am Haus in der Garnisongasse, seinen Wertpapieren, den Geldern auf diversen Verlagskonten, dem bei Geiringer hinterlegten Barvermögen und noch unverkauften Autographen zusammen.[19] Nach einigen Korrekturen hatte Zweig den Betrag von 48600 Reichsmark in vier Raten bis zum 15. August 1939 auf das Konto des Finanzamtes Moabit-West in Berlin zu überweisen. Eine Stundung der Beträge war, wie auf dem Abrechnungsdokument ausdrücklich hervorgehoben wurde, »grundsätzlich nicht zulässig«.[20]

Während des Streits um den Wohnsitz und den Verkauf des Hauses in Salzburg war zwischen Stefan und Friderike das Wort Scheidung tunlichst vermieden worden. Andererseits wurde nur zu deutlich, daß eine Ehe unter den gegebenen Voraussetzungen nicht mehr zu führen war. Alfred

Zweig berichtet, daß bereits im Mai 1937 die Verhandlungen über eine Ungültigkeitserklärung der Ehe von Stefan und Friderike offiziell eingeleitet worden seien. Nach dem Tag der richterlichen Entscheidung zur Trennung habe Stefan, der zuvor den Abschluß der Angelegenheit nicht hatte erwarten können, jedoch einen »schweren nervösen Rückfall« erlitten und daraufhin Friderikes Anwalt Friedrich Meiler darum gebeten, den Richter zu veranlassen, die getroffene Entscheidung bis auf weiteres nicht in Kraft treten zu lassen, was so auch geschehen sei. Die Details dieser Geschichte, so Alfred, seien außer den beteiligten Rechtsanwälten auch Stefans Freund und Vertrautem Emil Fuchs bekannt gewesen. Erst im folgenden Jahr schrieb Stefan seinem Bruder, daß er mit Friderike eine »reinliche« Scheidung durchgeführt habe.[21]

In den Briefen, die Stefan und Friderike einander in jenen Tagen im Frühjahr 1937 schrieben, findet diese Angelegenheit eigenartigerweise keine Erwähnung. Alfred hatte Stefan in der Vergangenheit dringend empfohlen, ja ihn sogar dazu gedrängt, sich endlich von Friderike zu trennen. Wäre es nach Stefan gegangen, so hätte die Scheidung Anfang 1937 wohl stattfinden können, doch waren zu diesem Zeitpunkt für Friderike noch zu viele Fragen ungeklärt. Hatte Stefan seine engsten Vertrauten, seinen Bruder sowie Emil Fuchs mit dem Bericht über die angeblich eingeleitete Scheidung zunächst zu beruhigen versucht und anschließend mit Hinweis auf seinen »schweren nervösen Rückfall« hingehalten, um die komplizierte Situation mit Friderike und seine eigenen Fehler und Schwächen in dieser Sache nicht weiter mit ihnen diskutieren zu müssen? Die Frage ist anhand der erhaltenen Dokumente nicht zu klären, sicher ist nur, daß sich das Drama noch weitere Monate hinzog.

Ein wichtiger Grund, nicht offen über die Scheidung zu sprechen, war für Stefan der Schutz seiner alten und kranken Mutter gewesen. Die Maskerade hatte letztlich wenig Wirkung gehabt, denn Ida Zweig hatte durch Dritte doch von den Trennungsplänen erfahren, wie ein Brief belegt, den Stefan ihr kurz vor ihrem Tod im August 1938 zuschickte: »Liebe Mama, [. . .] Du deutest etwas an, offenbar hat es Dir Fritzi geschrieben, als ob eine Scheidung vollzogen wäre. Das ist – leider! – nicht richtig. Ich habe es seinerzeit vor 1 1/2 Jahren, obwohl Alles vorbereitet war, nicht durchgeführt aus Rücksicht auf Dich; ich wollte nicht, daß sie oder Verwandte Dich damit behelligen sollten. Jetzt ist es leider viel schwerer durchzuführen [. . .]. Leicht hat sie es nicht mit ihren Töchtern, die jede Gelegenheit einer anständigen Heirat in ihrer dummen Vergnügungssucht versäumt [!] haben – ich bin nur froh, daß ich die beiden jungen Damen nicht mehr sehe.«[22]

Bis zu Ida Zweigs Tod hatte sich die Situation weiter verkompliziert. Friderike war wenige Wochen vor dem »Anschluß« nach Paris gefahren, wo ihre jüngere Tochter Suse für einige Zeit in einem Photoatelier arbeiten wollte. Währenddessen hielt sich Alix im Haus im Salzburger Stadtteil Nonntal auf. Stefan und Lotte machten auf dem Rückweg von einer Reise nach Portugal im Februar 1938 ebenfalls in Paris Station und trafen Friderike dort mehrfach. Drei Wochen nach Stefans Abreise in Richtung London erfuhr Friderike in Paris vom Einmarsch der deutschen Truppen in Österreich. Eine Rückreise war ihr unmöglich, denn umgehend wurden an vielen Orten von der Gestapo Razzien durchgeführt. Sogar das Haus von Alfred Zweigs Schwiegereltern wurde nach Stefan durchsucht, da man offiziell vermutete, der berühmte Autor, dessen Werke verboten waren, könnte sich hier aufhalten – selbstverständlich war den Behörden bekannt, daß sich Stefan Zweig längst außer Landes befand, doch waren Maßnahmen wie diese bestens zur Einschüchterung der Bevölkerung geeignet. Friderikes Tochter Alix versuchte, zu retten, was zu retten war, doch wurden die übrigen zum Abtransport eingelagerten Möbel und die Erinnerungsstücke aus dem früheren Haus auf dem Kapuzinerberg allesamt von der Gestapo beschlagnahmt. Einiges wurde später versteigert, anderes, darunter auch das Friderike gewidmete Manuskript des *Jeremias*, ist seither verschollen.

Friderike blieb nach dem Verlust ihres Hauses, der Möbel und eines Großteils ihres Vermögens vorläufig im Exil in Paris. Die Scheidungsklage wurde nach weiterem zähen Ringen, vor allem um ihre finanzielle Versorgung, schließlich eine Woche nach dem Tod Ida Zweigs in Salzburg eingereicht. Dort kümmerten sich zwei Rechtsanwälte um die Erledigung der Angelegenheit vor Gericht. Da Friderike als Klägerin auftrat, mußte Stefan die alleinige Schuld am Scheitern der Ehe eingestehen. Am

22. November 1938 wurden Stefan und Friderike Zweig an ihrem letzten gemeinsamen Wohnsitz offiziell geschieden. Nach seinem ausdrücklichen Willen sollte sie auch nach der Trennung seinen Nachnamen behalten. Beide trafen sich in der Folgezeit noch mehrfach und ihr regelmäßiger schriftlicher Kontakt sollte bis in die letzten Stunden von Stefans Leben anhalten.

Nachdem das Jahr 1938 kaum eine positive Nachricht für Zweig gebracht hatte, waren ihm doch viele Sorgen genommen. Es schien, als könne er nach allen Kämpfen, Abschieden und Verlusten den Kopf endlich wieder für literarische Arbeiten freibekommen. Im persönlichen Bereich hatten nun zwei Dinge besondere Priorität: Erstens planten Stefan und Lotte zu heiraten, zweitens wollten sie versuchen, die britische Staatsbürgerschaft zu bekommen. Um diese erlangen zu können, mußte man fünf Jahre im Land gewesen sein und durfte sich selbstverständlich nichts zuschulden kommen lassen. Doch die Zeit drängte, wenn Stefan seine Mobilität einigermaßen aufrechterhalten wollte: Ende August 1938 hatte er an das Londoner Home Office geschrieben, daß sein österreichischer Reisepaß demnächst während einer geplanten Tournee durch die USA seine Gültigkeit verlieren würde. Es sei ihm eine Frage der Ehre, nicht bei den nunmehr zuständigen deutschen Behörden um eine Verlängerung des Dokuments zu bitten. Aus diesem Grunde beantrage er die Erteilung eines entsprechenden

Lotte und Stefan Zweig

Dokuments in Großbritannien oder wäre anderenfalls bereit, als staatenlos zu gelten. Am 29. Dezember war der erste Fortschritt in der Angelegenheit zu verzeichnen: Die Leser des *Daily Telegraph* und der *Times* erfuhren in einer öffentlichen Bekanntmachung, daß Zweig einen Antrag auf Einbürgerung gestellt hatte und berechtigte Einsprüche dagegen schriftlich eingereicht werden müßten. Niemand hatte sich auf diesen, in solchen Fällen üblichen Aufruf gemeldet, und Zweig konnte auch die geforderten Bestätigungen über sein tadelloses Verhalten beibringen. Unter anderem bürgten sein Verleger Newman Flower und Archibald G. B. Russell, der Kunsthändler, der ihm vor über 30 Jahren den *King John* von William Blake verkauft hatte, für ihn.

Auch Lotte stellte entsprechende Anträge und fügte die geforderten Papiere bei. Für sie war zu Anfang ihrer Beschäftigung bei Zweig noch keine Arbeitserlaubnis beantragt worden, da sie an seiner Seite einen Großteil der Zeit im Ausland verbracht hatte und sie somit aus Sicht der Behörden nur wenige Wochen im Jahr in England für ihn tätig gewesen war. Von seinem Sicherheitsbedürfnis getrieben, hatte Zweig im Februar 1936 in dieser Frage Klarheit schaffen wollen und die Mitarbeiter der Flüchtlingsorganisation im Woburn House um Hilfe gebeten. Der Sekretär der Organisation, E. N. Cooper, wandte sich daraufhin sogleich und mit dem erwünschten Erfolg an das Arbeitsministerium. Seinem Brief fügte er die Information bei, Zweig sei bei der Antragstellung sehr in Sorge darüber gewesen, daß im Falle einer Ablehnung der Erlaubnis seine Arbeit völlig zunichte gemacht würde. Solche weltlichen Probleme würden ihn noch zerstören, habe er aufgeregt erklärt – doch dies seien wohl typische Verhaltensweisen einer Künstlernatur, wie Cooper in seinem Schreiben trocken kommentierte (»I suppose, like many of these artistic gentlemen, he is very temperamental, which a nerve specialist described once as ›90 % temper and 10 % mental‹.«)[23] Die Anträge von Lotte und Stefan durchliefen noch den Amtsweg, als die beiden mit vorläufigen Papieren ausgestattet im Dezember 1938 eine Vortragsreise durch Nordamerika antraten. Das straffe Programm und der Erfolg seiner Tournee versetzten Zweig in einen wahren Begeisterungsrausch, der ihn kurzzeitig alle Sorgen vergessen ließ. Aus New York schrieb er am 10. Januar, daß er als nächstes weiter nach Boston und Philadelphia fahre, »Donnerstag hier Carnegie Hall (vor 2800 Personen) und all das englisch.«[24] Zehn Tage später war er im Netherland Plaza Hotel in Cincinnati: »Es ist phantastisch, jeden Tag vor 1000–2500 Leuten über geistige Dinge zu sprechen.«[25] Am 6. Februar kam er in Salt Lake City an, hatte 16 Vorträge hinter sich gebracht und sah den kommenden vier mit größter Freude entgegen.

Nach seiner Rückkehr hielt Zweig im Rahmen der *Nation's School of the Air* eine Radioansprache für amerikanische Schulkinder, die aus London direkt in die USA übertragen wurde. Gleich zu Beginn des Programms berichtete er, daß er von einem anderen Kontinent aus spreche, wo man längst das Mittagessen hinter sich gebracht hatte, während die Kinder in Amerika doch gerade noch frühstückten. Er erzählte seinen »dear young friends«,[26] daß man von England aus mit dem Dampfer über eine Woche unterwegs ist, bis man die Küste Amerikas zu sehen bekommt, und er fragte, ob sie sich vorstellen können, daß er noch lange nicht einhundert Jahre alt sei und keinen schlohweißen Bart habe und es zu seiner Kinderzeit trotzdem weder Flugzeuge noch das Radio gegeben hatte, durch das sie ihn jetzt hörten? Es bereitete ihm viel Vergnügen, davon zu berichten, daß die Köchin seiner Eltern jedesmal erschrocken davongelaufen war, wenn die Klingel des damals ganz neu installierten Telephons laut durch die Wohnung schellte.

Während der Reise hatte Richard Friedenthal, der ebenfalls nach England emigriert war, Zweigs Wohnung in der Hallam Street gehütet und regelmäßig eine Übersicht über neueste Geschehnisse und die eingegangene Post auf den Weg nach Amerika gebracht. Worüber hatte er berichten können? Über einen Wasserschaden im Haus, der den Teppich ruiniert, aber zum Glück weder Möbel noch Bücher in Mitleidenschaft gezogen hatte, und über erste Zeitungsberichte zu Zweigs Einbürgerungsantrag, die mit allerlei »Histörchen, Schnurren, Falschberichten« garniert waren. Mit der großen Zahl der Hilferufe bekannter und unbekannter Exilanten, die sich in ihrer Not mit allen möglichen Fragen an Zweig wandten, wollte Friedenthal ihn auf der Reise verschonen. Nur »als Kuriosum« erwähnte er: »Stefan Zweig aus Milano schreibt mit der Bitte um Hilfe bei der Einwanderung nach England. Er kann nichts dafür, dass er so heisst; seine Eltern haben ihn aus Begeisterung für Ihre Werke mit diesem Vornamen versehen.«[27]

Post dieser Art bedrückte Zweig zusehends. Das Elend der Flüchtlinge trat auf diese Weise schwarz auf weiß und damit allzu deutlich in sein Leben ein. Gleichzeitig wurde ihm mit jedem Brief seine besondere Stellung im Kreise der Exilschriftsteller ins Bewußtsein gerufen: Mochte er auch seine Ehe, seine Heimat und sein Haus verloren haben, sein Einkommen war gesichert und der Erfolg seiner nächsten Werke so gut wie vorausbestimmt. Doch bei vielen Fragen, die man ihm stellte, fühlte er sich hilflos und in seiner Position als Vermittler völlig überschätzt – schließlich wartete er selbst noch auf seine Einbürgerung. Zudem waren engste Freunde in großer Gefahr, wie sollte man da auf die Bittbriefe wildfremder und doch ebenso bedürftiger Menschen reagieren? Als Zweig wieder in London war, erfuhr er, daß sich Ernst Toller am 22. Mai in New York das Leben genommen hatte. Fünf Tage darauf starb Joseph Roth in Paris. Zweig konnte sich nicht entschließen, zu dessen Begräbnis zu reisen, erinnerte aber gemeinsam mit englischen Kollegen in der Londoner Conway Hall vor Hunderten von Exilanten in einer Gedenkstunde an die beiden Schriftsteller.

Mit *Ungeduld des Herzens* war im November 1938 das erste Buch Zweigs in seinen neuen Verlagen Bermann-Fischer in Stockholm und Allert de Lange in Amsterdam erschienen. Es war, wie geplant, ein Österreich-Roman geworden. Zweigs Kollegen Siegfried Trebitsch, der selbst aus Österreich geflüchtet war, waren bei der Lektüre einige merkwürdige Worte und Wendungen aufgefallen, von denen er meinte, sie könnten der Leserschaft eventuell Anlaß zu Fragen geben. »Lieber Freund, vielen Dank!«, antwortete Zweig umgehend, »Aber solche Austriazismen wirst Du durch das ganze Buch *absichtlich* eingestreut finden; ich *wollte*[,] dass man in dem Selbsterzähler ganz leise den Oesterreicher spürt. [. . .] Der Oberst sagt z. B. immer ›die unsrigen‹ statt ›den unsrigen‹ oder es gibt Worte wie der ›dasige‹ Freund.«[28]

Als ein weiterer Exil-Österreicher meldete sich im Juni 1939 ein gewisser Oberst B. von Szilly aus Lugano, seines Zeichens »ehemaliger Husaren-Offizier der k. und k. Armee der Maria-Theresien-Ritter« und erlaubte sich, gerade weil er das Buch Zweigs mit größtem Interesse gelesen hatte, einige kleine Korrekturen daran anzubringen. Er hoffte, seine Berichtigungen könnten eventuell in kommenden Auflagen berücksichtigt werden. Auf eineinhalb Seiten folgen sodann seine Anmerkungen zu Details, vorrangig aus dem Bereich des Militärs, bei denen Zweig Fehler unterlaufen waren:

»Seite 54, 13. Zeile von oben: ›Galopp‹. Vor dem Exerzieren und der Reitschule durften die Pferde nie durch Galopp in Schweiss gebracht werden. [. . .]

Seite 73, 20. Zeile von oben: einen Sattel kann man nicht ›aufzäumen.‹ [. . .]

Seite 288, 13. Zeile von oben: der erste Toast durfte nur ein dreimaliges Hoch auf Sr. Majestät sein. Erst später und nach einer Pause folgten Toaste auf das Regiment.«[29]

Das Werk fand wie alle früheren Bücher Zweigs weitere aufmerksame und begeisterte Leser und konnte mit den Verkaufszahlen der englischen Übersetzung sogar den Autor selbst in Staunen versetzen: »Für mich ist hier eine grosse Überraschung erfolgt – ›Beware of pity‹ mein Roman ist zur Zeit der Bestseller, vier neue grosse Ausgaben in zwei Wochen, der erste Erfolg, den ich in England hatte (diesmal grösser als in America). [. . .] So bin ich plötzlich endlich auch in England ein Autor geworden.«[30]

Um wieder zu Ruhe und konzentrierter Arbeit finden zu können, war es an der Zeit, sich nach einer anderen Bleibe als der Londoner Wohnung umzusehen. Im Sommer fuhren Stefan und Lotte nach Bath im Südwesten Englands und wohnten zunächst im Haus Lansdown Lodge in der Lansdown Road. Von hier betrieben sie die Suche nach einem geeigneten Haus und fanden schließlich das Anwesen Rosemount, das beider Vorstellungen entgegenkam. Das zweistöckige Gebäude war auf einem Hügel mit Blick auf die Stadt gelegen, hatte einen Garten und bot neben den Wohnräumen auch genug Platz für ein Arbeitszimmer mit einer kleinen Bibliothek. Um einen Teil seiner Gelder einigermaßen sicher anzulegen, wollte Zweig Haus und Grundstück für sich und seine zukünftige Frau erwerben und hoffte, die Verhandlungen mit dem derzeitigen Eigentümer rasch zu einem Abschluß bringen zu können.

Noch vor dem geplanten Umzug wollten Stefan und Lotte heiraten und hatten sich deshalb bereits mit einem Anwalt und den zuständigen Stellen in Bath in Verbindung gesetzt. Am 1. September 1939 waren die beiden auf dem Standesamt gewesen, um letzte Vorbereitungen zu treffen. In seinem Tagebuch verzeichnet Zweig den Verlauf des Termins und des restlichen Tages: »Alles erscheint reibungslos, der Beamte ist denkbar freundlich und verspricht die Zeremonie für Montag – da kommt plötzlich ein Gehilfe hastig vorbei und sagt, daß Deutschland heute morgen den Krieg mit Polen eröffnet hat. Und jetzt haben wir eine einzigartige Gelegenheit, die Nerven der Engländer zu bewundern. Der Beamte fährt fort, uns zu erklären, was er in unserer Angelegenheit tun wird, als ob nichts geschehen wäre, und während in Österreich alle umhergerannt wären oder geschrien hätten, bleibt hier jeder selbstbeherrscht und sicher. Die ganze Stadt ist in keiner Weise verändert. Niemand eilt oder scheint aufgeregt zu sein. Alles verläuft glatt und ruhig. [. . .] Nachmittags in der Stadt. Nichts zu sehen. Keiner würde auch nur im Traum daran denken, daß dies der Tag ist, an dem die größte Katastrophe für die Menschheit begonnen hat!«[31]

Trotz der vermeintlichen Ruhe war man sich in Großbritannien wohl bewußt, welche Bedeutung diese Kriegshandlung auf dem Kontinent aufgrund der bestehenden Bündnisse für die Zukunft des eigenen Landes haben könnte. Noch am selben Tag wurde mit Blick auf eventuell drohende deutsche Luftangriffe der sogenannte »Blackout« angeordnet, die absolute Verdunkelung in den Dämmerstunden und bei Nacht. Bald gab es spezielle Kalender, die nicht nur die Auf- und Untergangszeiten von Sonne und Mond verzeichneten, sondern auch die Uhrzeiten, zwischen denen nicht der geringste Lichtschein zu erkennen sein durfte.

Mit dem Kriegseintritt Großbritanniens waren Stefan und Lotte als feindliche Ausländer eingestuft worden, was Stefan einen Stich versetzt hatte. Lotte war von Geburt an Deutsche, er aber war in Österreich zur Welt gekommen. Wenn er nun in dieselbe Kategorie fiel wie seine zukünftige Frau, so konnte das nur bedeuten, daß Großbritannien die Annexion seines Heimatlandes durch das Deutsche Reich stillschweigend anerkannt hatte. Zweig fürchtete bereits die Internierung in einem Lager, aber zunächst war mit der Registrierung als »alien enemy« nur die strenge Auflage verbunden, sich ohne Erlaubnis der Behörden nicht weiter als fünf Meilen vom Marktplatz des Ortes fortbewegen zu dürfen, an dem man gemeldet war. Glücklicherweise sollte der Feindstatus keine Auswirkungen auf die geplante Hochzeit haben, die am Nachmittag des

6. September 1939 stattfinden konnte, wovon das Paar zu seiner Überraschung erst am Morgen desselben Tages informiert worden war: »Kurzes
Lunch und Rasieren, danach die Trauung ohne große Formalitäten, nur
die Urkunde mit der Erklärung, daß man L. A. zur rechtmäßig angetrau-
ten Ehefrau nimmt. Genug für einen Tag! Und wieder ein Schritt vorwärts zur Ordnung in einer Welt ewiger Unordnung.«[32]

Die Beschränkung der Reisefreiheit hatte kurzzeitig Zweifel daran aufkommen lassen, ob es wirklich richtig war, sich in Bath niederzulassen.
Doch noch am Hochzeitstag war die Nachricht eingelangt, daß Rosemount zu den erwünschten Bedingungen zum Verkauf stand, was die Bedenken in den Hintergrund rückte. Keine zwei Wochen später erwartete
der neue Hausherr die Möbelwagen aus London, die mit kostbarer Fracht
beladen waren. Nachdem am Vortag offenbar ein Mißgeschick mit einem
aus Österreich mitgebrachten Schrank passiert war, sorgte sich Zweig
umso mehr, als die Transporter bis zum späten Nachmittag immer noch
nicht erschienen waren: »Then waiting for the vans in Rosemount. I for-
got to mention the stupid Zwischenfall with the Bauernschrank yester-
day. I wait from 8 ¹/₂ and it becomes 10, 11, 12, 1, 2, 3, 4, 5 o'clock, I
phone three times, four times to London, quite convinced that something
terrible must have happened with my furniture (poor Beethoven) two
man [. . .] wait with me and go finally. In this moment 5.35 the two vans
arrives.«[33] Der erwähnte »arme Beethoven« war der Schreibtisch, der
aus Salzburg hatte gerettet werden können und nun in Bath einen Ehren-
platz bekam.

Während Zweig noch mit der Einrichtung des Hauses beschäftigt war,
ging – ohne sein Wissen – ein Brief aus dem Ministry of Information an
die BBC auf den Weg. Die darin angesprochene Frage war, ob man den
derzeit als feindlichen Ausländer eingestuften Schriftsteller Stefan Zweig
nicht gerade jetzt, so kurz nach Kriegsbeginn, im Radio zu Wort kommen
lassen sollte. Nach Ansicht des zuständigen Beamten gab es keinen Zweifel daran, daß Zweigs Worte für die Hörer von erheblicher Bedeutung
wären, und er fügte noch hinzu: »Ich glaube, es gibt außer Thomas Mann
niemanden, dessen Einfluß in den deutschsprachigen Ländern so groß
wäre.«[34] Aufgegriffen wurde der Vorschlag allerdings nicht.

Vorarbeiten Stefan Zweigs zu seiner unvollendeten Biographie Balzacs

Am 25. und 26. September führte Zweig ein trauriger Anlaß zurück nach London. Zwei Tage zuvor war Sigmund Freud dort verstorben, und Zweig war gebeten worden, bei der Trauerfeier im Krematorium eine kurze Ansprache zu halten. Vor dem Umzug nach Bath hatte er den verehrten Meister noch mehrfach in seinem Haus besucht und dabei einmal sogar den jungen Maler Salvador Dalí mitgebracht, der bei dieser Gelegenheit eine Portraitzeichnung Freuds anfertigte. Nach den Gedächtnisreden für Rilke und Hofmannsthal sollte Zweig nun zum dritten Mal Gedenkworte für einen seiner Lehrmeister sprechen.

Nach dem Abschluß neuer Beiträge für seine Sammlung *Sternstunden der Menschheit,* einiger weiterer kleinerer Arbeiten und der Vollendung des Romans wollte sich Zweig in seinem neuen Domizil endlich wieder einem Projekt zuwenden, das ihn mit großen Unterbrechungen seit beinahe 40 Jahren beschäftigte. Felix Braun jubelte, als er von den Plänen erfuhr: »Mein Lieber Stefan! Balzac! Ich war, als ichs las, ganz glücklich betroffen. Es ist ja Deine alleinige Aufgabe, ein solches Werk zu geben, und kein Dichter der Welt so der Deine wie er.«[35] Beim Teilverkauf seiner Autographensammlung hatte Zweig sich selbstverständlich nicht von den Handschriften Balzacs und den 1914 in Paris erworbenen Korrekturfahnen von *Une ténébreuse affaire* getrennt. Diese Stücke dienten ihm nun in altbewährter Manier als Anregung und Studienmaterial für seine Biographie des Franzosen, deren Umfang auf zwei Bände angelegt war.

Der aus Frankfurt stammende Antiquar Heinrich Eisemann, der in London ein Geschäft eröffnet hatte, war Zweig seit langem bekannt und wurde nicht nur in Fragen von Neuerwerbungen für die Sammlung ein enger Vertrauter. Inzwischen hatte Zweig wieder damit begonnen, Manuskripte zu kaufen. Durch Eisemanns Vermittlung gelangen ihm einige Erwerbungen höchster Qualität. Nicht weniger als drei Notenhandschriften Georg Friedrich Händels, die zu den allergrößten Seltenheiten auf dem Markt gehörten, nannte Zweig bald sein eigen. Das Manuskript von Mozarts Lied *Das Veilchen* befand sich bereits seit 1935 in seinem Sammlungsschrank, und Franz Schuberts *An die Musik* ergänzte ab 1939 den erstklassigen Bestand. Die seit den 20er Jahren angekauften Beethoven-Erinnerungsstücke und -Autographen wurden zudem durch ein

Konvolut von Manuskripten zu Beethovens Tod und Begräbnis sowie durch zwei von ihm geschriebene Küchenzettel erweitert. An Geigy-Hagenbach konnte Zweig sogar noch weitere Erfolge aus diesem Bereich vermelden: »Erzählte ich Ihnen, dass ich Danhausers Zeichnung von Beethoven auf dem Totenbett kaufte (ich besitze schon die von Teltscher.) Jetzt habe ich mit dem Schreibtisch eine Art Museum beisammen, das mir kein Mensch auf Erden nachmachen kann – Bodmer ausgenommen, der in seiner Art eines besitzt. Ich habe ja immer weniger Lust auf kleine Dinge. Pauca sed optimum. Wenig aber das Beste.«[36] Es scheint, als habe Zweig sogar eine kleinere Arbeit über Beethoven geplant, denn er stellte für sich eine ausführliche kommentierte Liste all seiner Sammlungsstücke zusammen (auf der er neben den Einträgen für die Violine und den Obersschöpfer am Rand »Leider noch in Wien« notierte)[37] und beschäftigte sich ausgiebig mit den Autographen des Komponisten.

Überhaupt wandte er sich immer mehr den Themen aus früheren Zeiten und aus seiner Heimat zu. Im April 1940 sollte er auf Einladung der Conférences des Ambassadeurs nach Paris reisen und dort im Théâtre Marigny einen Vortrag halten. Friderike, die sich weiterhin in Frankreich aufhielt, hatte die Idee angeregt, ihren früheren Mann aus Bath herzubitten. Für ihn waren freie Reisen nunmehr wieder möglich, denn im Vormonat war er offiziell ein Untertan König Georgs VI. geworden. Auch Lotte erhielt im Juni die britische Staatsbürgerschaft, und beide schworen jeweils wenige Tage nach ihrer Einbürgerung den Untertaneneid.

Ein Thema für den erbetenen Vortrag in Paris war schnell gefunden: Zweigs Text trug die Überschrift *Das Wien von Gestern*. Er hatte nämlich damit begonnen, erste Aufzeichnungen für eine Autobiographie zu machen und wollte nun – in einer recht positiv gefärbten Rückschau – über seine für ihn verlorene Geburtsstadt sprechen. Nach einem umjubelten Auftritt im vollbesetzten Theater konnte der Aufenthalt noch auf gut zweieinhalb Wochen ausgedehnt werden und gab Zweig die Möglichkeit, in der Bibliothèque Nationale und in Archiven Forschungen für die Biographie Balzacs anzustellen. Bei verschiedenen Gelegenheiten traf er Friderike, mit der noch letzte finanzielle Angelegenheiten zu regeln waren, und seinen Freund, den Bibliotheksdirektor Julien Cain. Beiden gegenüber entwarf Zweig ein schreckliches Zukunftsszenario, das mit der Einnahme Frankreichs durch die Deutschen sehr bald seinen Anfang nehmen werde. Auch in drei Vorträgen, die er im Rundfunk hielt, ließ er wenig Zweifel daran, daß ganz Europa bald vom Krieg überzogen sei. Noch, so versuchte er in persönlichen Gesprächen klarzumachen, sei Zeit, sich aus der Gefahrenzone zu retten. Die Freunde hörten ihm zu, waren über seine Worte und vor allem über seinen depressiven Zustand erschrocken – und doch handelten sie nicht, was Zweig nur noch weiter bedrückte.

Auch der Blick auf seinen früheren Salzburger und Wiener Umkreis gab ihm wenig Anlaß zur Freude. Erwin Rieger, Felix Braun und Victor Fleischer hatten sich immerhin noch rechtzeitig aus Österreich fortbegeben können. Von Rieger hatte Zweig lange keine Nachricht bekommen, und er erfuhr erst 1941, daß sein Freund und früherer Mitarbeiter bereits im Vorjahr in Tunis ums Leben gekommen war. Über die näheren Umstände seines Todes war wenig zu erfahren. Offiziell sprach man von einem Unfall, doch war Zweig sich sicher, daß Rieger Selbstmord begangen hatte.

Braun hatte sich über die Schweiz nach England gerettet, lebte in Lancashire und stand in regem Briefkontakt zu Zweig. Beide machten sich große Sorgen um Fleischer, ihren gemeinsamen Freund aus Wiener Tagen, der schwer erkrankt war. Auch er war nach Großbritannien geflüchtet und wurde dort von Lottes Bruder Manfred, der als Arzt praktizierte, medizinisch behandelt. Zweig besuchte Fleischer mehrfach im Krankenhaus und lud ihn zur anschließenden Erholung nach Bath ein. Der Besucher hatte sich offenbar falsche Vorstellungen vom Leben in Rosemount gemacht und dachte eher an Abendempfänge als an ein beschaulich-ruhiges Dasein, so daß ihn Zweig über die Wahrheit aufklären mußte: »Lieber Victor, Dein Brieflein hat hier stürmische Heiterkeit erregt – ein Dinnerjacket ist seit Hausbestand hier noch nicht erblickt worden: Du glaubst wohl, daß es ›foin‹ bei uns zugeht. [. . .] Da Du hier Hausgast wirst, eile ich Dir – erschrick nicht! – von einem kleinen Familienereignis Kenntnis zu geben: gestern abends hat eine Henne das erste Rosemount-Ei gelegt, der Farmer Zweig ist sehr stolz auf diese Leistung.«[38]

Der »Farmer« Zweig betätigte sich zur Ablenkung von den Widrigkeiten des Alltags tatsächlich auch an der Gartenarbeit. In Salzburg hatte
er nur dann und wann Hand an Sträucher und Büsche angelegt, nun aber
versuchte er, sich mit den Grundbegriffen der Gärtnerei ein wenig vertrauter zu machen. Dahinter stand sein Gedanke, sich bis zu einem gewissen Grad selbst versorgen zu können. Seine Angst vor einer Lebens-
mittelknappheit im Verlauf des Krieges führte auch dazu, daß in den
Kellerräumen des Hauses große Mengen von Konserven eingelagert
wurden; zusätzlich gab es auch ein Papier- und Tintenlager.

Lottes Nichte Eva lebte für einige Zeit mit in Rosemount, da es ihren
Eltern nach Kriegsbeginn sicherer erschienen war, das Mädchen aus London fortzubringen. Bei Tisch war es im Hause Zweig üblich, daß man miteinander Französisch sprach, was den Gesprächsstoff aus Sicht des Kindes allerdings auf bedauerlich wenige Themen einschränkte. Mit dem
Gärtner Edward Miller verstand sich Zweig besonders gut, und beide sin-
nierten an manchem Abend gemeinsam über Gott und die Welt. Miller
war ein knorriges Original und ein überzeugter Republikaner und An-
tiroyalist, der es sogar wagte, im Kino auf seinem Platz sitzen zu bleiben
und zu schweigen, wenn – was seinerzeit üblich war –, die Nationalhymne erklang und das übrige Publikum »God save the King« anstimmte.

Die Zeit in Bath brachte trotz des Krieges zeitweise mehr Entspannung
und Muße als die Jahre zuvor. Doch Zweigs düstere Vorahnungen konnten seine Laune schnell umschlagen lassen. Schon ein Gespräch über die
bedrohliche Lage konnte ausreichen, um ihn in eine depressive Stimmung
zu versetzen. Seit Kriegsbeginn hörte auch er regelmäßig die Rund-
funknachrichten, um auf dem neuesten Stand der Dinge zu bleiben.
Hoffnungen auf eine Besserung seines Zustandes konnten in den ersten
Kriegsmonaten, in denen die Deutsche Wehrmacht Sieg um Sieg feierte,
freilich nicht aufkommen. Am 21. Mai 1940 waren Zweig in London die
aktuellsten Meldungen zu Ohren gekommen: »Mittags beim Radio
stockt mir der Atem – die Deutschen in Amiens. Das heißt, sie sind beinahe in Abbeville und damit am Meer, das heißt, daß die englische Armee
in Belgien von drei Seiten gefaßt und gegen die Küste gedrängt wird und
im besten Falle nur ihr Material verlieren wird. Es ist eine Katastrofe und

– ich fürchte es – die Katastrofe. Sie bedeutet, daß Paris schwer bedroht, die Maginot-Linie von rückwärts aufgerollt, England isoliert und möglicherweise sogar invadiert werden kann. [. . .] Und was jetzt die Aufrufe[,] Samstag, Sonntag in den Flugzeugfabriken zu arbeiten[,] nach dem easy going von acht Monaten. Es ist ein schwarzer Tag und ich gestehe, bei allen meinen tristen Vorgefühlen habe ich einen solchen blitzartigen Durchstoß nicht für möglich gehalten.«[39] In seinen Gedanken sah er sein Refugium in Bath bereits von Hitlers Truppen eingenommen. Wenige Tage darauf schrieb er in sein Tagebuch: »Wir, die wir mit und in den alten Begriffen leben, sind verloren; ich habe ein gewisses Fläschchen schon bereitgestellt.«[40]

Sois ton bourreau toi même!
N'abandonne l'amour de te martyriser
A personne, jamais.

Sei selbst dein Henker! Gib
An niemanden die Lust, dich zu mißhandeln
An keinen, nie und nimmer! [1]

Emile Verhaeren
Übertragung von Stefan Zweig, 1904

Eine Welt von Morgen?

An einem Sommermorgen des Jahres 1941, es muß im Juli oder August
gewesen sein, ging Klaus Mann, der das dritte Jahr im amerikanischen
Exil verlebte, durch die Straßen von Manhattan. Auf der Fifth Avenue
kam ihm Stefan Zweig entgegen, den er erst wenige Wochen zuvor auf
einer Cocktail-Party in dessen Hotel getroffen hatte. Damals hatte Zweig
einige Freunde aus Österreich und Deutschland zu sich eingeladen und
in dieser Runde einigermaßen ungezwungen geplaudert. Nun aber
wirkte er abwesend. Mit starrer Miene, ja sogar unrasiert lief er durch
die Häuserschluchten und erkannte den jungen Kollegen nicht einmal,
der sich über diesen ungewohnten Anblick wunderte: »Ich sah ihn an, das
Stoppelkinn, die blicklos finsteren Augen, und dachte mir: ›Nanu! Was ist
los mit ihm?‹ Dann ging ich auf ihn zu: ›Wohin des Weges? Und warum
so eilig?‹ Er fuhr zusammen, wie ein Schlafwandler, der seinen Namen
hört. Eine Sekunde später hatte er sich gefaßt und konnte wieder lächeln,
plaudern, scherzen, verbindlich, angeregt wie eh und je: der weltmännisch gesittete und elegante, etwas zu glatte, etwas zu liebenswürdige
›homme de lettres‹ mit wienerisch nasaler Stimme und von unzweifelhaft
›eminent pazifistischer Gesinnung‹.«[2]

Als sich diese Szene zutrug, hatten Lotte und Stefan Zweig Großbritannien schon seit über einem Jahr verlassen. Ende Juni 1940 waren sie mit einem Dampfer von Liverpool nach New York aufgebrochen. In den letzten Wochen in Bath hatte von Ruhe und Entspannung nicht mehr die Rede sein können. Seit die Deutsche Wehrmacht Anfang Mai die Beneluxländer und Frankreich angegriffen hatte und unaufhaltsam auf dem Vormarsch war, drohten sich Zweigs schlimmste Befürchtungen noch schneller zu bewahrheiten. Damals bestand für ihn eventuell die Möglichkeit, eine weitere Vortragstournee durch Südamerika anzutreten – sollte dies eine Lösung sein, dem Wahnsinn zu entfliehen? Wo würde man als Intellektueller nun mehr gebraucht? In Europa? In den USA? In den Ländern Südamerikas, wo inzwischen auch ganze Boote voll mit Flüchtlingen eintrafen? Oder war das Dasein ohnehin nutzlos geworden?

Es war keine einfache Entscheidung, doch sie fiel zugunsten der Überfahrt in Richtung Amerika. Zunächst sollte es in die USA gehen und von dort weiter nach Brasilien. Erst kurz vor der Abfahrt hatte Lotte ihren britischen Paß erhalten, und wenige Tage darauf bekamen Stefan und sie ein Touristenvisum für Brasilien, das ab dem Zeitpunkt der Erteilung ein halbes Jahr lang gültig war. Nun folgte ein banges Warten und ein Hin- und Her, denn noch hatten beide keine Karten für die Schiffspassage, die ohne Visum nicht zu bekommen gewesen waren. Über Zweigs Vertrauten, den Antiquar Heinrich Eisemann, gelang es schließlich noch zwei Tickets in der Dritten Klasse zu reservieren, die vom Kapitän in solche Erster Klasse umgetauscht wurden, denn er stellte seine eigene Kabine zur Verfügung, nachdem er erfahren hatte, welcher berühmte Mann mit seiner Gattin an Bord des Schiffes war.

Im Haus in Bath blieb bei der Abfahrt ein Großteil der Habe von Stefan und Lotte zurück. Sie hatten nur einige Überseekoffer mit Kleidung und die notwendigsten Utensilien bei sich, darunter selbstverständlich Lottes Schreibmaschine. Die bereits fertiggestellten Kapitel der Balzac-Biographie und die zugehörige Materialsammlung hatte Stefan nicht eingepackt. Auch wenn er für die kommenden Kriegsmonate, ja vielleicht sogar -jahre nur Schlimmstes voraussah, so war doch geplant, daß man früher oder später nach Bath zurückkehren und er die Arbeit dort wiederaufnehmen würde. Einige wertvolle Autographen aus seiner Sammlung trug er dagegen bei sich, ebenso zwei Handzeichnungen Rembrandts, die er erst kürzlich erworben hatte. All dies waren kostbare Werke, die Zweig besonders viel bedeuteten, doch inzwischen waren es für ihn auch und vor allem Wertpapiere. Während Firmenanteile und Häuser sich als schlechte Geldanlagen erwiesen hatten und Barmittel stets von Inflation bedroht waren, blieb die Hoffnung, daß in Notfällen jedes dieser Manuskripte oder Kunstblätter gewinnbringend oder zumindest ohne größere Verluste gegenüber dem Kaufpreis abgestoßen werden könnte. Der Vorteil, diese außergewöhnlichen Zahlungsmittel auch noch in einem handlichen Paket mit sich durch die Welt tragen zu können, war nicht zu verachten. »Zwei Koffer, in einem die Garderobe, die irdische Notwendigkeit, in dem anderen Manuskripte, die geistige Bereitschaft und man ist überall zu Hause«,[3] hatte Zweig im September 1935 auf einer Fahrt von Paris nach London in sein Tagebuch geschrieben – genau so versuchte er nun, um den halben Erdball zu reisen.

Die Überfahrt wurde von der Nachricht überschattet, daß Friderike seit dem Einmarsch der Deutschen in Frankreich gefährdet war. Mit tausenden anderen Flüchtlingen war sie im letzten Moment aus Paris in Richtung Süden geflüchtet. Suse und Alix waren bei ihr, als sie schließlich im sicheren Marseille ankam. Beide Töchter hatten inzwischen in Frankreich geheiratet: Suse den aus Österreich stammenden Photographen Karl Hoeller, Alix schon 1939 den Arzt Herbert Karl Stoerk, den Friderike seit seinen Kindertagen kannte (er war der Sohn des mit ihr befreundeten Ärzteehepaares Stoerk, das 1916 bei einem Lawinenunglück ums Leben gekommen war). Beiden Ehemännern war es ebenfalls gelungen, sich nach Südfrankreich zu retten, und so versuchten sie zu fünft, die Flucht über den Atlantik anzutreten. Zunächst war der Gedanke aufgekommen, nach Mexiko zu reisen, doch dann fiel die Entscheidung zugunsten der Überfahrt in die USA. Von dort aus hatte sich Stefan bereits beim Emergency Rescue Committee für ein Einreisevisum eingesetzt, wobei er nicht vergaß, Friderike noch darüber zu informieren, wie aussichtslos es für ihn sei, ein solches Papier gleich für fünf Personen zu beantragen. Der alte Ärger über Suse und Alix spielte dabei keine geringe

Rolle: Nun, da sie verheiratet waren, hätten sich aus Stefans Sicht die Ehemänner verantwortlich fühlen sollen, alle nötigen Dokumente zu besorgen – ein völlig überflüssiger Seitenhieb seinerseits, denn selbstverständlich war man auf der anderen Seite nicht so untätig geblieben, wie er es sich vorstellen mochte. Am Ende konnte Friderike mit ihren Töchtern und Schwiegersöhnen auf abenteuerlichen Wegen nach Spanien und schließlich nach Portugal flüchten und von dort mit Besucher-Visa in die USA reisen, wo sie Mitte Oktober eintreffen sollten.

Stefan und Lotte wohnten vor ihrer für den August geplanten Weiterfahrt nach Rio einige Wochen im Wyndham Hotel in New York, in dem sie schon bei ihrem letzten Aufenthalt abgestiegen waren. Es war keines jener riesigen Hotels mit zwei- oder dreitausend Zimmern, sondern ein vergleichsweise kleines Haus mit Apartments, von denen die Zweigs nun eines mit zwei Zimmern und einem Bad für sich gemietet hatten. Das Wyndham lag in der 58. Straße, unweit der Fifth Avenue und nur einen Block vom südlichen Ende des Central Parks entfernt.

Man traf überall auf altbekannte Gesichter, denn früher oder später kamen fast alle Schriftsteller aus Europa in den USA an: Klaus Mann lebte bereits hier, ebenso dessen Vater Thomas. Heinrich Mann sollte im Herbst mit demselben Schiff wie Friderike anlangen, und auch Carl Zuckmayer war nach Amerika übersiedelt, um nur einige wenige Namen zu nennen. Solange es möglich war, versuchte Zweig, sich mit Geld und durch seine Beziehungen für weniger gut gestellte Emigranten einzusetzen, doch es drohten sich die Londoner Verhältnisse einzustellen. Seine Hoteladresse gab er aus gutem Grund nur wenigen bekannt, und die Post empfing er über die Firma seines Verlegers Ben Huebsch.

Bis zu seiner Abreise traf sich Zweig oft mit seinem ebenfalls aus Österreich stammenden Kollegen Berthold Viertel, dem er seine alte und nie vollendete »Postfräuleingeschichte« zur Verfügung stellte. Nun entwickelten sie aus dem Erzählstoff des unvollendeten Romans gemeinsam ein Drehbuch für den Film *Das gestohlene Jahr*. – Wäre es eine Option, später einmal nach Hollywood zu gehen und sich dort als Autor zu betätigen? Angebote dazu hatte Zweig mehrfach bekommen, und einige seiner Bücher waren sehr erfolgreich verfilmt worden.

Am 9. August 1940 brachen Stefan und Lotte von New York zu seiner zweiten und Lottes ersten Reise nach Südamerika auf. Am 21. August trafen sie im Hafen von Rio de Janeiro ein. Dieses Mal hatte Stefan vehement darum gebeten, den Wirbel, den es bei seinem letzten Aufenthalt gegeben hatte, nicht zu wiederholen; es sollte eher eine Studienreise mit längeren Ruhepausen und wenigen Vorträgen werden. Dazu war genug Zeit eingeplant worden, denn es gab im Moment wenig, was die beiden nach Nordamerika oder gar nach Europa hätte zurückziehen können.

Im September unternahmen sie nach einem mehrwöchigen Aufenthalt in Rio eine ausgedehnte Fahrt durch das Landesinnere. Längst hatte Stefan geplant, ein Buch über Brasilien zu schreiben. Nach den Berichten und Feuilletons, die er im Anschluß an seine früheren Reisen in Zeitungen veröffentlicht hatte, sollte dies sein erstes umfangreiches Länderportrait überhaupt werden. Er dachte dabei an eine Art Brevier für Fremde, die, so wie Lotte und er, voller Staunen in das Land kamen und doch so wenig darüber wußten. Von Ende Oktober bis Mitte November waren die beiden in Chile, Uruguay und Argentinien unterwegs, wo allerdings ein enges Programm und übervolle Vortragssäle angekündigt waren. Mit der eigentlich gewünschten Ruhe sollte es spätestens jetzt vorbei sein. Diesmal war es Lotte, die über die einsetzende Hetzjagd nach Hause berichtete. Am 23. Oktober schrieb sie aus Rio an ihren Bruder und dessen Frau: »Wir fühlen uns einmal mehr wie in einem Irrenhaus – am Samstag fahren wir nach Buenos Aires, heute hält Stefan auf Französisch seinen Vortrag ›Das Wien von Gestern‹, seit zwei Stunden warten wir auf einen angekündigten Anruf aus Buenos Aires, ohne den Namen des Anrufers zu kennen und haben bis jetzt noch keine Verbindung, es sind dringend Bücher zu signieren für Leute, die Rio heute verlassen, morgen hat Stefan bei einer jüdischen Wohltätigkeitsveranstaltung die einleitenden Worte zu sprechen, ein Herrenessen zur Mittagszeit und dann noch eine letzte Probe seiner spanischen Rede für Freitag. Zwischendurch diktiert mir Stefan einen Vortrag auf Englisch, das heißt, ich übersetze ihn und er wird ihn überarbeiten, eine weitere Vorlesung vor Flüchtlingen in Buenos Aires und sieht seine anderen Vorträge auf Französisch durch, die er vielleicht noch zu halten hat, und irgendwann muß ich packen – und

zwar sorgfältig packen, denn wir werden fliegen und ich muß genau entscheiden, was mitzunehmen ist.«[4]

Zweigs argentinischer Übersetzer Alfredo Cahn hatte ihn schon frühzeitig über die geplanten Vorträge und Reden informiert. In seiner über-
schwenglichen Begeisterung für Zweig und dessen Werke hatte er sich an
den Vorbereitungen zum Reiseprogramm intensiv beteiligt: Am 29. Oktober sollte Zweig in Buenos Aires sprechen, zwei Tage darauf in Rosa-
rio. Am 4. November an der Universität Córdoba, am 6. im dortigen
Jockey Club und am 12. war schließlich noch eine Ansprache vor Juden
in Buenos Aires vorgesehen. Die Einkünfte der Veranstaltungen wollte
Zweig verschiedenen Flüchtlingsorganisationen zur Verfügung stellen.
Sein Spanisch war inzwischen einigermaßen gefestigt, so daß er Texte
vom Blatt vortragen konnte. Er hatte sich schon 1932 ein wenig mit der
Sprache beschäftigt und lernte nun Aussprache und Feinheiten hinzu.
Auch Portugiesisch versuchte er sich anzueignen, so gut es in dieser Si-
tuation eben möglich war.

In Argentinien war neben den Vortragsverpflichtungen noch eine
wichtige organisatorische Frage zu erledigen: Am 5. November wurde
Lotte und Stefan im brasilianischen Generalkonsulat in Buenos Aires ein
Daueraufenthaltsvisum für Brasilien ausgestellt. Somit hatten sie, falls die
Rückkehr nach Europa unmöglich würde und die USA ihnen ein Visum
verwehren sollten, wenigstens einen langfristigen Rückzugsort in Aussicht. Während Lotte und Stefan sich immer und immer wieder mit wid-
rigen Einreise- und Visafragen zu beschäftigen hatten, wurde im fernen
Deutschland seine Ausbürgerung vollzogen, was nur noch ein formeller
Akt war und ihm wenig anhaben konnte. Fraglich ist, ob er von diesem
Vorgang und der später erfolgten Entziehung seines Doktortitels überhaupt je erfahren hat: Im *Reichs- und Staatsanzeiger* vom 5. Dezember 1940
wurde die Bekanntmachung veröffentlicht, daß drei Tage zuvor 171 Personen nach geltendem Gesetzen der Deutschen Staatsangehörigkeit für
verlustig erklärt worden waren. Mit den im Deutschen Reich geforderten zusätzlichen Vornamen für Juden sind unter den laufenden Nummern 170 und 171 »Zweig, Stefan Israel« und »Zweig, Friderike Sara Maria, geb. Burger, gesch. Winternitz« aufgeführt.[5]

Von Argentinien kehrten Lotte und Stefan nach Rio zurück, wo sie sich im Hotel Central bald wieder von den Strapazen der Reise erholt hatten. Nach ihrer Einreise hatten beide zusätzlich zu ihren neuen Visa einen brasilianischen Ausländerpaß erhalten, der ihnen noch mehr Sicherheit bot. Das Klima war für Ende November noch einigermaßen erträglich und so zog sich Stefan die meiste Zeit des Tages in sein Zimmer oder auf die Terrasse mit Blick auf die Bucht zum Schreiben zurück. Das Buch über Brasilien und sein autobiographisches Werk waren in Arbeit, andere Projekte schon in Planung: Ein weiterer Roman und eine Abhandlung über Amerigo Vespucci, nach dessen Vornamen der Kontinent benannt worden war, auf dem Zweig nun Fuß zu fassen versuchte.

Auch die Feiertage am Jahresende verbrachten Stefan und Lotte noch in Rio. Als Weihnachtsgruß an seine Freunde verschickte Stefan seine Übertragung einer Strophe aus dem im Jahr 1572 veröffentlichten Werk *Os Lusíadas* des portugiesischen Nationaldichters Luís Vaz de Camões:

Weh, wieviel Not und Fährnis auf dem Meere,
Wie nah der Tod in tausendfach Gestalten!
Auf Erden, wieviel Krieg! Wieviel der Ehre,
Verhasst Geschäft. Ach dass nur eine Falte
Des Erdballs für den Menschen sicher wäre
Sein bischen Dasein friedlich durchzuhalten
Indess die Himmel wetteifern im Sturm.
Und gegen wen? Den ärmsten Erdenwurm![6]

Im Januar stand die Rückreise in die USA an, doch war sich Stefan sicher, daß er sich nicht für längere Zeit nach New York begeben wollte. Auf den dortigen Trubel, die Besucher, das unablässig klingelnde Telephon und die bedrückenden Geschichten der Neuankömmlinge aus Europa konnte er leicht verzichten. Um an seinen Manuskripten weiterarbeiten zu können, benötigte er allerdings dringend einige seltene Bücher. So fiel die Entscheidung, sich für eine Weile in New Haven niederzulassen und dort in der Bibliothek der Yale University zu forschen.

Bevor Lotte und Stefan von New York dorthin aufbrachen, kam es für ihn Ende Januar 1941 noch zu einer besonderen Begegnung: »Am dreiundzwanzigsten des Monats begab ich mich vormittags mit meiner Tochter auf das englische Konsulat«, schreibt Friderike Zweig in ihren Memoiren, »als ich dort aus einem der vielen Aufzüge in die Halle des Hauses trete, steht vor der sich öffnenden Tür – Stefan. Er war von Florida mit dem Flugzeug eine halbe Stunde zuvor angekommen und hatte sich sogleich zur pflichtgemässen Anmeldung mit seinem und Lottes Pass zu seinem Konsulat begeben. Unter den sieben Millionen Menschen der Stadt New York waren wir einander zufällig begegnet. Das Schicksal wollte nach seiner Ankunft auch nicht eine halbe Stunde lang das Sich-Wiederfinden in der Schwebe lassen.«[7] Nach Monaten der Ungewißheit sah man sich nun in Sicherheit wieder und konnte sich in die Arme schließen. In ihren Erinnerungen verschweigt Friderike allerdings, daß Stefan an jenem Tag von seinem Bruder Alfred begleitet wurde, der ihn in seiner neuen Heimatstadt New York willkommen geheißen hatte. Die Stimmung des Wiedersehens war durch dessen Anwesenheit erheblich gedämpft worden. Alfred hielt Friderike nach dem Scheidungsdrama, über das er nur einseitig von Stefan informiert worden war, für eine hinterhältige Persönlichkeit, die auch nach der Trennung noch versuchte, Stefan zu beeinflussen. Ausgerechnet sie unter sieben Millionen Menschen in New York wiederzusehen, behagte Alfred keineswegs. Die Beziehung zwischen Stefan und seinem Bruder wurde in den kommenden Monaten auf eine harte Belastungsprobe gestellt, nachdem Alfred erfahren hatte, daß Stefan auch weiterhin mit seiner geschiedenen Frau korrespondierte, ja bald sogar wieder gesellschaftlich verkehrte und ihr zu allem Überfluß auch noch eine Rente zugesagt hatte.

Von Mitte Februar bis Anfang April wohnten Stefan und Lotte wie geplant im Taft Hotel in New Haven, wo er für seine Arbeit etwas Ruhe fand. Im März war das Buch über Brasilien beendet, und das Manuskript ging sogleich an seinen Verleger in Rio, der den vielversprechenden Band so bald als möglich auf den Markt bringen wollte. Doch auch im Hotel war man nicht von den Nachrichten über den Krieg und seine Folgen abgeschnitten. Zu den allgemeinen Sorgen kamen weiterhin auch Ängste um die Familie und Freunde. Stefan erfuhr erst jetzt, daß Erwin Rieger schon im Vorjahr unter mysteriösen Umständen in Nordafrika verstorben war, Lotte dachte an das Schicksal ihres Bruders und seiner Frau in England, wo die deutsche Luftwaffe längst ihre Angriffe flog. Die Zentrale der BBC am Portland Place, gleich gegenüber von Stefans früherer Londoner Wohnung, war von Bomben getroffen worden, und auch das Haus, in dem er gelebt hatte, wurde bei einem Angriff schwer beschädigt. Wenigstens war Lottes elfjährige Nichte Eva vor einigen Monaten in ein Internat nach Croton nördlich von New York geschickt worden, wo man sie in Sicherheit wußte.

Von New Haven – einer Stadt, die neben der Universitätsbibliothek keinerlei Abwechslung bot, wie Stefan feststellen mußte – kehrte er mit Lotte wieder ins Wyndham nach New York zurück, wo sie dieselbe Suite bezogen, die sie schon vorher bewohnt hatten. Lange, soviel stand fest, würden sie hier nicht bleiben wollen. Und sie konnten es vorerst auch nicht, denn ihre Aufenthaltsdauer in den USA war dadurch begrenzt, daß sie beide nur ein Transitvisum hatten. Während Stefan sich weiterhin um Bürgschaften und finanzielle Unterstützung für andere Exilanten kümmerte, blieb er in der eigenen Angelegenheit nahezu untätig. Er fühlte sich mehr als unwohl in seinem Zustand und konnte doch nicht aus seiner Rolle entfliehen. Noch immer kümmerte er sich mit gewohnter Fürsorge um die Belange der Kollegen, die sich, wie er meinte, oft Wunder von ihm erhofften, die er nicht zu vollbringen imstande war. Zweig diktierte Briefe in gewohnt verbindlichem Ton, lobte deren Bücher und ermutigte sie, weitere Texte zu publizieren. Dem aus Hamburg stammenden und nun in Manhattan lebenden Ivan Heilbut sagte er sogar noch zu, für dessen angekündigte Gedichtsammlung ein kurzes Vorwort zu verfassen.

Neben den Belastungen des Krieges wurde Zweig von weiteren Ängsten geplagt: Seine Furcht vor dem Altwerden hatte sich spätestens mit Blick auf seinen im November bevorstehenden 60. Geburtstag wieder bemerkbar gemacht. Im Frühjahr traf er sich mit Carl Zuckmayer in einem französischen Restaurant in Manhattan. Glückliche Erinnerungen an kläffende Hunde und amüsante Ausflüge zogen im Gespräch vorüber, doch als die Sprache auf die nunmehr fast zehn Jahre zurückliegende »Flucht« vor seinem 50. Geburtstag kam, den sie gemeinsam in München verbracht hatten, änderte sich Zweigs Stimmung schnell. Sechzig Jahre, so sagte er zu Zuckmayer, seien genug, er erwarte nicht mehr, daß er noch gute Zeiten erleben werde – dem hatte der Kollege wenig entgegenzusetzen.

Am 6. Mai hinterlegte Zweig bei seinen New Yorker Anwälten sein Testament, in dem er Lotte als Alleinerbin einsetzte. Sollte sie vor ihm sterben oder sie beide durch einen Unfall oder ein sonstiges Unglück zur gleichen Zeit ums Leben kommen, so sollte sein Erbe an Lottes Bruder Manfred und dessen Frau und Nachkommen übergehen.

Ende des Monats verabredete sich Zweig mit dem aus Deutschland stammenden Photographen Kurt Severin, der im Auftrag der Agentur Three Lions eine Bilderserie von ihm anfertigen sollte. Zunächst machte Severin einige Aufnahmen von Stefan beim Diktat mit Lotte an der Schreibmaschine und von Stefan beim Schreiben (in seinem Sessel sitzend, mit einem Holzbrett auf den übereinandergeschlagenen Beinen und einem Bleistift in der Hand). Anschließend gingen Zweig und Severin durch die Straßen in der näheren Umgebung des Hotels und machten einige Außenaufnahmen: Zweig auf den Treppenstufen beim Verlassen der Public Library (selbstverständlich mit einem Buch unter dem Arm, das eigens als Requisite mitgenommen worden war), auf dem Oberdeck eines offenen Doppeldeckerbusses zwischen den Wolkenkratzern in der Fifth Avenue, schließlich beim Stöbern in den Auslagen eines Secondhand-Buchladens in der Third Avenue und bei einem Besuch seines Verlegers Huebsch. Ein annähernd entspannter Gesichtsausdruck hatte Zweig auf keinem der Bilder gelingen wollen.

Wenige Tage darauf gaben Lotte und Stefan im Wyndham jenen Cocktail-Empfang, bei dem neben anderen Bekannten aus Europa auch Klaus Mann zugegen war. Die Stimmung war einigermaßen gelöst, man plauderte und versuchte zu scherzen. Die Zweigs planten, die bevorstehenden Sommermonate außerhalb der Stadt zu verbringen, an einem ruhigen Platz, wo die Hitze einigermaßen erträglich wäre. Ihre Wahl fiel auf Ossining on the Hudson, das ganz in der Nähe von Croton lag, wo Lot-

Stefan Zweig beim Buchkauf in der Third Avenue in New York im Mai 1941

tes Nichte Eva im Internat lebte. Mit dem Zug fuhr man vom Grand Central Terminal in Manhattan gut eine Stunde den Hudson River aufwärts bis man die kleine Stadt erreichte. Die Gegend war gemeinhin nicht als ein idyllischer Platz für die Sommerfrische, sondern als Standort des berühmt-berüchtigten Gefängnisses Sing Sing bekannt. Sprach man in New York davon, daß jemand »up the River« gebracht wurde, so bedeutete dies für den Betreffenden nichts Gutes. Erst als sie ein Haus gefunden hatten, das für einige Wochen zu mieten war, erfuhren Stefan und Lotte, daß sich auch Friderike mit ihren Töchtern und Schwiegersöhnen hier niedergelassen hatte.

Stefan hatte geplant, in den kommenden Wochen seine Autobiographie weitgehend abzuschließen, von der er dem Journalisten H. O. Gerngroß vor gut einem Jahr im Interview erzählt hatte, sie werde den Titel »Meine drei Leben« tragen. Schon auf seiner Tournee durch Südamerika hatte Zweig vor europäischen Emigranten über »Das Wien von Gestern« berichtet, und dies war auch der Titel seines letzten Vortrags gewesen, den er 1940 in Europa gehalten hatte. Nun versuchte er, sich weiter mit diesem Thema zu beschäftigen und es zu einem großen Portrait seiner Zeit auszubauen.

»Blick auf mein Leben« war das Manuskript nunmehr überschrieben. Auf der letzten Seite ist die Orts- und Datumsangabe »Ossining 1–30 Juli 41« zu lesen.[8] Als eines der wenigen Werke Zweigs ist es in der Frühfassung komplett erhalten und ermöglicht so einen Blick in die Werkstatt des Autors. Die linierten Seiten sind eng und fast bis an den Rand mit violetter Tinte beschrieben. Der Text wurde nach der ersten Niederschrift überarbeitet, zahlreiche Passagen durchstrichen und die neu einzufügenden Sätze zwischen die Zeilen gequetscht oder an den schmalen Rändern notiert und mit Pfeilen und Einfügungszeichen der richtigen Stelle zugeordnet – Zweigs Manuskripte konnten durchaus so aussehen, wie jene, die er von anderen Autoren einst in seiner Sammlung zusammengetragen hatte.

In Ossining bekam er oft Besuch von Friderike und sprach mit ihr über vergangene Zeiten, was ihm bei der Niederschrift des Textes sehr hilfreich war. Doch bereits in dieser Fassung des Manuskriptes zeichnet sich ab, daß das Buch keine Autobiographie im strengeren Sinne werden würde. Schon jetzt lauteten die ersten Sätze beinahe wie im späteren Druck: »Ich habe meiner Person niemals soviel Wichtigkeit beigemessen, als dass es mich verlockt hätte, anderen die Geschichte meines Lebens zu erzählen. Viel musste sich ereignen, unendlich mehr als sonst einer einzelnen Generation an Geschehnissen, Katastrophen und Prüfungen zugeteilt ist, ehe ich den Mut fand ein Buch zu beginnen, das mein Ich zur Hauptperson hat oder – besser gesagt – zum Mittelpunkt. Aber Nichts liegt mir ferner als mich voranzustellen, es sei denn im Sinne des Erklärers bei einem Lichtbildervortrag: Die Zeit gibt die Bilder, ich spreche nur die Worte dazu, und es wird eigentlich nicht sosehr mein Schicksal sein, das ich erzähle, sondern das einer ganzen Generation – einer einmaligen Generation, die wie keine im Laufe der Geschichte mit Schicksal beladen worden ist.« Hierauf folgen Kapitel über die Kinder- und Jugendzeit in Wien, die frühen Reisen nach Paris und auf andere Kontinente, den Ersten Weltkrieg und die Jahre in Salzburg, schließlich über die Hausdurchsuchung und den Rückzug nach England. Das Buch endet mit dem ersten Tag des Zweiten Weltkrieges, mit der Beschreibung der Szenerie im Standesamt in Bath (wobei Zweig lediglich anmerkt, daß er dort zum zweiten Mal hatte heiraten wollen, Lotte wird, wie auch Friderike, im gesamten Buch nicht als Person erwähnt). Die Passage über die Hochzeitsvorbereitungen ist im Manuskript aus Ossining nicht zu finden, eine Seitenangabe verweist an der entsprechenden Stelle jedoch auf eine frühere Niederschrift, aus der die Absätze offenbar übernommen werden sollten. Im späteren Buch ist die Beschreibung dann zu lesen. Freilich hatte der englische Standesbeamte, den Zweig in seinem Tagebuch noch so sehr für seine Ruhe und Besonnenheit bewundert hatte, aus dramaturgischen Gründen auch gleich die Botschaft zu überbringen, daß das Brautpaar fortan zu den feindlichen Ausländern gezählt würde, was Stefan und Lotte tatsächlich erst drei Tage später bei der Registrierung ihrer Daten auf dem Polizeirevier erfahren hatten. Nachdem die Tür des Standesamtes geöffnet worden war und man die Mitteilung vom Kriegsbeginn erhalten hatte, klang die Geschichte jetzt wie folgt: »Unterdessen hatte der andere Beamte, der unseren Heiratsschein bereits auszuschreiben begonnen hatte, nachdenklich die Feder hingelegt. Wir seien doch schließlich Ausländer, überlegte er, und würden im Falle eines Krieges automatisch zu feindlichen Ausländern. Er wisse nicht, ob eine Eheschließung in diesem Falle noch zulässig sei. Es tue ihm leid, aber er wolle sich jedenfalls nach London um Instruktionen wenden. – Dann kamen noch zwei Tage Warten, Hoffen, Fürchten, zwei Tage der grauenhaftesten Spannung. Am Sonntagmorgen verkündete das Radio die Nachricht, England habe Deutschland den Krieg erklärt.«[9]

Am Ende des 16. und damit letzten Kapitels, noch unter der Datumsangabe, hatte Zweig im Manuskript folgende Sätze geschrieben, die er später ausstrich und nicht in die Endfassung übernahm: »Dies war der erste Tag. Dann kamen andere, helle und dunkle, langweilige und leere, kam die ganze rollende Zeit des Krieges, von der ich nicht spreche. Während ich diese Blätter schreibe, schreibt seine Hand mit härterer und blutiger Schrift seine eherne Chronik und noch stehen wir am Anfang des Anfangs. Erst wenn er endet, ziemt es sich für uns wieder zu beginnen.«

Nachdem Lotte den gesamten Text mit der Schreibmaschine abgeschrieben hatte und alle Änderungen nachgetragen worden waren, schenkte Stefan die handschriftliche Version der Library of Congress in Washington D. C. als Dank für viele lehrreiche Stunden, die er in öffentlichen Bibliotheken in Amerika verbracht hatte, wie er als Widmung auf dem Titelblatt hinzufügte.

Die Arbeit schritt gut voran und die Stunden mit Friderike waren auch für Lotte nicht unangenehm. Man schien inzwischen einen Weg gefunden zu haben, miteinander umzugehen. Selbst Suse kam zu Besuch und machte mit ihrer Kamera eine ganze Serie von Aufnahmen, die Stefan in einem Korbsessel auf dem Rasen vor der Tür seines Hauses in der Ramapo Road 7 zeigen. Sein Blick wirkt auf den Bildern abwesend und starr. Obwohl er auf einigen der Aufnahmen zu lächeln versucht, wirken seine Züge müde und wie versteinert.

Während der Zeit in Ossining stellte Lotte durch das Zusammensein mit anderen Autoren fest, daß nicht allein Stefan von Depressionen erfaßt wurde, sondern früher oder später wohl jeder Exilautor damit zu kämpfen hatte. Dementsprechend düster bis makaber konnten die Ge-

344 *Eine Welt von Morgen?*

sprächsthemen sein, die an den Abenden bei Besuchen von Stefans Kollegen diskutiert wurden. René Fülöp-Miller erinnert sich, daß Zweig bei einem solchen Treffen die Sprache mehrfach auf die Psychologie der letzten Lebensstunden und die Frage der Dosierung letaler Gifte gebracht hatte. Lotte machte sich viele Gedanken über seinen Zustand und war dabei selbst gesundheitlich angeschlagen, denn ihr allergisches Asthma war mit einer Therapie behandelt worden, deren Nebenwirkungen ihr erheblich zusetzten. Am 21. Juli schrieb sie an ihre Schwägerin in London: »Ab und zu muß ich einen Brief schreiben, den Stefan nicht ›zensiert‹ bevor ich ihn verschicke. Ich bin im Moment etwas besorgt um ihn, er ist deprimiert, nicht bloß, weil es wirklich kein Vergnügen ist solch ein unbeständiges Leben zu führen, immer abzuwarten, was am nächsten Tag geschehen wird, bevor man die nächste kurzfristige Entscheidung trifft, sondern auch aufgrund des Krieges, der jetzt zu einem wahren Massenmord wird und ihm scheinbar wie ein unendlich großes Gewicht auf die Seele drückt. Ich hoffe, diese Stimmung wird bald vorübergehen, und ich wünschte, ich hätte etwas von jenen Menschen, die anderen gut zureden und auf irgendeine Art Mut und Hoffnung geben können. [. . .] Aber ich kann ihm nicht mit Worten aus seiner derzeitigen Stimmung helfen und nur abwarten, bis er selbst wieder herausfindet – wie er es auch in früheren Fällen tat. Glücklicherweise hält ihn das nicht vom Arbeiten ab, sondern treibt ihn im Gegenteil zu mehr und mehr Arbeit. Und ich hoffe, daß er sich besser fühlen wird, wenn die Entscheidung zwischen den Staaten und Brasilien, die wieder einmal zu treffen ist, gefällt sein wird.« Um Stefan aus seiner Depression zu helfen, bat Lotte ihre Schwägerin noch darum, die bereits fertigen Kapitel des Balzac-Buches über Stefans Verleger Flower nach New York senden zu lassen: »Stefan sagt, er möchte das nicht, aber ich bin davon überzeugt, daß er sehr glücklich sein wird, wenn er sie bekommt.«[10]

In schlechter Verfassung begaben sich Lotte und Stefan früher als geplant zurück ins Wyndham nach New York. An Heinrich Eisemann schrieb er nach England: »Ich fühle mich außerordentlich müde und deprimiert. [. . .] Nie weiß ich, wo ich die kommenden zwei Monate verbringen werde, alle möglichen Schwierigkeiten werden nur immer größer und die Vorstellung, daß der Krieg noch für [unleserlich] Jahre weitergehen kann, treibt mich fast in den Wahnsinn. Manchmal – Sie werden es nicht glauben – sehne ich mich danach, in mein kleines Heim zurückzukehren und dort meine Bücher zu haben und den Balzac fortzusetzen, den ich ›zu Hause‹ zurückgelassen habe. [. . .] Ich bin schrecklich müde und manchmal bemitleide ich die arme Lotte, daß sie all meine Trübsal miterleben muß.« Zweig ergänzte noch, daß er sich auch nach einem Untergang Hitlers nicht mehr in der Lage sähe, ein neues Leben zu beginnen. Er wisse längst, warum Leute mit 60 Jahren pensioniert würden.[11]

Bald darauf stand der Entschluß fest, wieder nach Brasilien zu fahren. Wollten die Zweigs ein Visum zum dauernden Aufenthalt in den USA bekommen, so mußten sie mit ihren bisherigen Transitvisa in jedem Fall zunächst ausreisen und anschließend in einem Konsulat oder einer Botschaft der Vereinigten Staaten den entsprechenden Antrag stellen. Diese Prozedur wäre auch über die Nachbarstaaten Mexiko oder das vergleichsweise nahe gelegene Kanada möglich gewesen, doch hätte man dafür Visa für diese Länder benötigt. Aber was wollte man eigentlich in den USA anfangen, wenn man den entscheidenden Stempel endlich im Paß gehabt hätte?

Wenige Tage vor der geplanten Abreise nach Brasilien gingen die Besucher in der Suite der Zweigs im Wyndham Hotel ein und aus. Es galt Abschied zu nehmen, wie so oft in den vergangenen Jahren. Per Telegramm hatte Zweig auch Joachim Maass gebeten, an einem Abend zu ihm zu kommen. Als Maass im Hotel eintraf, brachte Zweig gerade Berthold Viertel zur Tür, Lotte saß im anderen Zimmer bei der Arbeit an ihrer Remington-Reiseschreibmaschine. Zweig wirkte angespannt und zerstreut, was Maass sofort auffiel, denn so hatte er seinen Kollegen noch nie erlebt: »die sonst bei ihm übliche heitere Aufmerksamkeit wollte sich nicht einfinden, obwohl er sich spürbar darum mühte, aber immer nur für Augenblicke, dann hatte diese ablenkende innere Beschäftigtheit ihn wieder fest im Griff.« Schließlich begaben sich Stefan, Lotte und ihr Gast zum Essen in ein Wiener Restaurant. Aber auch dort kam Zweig nicht zur Ruhe, berichtete vielmehr verärgert über »alberne Reise-Formalitäten« und »Zoll-Idiotien«, die ihm die kostbare Zeit stahlen. Alle Versuche, das

Gesprächsthema ins Lächerliche zu ziehen und ihn zu beruhigen schlugen fehl. Maass erinnert sich an Zweigs Reaktion: »›Das lohnt sich alles nicht‹, sagte er mit einer verbitterten Kopfbewegung, fuhr sich mit der Linken leidend über die Stirn und rückte plötzlich, wiewohl wir beiden andern noch beim Essen waren, den Stuhl von der Tafel ab. Dies Bild hat sich mir unvergeßlich eingeprägt: den linken Ellenbogen auf dem Tischtuch, saß er mit übergeschlagenen Beinen da, wippte ohne Unterlaß mit Knie und Fuß, rieb seine Hände – diese schönen, gepflegten Hände – wie knetend ineinander und ließ seinen unzufriedenen Blick im Raume umherschweifen. Er war immer ein genießerischer und höflicher Mann gewesen. Ich versuchte es mit einer Erkundigung nach seinem neuen Buch [. . .], über das wir viel gesprochen hatten. ›Das ist fertig‹, sagte er gestört: ›erledigt. Glaub mir, es hängt mir zum Halse raus.‹ Ihm war nicht beizukommen.« Nach einem frühzeitigen Aufbruch ging Stefan auf dem Rückweg seinen beiden Begleitern einen halben Schritt voraus. Im Hotel angekommen sagte er, er müsse sich ein wenig ausruhen und schlug vor, daß Lotte und Maass noch in die Hotelbar gehen könnten und man sich später im Zimmer voneinander verabschieden könne, was so auch geschah. Maass erzählt weiter: »Als wir nun zu ihm ins Schlafzimmer traten, lag er in einem weißen Pyjama, übrigens aber unbedeckt (denn es war noch warm), auf dem einen Bette. Er ließ das Buch, in dem er gelesen, sinken und wirkte jetzt viel harmonischer als vorher. Ich saß bei ihm auf dem Bettrand, wir plauderten wie in alter Zeit, von der Sache, an der ich gerade arbeitete, von meiner Tätigkeit als literarischer Mentor hübscher junger Damen [. . .], er scherzte darüber und sprach, ganz anders als vor ein paar Stunden, mit bewegten Worten über Brasilien, über die Gastlichkeit und Schönheit des Landes, die es ihm fast heimatlich angetan hätten.«[12] Als man sich schließlich schon voneinander verabschiedet hatte und Maass bereits auf dem Weg zur Tür war, rief ihn Zweig zurück und überreichte ihm ein besonderes Geschenk: Die Remington-Schreibmaschine, auf der Lotte zuvor noch gearbeitet hatte. Statt sie mit dem übrigen Gepäck mit nach Brasilien zu nehmen, sei es einfacher, sich vor Ort eine neue Maschine zu kaufen, sagte Zweig, und verabschiedete seinen Gast endgültig. Die Erklärung leuchtete Maass ein, doch mochte er sich auf dem Heimweg seine Gedanken gemacht haben, über einen Schriftsteller, der ohne Not die Schreibmaschine verschenkte, auf der eben große Teile seiner Autobiographie getippt worden waren. Sollte ihm dieses Stück denn nicht mehr gewesen sein als bloß ein Werkzeug?

Am 27. August fuhr der Dampfer *Uruguay* mit Stefan und Lotte Zweig an Bord in den Hafen von Rio de Janeiro ein. Wie Stefan es fast schon gewohnt war, stand ein Empfangskomitee mit Vertretern des Außenministeriums bereit, obwohl er seine Ankunft nur wenigen mitgeteilt hatte. Kaum hatte man Lotte und ihm die Hand geschüttelt, stellte sich allerdings heraus, daß man eigentlich hergekommen war, um einen ausländischen Diplomaten zu begrüßen.

Wie von Wien nach Salzburg, von London nach Bath und von New York nach New Haven und Ossining trat Stefan auch von Rio die Flucht in eine kleinere Stadt an. Nach drei Wochen im Hotel zogen Lotte und er in den Ort Petrópolis in den Bergen vor Rio, in jene Gegend, die Stefan bei seiner ersten Fahrt dorthin an den Semmering in Österreich erinnert hatte. In der Rua Gonçalves Dias 34 mieteten sie zunächst für ein halbes Jahr einen kleinen möblierten Bungalow. Die Region war ein traditioneller Rückzugsort für reiche Bewohner Rios, die vor allem im Sommer das mildere Klima in die Berge lockte. Die Abgeschiedenheit und die im Winter der Südhalbkugel recht angenehmen Temperaturen ließen für Stefan und Lotte etwas Hoffnung auf die bitter nötige Entspannung aufkommen. An Heinrich Eisemann hatte er noch aus dem Hotel in Rio geschrieben: »Ich hatte eine Art Zusammenbruch, und die Vereinigten Staaten waren zu groß für mich. Ich konnte dieses Leben in Hotels nicht länger ertragen. [...] An Bücher und Autographen denke ich gar nicht mehr, all das gehört in ein früheres Leben, das nie mehr zurückkehren wird, ein Leben, in dem Schönheit ihren Wert hatte und man Zeit und Muße hatte, sie zu genießen.«[13] In der Tat war sein Interesse an alten Büchern und Handschriften schon seit der Abfahrt aus Europa auf ein Minimum gesunken. Alle kostbareren Bände seiner Bibliothek waren in Bath zurückgeblieben, in New York hatte er nur wenige neue als Arbeitsmaterial erworben und kaum eines davon mit nach Brasilien gebracht. Auch von den Autographen hatte er nun nur noch einige dabei; Mozarts *Veilchen* und eine der Korrekturfahnen Balzacs gehörten dazu. Vor seiner Abreise hatte Stefan noch finanzielle Angelegenheiten mit Alfred geklärt und ihm als Ausgleich für die Ausgaben der vergangenen Jahre zwei Zeichnungen Rembrandts überlassen, die er vor nicht allzu langer Zeit über Eisemann erworben hatte, da seinerzeit keine hochwertigen Autographen als Geldanlage zu bekommen gewesen waren.

Nach den belastenden Wochen in den USA hing viel davon ab, ob Brasilien mit seinen Reizen die alte Wirkung auf Zweig hätte. Gleich in den ersten Wochen drohte sein positives Bild des Landes einige Kratzer zu bekommen: Sein Buch *Brasilien – Ein Land der Zukunft* war in Koogans Verlag Guanabara erschienen und hatte trotz guter Kritiken für einigen Unmut gesorgt. Zweig war ein Werk über die Geschichte und Kultur des Landes gelungen, doch nur die wenigsten Leser wollten darin ihr »Land der Zukunft« erkennen: Technische Errungenschaften, auf die man sehr stolz war, hatte Zweig kaum der Erwähnung für wert gehalten, er hatte stattdessen für Naturwunder und idyllische Orte geschwärmt. Viel schlimmer als dieses gegenseitige Mißverständnis war das sich hartnäckig haltende Gerücht, er habe das Buch nicht aus eigenem Antrieb, sondern im Auftrag der Regierung geschrieben, um damit die Dauervisa für sich und seine Frau abzugelten. Zwar gibt es keinerlei Anhaltspunkt dafür, daß dies der Wahrheit entsprechen könnte, doch gestaltete sich die Entkräftung dieses Vorwurfs als sehr schwierig, zumal die leidige Diskussion zusätzlichen Zündstoff erhielt, als bekannt wurde, daß bei der letzten Reise durch Südamerika Flüge des Ehepaares von der brasilianischen Regierung finanziert worden waren.

Vor diesen entnervenden Debatten, die um so unangenehmer waren, da Präsident Vargas sein Land auf diktatorische Weise regierte, versuchte sich Stefan bald wieder in seine Arbeit zurückzuziehen. Lotte und er verbrachten viel Zeit in Petrópolis und Besucher gab es dort nur wenige. In Rio traf man sich öfter mit Stefans Verleger Abrahão Koogan, gelegentlich auch mit Friderikes Bruder Siegfried Burger, der mit seiner Frau Clarissa und seinem Sohn Ferdinand dort lebte. Den Berliner Zeitungsredakteur Ernst Feder, den es ebenfalls ins Exil nach Petrópolis verschlagen hatte, sah Zweig nun öfter zu Diskussionen und zum gemeinsamen

Schachspiel, wie einst mit dem »Schachfuchs« in Salzburg. Das Spiel interessierte ihn noch immer auf besondere Weise, und er hatte eine Novelle entworfen, in deren Mittelpunkt ein von den Faschisten verfolgter Mann stehen sollte, der sich in seiner Gefangenschaft durch das Schachspiel gegen ein imaginäres Gegenüber in eine sichere Welt zu flüchten versucht.

Langsam aber stetig fand Stefan nach seinem Tief von Ossining wieder zu seinen Manuskripten und zu neuer Hoffnung zurück. Sein zweiter Roman unter dem Titel *Clarissa* war skizziert, und mit dem Humanisten Michel de Montaigne hatte er beim Durchstöbern einiger Bücher, die ihm Feder geliehen hatte, eine weitere Gestalt der Vergangenheit gefunden, über die er eine längere Abhandlung schreiben wollte. In einem Brief an Felix Braun berichtete er davon, daß er sich in der »lateinischen Sphäre« Brasiliens viel mehr zu Hause fühle als in den USA. Bei der Beschreibung seines neuen Wohnortes griff er wiederum auf einen Vergleich mit der alten Heimat zurück, als er erwähnte, daß Petrópolis »eine Art Miniatur-Ischl« sei. Weiter heißt es: »Wir haben einen winzigen Bungalow [. . .] gemietet, eine Negerin zur Bedienung, alles ist herrlich primitiv, Esel ziehen mit Bananen beladen an unseren Fenstern vorbei, Palmen und Urwald rings um uns und nachts ein unbeschreiblicher Sternenhimmel. Was uns fehlt sind Bücher und Freunde.«[14]

Die Einsamkeit bereitete auch Lotte Probleme. Sie sorgte sich sehr darum, Stefan mit ihren Erzählungen über die Kleinigkeiten des Alltags zu langweilen. Noch hatte sie keine Freundin gefunden, mit der sie sich hätte unterhalten können, und so verbrachte sie viel Zeit damit, sich in der noch fremden Sprache mit ihrem Dienstmädchen Aurea zu verständigen und mit ihr gemeinsam einen Speiseplan zusammenzustellen: »She has learned (and so have I) to make Palatschinken, Schmarren and Erdäpfelnudeln & other ›European‹ dishes«, konnte sie bald darauf vermelden.[15]

Anfang Dezember 1941 hielten sich Lotte und Stefan für einen Tag in Rio auf. Während er sich auf verschiedene Termine vorbereitete und eben beim Friseur war, um sich rasieren zu lassen, nutzte Lotte die Zeit, ihrer Schwägerin Hannah einen längeren Brief zu schreiben. Darin konnte sie glücklich mitteilen, daß sich Stefan inzwischen wieder besser fühlte.

Stefan und Lotte Zweig bei der Arbeit in Petrópolis

Seine Einstellung, daß in der Kriegszeit, ja sogar nach Ende des Krieges alles nutzlos wäre, hatte sich geändert, und er fand wieder Freude an seiner Arbeit. Nun hoffte er sogar, von seinen Gesprächspartnern einige Bücher leihen zu können. Lottes Plan, ihn zum Schreiben zu bewegen und ihm so aus seinen Depressionen zu helfen, schien aufzugehen. Das Manuskript der *Welt von Gestern* – so war die Autobiographie inzwischen betitelt – war abgeschlossen, und er wußte noch nicht, womit er sich als nächstes beschäftigen sollte. So bat Lotte ihre Schwägerin, sie möge in Bath das Ringbuch mit den Notizen zur Biographie Balzacs heraussuchen und, falls dies möglich erschien, von Richard Friedenthal auf der Schreibmaschine abtippen lassen. Diese Sicherheitskopie wäre dann nach Petrópolis zu senden, damit Stefan sein großangelegtes Projekt weiterführen könnte, das ihn wohl noch Jahre beschäftigen würde.

Diese Nachrichten waren doppelt erstaunlich, denn Stefans 60. Geburtstag und damit eine große Hürde in seinem Leben lag nur wenige Tage zurück. Lotte hatte in die Bemühungen um ihren Mann in den vergangenen Wochen auch ihre Umgebung einbezogen. So war es ihr gelungen, eine antiquarische Werkausgabe Balzacs zu erwerben, die sie Stefan zu seinem Festtag überreichen konnte. Koogan, mit dem sie an diesem Tag einen Ausflug unternommen hatten, brachte einen zehn Monate alten Drahthaar-Foxterrier als Geschenk mit (ein Spaniel war in Rio und Umgebung zu seinem größten Bedauern nicht aufzutreiben gewesen). Als Antwort auf die zahlreichen Glückwünsche, die er zur Feier des Tages erhalten hatte, verschickte Zweig ein Gedicht mit dem Titel *Der Sechzigjährige dankt*:

Linder schwebt der Stunden Reigen
Über schon ergrautem Haar,
Denn erst an des Bechers Neige
Wird der Grund, der gold'ne klar.

Vorgefühl des nahen Nachtens
Es verstört nicht – es entschwert!
Reine Lust des Weltbetrachtens
Kennt nur, wer nichts mehr begehrt,

Nicht mehr fragt, was er erreichte,
Nicht mehr klagt, was er gemißt,
Und dem Altern nur der leichte
Anfang seines Abschieds ist.

Niemals glänzt der Ausblick freier
Als im Glast des Scheidelichts,
Nie liebt man das Leben treuer
Als im Schatten des Verzichts.[16]

Der Geburtstag mit seinen Begleiterscheinungen schien erstaunlich gut überstanden und Stefan fand in seiner Zurückgezogenheit immer mehr Gefallen an seinen Studien zu Montaigne. Am ersten Weihnachstag erstattete er Joachim Maass Bericht über seine Arbeit: Die kleine Schachnovelle sei fertig, er hätte sie nur noch gern einem professionellen Spieler zur Korrektur vorgelegt. Mit dem Roman wollte es dagegen wieder einmal nicht recht vorangehen, aber der Essay über Montaigne versprach ihm zu gelingen, da er sich und seine Lebensumstände in dieser Person widergespiegelt sah, wie vor Jahren im *Erasmus* – und diese Art der Darstellung seiner Befindlichkeiten war es, die ihn reizte: »Alles Theoretische ist mir unzugänglich; ich kann mich nur in Gestalten und Symbolen einigermaßen zum Ausdruck bringen.«

Ansonsten hatte er zu berichten: »Äußeres Leben: nervenberuhigende Monotonie in einer zauberischen Landschaft. Umgang: die Leute aus dem Volk, die ich sprachlich nur zum Teil verstehe, aber die rührend sind in ihrer Güte, Herzlichkeit und Primitivität. Geistige Nahrung: eine Gesamtausgabe Balzacs, Montaigne und Goethe, also kein Freund unter zweihundert Jahren. Kameraden: ein süßer einjähriger Foxterrier, den ich zum Geburtstag geschenkt bekam und der die beginnende Kindischkeit meines Alters sichtbar fördert.«[17] Stefans und Lottes Weihnachtskarte an seine Schwägerin in New York trug auf der Vorderseite eine aus bunten Schmetterlingsflügeln geklebte Ansicht des Zuckerhuts in Rio, der, so merkte Lotte an, wirklich so aussehe wie auf der Darstellung. Stefan schrieb dazu einen kombinierten Gruß zu Weihnachten und zu Stefanies Geburts- und Namenstag (beides am 26. Dezember). Unterschrieben war alles von ihm, Lotte und – in alter Salzburger Tradition aus den Zeiten Kaspars – auch von »Plucky«, hinter dessen Namen Lotte noch erklärend »(dog)« hinzufügte.[18]

In Zweigs Briefen aus Petrópolis war über Monate wenig vom Krieg die Rede, der ihn kurz zuvor in beinahe jedem seiner Gedanken beschäftigt hatte. Doch dies war bloß eine trügerische Ruhe. Nach dem Angriff der Japaner auf Pearl Harbor waren auch die USA in den Kampf eingetreten, der sich nunmehr buchstäblich zu einem Weltkrieg auszuweiten drohte. So schien es nur eine Frage der Zeit zu sein, bis auch

Brasilien durch U-Boot-Angriffe im Atlantik oder auf andere Weise direkt in den Krieg verwickelt werden würde. Zensurbeschränkungen wurden erlassen, die Korrespondenz in die USA durfte nicht mehr in der Feindsprache Deutsch geführt werden, und die ohnehin langsame Postverbindung war durch Kontrollen und den Seekrieg weiter verlangsamt.

Wie in Bath war Zweig auch in Petrópolis zum »Radioten« geworden und hörte mit seinem kleinen Empfänger der Marke »Philco« täglich die neuesten Unglücksnachrichten. In seiner Phantasie hatte er immer wieder Horrorszenarien entworfen, die mit den eintretenden Ereignissen ein ums andere Mal von der Wirklichkeit übertroffen wurden. Dementsprechend sank seine Stimmung zu Anfang des Jahres 1942 erneut. Er war mit seiner Frau bereits ans Ende der Welt geflüchtet, wohin sollten sie sich nun noch retten? Aus einem Brief an Friderike vom 20. Januar 1942 werden seine Verbitterung und Verzweiflung deutlich, doch klingt seine Klage ruhiger und gefaßter als früher: »Es wird mir zunehmend zur Gewissheit, dass ich mein eigenes Haus nie wiedersehen und überall bloß ein wandernder Gast sein werde; es können sich jene glücklich schätzen, die imstande sind, an jedem Ort ein neues Leben zu beginnen. [. . .] Uns steht nur noch der Weg offen, still und würdig abzutreten.«[19] Längst sah er sein »drittes Leben« dem Ende zugehen – und er wußte, daß er kein viertes mehr beginnen wollte.

Ivan Heilbut gab am 13. Februar 1942 in einem New Yorker Postamt unter der Nummer 436 248 per Einschreiben einen Brief nach Petrópolis auf. Neben dem Anschreiben an Zweig enthielt das Kuvert eine Abschrift von Heilbuts eben fertiggestellter Gedichtsammlung und einen zugehörigen Prospekt mit der Ankündigung, daß diese demnächst in einem Buch unter dem Titel *Meine Wanderungen* mit einem Vorwort Stefan Zweigs gedruckt werde. Nun bat er Zweig, ihm den versprochenen kleinen Text zuzusenden. Heilbut blieb lange im Ungewissen darüber, ob sein Brief den Empfänger je erreicht hatte. Wochen später stellte er einen Nachforschungsantrag und erfuhr schließlich am 4. Juni, daß sein Kuvert am 21. Februar an Zweig übergeben worden war.[20] Eine Antwort auf seinen Brief hat Heilbut jedoch nicht mehr bekommen; er versah sein Buch, das noch im selben Jahr in New York erschien, im Vorwort mit einer Widmung für Stefan Zweig.[21]

Am 21. Februar 1942 erhielt Alfred Zweig einen Brief seines Bruders. Über eine Woche war die Post von Brasilien nach New York unterwegs gewesen. Als wichtigste Nachricht teilte ihm Stefan darin mit, daß er sich sehr freue, das Haus in Petrópolis für weitere sechs Monate mieten zu können, da der bisherige Vertrag in wenigen Wochen abgelaufen wäre. Doch in der Zeit zwischen Absendung und Ankunft des Briefes hatten sich dramatische Dinge ereignet. Am selben Tag, an dem Alfred den Brief las, an einem Samstag, gab Stefan Durchschläge des fertigen Manuskripts seiner *Schachnovelle* an seine Verleger Huebsch und Bermann Fischer sowie seinen argentinischen Übersetzer Cahn auf den Postweg. Einige kleinere Briefumschläge, die er im Postamt einlieferte, waren an Freunde und Verwandte adressiert. Sein Entschluß war gefaßt: die Kuverts enthielten seine Abschiedsbriefe.

Zu Beginn dieser Woche war er mit Lotte auf Einladung des Ehepaares Koogan nach Rio gefahren, um dort den berühmten Karneval mitzuerleben. Am Dienstagmorgen ging die Nachricht vom Fall Singapurs nach einem Angriff der Japaner durch die Presse, woraufhin Stefan und Lotte umgehend und viel früher als geplant nach Petrópolis aufbrachen. Diese weitere Niederlage der Alliierten scheint für Stefan ein Zeichen gewesen zu sein. Über mehrere Tage arbeitete er einen Plan ab, der die Ordnung aller seiner Papiere und Verlagsangelegenheiten mit einschloß: Seine Studie über Amerigo Vespucci war bereits im Verlag und sollte bald darauf erscheinen, *Die Welt von Gestern,* sein großes autobiographisches Werk, lag ebenfalls zur Veröffentlichung bereit und kam noch im selben Jahr auf den Markt. Der Roman *Clarissa*, das Buch über Montaigne und die große Biographie Balzacs blieben dagegen als Fragmente zurück und wurden später aus dem Nachlaß herausgegeben.

Koogan bekam Zweig noch einmal zu sehen, als er am Freitag der Karnevalswoche ein versiegeltes Päckchen mit Manuskripten und anderen Papieren zu ihm nach Rio brachte und ihn bat, es im Safe aufzubewahren. Als Stefan Zweig am Samstagabend auf der Veranda seines Hauses in Petrópolis Schach spielte, waren einige seiner Abschiedsbriefe schon auf dem Weg zu ihren Empfängern. Als einen zusätzlichen Abschiedsgruß an Friderike hatte er verfügt, daß sie nach seinem Tod das Manuskript von Mozarts Lied *Das Veilchen* erhalten sollte. Am folgenden Tag verfaßte er unter der portugiesischen Überschrift *Declaração* zwei deutschsprachige Versionen einer Erklärung an seine Nachwelt und einen Brief an Friderike. Auch Lotte hatte ihre letzten Briefe bereits geschrieben.

Am Montag, es war der 23. Februar 1942, wunderte sich das Dienstmädchen darüber, daß die Zweigs bis zur Mittagszeit noch immer nicht aufgestanden waren. Als sie gegen 12 Uhr an der Tür des Schlafzimmers horchte, hörte sie ein Schnarchen oder Röcheln, wie sie später zu Protokoll gab. Am Nachmittag war sie noch immer allein und holte schließlich Hilfe. Gegen 16.30 Uhr öffnete sie mit ihrem Mann die unverschlossene Schlafzimmertür. Sie fanden Stefan und Lotte Zweig reglos und vollständig bekleidet in ihrem Bett. Er lag auf dem Rücken, den Mund leicht geöffnet, Lotte hatte sich seitlich über ihn gebeugt und ihn umarmt. Beide waren durch die Einnahme giftiger Substanzen verstorben, wie der Arzt Dr. Mario M. Pinheiro in die Totenscheine eintrug. Allem Anschein nach hatte Lotte erst einige Zeit nach Stefan zum Gift gegriffen, denn ihr Körper war noch warm, als man sie fand.

Die herbeigerufene Polizei nahm die Ermittlungen auf und kam wie der Arzt zu dem Schluß, daß es sich um einen gemeinsamen Suizid handelte. Man nahm mehrere Photos der Verstorbenen auf, rückte die Körper dafür auch in eine andere Position, und ließ einen Zahnarzt die Totenmaske Stefan Zweigs abnehmen.

Bereits am nächsten Tag fand die in großer Eile von Koogan und anderen organisierte Trauerfeier statt, nachdem die Särge zuvor öffentlich aufgebahrt worden waren. Die Regierung hatte es sich nicht nehmen lassen, die Kosten für die Feierlichkeiten und die Grabstätte zu übernehmen. Unter großer Anteilnahme der Bevölkerung führte der Trauerzug zum katholischen Friedhof von Petrópolis, wo die Beisetzung unter der Leitung des Rabbiners Lemle nach jüdischem Ritus durchgeführt wurde, wofür eine besondere Erlaubnis notwendig gewesen war.

Viele große Tageszeitungen druckten Zweigs offizielle Abschiedserklärung, die *Declaração* ab, in der er sich für die Gastfreundschaft Brasiliens bedankte und seine Kraft- und Mutlosigkeit beschrieb, die ihn zu dem Entschluß geführt hatten, seinem Leben ein Ende zu setzen. Während er die Geduld auf eine bessere Zeit zu warten nicht mehr aufbringen konnte, wünschte er allen Freunden, daß sie nach der langen Dunkelheit, die der Krieg gebracht hatte und noch bringen werde, die Morgenröte eines neuen Tages erleben mochten.

Tags darauf fand eine offizielle Begehung des Hauses der Zweigs statt, bei der die hinterlassenen Papiere und Gegenstände aufgelistet wurden. Von Lotte wie von Stefan lagen zusätzliche Bestimmungen zu ihren Testamenten vor. Ihre Kleidung wollten sie unter bedürftigen Menschen verteilt wissen, dem Dienstmädchen sollte noch der Lohn für weitere zwei Monate ausbezahlt werden. Man fand des weiteren einen an Friderikes Neffen Ferdinand Burger adressierten Umschlag, in dem sich Stefan Zweigs Armbanduhr, sein Ring, die Krawattennadel mit der Perle und seine Kragen- und Manschettenknöpfe befanden. Ein weiteres Kuvert enthielt den für Koogan bestimmten goldenen Füllfederhalter der Marke »Swan« und den zugehörigen Drehbleistift. Der Nationalbibliothek in Rio hatte Zweig eine Korrekturfahne Balzacs als Dank an Brasilien zugedacht. Die geliehenen Bücher waren in einem Paket zusammengepackt worden, andere Schachteln enthielten Manuskripte Zweigs. An kleineren Gegenständen waren unter anderem eine Schreibmaschine, ein Radio, zwei benutzte Tabakpfeifen und ein Schachspiel vorhanden. An der Wand des Schlafzimmers hing in einem Rahmen Stefans Übertragung des Gedichts von Camões, das er im Vorjahr an Freunde versandt hatte: »Ach dass nur eine Falte des Erdballs für den Menschen sicher wäre.«

Noch am Abend des Todestages war die Meldung vom Freitod Stefan und Lotte Zweigs an die Presse und damit in alle Welt gegangen. Friderikes Tochter Suse hörte die Nachricht und hatte daraufhin ihren Mann gebeten, ihre Mutter davon zu informieren, bevor sie durch Zufall davon erfahren würde.

Erst einige Tage später erreichte Friderike Zweig folgender, im Original auf englisch verfaßter letzter Brief[22] ihres geschiedenen Mannes:

Petropolis, 34 rua Gonçalves Dias, 22. II. 1942

Liebe Friderike,

wenn Dich dieser Brief erreicht, geht es mir bedeutend besser als früher. Du hast mich noch in Ossining gesehen, und nach einer guten und ruhigen Phase verschlimmerte sich meine Depression – ich litt so sehr, dass ich mich nicht mehr auf meine Arbeit konzentrieren konnte. Zudem war die Gewissheit – die einzige, die wir hatten – allzu bedrückend, dass dieser Krieg noch Jahre dauern und unendliche Zeit vergehen wird, ehe wir – in unserer besonderen Lage – wieder ins eigene Haus zurückkehren können. Ich mochte zwar Petropolis gern, vermisste hier jedoch die Bücher, die ich für meine Arbeit brauchte, und die Einsamkeit, die anfänglich eine spürbare Beruhigung bewirkte, begann in Bedrückung umzuschlagen – allein die Vorstellung, dass mein Hauptwerk, der Balzac, nie beendet werden könnte, weil ich ja keine Aussicht auf zwei störungsfreie Arbeitsjahre hatte und die dafür nötigen Bücher ungemein schwer beschaffen konnte, und schließlich dieser Krieg, dieser nicht enden wollende Krieg, der sein schlimmstes Ausmaß längst nicht erreicht hat. Um all dies zu ertragen, war ich einfach zu schwach, und die arme Lotte hatte es nicht leicht mit mir, vor allem, weil es mit ihrer Gesundheit nicht zum Besten stand.

Du hast Deine Kinder und damit eine Lebensaufgabe, Du hast vielseitige Interessen und ungebrochene Energien. Ich bin mir sicher, dass Du einmal bessere Zeiten erleben wirst und dafür Verständnis hast, dass ich mit meiner »schwarzen Leber« nicht länger auszuharren vermochte. Ich schreibe Dir diese Zeilen in meinen letzten Stunden, und Du kannst Dir nicht vorstellen, wie erleichtert ich mich seit diesem Entschluss fühle. Grüsse Deine Kinder recht lieb von mir und klage nicht um mich – denk immer an den guten Joseph Roth und an Rieger, wie ich sie bewundert habe, dass ihnen diese Qualen erspart blieben.

In Liebe und Freundschaft, und bleib guten Mutes, nun weißt Du mich doch ruhig und glücklich

Stefan

Anmerkungen

Blick auf die drei Leben

1 Salzer 1934.
2 Gerngroß 1940.
3 Friderike an Stefan Zweig, 18. Juli 1930. In: Briefwechsel Friderike Zweig 2006, S. 228.
4 Stefan Zweig an Friderike Zweig, 12. August 1925. In: Briefwechsel Friderike Zweig 1951, S. 189 (dort fälschlich 3. August 1925 datiert). Vgl. hierzu die in Briefwechsel Friderike Zweig 2006, S. 174 f., abgedruckte Version.
5 Parallel zu diesem Buch erscheint eine gänzlich neu bearbeitete und kommentierte Teilausgabe des Briefwechsels zwischen Stefan und Friderike Zweig (Briefwechsel Friderike Zweig 2006).
6 10. September 1912, Zweig GW Tagebücher, S. 9.

Ein rechter Brettauer

1 Stefan Zweig an Hermann Hesse, 2. März 1903. In: Briefe I, S. 57.
2 Vgl. beispielsweise Prater/Michels 1981, Abb. 11. Auch Stefan Zweig schrieb den Namen seines Vaters stets »Moriz«, vgl. Zweig 2005, Abb. 9–16.
3 28. Dezember 1915, Zweig GW Tagebücher, S. 242.
4 Alfred Zweig: *Familiengeschichte.*
5 Alfred Zweig: *Familiengeschichte.*
6 Zweig GW Welt von Gestern, S. 24.

7 Zweig 1927, S. 7.

8 Rieger 1928, S. 23.

9 *Brennendes Geheimnis*. In: Zweig GW Brennendes Geheimnis, S. 27.

10 Frank 1959.

»Wir sagten ›Schule‹ ...«

1 Zweig F 1947, S. 23.

2 Zweig GW Welt von Gestern, S. 55.

3 Ernst Benedikt: *Erinnerungen*, S. 2.

4 Salzburg 1961, Kat.-Nr. 10.

5 Czeike 1992 ff, s. v. »Zweig, Stefan«.

6 Zweig GW Welt von Gestern, S. 58 f.

7 Alfred Zweig: *Familiengeschichte*. Das Gedichtmanuskript selbst ist nicht mehr nachweisbar.

8 Stefan Zweig an Georg Ebers, 10. März 1897. In: Briefe I, S. 13.

9 Stefan Zweig an Karl Emil Franzos, 22. Juni 1900. In: Briefe I, S. 19.

10 Stefan Zweig an Karl Emil Franzos, 3. Juli 1900. In: Briefe I, S. 20 f.

11 Stefan Zweig an Karl Emil Franzos, 18. Februar 1898. In: Briefe I, S. 14 f.

12 Zweig GW Welt von Gestern, S. 75.

13 Zweig F 1947, S. 23.

14 Ernst Benedikt: *Erinnerungen*, S. 2.

15 Alfred Zweig: *Familiengeschichte*.

Goldene Seiten

1 *Erinnerungen an Emile Verhaeren*. In: Zweig GW Verhaeren, S. 254.

2 Zweig GW Welt von Gestern, S. 52.

3 Stefan Zweig, zitiert nach: Maderno 1922, S. 864.

4 Tielo 1901.

5 Adelt 1901.

6 Werner 1901.

7 Strauss 1901.

8 Theodor Herzl an Stefan Zweig, 2. November 1903, JNUL Jerusalem.

9 Stefan Zweig an Leonhard Adelt, vermutlich Ende November 1902. In: Briefe I, S. 48 f.

10 Zweig GW Welt von Gestern, S. 141 f.

11 Stefan Zweig an Hermann Hesse, 2. März 1903. In: Briefe I, S. 57.

12 Stefan Zweig an Georg Busse-Palma, vermutlich Mitte Dezember 1903.
    In: Briefe I, S. 68.

13 Salzburg 1961, Kat.-Nr. 22.

14 Zweig GW Welt von Gestern, S. 148.

15 *Erinnerungen an Emile Verhaeren*. In: Zweig GW Verhaeren, S. 254f.

16 Stefan Zweig an Leonhard Adelt, vermutlich Anfang Dezember 1902. In:
    Briefe I, S. 51.

17 Zweig GW Welt von Gestern, S. 119.

18 Stefan Zweig an Victor Fleischer, 2. August 1903. In: Briefe I, S. 59.

19 Brod 1968, S. 81.

20 Stefan Zweig: Vorwort. In: Brod 1927, S. 5f.

21 Zweig GW Welt von Gestern, S. 150.

22 Zweig 2005, o. S.

23 Zweig GW Welt von Gestern, S. 150f.

24 Hesse 1904.

25 SBB, Nachlaß Brümmer, Biographien, II. Reihe: Zweig, Stefan.

Der Beobachter

1 Zweig 1922, S. 7f.

2 Stefan Zweig an Hermann Hesse, 2. März 1903. In: Briefe I, S. 57.

3 Schnitzler 1990, Eintrag vom 28. Mai 1908.

4 An Emil Ludwig, o. D., SBB Berlin, Nachlaß 141, Kps. 1: Zweig,
   Stefan.

5 *Wenn ich im Dämmern liege*. In: Zweig GW Gedichte, S. 101.

6 Stefan Zweig an den Insel Verlag, 8. März 1910, GSA Weimar, 50/3886,1.

7 Hugo von Hofmannsthal an Anton Kippenberg, 23. November 1906. In:
   Briefwechsel Hofmannsthal/Insel Verlag, Kolumne 204f.

8 Hugo von Hofmannsthal an Stefan Zweig, 15. Februar 1908. In: Briefwechsel Hofmannsthal, S. 91.

9 Stefan Zweig an Franz Karl Ginzkey, vermutlich Ende März 1905. In:
   Briefe I, S. 97.

10 Stefan Zweig an Ellen Key, vermutlich Ende Mai 1906. In: Briefe I, S. 117.

11 24. Januar 1935, Zweig GW Tagebücher, S. 373f.

12 *Hydepark*. In: Zweig GW Reisen, S. 81.

13 Alfred Zweig: *Familiengeschichte*.

14 Stefan Zweig an Victor Fleischer, vermutlich 16. April 1907. In: Briefe I, S. 146.
15 Stefan Zweig an Willy Wiegand, 12. November 1909. In: Briefe I, S. 199.
16 Stefan Zweig an den Insel Verlag, 5. Mai 1908, GSA Weimar, *50*/3886,1.
17 Zweig GW Gedichte, S. 191 ff.
18 Zweig GW Welt von Gestern, S. *175* ff.
19 *Erinnerungen an Emile Verhaeren.* In: Zweig GW Verhaeren, S. 262.
20 Fontana 1968, S. 73.

»Warum fahren Sie nicht einmal nach Indien?«

1 Stefan Zweig an Leonhard Adelt, vermutlich Anfang September 1903. In: Briefe 1, S. 61.
2 Zweig GW Welt von Gestern, S. 215.
3 *Sehnsucht nach Indien.* In: Zweig GW Reisen, S. 97 ff.
4 Stefan Zweig an Börries Freiherr von Münchhausen, vermutlich November 1908. In: Briefe 1, S. 179.
5 Stefan Zweig an Victor Fleischer, 19. Dezember 1908. In: Briefe 1, S. 181.
6 *Gwalior, die indische Residenz.* In: Zweig GW Reisen, S. 106.
7 Stefan Zweig an den Insel Verlag, Februar 1910, GSA Weimar, *50*/3886,1.
8 Kopie im Archiv des S. Fischer Verlags.
9 *Die Stunde zwischen zwei Ozeanen. Der Panamakanal.* In: Zweig GW Reisen, S. 156 f.
10 *Parsifal in New York.* In: Zweig GW Reisen, S. 144 ff.
11 Matuschek 2005 b, Nr. 854.
12 *Gustav Mahlers Wiederkehr.* In: Zweig GW Zeiten und Schicksale, S. 76 ff.
13 Mahler 1971, S. 225.
14 Zweig GW Gedichte, S. 195 ff.

Dichtersorgen

1 Zweig F 1964, S. 33.
2 Zweig GW Welt von Gestern, S. 194.
3 Stefan Zweig an Julius Bab, vermutlich 21. April 1911. In: Briefe I, S. 228.
4 Kopie im Archiv des S. Fischer Verlags.
5 Stefan Zweig an Ida und Moriz Zweig, 22. Juli 1909. In: Briefe I, S. 190 f.
6 Stefan Zweig an Paul Zech, o. D. [Anfang 1911]. In: Briefwechsel Zech, S. 20.

7 Sigmund Freud an Stefan Zweig, 4. Juli 1908. In: Briefwechsel Bahr/ Freud/Rilke/Schnitzler, S. 163.

8 Aufschluß zu dieser Frage können eventuell weitere Briefe Zweigs an Freud aus den Jahren 1908–1938 geben, die derzeit noch unter Verschluß liegen und erst im Jahr 2010 zugänglich sein werden.

9 Kritik zum Band *Erstes Erlebnis* aus der *Zeitschrift für Bücherfreunde*, hier zitiert nach: Zweig Brennendes Geheimnis, S. 79.

10 Sigmund Freud an Stefan Zweig, 7. Dezember 1911. In: Briefwechsel Bahr/Freud/Rilke/Schnitzler, S. 164.

11 Stefan Zweig an Hermann Hesse, vermutlich Dezember 1903. In: Briefe I, S. 72.

12 Zweig GW Welt von Gestern, S. 101.

13 29. September 1912, Zweig GW Tagebücher, S. 17.

14 22. September 1919, Zweig GW Tagebücher, S. 14.

15 Stefan Zweig an Ferruccio Busoni, undatiert (Ende 1911), SBB Berlin, Musiksammlung, Mus. Ep. St. Zweig 3 (Busoni-Nachlaß).

16 Stefan Zweig an Heinrich Glücksmann, 19. Juni 1911. In: Salzburg 1961, Kat.-Nr. 34.

17 Insel Verlag an Stefan Zweig, 17. April 1912, GSA Weimar, 50/3886,1.

18 Stefan Zweig an den Insel Verlag, 19. April 1912, GSA Weimar, 50/3886,1.

19 Stefan Zweig an den Insel Verlag, Januar 1913, GSA Weimar, 50/3886,2.

20 22. September 1912, Zweig GW Tagebücher, S. 16.

21 Fleischer 1959, S. 37.

22 Zweig F 1947, S. 69.

Verwirrende Gefühle

1 Stefan Zweig an Benno Geiger, 21. März 1914. In: Briefe I, S. 291.

2 Friderike Maria von Winternitz an Stefan Zweig, 25. Juli 1912. In: Briefwechsel Friderike Zweig 2006, S. 7 f.

3 Friderike Maria von Winternitz an Stefan Zweig, 30. Juli 1912. In: Briefwechsel Friderike Zweig 2006, S. 13 f.

4 10. September 1912, Zweig GW Tagebücher, S. 9.

5 23. September 1912, Zweig GW Tagebücher, S. 15.

6 Stefan Zweig an Gerhart Hauptmann, 27. Oktober 1912, SBB Berlin, Nachlaß Hauptmann.

7 27. September 1912, Zweig GW Tagebücher, S. 25.

8 Kalbeck 1912.

9 12. November 1912, Zweig GW Tagebücher, S. 29.

10 Zweig F 1964, S. 36.

11 4. Dezember 1912, Zweig GW Tagebücher, S. 32.

12 21. Dezember 1912, Zweig GW Tagebücher, S. 36.

13 Ende Februar 1913, Zweig GW Tagebücher, S. 41.

14 17. März 1913, Zweig GW Tagebücher, S. 51.

15 Stefan Zweig an Hans Feigl, 22. August 1913, WSLB Wien, H. I. N. 129.339.

16 25. März 1914, Zweig GW Tagebücher, S. 76.

17 Fragebogen Prater, SLA Salzburg.

18 Richard Schaukal an Stefan Zweig (Briefentwurf), 3. Mai 1914, WSLB Wien, H. I. N. 224.988/4.

19 Friderike Maria von Winternitz an Stefan Zweig, 16. Juli 1914. In: Briefwechsel Friderike Zweig 2006, S. 51 f.

20 Zweig GW Verhaeren, S. 310.

21 Zweig GW Verhaeren, S. 310 f.

22 Stefan Zweig an Anton Kippenberg, 30. Juli 1914. In: Briefe I, S. 298.

Heldenfriseure

1 2. August 1914, Zweig GW Tagebücher, S. 82.

2 Zweig 1922, S. 9.

3 *Heimfahrt nach Österreich.* In: Zweig GW Schlaflose Welt, S. 28.

4 *Ein Wort zu Deutschland.* In: Zweig GW Schlaflose Welt, S. 30.

5 4. August 1914, Zweig GW Tagebücher, S. 84.

6 Stefan Zweig an Anton Kippenberg, 4. August 1914. In: Briefe II, S. 13.

7 Stefan Zweig an Romain Rolland, 10. November 1914. In: Briefe II, S. 29 f.

8 Vgl. Abb. des Hauptgrundbuchblattes für Stefan Zweig. In: Holl/Karlhuber/Renoldner 1993, S. 63.

9 12. November 1914, Zweig GW Tagebücher, S. 116.

10 23.–30. November, Zweig GW Tagebücher, S. 119.

11 1. Dezember 1914, Zweig GW Tagebücher, S. 120.

12 Kraus 1986, S. 337 f.

13 Stefan Zweig an den Insel Verlag, Januar 1915, GSA Weimar, 50/3886,2.

14 Stefan Zweig an den Insel Verlag, 29. Januar 1915, GSA Weimar, 50/3886,2.

15 Insel Verlag an Stefan Zweig, 2. Februar 1915, GSA Weimar, 50/3886,2.

16 14. Juli 1915, Zweig GW Tagebücher, S. 185.

17 15. Juli 1915, Zweig GW Tagebücher, S. 186 ff.

18 16. Juli 1915, Zweig GW Tagebücher, S. 193 f.

19 Hugo von Hofmannsthal an Anton Kippenberg, 22. Juli 1915. In: Briefwechsel Hofmannsthal/Insel Verlag, Kolumne 578.

20 Stefan Zweig an Hans Feigl, undatiert, vermutlich Mitte 1915, WSLB Wien, H. I. N. 129.334.

21 Zweig F 1964, S. 49.

22 Zweig F 1964, S. 53.

23 Zweig GW Verhaeren, S. 310.

24 Stefan Zweig an Gerhart Hauptmann, 12. Januar 1917, SBB Berlin, Nachlaß Gerhart Hauptmann.

25 Zweig F 1964, S. 64.

26 Zweig F 1964, S. 70.

27 Stefan Zweig an einen unbekannten Herrn, Anfang 1917, ZB Zürich, Ms. Briefe: Zweig.

28 Zweig F 1964, S. 80.

29 Stefan Zweig an den Insel Verlag, 15. September 1917, GSA Weimar, 50/3886,2.

30 Stefan Zweig an den Insel Verlag, 20. September 1917, GSA Weimar, 50/3886,2.

31 Zweig F 1947, S. 128.

Auf der Turmspitze

1 16. November 1917, Zweig GW Tagebücher, S. 259.

2 Stefan Zweig an Eugenie Hirschfeld, 4. August 1906. In: Briefe I, S. 127.

3 17. November 1917, Zweig GW Tagebücher, S. 262 f.

4 Stefan Zweig an den Insel Verlag, 16. November 1917, GSA Weimar, 50/3886,2.

5 Stefan Zweig an den Insel Verlag, 17. November 1917, GSA Weimar, 50/3886,2.

6 *Romain Rolland. Vortrag, gehalten im Meistersaal zu Berlin, Sonnabend, den 29. Januar 1926.* In: Zweig GW Rolland, S. 384.

7 Zweig 1922, S. 9.

8 Stefan Zweig an Hermann Ganz, 6. Dezember 1917, ZB Zürich, Ms. Z VI 397.7.

9 Zweig F 1964, S. 83.

10 Randbemerkung des Außenministers Ottokar Graf Czernin von Chudenitz zu einem Bericht der Österreichisch-Ungarischen Gesandtschaft in Bern, Kopie im Archiv des S. Fischer Verlags.

11 14. Januar 1918, Zweig GW Tagebücher, S. 303.

12 Mitteilungen 1918.

13 Beran 1918.

14 Österreichisch-Ungarische Gesandtschaft in Bern an das Außenministerium in Wien, 15. Juli 1918, Kopie im Archiv des S. Fischer Verlags.

15 Auftrag zur Berichterstattung und Bericht über Stefan Zweig im Hotel Belvoir in Rüschlikon vom 27. Juli und 1. August 1918, SBA Bern, E 21/10574.

16 Stefan Zweig an Friderike Maria von Winternitz, undatiert, vermutlich Mitte Juli 1918, SUNY, Fredonia/NY.

17 Stefan Zweig an Carl Seelig, undatiert, Sommer 1918, ZB Zürich, Ms. Z II 580.183a.

18 Zweig F 1964, S. 39.

19 Stefan Zweig an Romain Rolland, 18. Dezember 1918. In: Briefe II, S. 548.

20 Stefan Zweig an Anton Kippenberg, 6. Januar 1919. In: Briefe II, S. 556f.

21 Zweig GW Welt von Gestern, S. 8.

22 Stefan Zweig an Friderike Maria von Winternitz, Ende Januar 1919. In: Briefwechsel Friderike Zweig 2006, S. 84.

23 Ida an Stefan Zweig, 23. Januar 1919. In: Briefwechsel Friderike Zweig 2006, S. 83f.

24 Stefan Zweig an Friderike Maria von Winternitz, undatiert, um den 20. Januar 1919. In: Briefwechsel Friderike Zweig 2006, S. 82.

25 Ida Zweig an Friderike Maria von Winternitz, undatiert, Anfang Februar 1919. In: Briefwechsel Friderike Zweig 2006, S. 85.

26 Zweig GW Welt von Gestern, S. 326.

27 Zweig GW Welt von Gestern, S. 322.

Das Haus am Berg

1 Zweig 1922, S. 9.

2 Stefan Zweig an Carl Seelig, undatiert, Anfang Februar 1920, ZB Zürich, Ms. Briefe Zweig.

3 Stefan Zweig an Anton Kippenberg, 27. Januar 1919. In: Briefe II, S. 263.

4 Zweig 1919.

5 Stefan Zweig an Friderike Maria von Winternitz, undatiert, wahrscheinlich 3. April 1919. In: Briefwechsel Friderike Zweig 2006, S. 88.

6 Stefan Zweig an Carl Seelig, 7. April 1919, ZB Zürich, Ms. Z II 580.183, fol. 1r.

7 Stefan Zweig an Carl Seelig, undatiert, Anfang 1919, ZB Zürich, Ms. Z II 580.183a.

8 Alfred Zweig an Richard Friedenthal, 22. September 1958, Zweig Estate, London.

9 Fragebogen Prater, SLA Salzburg.

10 FZ 1947, S. 171.

11 FZ 1947, S. 166.

12 Stefan Zweig an Marek Scherlag, 22. Juli 1920. In: Briefe III, S. 27.

13 Stefan Zweig an Carl Seelig, 2. Dezember 1919, ZB Zürich, Ms. Z II 580.183, fol. 6v.

14 Stefan Zweig an Carl Seelig, ZB Zürich, 19. März 1920, Ms. Z II 580.183a.

15 Stefan Zweig an Fritz Adolf Hünich, 15. Dezember 1919, GSA Weimar, 50/3886,2.

16 Stefan Zweig an Friderike Maria von Winternitz, undatiert, wahrscheinlich 27. Januar 1920. In: Briefwechsel Friderike Zweig 2006, S. 109.

17 Stefan Zweig an einen Hochzeitsgast (Trauzeugen?), undatiert, wahrscheinlich 27. Januar 1920, Kopie im Archiv des S. Fischer Verlags.

18 Friderike an Stefan Zweig, 30. Januar 1920. In: Briefwechsel Friderike Zweig 2006, S. 109 ff.

19 TM Tagebücher 1918–1921, Eintrag für den 10. Februar 1920, S. 376.

20 Stefan Zweig an Carl Seelig, 5. Juli 1920, ZB Zürich, Ms. Z II 580.183a.

21 Stefan Zweig an den Insel Verlag, 19. September 1921, GSA Weimar, 50/3886,3.

22 Stefan Zweig an den Insel Verlag, 20. Oktober 1921, GSA Weimar, 50/3886,3.

23 Friderike und Stefan Zweig an Victor Fleischer, 22. August 1920. In: Briefe III, S. 26 f.

24 Stefan an Friderike Zweig, 11. Juni 1920. In: Briefwechsel Friderike Zweig 2006, S. 111 f.

25 Nachschrift Victor Fleischers zu einem Brief von Stefan an Friderike Zweig, 20. Oktober 1920, SUNY, Fredonia/NY.

26 Friderike an Stefan Zweig, 24. Oktober 1920. In: Briefwechsel Friderike Zweig 2006, S. 117 f.

27 Friderike an Stefan Zweig, undatiert, wahrscheinlich 2. November 1921, SUNY, Fredonia/NY.

28 Stefan an Friderike Zweig, 18. November 1921. In: Briefwechsel Friderike Zweig 2006, S. 125 f.

29 Zweig GW Welt von Gestern, S. 354 ff.

30 Stefan Zweig an Victor Fleischer, 29. Juni 1922. In: Briefe III, S. 70 f.

Das Steffzweig und die Radioten

1 Stefan Zweig an den Insel Verlag, 6. November 1922, GSA Weimar, 50/3886,3.

2 Blei 1924, S. 73 f.

3 Katia Mann 2000, S. 49.

4 Stefan Zweig an den Insel Verlag, undatiert [März 1925], GSA Weimar, 50/3886,4.

5 Friderike an Stefan Zweig, 5. Dezember 1926. In: Briefwechsel Friderike Zweig 2006, S. 188 f.

6 Stefan an Friderike Zweig, 29. Januar 1924, SUNY, Fredonia/NY.

7 Stefan an Friderike Zweig, 26. Januar 1924. In: Briefe III, S. 110.

8 Friderike an Stefan Zweig, 1. März 1924, SUNY, Fredonia/NY.

9 Stefan Zweig an Ernst Lissauer, 21. April 1924. In: Briefe III, S. 115.

10 Stefan Zweig an Otto Heuschele, 27. Oktober 1924. In: Briefe III, S. 126.

11 *Die Monotonisierung der Welt*. In: Zweig GW Zeiten und Schicksale, S. 30 ff.

12 Friderike an Stefan Zweig, 21. Oktober 1920, SUNY, Fredonia/NY.

13 Stefan Zweig an Victor Fleischer, undatiert, wahrscheinlich 2. Februar 1925. In: Briefe III, S. 133.

14 Fragebogen Prater, SLA Salzburg.

15 Stefan an Friderike Zweig, undatiert, wahrscheinlich 5. September 1924. In: Briefwechsel Friderike Zweig 2006, S. 163.

16 Stefan Zweig an den Insel Verlag, 21. März 1923, GSA Weimar, 50/3886,3.

17 Stefan Zweig an Hermann Hesse, 4. Mai 1935. In: Briefe IV, S. 121.

18 Stefan an Friderike Zweig, 12. August 1925. In: Briefwechsel Friderike Zweig 2006, S. 174 f.

19 Stefan an Friderike Zweig, 18. Juli 1925, SUNY, Fredonia/NY.

20 Stefan an Friderike Zweig, 10. November 1925. In: Briefwechsel Friderike Zweig 2006, S. 177f.

21 Stefan an Friderike Zweig, 2. März 1926, SUNY, Fredonia/NY.

22 Notizen Alfred Bergmanns zu Vorträgen über Stefan Zweig, LLB Detmold, Slg 12 Nr. 645.

»Gehetzt wie ein Wildschwein«

1 Stefan an Friderike Zweig, 22. September 1927. In: Briefwechsel Friderike Zweig 2006, S. 199.

2 Stefan Zweig an Karl Geigy-Hagenbach, 3. Januar 1927, ÖUB Basel.

3 Stefan Zweig an Romain Rolland, 27. Dezember 1927. In: Briefwechsel Rolland, Band 2, S. 263.

4 Stefan Zweig an Karl Geigy-Hagenbach, 28. Juni 1929, ÖUB Basel.

5 *Die Welt der Autographen*. In: Matuschek 2005 b, S. 103 f.

6 Zitiert nach Rieger 1928, S. 35.

7 *Die Welt der Autographen*. In: Matuschek 2005 b, S. 103 f.

8 Kritik zum Band *Amok* aus der *Neuen Freien Presse*, hier zitiert nach: Zweig Brennendes Geheimnis, S. 79.

9 Tucholsky 1967, S. 550.

10 Stefan Zweig an Richard Specht, 21. Januar 1927, Privatbesitz, Schweiz.

11 *Beschwerde gegen einen Verleger*. In: Matuschek 2005 b, S. 113 f.

12 Stefan an Friderike Zweig, 22. September 1927. In: Briefwechsel Friderike Zweig 2006, S. 199.

13 Stefan Zweig an Karl Geigy-Hagenbach, 12. September 1927, ÖUB Basel.

14 Stefan an Friderike Zweig, 12. August 1926, SUNY, Fredonia/NY.

15 Zweig F 1964, S. 111.

16 Wiesbadener Fremdenblatt 1926.

17 Zweig F 1947, S. 81.

18 Zweig GW Welt von Gestern, S. 53.

19 Volkswille 1929.

20 Hannoverscher Anzeiger 1929.

21 Stefan an Friderike Zweig, 6. November 1927. In: Briefwechsel Friderike Zweig 2006, S. 204.

22 Stefan an Friderike Zweig, 11. November 1927. In: Briefwechsel Friderike Zweig 2006, S. 205f.

23 Hamburgischer Correspondent 1927.

24 Altonaer Nachrichten 1927.

25 Stefan an Friderike Zweig, 11. November 1927. In: Briefwechsel Friderike Zweig 2006, S. 205 f.

26 Stefan an Friderike Zweig, 10. Dezember 1926. In: Briefwechsel Friderike Zweig 2006, S. 189 f.

27 Nachschrift Ida Zweigs in einem Brief Friderikes an Stefan Zweig, 9. November 1927. In: Briefwechsel Friderike Zweig 2006, S. 204 f.

28 Stefan Zweig an Karl Geigy-Hagenbach, 23. Mai 1928, ÖUB Basel.

29 Stefan an Friderike Zweig, 11. September 1928. In: Briefwechsel Friderike Zweig 2006, S. 213.

30 *Reise nach Rußland*. In: Zweig GW Reisen, S. 277 ff.

31 Zitiert nach Rieger 1928, S. 35.

32 Stefan Zweig an Karl Geigy-Hagenbach, 6. März 1929, ÖUB Basel.

33 Stefan Zweig an Anton Kippenberg, 18. Juli 1929. In Briefe III, S. 242.

34 Stefan Zweig an Romain Rolland, 20. Juli 1929. In: Briefe III, S. 591.

35 Weiß 1929.

36 Stefan Zweig an Karl Geigy-Hagenbach, 19. Januar 1930, DLA Marbach, 68.345/29.

37 Stefan Zweig an Lavinia Mazzucchetti, 23. Mai 1930, JNUL Jerusalem.

Fehlleistungen

1 Stefan Zweig an Karl Geigy-Hagenbach, 27. November 1933, ÖUB Basel.

2 Stefan an Friderike Zweig, 12. März 1930. In: Briefwechsel Friderike Zweig 2006, S. 221.

3 Zweig 1931.

4 Stefan Zweig an Karl Geigy-Hagenbach, 12. August 1930, ÖUB Basel.

5 Sigmund Freud an Arnold Zweig, 21. August 1930. In: Briefwechsel Freud/Zweig, S. 18.

6 Arnold Zweig an Sigmund Freud, 8. September 1930. In: Briefwechsel Freud/Zweig, S. 21.

7 Sigmund Freud an Arnold Zweig, 10. September 1930. In: Briefwechsel Freud/Zweig, S. 25 f.

8 Sigmund Freud an Stefan Zweig, 17. Februar 1931. In: Briefwechsel Bahr/Freud/Rilke/Schnitzler, S. 191 f.

9 Schwerin: *Begegnung mit Stefan Zweig*. Kopie im Archiv des S. Fischer Verlags.

10 Relgis 1981, S. 57 f.

11 Carl Zuckmayer an Stefan Zweig, 3. März 1930, SUNY Fredonia/NY.

12 Carl Zuckmayer an Stefan Zweig, 16. Juni 1932, unterschrieben mit den Namen der Hunde Flick, Flock und Bonzo, SUNY Fredonia/NY.

13 Zweig F 1964, S. 123.

14 25. Oktober 1931, Zweig GW Tagebücher, S. 344.

15 Richard Strauss an Stefan Zweig, 31. Oktober 1931. In: Briefwechsel Strauss, S. 7.

16 23. November 1931, Zweig GW Tagebücher, S. 356.

17 27. November 1931, Zweig GW Tagebücher, S. 357.

18 Carl Zuckmayer an Stefan Zweig, 26. November 1931, SUNY Fredonia/NY.

19 28. November 1931, Zweig GW Tagebücher, S. 357.

20 Stefan an Alfred Zweig, undatiert, wahrscheinlich 28. November 1931. In: Briefe III, S. 310 f.

21 Hinterberger 1952, S. 46.

22 Ebermayer 2005, S. 200.

23 Friderike an Stefan Zweig, 16. Januar 1932. In: Briefwechsel Friderike Zweig 2006, S. 252 ff.

24 Stefan an Friderike Zweig, undatiert, wahrscheinlich 13. Februar 1932. In: Briefwechsel Friderike Zweig 2006, S. 256.

25 Völkischer Beobachter 1932.

26 *An die Freunde im Fremdland*. In: Zweig GW Schlaflose Welt, S. 42 ff.

27 Stefan Zweig an Richard Schaukal, undatiert, wahrscheinlich Mitte Mai 1914, WSLB Wien, H. I. N. 224.981.

28 Stefan an Friderike Zweig, 9. März 1933. In: Briefwechsel Friderike Zweig 2006, S. 267 f.

29 Stefan Zweig an Karl Geigy-Hagenbach, 20. März 1933, ÖUB Basel.

30 Davies/Fichtner 2006, Nr. 3712.

31 Stefan Zweig an Karl Geigy-Hagenbach, 2. September 1933, ÖUB Basel.

32 Stefan Zweig an Karl Geigy-Hagenbach, 2. September 1933, ÖUB Basel.

33 Stefan Zweig an Karl Geigy-Hagenbach, 25. Oktober 1933, ÖUB Basel.

34 Stefan Zweig an Klaus Mann, 18. November 1933. In: Briefe IV, S. 73.

35 Brief des Börsenvereins der Deutschen Buchhändler an den Insel Verlag, 27. November 1933, GSA Weimar, 50/12.

36 Anton Kippenberg an das Reichsministerium für Volksaufklärung und Propaganda, 3. Dezember 1933[?], GSA Weimar, 50/12.

37 Zweig GW Welt von Gestern, S. 440 f.

Grenzerfahrungen

1 Stefan Zweig an Romain Rolland, 25. Februar 1934. In: Briefe IV, S. 469.
2 Zweig F 1947, S. 368.
3 Stefan Zweig an Lavinia Mazzucchetti, 9. Januar 1934. In: Briefe IV, S. 82.
4 Der Roman *Rausch der Verwandlung* wurde erst 1982 aus Zweigs Nachlaß herausgegeben (Zweig GW Rausch der Verwandlung).
5 Zweig GW Welt von Gestern, S. 434f.
6 Anton Kippenberg an die Polizeidirektion Leipzig, 25. September 1934, GSA Weimar, 50/3.
7 Salzer 1934.
8 Zweig F 1947, S. 374.
9 19. Januar 1935, Zweig GW Tagebücher S. 366f.
10 Stefan Zweig an Karl Geigy-Hagenbach, 9. März 1935, ÖUB Basel.
11 Geiger 1958a, S. 235ff.
12 Zuckmayer 2006, S. 62.
13 Geiger 1958b, S. 423 (hier Übertragung aus dem italienischen Original).
14 Zweig GW Gedichte, S. 225ff.
15 Zitiert nach Geiger 1958b, S. 424 (hier Übertragung aus dem italienischen Original).
16 Thomas Mann an Agnes E. Meyer, 25. Februar 1942. In: Briefwechsel Mann/Meyer, S. 375.
17 Stefan Zweig an Oskar Maurus Fontana, undatiert, nach dem 25. Dezember 1926. In: Briefe III, S. 177f.
18 TM Tagebücher 1935–1936, Eintrag für den 26. Mai 1935, S. 109.
19 Stefan Zweig an Karl Geigy-Hagenbach, 24. Dezember 1934, ÖUB Basel.
20 Katharina Kippenberg an Stefan Zweig, 27. Juni 1935, SUNY, Fredonia/NY.
21 Ebermayer 2005, S. 277.
22 Stefan Zweig an Karl Geigy-Hagenbach, 5. September 1935, ÖUB Basel.
23 Stefan Zweig an Romain Rolland, 7. Januar 1936. In: Briefwechsel Rolland, Band 2, S. 616f.
24 20. August 1936, Zweig GW Tagebücher, S. 399.
25 21. August 1936, Zweig GW Tagebücher, S. 399f.
26 Zweig GW Brasilien, S. 251.
27 Stefan an Friderike Zweig, 3. September 1936. In: Briefwechsel Friderike Zweig 1951, S. 300.

28 Stefan an Friderike Zweig, 25. August 1936, SUNY, Fredonia/NY.

29 Stefan an Friderike Zweig, 26. August 1936. In: Briefwechsel Friderike Zweig 2006, S. 307 f.

30 Stefan an Friderike Zweig, 12. September 1936. In: Briefwechsel Friderike Zweig 2006, S. 309 f.

Verdunkelung

1 1. September 1939, Zweig GW Tagebücher, S. 433 f.

2 Stefan an Friderike Zweig, 22. Juni 1934[?], SUNY, Fredonia/NY.

3 *Picture Page,* 23. Juni 1937 (Interviewmitschrift, hier Übertragung aus dem englischen Original), BBC Reading.

4 Protokoll zur Sendung *Picture Page* vom 23. Juni 1937, BBC Reading.

5 *Einführung zu den Rilke-Vorträgen.* 27. Oktober 1937, Typoskript mit handschriftlichen Betonungszeichen, SUNY, Fredonia/NY.

6 Stefan Zweig an Anna Meingast, 26. Februar 1937, SLA Salzburg.

7 Stefan an Friderike Zweig, undatiert, wahrscheinlich 17. April 1937. In: Briefe IV, S. 183 f.

8 Stefan an Friderike Zweig, undatiert, wahrscheinlich 20. April 1937. In: Briefe IV, S. 188 f.

9 Stefan Zweig an Heinrich Hinterberger, 21. Mai 1936, BL London, Loan 95.14.

10 Stefan Zweig an Romain Rolland, 3. März 1938. In: Briefe IV, S. 611 f.

11 Joseph Gregor an Stefan Zweig, 8. November 1937. In: Briefwechsel Gregor, S. 309 f.

12 Zweig GW Welt von Gestern, S. 459.

13 Romain Rolland an Stefan Zweig, 1. März 1938. In: Briefwechsel Rolland, Band 2, S. 673 f.

14 Joseph Roth an Stefan Zweig, undatiert, Mai 1937. In: Roth Briefe, S. 492.

15 Stefan an Friderike Zweig, 5. Juli 1937, SUNY, Fredonia/NY.

16 Keun 1968, S. 160.

17 Hinterberger 1939.

18 Stefan an Friderike Zweig, 14. Oktober 1936. In: Briefwechsel Friderike Zweig 2006, S. 311 f.

19 Josef Geiringer an Stefan Zweig, 28. November 1938, SUNY, Fredonia/NY.

20 Finanzamt Berlin Moabit-West an Stefan Zweig, 20. Februar 1939, SUNY, Fredonia/NY.

21 Alfred Zweig an Richard Friedenthal, 4. August 1958, Zweig Estate, London.

22 Stefan an Ida Zweig, undatiert, wahrscheinlich August 1938. In: Briefe IV, S. 227f.

23 E. N. Cooper an R. E. Gommee im Ministry of Labour, 19. Februar 1936, PRO Kew, HO 382/4, 104623.

24 Stefan Zweig an Siegfried Trebitsch, 10. Januar 1939, ZB Zürich, Ms. Z II 579.261.

25 Stefan Zweig an Carl Seelig, 20. Januar 1939, ZB Zürich, Ms. Z II 580.183a.

26 Radioansprache für Schulkinder in Amerika, März 1939, Typoskript mit handschriftlichen Ergänzungen, SUNY, Fredonia/NY.

27 Richard Friedenthal an Stefan Zweig, 24. Januar 1939, SUNY, Fredonia/NY.

28 Stefan Zweig an Siegfried Trebitsch, 2. Dezember 1938, ZB Zürich, Ms. Z II 579.261.

29 B. von Szilly an den Bermann-Fischer Verlag, 26. Juni 1939, Zweig Estate London.

30 Stefan Zweig an Siegfried Trebitsch, undatiert, Mitte 1939, ZB Zürich, Ms. Z II 579.261.

31 1. September 1939, Zweig GW Tagebücher, S. 433 f.

32 6. September 1939, Zweig GW Tagebücher, S. 440.

33 19. September 1939, Zweig GW Tagebücher, S. 427.

34 Ministry of Information an Arthur Baker in der Auslandsredaktion der BBC, 26. September 1939, BBC Reading (hier Übertragung aus dem englischen Original).

35 Felix Braun an Stefan Zweig, 12. August 1939, SUNY, Fredonia/NY.

36 Stefan Zweig an Karl Geigy-Hagenbach, 27. Juli 1939, ÖUB Basel.

37 *Lebensreliquien Beethovens*, undatiert [1939/1940], Typoskript mit handschriftlichen Ergänzungen, BL London, Loan 95.8.

38 Stefan Zweig an Victor Fleischer, undatiert, Poststempel 31. Januar 1940. In: Briefe IV, S. 269f.

39 21. Mai 1940, Zweig GW Tagebücher, S. 454.

40 28. Mai 1940, Zweig GW Tagebücher, S. 460.

Eine Welt von Morgen?

1 Zweig GW Verhaeren, S. 12.
2 Klaus Mann 2005. S. 604.
3 27. September 1935, Zweig GW Tagebücher, S. 383.
4 Lotte Zweig an Hannah und Manfred Altmann, 23. Oktober 1940, Privat-besitz, Großbritannien (hier Übertragung aus dem englischen Original).
5 *Reichs- und Staatsanzeiger,* Nr. 286, 5. Dezember 1940. Abbildung in: Zweig 2005, S. 131.
6 Arens 1968, S. 273 (Faksimile der Handschrift Zweigs).
7 Zweig F 1947, S. 402 f.
8 *Blick auf mein Leben*, Manuskript mit zahlreichen Streichungen und Ergän-zungen, LOC Washington, MMC 1604.
9 Zweig GW Welt von Gestern, S. 491 f.
10 Lotte Zweig an Hannah Altmann, 21. Juli 1941, Privatbesitz, Großbritan-nien (hier Übertragung aus dem englischen Original).
11 Stefan Zweig an Heinrich Eisemann, 22. Juli 1941, LBI New York (hier Übertragung aus dem englischen Original).
12 Maass 1968, S. 168 ff.
13 Stefan Zweig an Heinrich Eisemann, undatiert, wahrscheinlich September 1941, LBI New York (hier Übertragung aus dem englischen Original).
14 Stefan Zweig an Felix Braun, 21. November 1941, Abschrift: Zweig Estate, London.
15 Lotte Zweig an Hannah Altmann, 7. November 1941, Privatbesitz, Groß-britannien.
16 Zweig GW Gedichte, S. 232.
17 Stefan Zweig an Joachim Maass, 25. Dezember 1941. In: Briefe IV, S. 333 ff.
18 Lotte und Stefan Zweig an Stefanie Zweig, undatiert, Poststempel unle-serlich, um den 18. Dezember 1941, Zweig Estate, London.
19 Stefan an Friderike Zweig, 20. Januar 1942. In: Briefwechsel Friderike Zweig 2006, S. 389.
20 Ivan Heilbut an Stefan Zweig, 11. Februar 1942 und Nachforschungsan-trag vom 9. März 1942, DNB Frankfurt.
21 Heilbut 1942.
22 Stefan an Friderike Zweig, 22. Februar 1942. In: Briefwechsel Friderike Zweig 2006, S. 397 f.

»Leider besteht nun in unserer unfreundlichen Welt eine
gehässig-nachspürende Feindschaft der dürren Dokumente
gegen die blühendsten Legenden der Dichter«. [1]

Stefan Zweig in seiner Biographie Balzacs

Quellen und Literatur

I. Ungedruckte Quellen
(mit Angaben der benutzten Siglen)

BBC Reading: BBC Written Archives Centre, Reading
— Mitschrift eines Fernsehinterviews mit Stefan Zweig und zugehörige Korrespondenz.

BL London: The British Library, London
— Stefan Zweig: *Lebensreliquien Beethovens*, Typoskript mit handschriftlichen Ergänzungen, undatiert [1939/1940].
— Briefwechsel Stefan Zweigs mit Heinrich Hinterberger.
— Briefe Heinrich Eisemanns an Stefan Zweig.

DLA Marbach: Deutsches Literaturarchiv, Marbach am Neckar
— Briefe Stefan Zweigs an Anton Kippenberg.
— Briefe Stefan Zweigs an Karl Geigy-Hagenbach.

DNB Frankfurt: Deutsche Nationalbibliothek, Deutsches Exilarchiv, Frankfurt am Main
— Archiv Alfredo Cahn (zum Teil Dauerleihgabe der Adolf und Luisa Haeuser-Stiftung für Kunst und Kulturpflege, Frankfurt am Main).
— Briefwechsel Stefan Zweigs mit Ivan Heilbut.

---

[1] Zweig GW Balzac, S. 10.

FBN Rio: Fundação Biblioteca Nacional, Rio de Janeiro
– Brief Stefan Zweigs an den Direktor der Nationalbibliothek.

Fondation Bodmer, Cologny-Genève
– Briefe Stefan Zweigs an Ludwig Schwerin.

GSA Weimar: Goethe- und Schiller-Archiv,Weimar
– Insel Verlag, Korrespondenz mit Stefan Zweig.
– Fritz Adolf Hünich, geschäftliche Papiere, privatgeschäftliche Korrespondenzen.
– Fritz Adolf Hünich, eingegangene Briefe Stefan Zweigs.
– Korrespondenz zur allgemeinen Geschäftsführung.

Inge und Erich Fitzbauer, Eichgraben
– Briefe Alfred Zweigs an Erich Fitzbauer.

JNUL Jerusalem: Jewish National and University Library, Jerusalem
– Ein Brief Theodor Herzls an Stefan Zweig vom 2. November 1903.
– Ein Brief Stefan Zweigs an Lavinia Mazzucchetti vom 23. Mai 1930.

LBI NewYork: Leo Baeck Institute, NewYork
– Briefe Stefan Zweigs an Heinrich Eisemann, Stefan Zweig Collection.

LLB Detmold: Lippische Landesbibliothek (Lippisches Literaturarchiv), Detmold
– Briefwechsel Stefan Zweigs mit Alfred Bergmann.
– Notizen Alfred Bergmanns zu Vorträgen über Stefan Zweig.

LOC Washington: Library of Congress,Washington, D. C.
– Stefan Zweig: *Blick auf mein Leben* (frühe Manuskriptfassung von *Die Welt von Gestern*).

ÖNB / ÖLA Wien: Österreichische Nationalbibliothek, Österreichisches Literaturarchiv, Wien
– Briefe Stefan Zweigs an Eugen Wolbe, Nachlaß Eugen Wolbe.

Österreichisches Theatermuseum, Wien
– Stefan Zweig: Übergabeliste von Teilen seiner Autographensammlung.

ÖUB Basel: Öffentliche Bibliothek der Universität Basel, Basel
– Korrespondenz Stefan Zweigs mit Karl Geigy-Hagenbach. Nachlaß Geigy-Hagenbach.
– Korrespondenz Stefan Zweigs mit Franz Zinkernagel, Nachlaß Zinkernagel.

Privatbesitz, Großbritannien
– Briefe Lotte Zweigs an Hannah und Manfred Altmann.

Privatbesitz, Schweiz
– Ein Brief Stefan Zweigs an Richard Specht vom 21. Januar 1927.

PRO Kew: The National Archives (Public Record Office), Kew
– Stefan Zweig und Lotte Zweig, geborene Altmann: Anträge und Unterlagen zur Erlangung der britischen Staatsbürgerschaft.

S. Fischer Verlag, Archiv, Frankfurt am Main
– Stefan Zweig: Skizzen zur *Autographennovelle* (Photokopie, Original in Privatbesitz).
– Erst Benedikt: Erinnerungen an Stefan Zweig (Photokopie des Typoskripts ohne Titel) [Ernst Benedikt: *Erinnerungen*].
– Ludwig Schwerin: *Begegnung mit Stefan Zweig* (Photokopie des Typoskripts).
– Photokopie eines Briefes Stefan Zweigs an einen Hochzeitsgast (Trauzeugen?).
– Photokopien der Personalakte Stefan Zweigs und sonstiger Unterlagen zu seiner Militärzeit.
– Photokopien vorgedruckter Korrespondenzkarten Stefan Zweigs.

SBA Bern: Schweizerisches Bundesarchiv, Bern
– Auftrag zur Berichterstattung und Bericht über Stefan Zweig im Hotel Belvoir in Rüschlikon vom 27. Juli und 1. August 1918.

SBB Berlin: Staatsbibliothek zu Berlin, Preußischer Kulturbesitz, Berlin
– Stefan Zweig: Lebenslauf, Nachlaß Brümmer.
– Ein Brief Stefan Zweigs an Emil Ludwig, o. D.
– Briefe Stefan Zweigs an Gerhart Hauptmann, Nachlaß Hauptmann.
– Musiksammlung: Briefe Stefan Zweigs an Ferruccio Busoni, Nachlaß Busoni.

SLA Salzburg: Stiftung Salzburger Literaturarchiv, Salzburg
– Nachlaß Donald Prater. Darin enthalten: Fragebogen an Friderike Zweig [Fragebogen Prater].

- Nachlaß Wilhelm Meingast. Darin enthalten: Korrespondenz Stefan Zweigs mit Anna Meingast.

SUNY, Fredonia/NY: Stefan Zweig Collection, Reed Library, State University of New York, Fredonia
- Teilnachlaß Stefan Zweig. Darin enthalten: Manuskripte zu eigenen Werken, eingegangene und ausgegangene Korrespondenz, persönliche Papiere.
- Briefwechsel Stefan und Friderike Zweigs.
- Korrespondenz der Erben Stefan Zweigs, darunter Briefwechsel mit Alfred Zweig.
- Nachlaß Alfred Zweig.

Thomas Hoeller, München
- Familiendokumente und Photographien der Familien Zweig, Hoeller und Stoerk.

WSLB Wien: Wienbibliothek im Rathaus (vormals Wiener Stadt- und Landesbibliothek), Wien
- Briefe Stefan Zweigs an Hans Feigl.
- Briefwechsel Stefan Zweigs und des Insel Verlags mit Richard Schaukal.

ZB Zürich: Zentralbibliothek Zürich
- Korrespondenz Stefan Zweigs mit Carl Seelig.
- Korrespondenz Stefan Zweigs mit Siegfried Trebitsch (Legat Carl Seelig).
- Brief Stefan Zweigs an einen unbekannten Herrn.
- Brief Stefan Zweigs an Hermann Ganz.

Zweig Estate, London
- Teilnachlaß Stefan Zweig. Darin enthalten: Manuskripte zu eigenen Werken, eingegangene und ausgegangene Korrespondenz, persönliche Papiere.
- Korrespondenz Alfred Zweigs mit Richard Friedenthal. Darin enthalten als Beilage zu einem undatierten Brief: Alfred Zweig: Aufzeichnungen zur Familiengeschichte und zu seinem Bruder Stefan, Typoskript [Alfred Zweig: *Familiengeschichte*].

II. Bücher, Kataloge und Zeitungsartikel
(benutzte und weiterführende Literatur)

Adelt 1901
Leonhard Adelt: Buchbesprechung *Silberne Saiten.* In: *Die Zeit* (Wien), 9. November 1901, S. 94.

Allday
Elizabeth Allday: *Stefan Zweig. A Critical Biography*, London 1972.

Altonaer Nachrichten 1927
Stefan Zweig über Tolstoi. In: *Altonaer Nachrichten*, 12. November 1927.

Arens 1930
Hanns Arens: *Besuch bei Stephan Zweig.* In: *Augsburger Postzeitung*, 7. Dezember 1930.

Arens 1968
Stefan Zweig im Zeugnis seiner Freunde, herausgegeben und eingeleitet von Hanns Arens, München und Wien 1968.

Benedikt 1959
Ernst Benedikt: *Erinnerungen an das Wasa-Gymnasium.* In: *Die Presse*, 10. Januar 1959.

Beran 1918
Felix Beran: *»Jeremias.« – Dramatische Dichtung von Stefan Zweig – Uraufführung am Zürcher Stadttheater.* In: *Pester Lloyd*, 9. März 1918.

Bessemer 1909
Hermann Bessemer: *Sumpffieber,* München 1909.

Blei 1924
Franz Blei: *Das große Bestiarium der Literatur*, Berlin 1924.

Briefe I
Stefan Zweig: *Briefe 1897–1914*, herausgegeben von Knut Beck, Jeffrey B. Berlin und Natascha Weschenbach-Feggeler, Frankfurt am Main 1995.

Briefe II
Stefan Zweig: *Briefe 1914–1919*, herausgegeben von Knut Beck, Jeffrey B. Berlin und Natascha Weschenbach-Feggeler, Frankfurt am Main 1998.

Briefe III
Stefan Zweig: *Briefe 1920–1931*, herausgegeben von Knut Beck und Jeffrey B. Berlin, Frankfurt am Main 2000.

Briefe IV
Stefan Zweig: *Briefe 1932–1942*, herausgegeben von Knut Beck und Jeffrey B. Berlin, Frankfurt am Main 2005.

Briefe an Freunde
Stefan Zweig: *Briefe an Freunde*, herausgegeben von Richard Friedenthal, Frankfurt am Main 1984.

Briefwechsel Bahr/Freud/Rilke/Schnitzler
Stefan Zweig: *Briefwechsel mit Hermann Bahr, Sigmund Freud, Rainer Maria Rilke und Arthur Schnitzler*, herausgegeben von Jeffrey B. Berlin, Hans-Ulrich Lindken und Donald A. Prater, Frankfurt am Main 1987.

Briefwechsel Freud/Zweig
Sigmund Freud – Arnold Zweig: *Briefwechsel*, herausgegeben von Ernst L. Freud, Frankfurt am Main 1968.

Briefwechsel Friderike Zweig 1951
Stefan Zweig – Friderike Zweig: *Briefwechsel 1912–1942*, Bern 1951.

Briefwechsel Friderike Zweig 2006
Stefan Zweig – Friderike Zweig: *»Wenn einen Augenblick die Wolken weichen«, Briefwechsel 1912–1942*, herausgegeben von Jeffrey B. Berlin und Gert Kerschbaumer, Frankfurt am Main 2006.

Briefwechsel Gregor
Stefan Zweig – Joseph Gregor: *Correspondence 1921–1938*, edited by Kenneth Birkin, Dunedin/New Zealand 1991.

Briefwechsel Hofmannsthal
Hugo von Hofmannsthal – Stefan Zweig: *Briefe (1907–1928)*, mitgeteilt und
kommentiert von Jeffrey B. Berlin und Hans Ulrich Lindken. In: *Hofmannsthal-
Blätter,* Nr. 26, 1982, S. 86 ff.

Briefwechsel Hofmannsthal/Insel Verlag
Hugo von Hofmannsthal: Briefwechsel mit dem Insel-Verlag 1901–1929, herausgegeben von Gerhard Schuster, Frankfurt am Main 1985.

Briefwechsel Mann/Meyer
Thomas Mann – Agnes E. Meyer: *Briefwechsel 1937–1955*, herausgegeben von
Hans Rudolf Vaget, Frankfurt am Main 1992.

Briefwechsel Rolland
Romain Rolland – Stefan Zweig: *Briefwechsel 1910–1940*, herausgegeben von
Waltraud Schwarze, 2 Bände, Berlin 1987.

Briefwechsel Strauss
Richard Strauss – Stefan Zweig: *Briefwechsel*, herausgegeben von Willi Schuh,
Frankfurt am Main 1957.

Briefwechsel Zech
Stefan Zweig – Paul Zech: *Briefe 1910–1942*, herausgegeben von Donald G.
Daviau, Frankfurt am Main 1986.

Brod 1927
Max Brod: *Tycho Brahes Weg zu Gott,* mit einem Vorwort von Stefan Zweig, Berlin 1927.

Brod 1968
Max Brod: *Erinnerungen an Stefan Zweig.* In: Arens 1968, S. 80 ff.

Buchinger 1998
Susanne Buchinger: *Stefan Zweig – Schriftsteller und literarischer Agent. Die Beziehungen zu seinen deutschsprachigen Verlegern (1901–1942)*, (Archiv für Geschichte
des Buchwesens, Studien I) Frankfurt am Main 1998.

Czeike 1992 ff
Felix Czeike: *Historisches Lexikon Wien*, Wien 1992 ff.

Davies/Fichtner 2006
Freud's Library: A Comprehensive Catalogue – Freuds Bibliothek: Vollständiger Katalog, bearbeitet und herausgegeben von J. Keith Davies und Gerhard Fichtner, London und Tübingen 2006.

Ebermayer 2005
Erich Ebermayer: *Eh' ich's vergesse... – Erinnerungen an Gerhart Hauptmann, Thomas Mann, Klaus Mann, Gustaf Gründgens, Emil Jannings und Stefan Zweig*, herausgegeben und mit einem Vorwort von Dirk Heißerer, München 2005.

Faksimile 1931
Ein Brief von Wolfgang Amadeus Mozart an sein Augsburger Bäsle (zum erstenmal ungekürzt veröffentlicht und wiedergegeben für Stefan Zweig in Salzburg, 1931), [Privatdruck von 50 Exemplaren], Wien 1931.

Fitzbauer 1959
Stefan Zweig – Spiegelungen einer schöpferischen Persönlichkeit, herausgegeben von Erich Fitzbauer, Wien 1959.

Fleischer 1959
Victor Fleischer: *Erinnerung an Stefan Zweig*. In: Fitzbauer 1959, S. 36 ff.

Flower 1991
Desmond Flower: *Fellows in Foolscap, Memoirs of a Publisher*, London 1991.

Fontana 1968
Oskar Maurus Fontana: *Stefan Zweig und die Jungen*. In: Arens 1968, S. 72 ff.

Frank 1959
Rudolf Frank: *Stefan Zweig in Mainz*. In: *Das neue Mainz*, Heft 12, Dezember 1959.

Geiger 1958 a
Benno Geiger: *Sämtliche Gedichte in drei Bänden,* dritter Band: Legenden, Hymnen, Zeit- und Streitgedichte, Padua 1958.

Geiger 1958b
Benno Geiger: *Memorie di un Veneziano*, Firenze 1958.

Gerngroß 1940
H. O. Gerngroß: *Gespräch mit Stephan Zweig. Drei Leben.* In: *Aufbau*, 19. Juli 1940.

Gregor 1931
Joseph Gregor: *An Stefan Zweig – Eine Aussprache über Wertungen und Ziele, zum 28. November 1931.* In: *Das Inselschiff*, 13. Jg., Heft 1, Weihnachten 1931, S. 1 ff.

Hamburgischer Correspondent 1927
Stefan Zweig über Tolstoi. In: *Hamburgischer Correspondent*, 13. November 1927.

Hannoverscher Anzeiger 1929
Dichterabend: Stephan Zweig. In: *Hannoverscher Anzeiger*, 23. März 1929.

Heilbut 1942
Ivan Heilbut: *Meine Wanderungen – Gedichte*, New York 1942.

Hesse 1904
Hermann Hesse: *Stefan Zweig: Die Liebe der Erika Ewald.* In: *Das literarische Echo*, 15. November 1904, Kolumne 291 f.

Hinterberger IX
Heinrich Hinterberger: *Katalog IX, Original-Manuskripte deutscher Dichter und Denker. Musikalische Meister-Handschriften deutscher und ausländischer Komponisten. Eine berühmte Sammlung repräsentativer Handschriften, 1. Teil*, Wien o. J. [1936].

Hinterberger XIX
Heinrich Hinterberger: *Katalog XIX, Interessante alte Bücher*, Wien o. J. [1937].

Hinterberger 1939
Heinrich Hinterberger: *Books and Pamphlets on Neurology, Psychiatry and allied Branches of Science*, Wien o. J. [1939].

Hinterberger 1952
Heinrich Hinterberger: *Begegnung mit Friderike Zweig.* In: *Liber amicorum Friderike Maria Zweig, in honor of her seventieth birthday December fourth, nineteen hundred and fifty-two,* edited by Harry Zohn, Stamford/Connecticut 1952, S. 46.

Holl/Karlhuber/Renoldner 1993
Stefan Zweig. Bilder, Texte, Dokumente, herausgegeben von Hildemar Holl, Peter Karlhuber und Klemens Renoldner, Salzburg und Wien 1993.

Hünich/Rieger 1931
Bibliographie der Werke von Stefan Zweig – Dem Dichter zum 50. Geburtstag, zusammengestellt von Fritz Adolf Hünich und Erwin Rieger, Leipzig 1931.

Jerusalem 1981
Stefan Zweig on the Centenary of His Birth 1881–1981, Ausstellungskatalog, Jerusalem 1981.

Jonas 1981
Klaus W. Jonas: *Stefan Zweig und Thomas Mann – Versuch einer Dokumentation.* In: *Philobiblon,* Jg. XXV, Heft 4, November 1981, S. 248 ff.

Kalbeck 1912
Max Kalbeck: *»Das Haus am Meer«, ein Schauspiel in zwei Teilen von Stephan Zweig.* In: *Neues Wiener Tagblatt,* 27. Oktober 1912, S. 2 ff.

Katia Mann 2002
Katia Mann: *Meine ungeschriebenen Memoiren,* 7. Auflage, Frankfurt am Main 2000.

Kerschbaumer 2003
Gert Kerschbaumer: *Stefan Zweig – Der fliegende Salzburger,* Salzburg, Wien, Frankfurt am Main 2003.

Keun 1968
Irmgard Keun: *Stefan Zweig, der Emigrant.* In: Arens 1968, S. 160 f.

Klaus Mann 2005
Klaus Mann: *Der Wendepunkt. Ein Lebensbericht,* mit einem Nachwort von Frido Mann, 17. Auflage, Reinbek 2005.

Klawiter I
Randolph J. Klawiter: *Stefan Zweig. A Bibliography,* Chapel Hill 1965.

Klawiter II
Randolph J. Klawiter: *Stefan Zweig. An International Bibliography,* Riverside/California 1991.

Klawiter III
Randolph J. Klawiter: *Stefan Zweig. An International Bibliography, Addendum I*, Riverside/California 1999.

Kongreß I
Stefan Zweig — Exil und Suche nach dem Weltfrieden, die Akten des Internationalen Stefan-Zweig-Kongresses, 18.–23. Februar 1992, Schloß Leopoldskron, Salzburg (Studies in Austrian Literature, Culture, and Thought), herausgegeben von Mark H. Gelber und Klaus Zelewitz, Riverside/California 1995.

Kongreß II
Stefan Zweig lebt, Akten des 2. Internationalen Stefan-Zweig-Kongresses in Salzburg 1998, (Stuttgarter Arbeiten zur Germanistik 375 / Salzburger Beiträge 37) herausgegeben von Sigrid Schmid-Bortenschlager und Werner Riemer im Auftrag des Kulturamts der Stadt Salzburg, Stuttgart 1999.

Kongreß III
Stefan Zweig im Zeitgeschehen des 20. Jahrhunderts, Internationaler Stefan-Zweig-Kongreß Dortmund (Übergänge · Grenzfälle 8), herausgegeben von Thomas Eicher, Oberhausen 2003.

Kraus 1986
Karl Kraus: *Die letzten Tage der Menschheit, Tragödie in fünf Akten mit Vorspiel und Epilog,* Frankfurt am Main 1986.

Maass 1968
Joachim Maass: *Die letzte Begegnung*, In: Arens 1968, S. 166 ff.

Maderno 1922
Alfred Maderno: *Stefan Zweig*. In: *Rheinische Thalia*, 1. Jg., Heft 44/45, 2. Juli 1922, S. 863 ff.

Mahler 1971
Alma Mahler: *Erinnerungen an Gustav Mahler*, Frankfurt am Main und Berlin 1971.

Matuschek 2005 a
Oliver Matuschek: *Der Verkauf der Sammlungen Stefan Zweig und Sigmund Freud.* In: *Jüdischer Buchbesitz als Raubgut*, herausgegeben von Regine Dehnel (*Zeit-*

schrift für Bibliothekswesen und Bibliographie, Sonderheft 88), Frankfurt am Main 2005, S. 52ff.

Matuschek 2005b
»Ich kenne den Zauber der Schrift« – Katalog und Geschichte der Autographensamm-lung Stefan Zweig, bearbeitet von Oliver Matuschek (Antiquariat Inlibris, Katalog 15), Wien 2005.

Mitteilungen 1918
Mitteilungen des Zürcher Stadttheaters, 3. Jg., Nr. 156, 25. Februar 1918.

München 1993
Die Zeit gibt die Bilder, ich spreche nur die Worte dazu. Stefan Zweig 1881–1942, Ausstellungskatalog der Münchner Stadtbibliothek, herausgegeben von Sabine Kinder und Ellen Presser, München 1993.

Nadav 1982
Mordekhai Nadav: *Stefan Zweigs Übersendung seiner Privatkorrespondenz an die Jewish National and University Library.* In: *Bulletin des Leo-Baeck-Instituts*, Nr. 63, Frankfurt am Main 1982, S. 66ff.

Prater 1981
Donald A. Prater: *Stefan Zweig. Das Leben eines Ungeduldigen*, München und Wien 1981.

Prater/Michels 1981
Stefan Zweig – Leben und Werk im Bild, herausgegeben von Donald Prater und Volker Michels, Frankfurt am Main 1981.

Relgis 1981
Eugen Relgis: *Ein Nachmittag mit Stefan Zweig.* In: *Zirkular,* Sondernummer 2, Oktober 1981, S. 57ff.

Rieger 1928
Erwin Rieger: *Stefan Zweig. Der Mann und das Werk*, Berlin 1928.

Rio de Janeiro 1992
Stefan Zweig no país do futuro, Catálogo da exposição comemorativa dos cinqüenta anos da morte do escritor, Fundação Biblioteca Nacional/Ministério da Cultura, Rio de Janeiro 1992.

Röder 1932
Die Nachkommen von Moses (Josef) Zweig, eine Nachfahrenliste, bearbeitet von Julius Röder, Olmütz 1932.

Roth Briefe
Joseph Roth: *Briefe 1911–1939,* herausgegeben und eingeleitet von Hermann Kesten, Köln und Berlin 1988.

Safran 1993
Franciska Safran: *Inventory of the Stefan Zweig Collection in Reed Library,* Fredonia/ NewYork 1993.

Salzburg 1961
Stefan Zweig 1881–1942, Ausstellungskatalog, herausgegeben von Erich Fitzbauer, Salzburg 1961.

Salzer 1934
Egon Michael Salzer: *Plauderei mit Stephan Zweig.* In: *Neues Wiener Journal,* 19. August 1934.

Schaukal 1930
Richard Schaukal: *Krönung Stefans des Großen – Deutsche Prosa auf Zeithöhe.* In: *Deutsches Volkstum,* Februar 1930, S. 113 ff.

Schaukal 1931
Richard Schaukal: *Der Fall Stefan Zweig – Ein Beitrag zur Geschichte der Dummheit.* In: *Deutschlands Erneuerung,* VII/ 1931, S. 430 ff.

Schaukal 1933
Richard Schaukal: Drei unbetitelte Beiträge über Stefan Zweig unter der Rubrik *Unsere Meinung.* In: *Die neue Literatur,* Heft 1, Januar 1933, S. 50 ff.

Schnitzler 1990
Arthur Schnitzler: *Tagebuch 1903–1908,* vorgelegt vonWernerWelzig,Wien 1990.

Schwamborn 2003
Die letzte Partie. Stefan Zweigs Leben und Werk in Brasilien (1932–1942), herausgegeben von Ingrid Schwamborn, Bielefeld 2003.

Strauss 1901
Rudolph Strauss: Buchbesprechung *Silberne Saiten*. In: *Neue Freie Presse*, 24. April 1901.

Tielo 1901
A. K. T. Tielo: Buchbesprechung *Silberne Saiten*. In: *Magazin für Litteratur*, 21. September 1901.

TM Tagebücher 1918–1921
Thomas Mann: *Tagebücher 1918–1921*, herausgegeben von Peter de Mendelssohn, Frankfurt am Main 1979.

TM Tagebücher 1935–1936
Thomas Mann: *Tagebücher 1935–1936*, herausgegeben von Peter de Mendelssohn, Frankfurt am Main 1978.

Trebitsch 1951
Siegfried Trebitsch: *Chronik eines Lebens*, Zürich, Stuttgart, Wien 1951.

Tucholsky 1967
Kurt Tucholsky: *Gesammelte Werke*, Band III: 1929–1932, herausgegeben von Mary Gerold-Tucholsky und Fritz J. Raddatz, Reinbek bei Hamburg 1967.

Völkischer Beobachter 1932
Stefan Zweig. In: *Völkischer Beobachter*, Erstes Beiblatt, 28. Januar 1932.

Volkswille 1929
Stephan Zweig zu kleinen Preisen. In: *Volkswille*, Hannover, 23. März 1929.

Weinzierl 1992
Stefan Zweig – Triumph und Tragik, Aufsätze, Tagebuchnotizen, Briefe, herausgegeben von Ulrich Weinzierl, Frankfurt am Main 1992.

Weiß 1929
Ernst Weiß: *Ein Buch über Napoleons Polizeiminister – Stefan Zweig: Joseph Fouché*. In: *Berliner Börsen-Courier,* 15. September 1929.

Werner 1901
Richard M. Werner: Buchbesprechung *Silberne Saiten*. In: *Das litterarische Echo. Halbmonatsschrift für Litteraturfreunde*, Nr. 13, April 1901, Kolumne 937.

Wiesbadener Fremdenblatt 1926
Stefan Zweig in der Literarischen Gesellschaft in Wiesbaden. In: *Wiesbadener Fremdenblatt*, 28.[?] November 1926.

Winternitz 1919
Friderike Maria Winternitz: *Vögelchen*, Berlin und Wien 1919.

Wittkowski 1960
Victor Wittkowski: *Ewige Erinnerung*, Rom 1960.

Zuckmayer 2006
Carl Zuckmayer: *Als wär's ein Stück von mir. Horen der Freundschaft*, Frankfurt am Main 2006.

Zweig F 1947
Friderike Maria Zweig: *Stefan Zweig, wie ich ihn erlebte*, Stockholm, Zürich, London, New York, 1947.

Zweig F 1959
Friderike M. Zweig: *Aus der Werkstatt eines Sammlers*. In: *Stuttgarter Zeitung*, 23. Mai 1959, S. 50.

Zweig F 1961
Friderike M. Zweig: *Stefan Zweig – Eine Bildbiographie*, München 1961.

Zweig F 1964
Friderike Maria Zweig: *Spiegelungen des Lebens*, Wien, Stuttgart, Zürich 1964.

Zweig 1914
Stefan Zweig: *Autobiographische Skizze*. In: *Das literarische Echo*, 17. Jg., 15. November 1914.

Zweig 1919
Stefan Zweig: *Bureauphobie – Brief an einen Arzt*. In: *Neue Freie Presse*, 6. März 1919.

Zweig 1922
Deutsche Dichterhandschriften – Stefan Zweig: Der Brief einer Unbekannten, Faksimile der Handschrift (mit einer Autobiographie des Dichters), herausgegeben von Hanns Martin Elster, Dresden 1922.

Zweig 1927
Stefan Zweig: *Erstes Erlebnis. Vier Geschichten aus Kinderland*, Leipzig 1927.

Zweig 1931
Stefan Zweig: *Hannover – Stadt der Mitte*. In: *Hannover zu allen Jahreszeiten*, herausgegeben vom Fremdenverkehrs- und Ausstellungsamt der Stadt Hannover und dem Verkehrsverein Hannover e. V., Hannover 1931, S. 2 f.

Zweig 2005
Stefan Zweig: *Die Philosophie des Hippolyte Taine, Dissertation, eingereicht zur Erlangung des philosophischen Doktorates, Wien 1904*, herausgegeben von Holger Naujoks, Reinhardsbrunn 2005.

Zweig Brennendes Geheimnis
Stefan Zweig: *Brennendes Geheimnis*, Insel-Bücherei Nr. 122, Leipzig o. J. [1928].

Zweig GW = Stefan Zweig: Gesammelte Werke in Einzelbänden.

Zweig GW Amokläufer
Stefan Zweig: *Der Amokläufer*. Erzählungen, herausgegeben und mit einer Nachbemerkung versehen von Knut Beck, Frankfurt am Main 1984.

Zweig GW Balzac
Stefan Zweig: *Balzac*, aus dem Nachlaß herausgegeben und mit einem Nachwort versehen von Richard Friedenthal. Für die Gesammelten Werke durchgesehen und mit einer Nachbemerkung »Stefan Zweigs Weg zu Balzac« versehen von Knut Beck, Frankfurt am Main 1990.

Zweig GW Begegnungen mit Büchern
Stefan Zweig: *Begegnungen mit Büchern*. Aufsätze und Einleitungen aus den Jahren 1902–1939, herausgegeben und mit einer Nachbemerkung versehen von Knut Beck, Frankfurt am Main 1983.

Zweig GW Brasilien
Stefan Zweig: *Brasilien – Ein Land der Zukunft*, herausgegeben und mit einer Nachbemerkung versehen von Knut Beck, Frankfurt am Main 1990.

Zweig GW Brennendes Geheimnis
Stefan Zweig: *Brennendes Geheimnis*. Erzählungen, herausgegeben und mit einer Nachbemerkung versehen von Knut Beck, Frankfurt am Main 1987.

Zweig GW Buchmendel
Stefan Zweig: *Buchmendel*. Erzählungen, herausgegeben und mit einer Nachbemerkung versehen von Knut Beck, Frankfurt am Main 1990.

Zweig GW Castellio
Stefan Zweig: *Castellio gegen Calvin oder Ein Gewissen gegen die Gewalt*, herausgegeben und mit einer Nachbemerkung versehen von Knut Beck, Frankfurt am Main 1987.

Zweig GW Clarissa
Stefan Zweig: *Clarissa*. Ein Romanentwurf, aus dem Nachlaß herausgegeben und bearbeitet von Knut Beck, Frankfurt am Main 1990.

Zweig GW Drei Dichter
Stefan Zweig: *Drei Dichter ihres Lebens, Casanova · Stendhal · Tolstoi*, Frankfurt am Main 1981.

Zweig GW Drei Meister
Stefan Zweig: *Drei Meister: Balzac · Dickens · Dostojewski*, Frankfurt am Main 1981.

Zweig GW Erasmus
Stefan Zweig: *Triumph und Tragik des Erasmus von Rotterdam*, Frankfurt am Main 1981.

Zweig GW Fouché
Stefan Zweig: *Joseph Fouché – Bildnis eines politischen Menschen,* Frankfurt am Main 1981.

Zweig GW Gedichte
Stefan Zweig: *Silberne Saiten*. Gedichte, herausgegeben und mit einer Nachbemerkung versehen von Knut Beck, Frankfurt am Main 1982.

Zweig GW Geheimnis
Stefan Zweig: *Das Geheimnis des künstlerischen Schaffens*. Essays, herausgegeben und mit einer Nachbemerkung versehen von Knut Beck, Frankfurt am Main 1984.

Zweig GW Heilung
Stefan Zweig: *Die Heilung durch den Geist: Mesmer · Mary Baker-Eddy · Freud*, herausgegeben und mit einer Nachbemerkung versehen von Knut Beck, Frankfurt am Main 1982.

Zweig GW Kampf
Stefan Zweig: *Der Kampf mit dem Dämon: Hölderlin · Kleist · Nietzsche*, Frankfurt am Main 1981.

Zweig GW Lamm des Armen
Stefan Zweig: *Das Lamm des Armen*. Dramen, herausgegeben und mit einer Nachbemerkung versehen von Knut Beck, Frankfurt am Main 1984.

Zweig GW Magellan
Stefan Zweig: *Magellan – Der Mann und seine Tat*, herausgegeben und mit einer Nachbemerkung versehen von Knut Beck, Frankfurt am Main 1983.

Zweig GW Maria Stuart
Stefan Zweig: *Maria Stuart*, Frankfurt am Main 1981.

Zweig GW Marie Antoinette
Stefan Zweig: *Marie Antoinette – Bildnis eines mittleren Charakters*, Frankfurt am Main 1981.

Zweig GW Phantastische Nacht
Stefan Zweig: *Phantastische Nacht*. Erzählungen, herausgegeben und mit einer Nachbemerkung versehen von Knut Beck, Frankfurt am Main 1982.

Zweig GW Rahel
Stefan Zweig: *Rahel rechtet mit Gott*. Legenden, herausgegeben und mit einer Nachbemerkung versehen von Knut Beck, Frankfurt am Main 1990.

Zweig GW Rausch der Verwandlung
Stefan Zweig: *Rausch der Verwandlung*. Roman aus dem Nachlaß, herausgegeben und mit einer Nachbemerkung versehen von Knut Beck, Frankfurt am Main 1982.

Zweig GW Reisen
Stefan Zweig: *Auf Reisen*, Feuilletons und Berichte, herausgegeben und mit einer Nachbemerkung versehen von Knut Beck, Frankfurt am Main 1987.

Zweig GW Rhythmen
Stefan Zweig: *Rhythmen*. Nachdichtungen ausgewählter Lyrik von Emile Verhaeren, Charles Baudelaire und Paul Verlaine, herausgegeben und mit einer Nachbemerkung versehen von Knut Beck, Frankfurt am Main 1983.

Zweig GW Rolland
Stefan Zweig: *Romain Rolland,* herausgegeben und mit einer Nachbemerkung versehen von Knut Beck, Frankfurt am Main 1987.

Zweig GW Schlaflose Welt
Stefan Zweig: *Die schlaflose Welt*. Aufsätze und Vorträge aus den Jahren 1909–1941, herausgegeben und mit einer Nachbemerkung versehen von Knut Beck, Frankfurt am Main 1983.

Zweig GW Sternstunden
Stefan Zweig: *Sternstunden der Menschheit*. Zwölf historische Miniaturen, Frankfurt am Main 1981.

Zweig GW Tagebücher
Stefan Zweig: *Tagebücher*, herausgegeben, mit Anmerkungen und einer Nachbemerkung versehen von Knut Beck, Frankfurt am Main 1984.

Zweig GW Tersites · Jeremias
Stefan Zweig: *Tersites · Jeremias.* Zwei Dramen, herausgegeben und mit einer Nachbemerkung versehen von Knut Beck, Frankfurt am Main 1982.

Zweig GW Ungeduld des Herzens
Stefan Zweig: *Ungeduld des Herzens*. Roman, Frankfurt am Main 1981.

Zweig GW Verhaeren
Stefan Zweig: *Emile Verhaeren,* herausgegeben und mit einer Nachbemerkung versehen von Knut Beck, Frankfurt am Main 1984.

Zweig GW Verwirrung der Gefühle
Stefan Zweig: *Verwirrung der Gefühle.* Erzählungen, herausgegeben und mit einer Nachbemerkung versehen von Knut Beck, Frankfurt am Main 1983.

Zweig GW Volpone
Stefan Zweig: *Ben Jonson's »Volpone« und andere Nachdichtungen und Übertragungen für das Theater,* herausgegeben und mit einer Nachbemerkung versehen von Knut Beck, Frankfurt am Main 1987.

Zweig GW Welt von Gestern
Stefan Zweig: *Die Welt von Gestern – Erinnerungen eines Europäers*, Frankfurt am Main 1981.

Zweig GW Zeiten und Schicksale
Stefan Zweig: *Zeiten und Schicksale.* Aufsätze und Vorträge aus den Jahren 1902–1942, herausgegeben und mit einer Nachbemerkung versehen von Knut Beck, Frankfurt am Main 1990.

Abbildungsnachweis

Namenregister

Dank

Allen Freunden und Kollegen, die dieses Buch in den vergangenen Jahren in seiner Entstehung begleitet und mir auf vielfältige Weise zur Seite gestanden haben, möchte ich an dieser Stelle meinen herzlichen Dank aussprechen. Nicht nur aufgrund der alphabetischen Auflistung steht Knut Beck (Eppstein) dabei an erster Stelle – ihm bin ich für die Anregung des Projektes und für die stetige Ermutigung ganz besonders dankbar. Mit Hinweisen, Korrekturen, Übersetzungen und tatkräftiger Unterstützung halfen auf vielerlei Art: Andreas Beyer (San Diego), Matthias Brandes (Hannover), Marianne Da Ros (Wien), Sonja Dobbins (London), Jack Ericson (Fredonia), Erich Fitzbauer (Eichgraben), Nina und Christopher Frey (Wien), Maria das Graças Gonçalves da Silva (Rio de Janeiro), Dirk Heißerer (München), Frank Hieronymus (Basel), Julia Freifrau Hiller von Gaertringen (Detmold), Sonja Hochfeld (Wolfenbüttel), Thomas Hoeller (München), Hildemar Holl (Salzburg), Peter Karlhuber (Wien), Doris und Gert Kerschbaumer (Salzburg), Randolph J. Klawiter (South Bend), Wolfgang Kloft (Frankfurt am Main), Edgar Lein (Braunschweig), Jeremy Linden (Fredonia), David H. Lowenherz (New York), Elisabeth Macheret-van-Daele (Cologny-Genève), Véronique Mattiussi (Paris), Volker Michels (Frankfurt am Main), Gerda Morrissey (Fredonia), Holger Naujoks (Bonn), Lindi Preuss (Zürich), Tobias Rauber (Zürich), Konrad Reitbauer (München), Michèle Schilling (Spiez), Arthur Searle (London), Rainer-Joachim Siegel (Leipzig), Julie Snelling

(Reading), Timo Stülten (Braunschweig), Wolfgang Tschiedel (Wien), Klaus Zelewitz (Salzburg) sowie die Erben Stefan Zweigs (London).

Im Verlag wurden Autor und Manuskript von Eva Köster und Peter Sillem (Frankfurt am Main) mit großem Entgegenkommen und viel Geduld betreut, auch ihnen sei für alle Mühen herzlich gedankt.

Oliver Matuschek   Wolfenbüttel, im August 2006

Stefan Zweig
Gesammelte Werke in Einzelbänden

Herausgegeben von Knut Beck

S. Fischer

fi 555 016 / 3 / a

Stefan Zweig
Maria Stuart
408 Seiten. Gebunden

»Wie war das eigentlich mit Maria Stuart? War sie wirklich
am Mord ihres zweiten Gatten beteiligt, war sie es nicht?«
Der Fall begann Stefan Zweig zu interessieren, als er im
Britischen Museum zu London einen handschriftlichen
Bericht über ihre Hinrichtung las. »Ich fragte nach einem
wirklich verläßlichen Buch. Niemand konnte mir eines
nennen, und so suchend und mich erkundigend geriet ich
unwillkürlich hinein ins Vergleichen und hatte, ohne es
recht zu wissen, ein Buch über Maria Stuart begonnen …«
So entstand diese bewundernswert intuitive und zugleich
doch weitgehend objektive romanhafte Biographie.

S. Fischer

fi 1-097041 / 2

Stefan Zweig
Briefe 1897 – 1914
Herausgegeben von Knut Beck,
Jeffrey B. Berlin und Natascha Weschenbach-Feggeler
589 Seiten. Leinen

Stefan Zweig gehört neben Thomas Mann zu den kontinuier-
lichsten Briefeschreibern der deutschsprachigen Literatur der
Moderne. Um seine »Kunst des Briefes« zu zeigen, hat sein
Freund und Nachlaßverwalter Richard Friedenthal 1978 eine
Anthologie der Briefe an Freunde herausgegeben. Stefan
Zweig empfand es als ein Glück, einem Freund »von engeren
Dingen, vom Persönlichen, von dem was uns bewegt und
innerlich beschäftigt«, zu berichten. Vor allem Briefe ohne
Verpflichtung zu schreiben, gab ihm das Bewußtsein, als
Individuum sich einzubringen in eine Gemeinschaft, im
Vertrauen geborgen zu sein, sich unverstellt geben zu kön-
nen, seine Eigenheit offenlegen zu dürfen. Deshalb übermit-
teln sie, an einen Partner gerichtet, in manchem detaillierter
als ein Tagebucheintrag Wesentliches von seinem durchaus
nicht immer konstanten Denken und Handeln. Diese auf vier
Bände geplante Editon einer breiteren Auswahl aus seinen
Briefen will die Entwicklung seiner Individualität und seines
künstlerischen Schaffens vom frühesten erhaltenen Schreiben
an dokumentieren.

S. Fischer

fi 1-097088 / 1

Stefan Zweig
Briefe 1914 – 1919
Herausgegeben von Knut Beck,
Jeffrey B. Berlin und Natascha Weschenbach-Feggeler
665 Seiten. Leinen

Der zweite Band dieser Auswahlausgabe von Briefen Stefan
Zweigs setzt mit August 1914, dem Ausbruch des Ersten Weltkriegs, ein und endet im Dezember 1919. Der Schwerpunkt
des zweiten Bandes liegt, dem Zeitraum entsprechend, auf
seiner politischen Einstellung und Haltung. Stefan Zweig
läßt sich – trotz gelegentlicher kritischer, skeptischer Äußerungen in Briefen an Freunde – vom Rausch des Patriotismus
hinreißen, bis Ende 1915 »jeder das Endlose dieses Krieges«
und dessen »Sinnlosigkeit« spürt. Danach setzt er sich, stärker als noch bisher, in Briefen an Romain Rolland für eine
europäische Verständigung nach dem Ende des Krieges ein.
Dessen ungeachtet nimmt er zur gleichen Zeit seinen Auftrag
als Freiwilliger im k. u. k. Kriegsarchiv in Wien äußerst ernst
– Zweig war bei allen Musterungen immer wieder als kriegs-
untauglich eingestuft worden –, wohl nicht zuletzt aus
Sorge, dennoch an die Front abkommandiert zu werden.
Seine wichtigsten Werke, die in diesen Jahren entstehen, sind
das gegen den Krieg gerichtete Drama »Jeremias« und der
»Dostojewski«-Essay.

S. Fischer

fi 1-097089 / 1

Stefan Zweig
Briefe 1920 – 1931
Herausgegeben von Knut Beck und Jeffrey B. Berlin
696 Seiten. Leinen

Dieser Band beginnt mit der Eheschließung Stefan Zweigs.
Die frühen Jahre der Weimarer Republik mit den politisch
motivierten Morden an Matthias Erzberger und an Walther
Rathenau, erschüttern ihn sehr, innerlich distanziert er sich
mehr und mehr. Dieses Jahrzehnt bringt ihm die große Reise
nach Rußland – Anlaß ist Tolstois 100. Geburtstag – und damit verbunden die Begegnung und Freundschaft mit Maxim
Gorki. Doch Stefan Zweig hat auch Phasen tiefer Depression
und große menschliche Verluste zu verkraften: den Tod des
bewunderten Rainer Maria Rilke und den des im Werk nicht
minder geschätzten Hugo von Hofmannsthal. Der Band endet 1931 mit dem Brief an Richard Strauss, in dem er den Plan
des Librettos zur komischen Oper »Die schweigsame Frau«
entwickelt, die 1935 in Dresden uraufgeführt wird.

S. Fischer

fi 1-097090 / 1

Stefan Zweig
Briefe 1932 – 1942
Herausgegeben von Knut Beck und Jeffrey B. Berlin
815 Seiten. Leinen

Der abschließende vierte Band der Ausgabe versammelt
Briefe aus Zweigs letzten zehn Lebensjahren. Nicht nur die
politischen Verhältnisse verdüstern sich. Seine Bücher werden verbrannt, sein Haus in Salzburg wird ihm verleidet.
Trennungen, Scheidungen, Entfremdungen: von Romain
Rolland, dem langjährigen Adressaten vieler Briefe, von
seiner Ehefrau Friderike, die gleichwohl weiter zu seinen
wichtigsten Vertrauten gehört – neben Korrespondenzpartnern wie Felix Braun und Ben Huebsch. Neue Wohnung in England, neue Ehe. Freunde sterben: Toller, Roth,
Herrmann-Neiße. Den überlebenden versucht er zu helfen,
bis an die Grenze der Erschöpfung. Vortragsreisen, Übersiedlung nach New York, später nach Brasilien. Dort das
Ende.
Dennoch entstehen in diesen Jahren Werke wie die Biographien »Marie Antoinette« und »Maria Stuart«, das Libretto
zu »Die schweigsame Frau«, der Roman »Ungeduld des
Herzens« und schließlich, im letzten Jahr, die »Schachnovelle« und der Abgesang auf eine europäische Epoche:
seine Erinnerungen »Die Welt von Gestern«.

S. Fischer

fi 1-097093 / 1

Peter Gay
Freud
Eine Biographie für unsere Zeit
Band 12913

Der amerikanische Kulturhistoriker Peter Gay hat eine Lebens- und Werkbeschreibung des Psychoanalyse-Begründers Sigmund Freud geschrieben, die durch Stoff- und Gedankenfülle, durch stilistische Brillanz und kunstvollen Aufbau besticht. Das monumentale Werk kann zugleich als Einführung in Freuds Lehre dienen. Nie zuvor ist die Entstehung der Psychoanalyse so stringent mit dem Leben ihres Begründers und den historischen und geistesgeschichtlichen Bedingungen in Beziehung gesetzt worden.

»Peter Gay ist ohne Zweifel der bestinformierte Freud-Biograph nach Ernest Jones.«
FAZ

»Wer sich heute über Leben und Werk von Sigmund Freud informieren will, findet in Gays glänzend geschriebenen Monumentalwerk einen kompetenten Führer.«
DIE WELT

Fischer Taschenbuch Verlag

fi 12913 / 1